„Nehmt meinen Dank"

„Il grazie mio gradir vogliate"

K. V. 383

Komponiert für seine Schwägerin Aloysia Lange - Weber am 10. April 1782

Composto per sua cognata Aloysia Lange - Weber, il 10 aprile 1782

Gesungen von Maria Stader auf „His master's voice" No. D. B. 10147

Cantato da Maria Stader e registrato su disco „La voce del padrone" No. D. B. 10147

Män - ner, ich, nur ein Weib, ich, nur ein Weib, ver-mag es nicht. Doch
ta - te, ma sen-to, ahi - mè, ma sen-to, ahi mè, che dir nol so. Chi
Ob.
Ped.
glaubt, doch glaubt, ich werd' in mei-nem Le - ben, glaubt, ich_werd' in mei-nem
mai, chi mai po-treb-be in vi-ta mi - a, chi po - treb-be in vi-ta
Fag.
Ob.
Fl.
Le - ben nie-mals ver-ges-sen eu - - - re Huld:
mi - a tan-ta bon-ta-de far scor - dar?
blieb' ich, blieb' ich, so wä-re mein Be-stre-ben, sie zu ver-die-nen;
S'i - o . . . s'i - o re-stas-si, sì, vor-ri - a ben me-ri - tar - la;
Ob., Fag.
cresc.
Ob., Fl.

»Nehmt meinen Dank ...« Nach einem Konzert in der Goldsmith Hall in London.

Maria Stader 1970

Maria Stader

Nehmt meinen Dank

Rechte Seite:
Büste Maria Staders von Ellen Weyl

Übernächste Seite:
Porträt Maria Staders von Hans Erni

Maria Stader

NEHMT MEINEN DANK

Erinnerungen

Nacherzählt von Robert D. Abraham

verlegt bei Kindler

2. Auflage

Redaktion: Werner Heilmann und Annalisa Viviani
Repertoire und Schallplattenverzeichnis: Hans E. Greiner
Korrekturen: Manfred Flach
Umschlaggestaltung: Dieter Vollendorf
Satz: VerlagsSatz Kort GmbH, München
Druck und Verarbeitung: Ebner Ulm
Printed in Germany

ISBN 3-463-00744-4

Für Anna und Julius Stader,
Romanshorn,
denen ich vor allen andern
für das, was ich geworden bin,
zu danken habe.

Maria Stader

Alleluja

aus der Motette „Exsultate, jubilate"
dal mottetto „Exsultate, jubilate"

K.V. 165

Komponiert im Januar 1773
Composto nel gennaio del 1773

Gesungen von Maria Stader auf „His master's voice" No. D.B. 10111 und „Deutsche Grammophon Gesellschaft" No. 72473 B
Cantato da Maria Stader e registrato su disco „La voce del padrone" No. D.B. 10111 e „Deutsche Grammophon Gesellschaft" No. 72473 B

I

Heute

Kapitel 1

Flug nach Berlin

»Achtung bitte, your attention please...« Eine Durchsage: Das Flugzeug aus New York hat Verspätung. – Betrifft *mich* nicht. *Ich* fliege nach Berlin. Mit meiner Freundin Silvia, die sich am Kiosk mit Lektüre eindeckt und jeden Augenblick zurückkommen muß. Unser Zürcher Flughafen Kloten hat sich schon wieder verändert. Wie oft stand ich hier zwischen meinen Kleider- und Notenkoffern! Als ich das erste Mal flog, gab es noch kein Kloten. Da mußte ich auf dem alten Flugplatz Dübendorf einsteigen, und die ganze Familie kam mit, um zu winken. Von 1949 bis 1969 war ich fast ständig im Flugzeug unterwegs, da war Kloten jedesmal der Ausgangspunkt.

»Achtung bitte, Frau Deborah Mannes, Transitpassagier nach Athen, wird gebeten, sich bei der Information zu melden.«

Mannes? Heißt die Dame Mannes? Duplizität der Ereignisse: Flugzeug aus New York, Frau Mannes nach Athen. – New York, Mannes. 1. Februar 1954. Mein erster Liederabend in New York. Town Hall. Am Flügel: Leopold Mannes, Mäzen des »Mannes College of Music«. Wir hatten uns zwei Jahre zuvor in Prades kennengelernt, beim Casals-Festival. Ein hervorragender Musiker, dieser Leopold Mannes. Wir gaben Schumanns »Frauenliebe und -leben«. Nachher bestürmten mich Isaac Stern, Jennie Tourel, Sascha Schneider, Thea Dispeker, die Sekretärin des Festivals: »Sie müssen nach Amerika kommen. Amerika muß Sie hören.« Wie einst Therese Schnabel, 1938. Aber ein Jahr später brach der Krieg aus.

Über eine Million Kilometer habe ich zurückgelegt. Fünfunddreißig Jahre lang habe ich öffentlich gesungen.

»Achtung bitte...« Schon wieder eine Durchsage. Ein Herr aus Hannover wird gebeten, sich beim Transferschalter zu melden. Den Namen des Herrn habe ich nicht verstanden, aber: »aus Hannover«. – Hannover mit seiner Schloßanlage von Herrenhausen. Ich grüße dich. Und auch dich, Kaisersaal in Würzburg, Königsburg in Krefeld, Rheinhalle in Düsseldorf, Gürzenich in Köln, Titania-Palast in Berlin,

Museumssäle in Frankfurt und in München; überhaupt, meine Gedanken fliegen mit euch, ihr Flugzeuge, in alle Welt: zur Salle Pleyel und Salle Gaveau, zum Palais de Chaillot und Théâtre des Champs-Elysées in Paris, zum Konzerthaus und Musikvereinssaal in Wien, zur Royal Festival Hall in London, zur Usher Hall in Edinburgh, zur Beethovenhalle in Bonn, zur Liederhalle in Stuttgart und zur Musikhalle in Hamburg, zum Concertgebouw nach Amsterdam und zum Elkerlijk-Zaal in Antwerpen, nach New York in die Lincoln Center Philharmonic Hall, in die Academy of Music nach Philadelphia, in die Orchestra Hall Chicago, in die Severance Hall in Cleveland, nach Boston, Kansas, Denver und Detroit, nach Cincinnati und Minneapolis, nach Oakland, Los Angeles, San Francisco und in die Queen Elizabeth Hall von Vancouver, über den Pazifik nach Japan ...

»Achtung bitte, Herr van der Tak aus Groningen wird gebeten ...«

Groningen? Ach, Herr van der Tak, in Ihrer Heimat hab ich auch schon gesungen. Und in Deventer, Scheveningen, Arnhem und Utrecht. Und über der Grenze in Bremen, Kiel, Aachen, Essen, Bochum, Mannheim und Mainz, in Wiesbaden, Euskirchen und Gelsenkirchen, in Gütersloh, Esslingen, Trosslingen und Ambach. Und über dem Rhein in Mühlhausen und Nantes, Grenoble und Metz, Le Havre und ...

»Achtung bitte, Monsieur Henri Laplace aus Straßburg wird gebeten ...«

Straßburg ... wie heißt nur die Kirche? Saint-Guillaume ... Sie hat auch meine Allelujas vernommen. Und Sankt Michaelis in Hamburg, Sankt Katherinen in Frankfurt, Sankt Stephan in Würzburg, Heilige in Einsiedeln und Ottobeuren, in Basilikas und Kapellen, Domen und holzbedachten Landkirchlein ...

»Grüezi, Frau Stader.«

»Ach, Fräulein ...«

»Gasparini, aber jetzt bin ich Frau Schrag.«

»Gratuliere. Wie geht es Ihnen? Wir sind oft miteinander geflogen.«

»Ja, freilich. Aber ich fliege nicht mehr. Ich bin jetzt als Stewardeß-Ausbilderin tätig. Und Sie? Sie sind immer unterwegs?«

»Nicht mehr wie früher. Siebzehn Festivals in einem Sommer – das hab ich hinter mir.«

»Ja, ich weiß noch, wie Sie mir einmal auf dem Rückflug von New

York sagten: ›Ich bin total ausgepumpt. Bitte nur eins, lassen Sie mich schlafen.‹«

»Genau so ist es gewesen.«

»Und damals, als Sie mit dreißig Hüten von Macy's in Kloten ankamen.«

»Von Bloomingdale's! Zu zwei Dollar fünfzig das Stück. Und elegant waren sie obendrein. Hüte waren schon immer meine Schwäche.«

»Und wie die Zöllner grinsten! Aber, Frau Stader, ich muß mich verabschieden, ich habe mich sehr gefreut, Sie zu sehen. Guten Flug!«

Von weitem sehe ich Silvia kommen. Miteinander gehen wir zum Schalter: »Flug nach Berlin.«

*

In unserer Boeing vibriert es wie in einem Baßgeigenkasten. Die Maschine setzt zum Anstieg an und stößt in die Wolkenwand. Silvia deutet auf die Leuchtschrift: »Maria, schnall dich wieder an!«

Ich gehorche.

»Ein Pilot hat mir mal gesagt«, fährt Silvia fort, »›wenn der Druck in der Magengegend beginnt, Frau Fricsay, wenn Sie die gewissen Vorahnungen haben, denken Sie einfach an uns, wie relaxed wir vorn im Cockpit sind.‹ Als erstes muß man also relaxen.«

»*Ich* bin durchaus relaxed.«

»Und dann hat er behauptet, man solle sich nichts vormachen. Die wenigsten gäben es zu, aber alle Passagiere hätten Angst. Das gehöre dazu, sei ›part of the fun‹«.

»*Ich* habe keine Angst.«

»Hab ich auch gar nicht behauptet, Maria. Es ist mir nur aufgefallen, wie auf einmal alle still geworden sind in der Maschine . . . Du liebe Zeit, das Flugzeug benimmt sich ja wie ein Schaukelpferd!«

»Wie über dem Kanal. Das war mein schlimmster Flug.«

»Über dem Kanal? Das erinnert mich an eine Geschichte mit dem RIAS-Orchester. Es war in den fünfziger Jahren, als es anfing mit Ferrys Karriere. Plakate überall in London. Riesenplakate vor der Albert Hall. ›Fricsay und das RIAS-Orchester, Berlin.‹ Ferry und ich, wir flogen voraus, um uns die Albert Hall anzusehen. Kennst du sie? Eine viktorianische Musik- und Sportarena. Hast du mal dort gesungen?«

»Nie. Ich war immer in der Royal Festival Hall. Die hat eine wunderbare Akustik.«

»Also in der Albert Hall ist die Akustik auch *fabelhaft.* Furtwängler hat gesagt, man höre die Geigensoli bis in den siebten Rang, das Meistersinger-Vorspiel hingegen klänge wie aus einem Sack. Man hatte uns auch erzählt, es gäbe dort Plätze, wo man die Musik zweidimensional höre: einmal vor und einmal nach dem Echo.«

»Und was ist mit dem Kanal?«

»Das war so. Als wir ankamen, stellte sich heraus, daß der Zeitplan umgestellt worden war. Ich weiß nicht mehr wieso. Auf jeden Fall mußte das Orchester unmittelbar nach der Ankunft zur Probe in der Albert Hall erscheinen. Das Orchester war mit dem Schiff gekommen. Ferry delegierte mich an die Victoria Station, um die Herren abzuholen und zu informieren. Sie waren ziemlich mitgenommen. Der Kanal hatte ihnen übel zugesetzt. Eine miese Überfahrt. Sie hörten sich meine Nachricht im Halbkreis an, gingen rasch ins Hotel und – was blieb ihnen anderes übrig – saßen zwei Stunden später im Orchestergraben, sahen zum Chef hinauf. Der Ferry – du weißt ja – schwingt sich leicht federnd aufs Podest, stürzt sich energiegeladen ins Geschehen.«

»Ich hör ihn: ›Mozart bitte. Fünfter Takt vor B wie Berta. Wollen Sie so nett sein, meine Herren.‹«

»Ja, so etwa. ›Mal Streicher allein. Mal sehen, wie wir in der Albert Hall klingen.‹ Nun, es klang wie Haferbrei.«

»Ist er böse geworden?«

»Überhaupt nicht. Der Konzertmeister entschuldigt die Kollegen: die gräßliche Überfahrt, die Nachwirkung der vielen Tabletten, die Hetze . . .« Ferry fixiert seine Mannen, schmunzelt – weißt ja, wie er schmunzeln konnte – bemerkt halblaut, jedes Wort genüßlich artikulierend: ›Und Ihnen sollte die Invasion in England gelingen!‹«

»O Ferry! Das ist typisch Ferry!«

Heute wird nicht nach London geflogen. Die Boeing bringt Silvia und mich von Zürich nach Berlin. Auf direktem Wege. Nachdem wir jahrelang in Frankfurt umsteigen mußten, haben wir zufällig von diesem Direktflug der Pan Am gehört. In Zürich wird man ihn vergebens im Swissair-Flugplan suchen. Eine geduldige Stewardeß hat uns erklärt, daß die Pan Am eben nicht im Swissair-Pool fliege. Im Pool? Ja, das heißt, die Pan Am ist in Zürich eine Art Kuckuck, der Eier in fremde Nester legt. Darüber schweigt sich, wie gesagt, der Fahrplan aus. Wir haben es zum Glück erfahren und uns dem Kuckuck anvertraut. Jetzt fliegen wir mit achthundertfünfzig Stundenkilometern gen Nordosten.

In Berlin findet ein Gedenkkonzert für Ferenc Fricsay statt. Deswegen fliegen wir dorthin. Vor fünfzehn Jahren ist Fricsay gestorben. Am 20. Februar 1963. Nach elf Operationen innerhalb von vierzehn Monaten, einer grauenvollen Leidenszeit.

Konzertsängerinnen arbeiten mit vielen Orchestern zusammen. Und wer wie ich fünfunddreißig Jahre lang im Beruf war, hatte es mit vielen Dirigenten zu tun. Eine Namenliste habe ich nicht erstellt, es werden ungefähr hundertfünfzig gewesen sein, vielleicht mehr, Anfänger, Routiniers, Karrieristen, solide Musiker mit und ohne Temperament, sehr gute Musiker, die Stufenleiter hinauf bis zu den Begnadeten. Zu den Begnadeten gehörten Bruno Walter, Carl Schuricht, Ferenc Fricsay. Von diesen dreien stand mir Ferenc Fricsay am nächsten. Keiner hat uns Sänger so verstanden wie er, wie Ferry. Einmal wollte ich Ferry schreiben, ein paar Zeilen für ihn im Postfach beim Hotelportier hinterlegen. »Du«, fragte ich seine Frau Silvia, »wie schreibt man eigentlich Ferry? Mit einem oder zwei r? Mit i oder y?« Silvia besann sich eine Weile. Dann antwortete sie: »Ich weiß es nicht. Weißt du, wir sind ja immer beisammen. Wir haben einander nie zu schreiben.«

Die Boeing hat sich beruhigt. Man kann sich wieder losschnallen. Ich greife nach Silvias Zeitung.

Nicht viel Heiteres. Zwei Lawinentote im Wallis. Schneemassen erdrücken halb Europa. Blutiger Terroranschlag in Belfast. Kinder unter den Opfern. Im Deutschen Bundestag wurden am Donnerstag die Anti-Terror-Gesetze nach neunstündiger Redeschlacht verabschiedet; mit 245 zu 244 Stimmen der Opposition kam die Regierungskoalition gerade noch davon. Vier Abgeordnete der deutschen Sozialdemokraten stimmten gegen ihre eigene Fraktion, unter ihnen der Schriftsteller Dieter Lattmann, der sich als Vertreter einer Minderheit sieht, die »nach Hunderttausenden« zählt. Ich stecke die betreffende Seite in meine Handtasche, für Walther. Ihn dürfte das interessieren.

»Gibt's was Neues, Maria?«

»Nicht viel. Das Übliche.«

»Du vivisezierst ja die Zeitung.«

»Eine politische Sache. Für Walther Bringolf.«

Die Maschine fliegt ruhig. Sonnenstrahlen fluten zum Fenster herein. Gleißendes Licht. Überirdisch. Hier oben denkt man unwillkürlich an den Tod, hier über den Wolken, in der räumlichen Unendlichkeit. Schaust du Silvia und mir zu, Ferry? Bist du nahe? Schön ist es, gemeinsam mit Silvia nach Berlin zu fliegen. Dir zu Ehren. Jung mußtest du gehen, mit achtundvierzig Jahren. Dein Lebensziel war, solange ich dich kannte: Schönheit, Vollkommenheit. Damals, als ich dich zum letzten Mal in der Klinik sah, hab ich es mir gesagt. Ich sag es mir heute noch: Deine Sehnsucht nach der letzten Vollkommenheit war zu groß, als daß du länger bei uns bleiben konntest. Für dich gab es keinen andern Weg mehr als jenen, der durch die letzte Pforte hindurch führt.

Genug. Auch über den Wolken gibt es Kräfte, die einen »auf die Erde« zurückholen. Jenseits des Mittelganges regt man sich. Stimmen werden laut. Ein Zürcher und ein Berliner diskutieren, was schwerer zu erlernen ist: »Züridüütsch« für einen Berliner oder berlinern für einen Zürcher. Sie können sich nicht einigen, auch nicht über das nächste Thema: die Dollarpleite. »So schnell wie der Dollar sinkt keine Boeing. Passen Sie auf, wenn Washington sich nicht regt, gibt's noch mal 'ne Bruchlandung.«

Ein Blick auf die Uhr. In vierzig Minuten sollen wir in Berlin sein.

Ich denke an meinen ersten Besuch in Berlin

Im Januar 1940 war ich das erste Mal in Berlin. Achtunddreißig Jahre ist das her. Die Konzertdirektion Backhaus hatte das Konzert organisiert: mit dem Berliner Städtischen Orchester unter Leitung der Geigerin Marta Linz. Der Ort: die alte Berliner Philharmonie. Das Datum: Dienstag, 9. Januar 1940.

Mir war nicht sehr wohl in meiner Haut. Ich lebte zwar in meiner Welt des Gesangs und der schönen Töne, aber die Geschehnisse jenseits der nördlichen und nordöstlichen Grenze der Schweiz seit 1933 waren auch mir nicht entgangen. In Zürich hatte ich deutsche und österreichische Emigranten kennengelernt, Schriftsteller, Künstler, Kaufleute. Ich erinnere mich auch, von »Dachau« gehört zu haben. Aber von all dem bemerkte ich am ersten Tag in Berlin nichts. Wie sich Berlin als Musikstadt darbot, sieben Jahre nach Hitlers Machtergreifung, fünf Monate nach dem deutschen Überfall auf Polen, das war kaum zu fassen. Noch war das Kulturleben der Weimarer Republik nicht restlos zerstört. Mein Mann, Hans Erismann – jetzt sind wir geschieden –, hatte von 1936 bis 1937 in Berlin studiert und mir eingeschärft, mich von der Urbanität, die Berlin ausstrahlt, nicht täuschen zu lassen. Von ihm wußte ich, nur demjenigen, der genau hinsah, fiel auf, daß die Stücke einer ganzen Reihe von Autoren auf keinem Spielplan zu finden waren, daß unter den klangvollen Namen der Theater- und Opernensembles eine Anzahl berühmter Künstler fehlte: Schauspieler und Schauspielerinnen, Sänger und Sängerinnen, Regisseure und Dirigenten, die Juden waren. Viele »unbelastete« Künstler, die ihren »Ariernachweis« erbracht und daraufhin in eine der Reichskulturkammern aufgenommen worden waren, hatten sich angepaßt, waren Mitläufer geworden: die einen, die gierig nach den Positionen ihrer vertriebenen jüdischen Kollegen schnappten, aus Opportunismus, die anderen aus Angst, daß sie ihre Stellungen verlieren oder nicht mehr engagiert werden könnten; was aber sollte dann aus ihren Frauen und Kindern werden ... Ja, und dann gab es noch jene, die widerstandslos der fatalen Faszination erlagen, die von dieser abstoßendsten aller Visagen ausging. Auch Opernstars waren ansteckungsgefährdet. Ich denke an Maria Müller. Sie, die Bayreuther Sieglinde, erkannte in Deutschlands Reichskanzler den »Lenz, nach dem ich verlangte in frostiger Wintersfrist ...«. Mein Freund Dezsö Ernster, einst Baß in Berlin und Bayreuth, später unvergessener Osmin, Rocco, König Marke und furchtgebietender Hunding der New Yorker Metropolitan Oper, traf Sieglinde in Budapest in den Jahren nach dem jüdischen Boykott. Sie blieb vor ihm stehen: »Grüß Gott, Dezsö«, sagte sie. »Wie geht's dir denn?« – »Wie's mir geht?« gab Hunding zurück. »Schlecht. Das weißt du doch genau.« – »Ach ja«, sagte sie, »du bist ja Jude.« Und unbeeindruckt flatterte Sieglinde davon.

So rasch waren manche bereit, die Ächtung ehemaliger Kollegen gutzuheißen. Wer scherte sich darum, daß der Bassist Michael Bohnen sein Brot als Austräger und Straßenkehrer verdienen mußte. Wer fragte nach den Wagnersängerinnen Ottilie Metzger und Henriette Gottlieb, die ihre große Kunst in den Dienst des Bayreuther Meisters gestellt hatten und, wie wir später erfuhren, als Opfer des hirnverbrannten Rassenwahns im KZ ermordet wurden?

Aber von all diesem Terror, von all diesem Leid, war äußerlich nichts zu merken. An der Staatsoper dirigierte Herbert von Karajan eine Neuinszenierung der »Elektra«. In der Regie von Heinz Tietjen wurde Werner Egks Tanzpantomime »Joan von Zarissa« uraufgeführt. Erna Berger, Tiana Lemnitz, Maria Müller, Viorica Ursuleac, Marta Fuchs, Peter Anders, Franz Völker, Marcel Wittrisch, Helge Roswaenge, Max Lorenz, Willi Domgraf-Fassbaender, Rudolf Bokkelmann ... Frida Leider, Käte Heidersbach, Gertrud Rünger, Eugen Fuchs, Josef von Manowarda, Heinrich Schlusnus ... Sie bildeten das Staatsopern-Ensemble. Am Deutschen Opernhaus, der ehemals Städtischen Oper in Charlottenburg, wirkten der Bariton Wilhelm Rode als Generalintendant, Artur Rother als erster Dirigent. Hier konnte man Irma Beilke, Margret Pfahl, Walther Ludwig, Hans Reinmar, Eduard Kandl und Karl Schmitt-Walter hören. Die »Berliner Volksoper« spielte im Theater des Westens. Wilhelm Furtwängler, seit 1939 zum Bevollmächtigten für das gesamte Musikwesen der Stadt Wien ernannt, dirigierte die Berliner Philharmoniker jeweils an drei aufeinanderfolgenden Tagen, konnte damit der Nachfrage jedoch nicht genügen. Daneben lief ein zweiter Zyklus mit Hermann Abendroth, Karl Böhm, Eugen Jochum, Hans Knappertsbusch und Carl Schuricht. Als Instrumentalsolisten konzertierten Georg Kulenkampff, Enrico Mainardi, Paul Grümmer, Elly Ney, Frederic Lamond, Adrian Aeschbacher, Claudio Arrau, Wilhelm Backhaus, Eduard Erdmann, Walter Gieseking, Wilhelm Kempff; als Konzert- und Liedsänger Lula Mysz-Gmeiner, Lore Fischer, Emmi Leisner, Gerhard Hüsch. Berlins berühmtester Begleiter war der Ivogün-Gatte Michael Raucheisen. Eine Jahresstatistik zählte in Berlin: 139 Männerchöre, 134 gemischte Chöre, 145 Kirchenchöre, 81 Streich- und Symphonieorchester, 52 Blaskapellen, 26 Handharmonikavereine, 43 Mandolinen- und Gitarrenchöre, zehn Zithermusikvereine, 150 Kapellmeister, 998 Solisten, 65 Kammermusikvereinigungen, 12000 Berufsmusiker, vier Konzertunternehmen, neun Konzertvermittler, 206 Musikverleger und 198 Musikalienhändler.

In 21 Konzertsälen wurde musiziert, an fünf staatlichen und städtischen Musikbildungsinstituten unterrichtet. War da überhaupt noch Platz für mich? – Marta Linz, als Geigerin bekannt, dirigierte das Städtische Orchester. Mit Rimski-Korsakows symphonischer Dichtung

»Scheherazade« eröffnete sie das Konzert, mit Ernst von Dohnányis feurigen Tanzszenen »Ruralia Hungarica« beschloß sie den Abend. Dazwischen nannte das Programm als Solisten den bulgarischen Klaviervirtuosen Sava Savoff, der Liszts Es-Dur-Konzert Nr. 1 vollendet spielte, und mich für den gesanglichen Teil. Ich war als Preisträgerin des Internationalen Musikwettbewerbs in Genf angekündigt worden. Als ich auftrat, mit der Arie der Königin der Nacht, *meiner* Arie aus Mozarts »Zauberflöte«, spürte ich sofort, wie die Dirigentin mit ihrem Orchester auf mich einging. Ich fühlte mich befreit. Der Beifall war ermutigend. Und danach in der Zerbinetta-Arie aus Richard Strauss' »Ariadne auf Naxos« konnte ich alle technischen Schwierigkeiten mühelos bewältigen. Es war ein erfüllter Abend. Die Berliner Presse prophezeite mir am nächsten Tag einstimmig eine große Zukunft. – Aber nicht in Deutschland, dachte ich. Zwei bedrückende Erlebnisse sind mir bis heute haftengeblieben.

Bei einem Essen, das der Schweizer Botschafter in Berlin, Dr. Hans Frölicher, gab, war ich Ehrengast. Als ich an der Tür der Botschaft klingelte, wurde sie weit aufgerissen, eine schneidige Hausangestellte stand stramm und rief mit ausgestrecktem Arm: »Heil Hitler« – in unserer Schweizer Botschaft.

Bei Tisch saß ich dem Konzertmeister des Städtischen Orchesters gegenüber. »Sind Sie Mitglied der Reichsmusikkammer?« wollte er wissen. Ich spürte forschende Blicke. »Wieso?« erwiderte ich. »Ich bin Schweizerin.«

»Das ist hierorts nicht gänzlich unbekannt«, stellte der Konzertmeister fest. »Aber bei uns« – er sagte »unzs«, wobei er das »zs« bedrohlich zischte – »bei unzs singen nur Mitglieder der Reichsmusikkammer.« Ich blickte zu Botschafter Frölicher hinauf, der neben mir saß; dieser schaute jedoch stur geradeaus und verzog keine Miene. Wahrscheinlich hätte ich jetzt einfach schweigen sollen, aber ich sagte: »Das geht mich nichts an«.

Es entstand eine peinliche Pause. Einer der Gäste versuchte, sie zu überbrücken, er fragte mich, welche Komponisten außer Mozart und Richard Strauss zu meinem Repertoire gehörten. Ich beeilte mich, ihm durch eine möglichst ausführliche Antwort entgegenzukommen und begann Komponisten und Lieder aufzuzählen: Schubert natürlich, Oratorienarien von Haydn. Ich erwähnte Brahms und Johann Strauß.

Die Runde blickte wieder freundlicher. Als ich dann aber Mendelssohn-Bartholdy und Offenbach nannte, lief der Konzertmeister rot an: »Gnädige Frau, diese Juden sollten Sie sich schenken!« Ich muß hier sagen, daß es nicht meine Absicht gewesen war, mein Gegenüber zu provozieren und dem Gastgeber Dr. Frölicher Ungelegenheiten zu bereiten. In meiner Naivität fuhr ich, um Verständnis werbend, fort: »Aber denken Sie doch an die wunderschönen Verse ›Auf Flügeln des Gesanges/Herzliebchen, trag ich dich fort/Fort nach den Fluren des Ganges/Dort weiß ich den schönsten Ort/Da liegt ein rotblühender Garten/Im stillen Mondenschein/Die Lotosblumen erwarten ...‹« Weiter kam ich nicht. Der Konzertmeister lautstark: »Mendelssohn als Komponist und Heine als Texter – zwei Juden, das paßt natürlich zusammen.« Das Wort »Texter« war damals noch wenig gebräuchlich, so erwiderte ich: »Heinrich Heine ist in den Augen der Welt ein deutscher Dichter. Ich meine, Sie können stolz auf ihn sein.« – »Meinen *Sie!*«, schrillte die Stimme des Konzertmeisters. Einige der Gäste versuchten, ihn zu beschwichtigen. Ein Gespräch kam danach nicht mehr in Gang. Es war ein mißglückter Abend.

Mit geteilten Gefühlen entsinne ich mich der Einladung ins feudale Berliner Heim eines Filmstars. Mindestens hundert Gäste bewegten sich in den Räumen, tranken Sekt, lachten und sprachen über Film, Theater und Musik. Über Politik kein Wort. Unter ihnen befand sich Maria Ivogün, diese vielleicht populärste Konzert- und Opernsängerin Deutschlands. Wir hatten mehr gemeinsam als den Vornamen. Beide stammen wir aus Budapest, beide wuchsen wir in der Schweiz auf, die Ivogün nicht wie ich als Adoptivkind, sondern weil die Mutter sich mit einem Schweizer wiederverheiratet hatte. Beide sangen wir, teilweise zumindest, dasselbe Repertoire: Konstanze, Königin der Nacht, Manon, Olympia, Mozartsche Konzertarien, Straußwalzer. Der Mann, der in Maria Ivogüns Leben entscheidende Weichen gestellt hatte, sollte später auch meine Laufbahn mitbestimmen: Bruno Walter. Er hat die Ivogün entdeckt, von der Schule weg nach München geholt und ihr den Weg zu einer Weltkarriere geebnet. Für Richard Strauss war sie *die* Zerbinetta. Sogar die unerbittlich strenge Lilli Lehmann verneigte sich vor ihr, und zwar speziell vor ihrem Mozartgesang, der Lehmann ureigene Domäne. »Così fan tutte« mit Hermine Bosetti als Fiordiligi, Luise Willer als Dorabella, mit der Ivogün als Despina, Karl Erb und

Gustav Schützendorf als den beiden Liebhabern, Bruno Walter am Pult des Münchner Nationaltheaters. Oder später in Berlin-Charlottenburg »Die Entführung aus dem Serail« mit Maria Ivogün als Konstanze, mit der – später aus Deutschland vertriebenen – Mozartsängerin Lotte Schöne als Blondchen, Fritz Krauss als Belmonte und Eduard Kandl als Osmin, wiederum unter Bruno Walter. Dann, 1930, unter Wilhelm Furtwängler »Nozze di Figaro« mit Delia Reinhardt (Gräfin), Maria Ivogün (Susanne) und Perras (Cherubino). Oder Hans Reinmar (Don Giovanni), Alexander Kipnis, ein wuchtiger Leporello, der pechschwarze Baß Ludwig Hoffmann als Komtur, Rose Pauly (Donna Anna), Heidersbach (Elvira), Ivogün (Zerline) – diese Aufführungen sind in goldenen Lettern in die Opernannalen Berlins und Münchens eingetragen. Vor nicht allzu langer Zeit brachte Electrola eine Überspielung alter Ivogün-Aufnahmen heraus, einige Volkslieder: »O du liäbs Ängeli, Rosmarinstängeli« und »Z'Lauterbach hab' i mein Strumpf verlor'n«. Wie da jedes Wort, jeder Konsonant spitzentänzelnd, Spiralen und Pirouetten drehend das Ohr umkreist! Wie sich da »Witz, heit're Laune« auf den Zuhörer überträgt! Nicht umsonst galt Nicolais Frau Fluth als eine Ivogün-Rolle par excellence.

Frau Ivogün kam auf mein Konzert zu sprechen. Nicht einen Augenblick behandelte sie mich wie eine Anfängerin, die ich doch – vor allem für das Berliner Publikum – war. Sie gratulierte mir zu meinem Konzert und gewann mich sofort mit ihrer Herzlichkeit und Wärme. »Sie sind eine echte Mozartsängerin«, sagte sie. »Das ist selten.«

Weniger gern erinnere ich mich an das, was später geschah. Im Salon befand ich mich plötzlich vor einem großen »Führer«-Bild in einem Silberrahmen, das unübersehbar auf dem Flügel stand. Ich hatte mich sofort abgewandt. Meine Gastgeberin, die neben mir stand, mußte das bemerkt haben. Sie trat auf mich zu und nahm meine Hände zärtlich in die ihren. »Wenn seine Augen auf Ihnen geruht hätten«, sprach sie, »ach, Kind! Sie könnten nichts Übles von ihm denken.« Sie zitterte förmlich, elektrisiert von diesem Unmenschen. Wieder einmal mußte ich an Sieglindes Wälsungenhymnus denken: »Dich grüßte mein Herz mit heiligem Grau'n, als dein Blick zuerst mir erblühte . . .«

Berlin ohne Fricsay

Erst 1953 war ich dann wieder in Berlin. Mit Fricsay zuletzt 1960, als ich für die Deutsche Grammophon Gesellschaft das »Exsultate, jubilate« aufnahm.

Heute komme ich Fricsays wegen wieder nach Berlin. Zur Gedenkfeier seines 15. Todestages. Pünktlich landet unsere Pan Am auf dem Flughafen Tegel in Berlin. Ein verändertes Berlin – eine zweigeteilte Stadt. Immerhin, was West-Berlin zu bieten hat, ist bewunderungswürdig.

Die Feier in der neuen Philharmonie ist nicht als bloßes Gedenken an den Dirigenten Fricsay gedacht. Der Ferenc-Fricsay-Gesellschaft, der die Veranstaltung zu verdanken ist, geht es darum, die künstlerischen Intentionen Ferenc Fricsays weiterzuführen, vor allem durch Nachwuchsförderung und Kompositionsaufträge. Die Künstler, die auftreten, haben meist in enger Beziehung zu Fricsay gestanden. Umjubelt werden Yehudi Menuhin, der das Radio-Symphonie-Orchester dirigiert, und Dietrich Fischer-Dieskau – wir nennen ihn Fie-Die –, der von Mozart »Un bacio di mano« und »Mentre ti lascio« singt. Jürgen Engelhardt schrieb am 22. Februar 1978 im Berliner »Tagesspiegel«:

»Nach der Pause eine Uraufführung des Komponisten, mit dessen Oper ›Dantons Tod‹ der für Klemperer eingesprungene Fricsay bei den Salzburger Festspielen 1947 einst seine internationale Karriere begann: Gottfried von Einem schrieb für diesen Konzertanlaß sein zweites Klavierkonzert, drei ›Arietten für Klavier und Orchester Opus 50‹ (1977). Sie wurden wiederum von einer Pianistin auf das Podium gehoben, die – unter Fricsays Leitung – bereits von Einems erstes Klavierkonzert uraufgeführt hatte, nämlich Gerty Herzog. Das neue Werk von Einems besteht aus drei vorwiegend lyrischen ›Gesangsstücken‹ für Orchester. Das Klavier fügt sich als individueller Instrumentalpartner ein. Gerty Herzog lieh dem Klavierkonzert alle nötige Präzision im Zusammenspiel . . .« Die überzeugendste Hommage für Fricsay war für diesen Kritiker die eigenwillige Interpretation von Beethovens Achter Symphonie durch Gerd Albrecht. Beethoven hatte Fricsay ja immer wieder dirigiert. *Mich* berührte am stärksten die Gedenkrede auf Fricsay, die Ursula von Rauchhaupt von der Deutschen Grammophon Gesellschaft hielt.

Nicht jeder Plattenproduzent ist mit seinen Künstlern so verbunden wie die Deutsche Grammophon Gesellschaft. Wir waren eine große Familie: Ferry, Marianna Radev, Hertha Töpper, Ernst Haefliger, Fie-Die, Kim Borg, Josef Greindl . . . und zusammengehalten haben wir wie eine Fußballmannschaft. Ich habe zwei Buben großgezogen, deshalb kenne ich mich in Sachen Fußball aus. Elsa Schiller von der Deutschen Grammophon Gesellschaft war unser Team-Manager, Ferry war natürlich der Käpt'n. Gab es Foul, zogen wir Silvia als Schiedsrichter zu. Ich spielte je nachdem rechter oder linker Flügel (große Chorwerke), Innenstürmer (Opernpartien), Mittelstürmer (Solopartien).

Im Eifer des Kampfes kam es mitunter vor, daß ich den Ball in die verkehrte Richtung kickte. Wozu der Käpt'n zu bemerken pflegte: »Mariechen, du singst off-side.«

Wir haben aber auch manches Goal geschossen.

Überdies hatten wir uns in übermütiger Laune die Eröffnung eines Schlemmer-Restaurants ausgedacht. Maître d'hôtel (et de plaisir) wäre Ferry gewesen (Spezialität Klavier), Silvia hätte die Küche überwacht (Spezialität Saucen), Ernst Haefliger hätte gejodelt (ambiance suisse), Heinz Rehfuss die Registrierkasse bedient (im Umrechnen von Währungskursen ein Virtuose), das übrige Sängerpersonal hätte serviert, ich wäre für die Theke verantwortlich gewesen (Spezialität Bierausschank). Restaurant-Name: »Chez Ferry«. Sollte *ich* einmal eine Gedenkrede für Ferry halten müssen, würde ich seine Aufrichtigkeit in den Vordergrund stellen. Und seine Unerbittlichkeit, den Dingen auf den Grund zu gehen, zum Kern der Sache vorzustoßen. Das hatte Ferry mit Artur Schnabel gemeinsam. Sie gehörten beide zu jenen, die verraten hätten, daß der Kaiser keine Kleider anhatte. Und noch etwas. Ferry hatte eine besondere Begabung, uns in Bewegung zu setzen. Wie das bei einem guten Käpt'n schließlich der Fall sein muß.

Drei begnadete Dirigenten

Es gibt nur wenige Dirigenten, die mich auch nur annähernd so gefangen nahmen wie Ferry, zu solch absoluten Spitzenleistungen anfeuerten. Zwei von ihnen haben für mich besondere Bedeutung: Bruno Walter und Carl Schuricht.

Carl Schuricht. Wir lernten uns verhältnismäßig spät kennen. Wiener Festwochen. Juni 1961. »Missa solemnis« im Dom St. Stephan. Der alte Herr, vom Scheitel bis zur Sohle ein Grandseigneur im Stile eines Nikisch oder Weingartner, schien mir nicht mehr so ganz auf der Höhe zu sein. Offenkundige Einsatzpatzer entgingen ihm, Unstimmigkeiten bei den Holzbläsern und beim Blech berührten ihn nicht. Wir sangen das Werk beinahe ohne Unterbrechung zu Ende. Mittlerweile war es zehn Uhr geworden. Ich rüstete mich enttäuscht zur Heimkehr ins Hotel. Da verkündete der Herr Kapellmeister: »Na, meine Damen und Herren. Ruhen wir uns eine Viertelstunde aus. Es gibt da noch ein paar Kleinigkeiten, die wir nachher besprechen müssen.«

Nach der Pause ging es dann los. Der Maestro zählte, von Instrumentengruppe zu Instrumentengruppe gehend, bei geschlossener Partitur und bis ins letzte Detail sämtliche Schnitzer der vorangegangenen Probe auf. Auch wir Sänger blieben nicht verschont. Und dann wurde so lange gearbeitet, bis auch die letzte Unebenheit ausgefeilt war. Unterdessen schlug die Turmuhr halb zwei, ausreichend Zeit, um mein Urteil zu revidieren. Die Aufführung vom 21. Juni 1961 in Wien bleibt unvergessen.

Mit Wien verbindet mich eine alte Bekanntschaft. 1919, kurz nach dem Ersten Weltkrieg, kam ich hierher als halbverhungertes ungarisches Rotkreuzkind. Fünfundvierzig Jahre später, im November 1964, lud mich Bundespräsident Adolf Schärf in die Hofburg ein, wo ich das Österreichische Ehrenkreuz für Wissenschaft und Kunst 1. Klasse entgegennehmen durfte. In luftiger Saalhöhe, in Blattgold eingefaßt, im Widerschein erhellter Kristallüster schimmernd, hingen die Porträts von Maria Theresia und Mozart an der Wand, blickten hernieder und lächelten. Wenigstens bildete ich es mir ein.

Das war ein langer Weg. An einem der wichtigsten Knotenpunkte meiner Karriere, nach dem Zweiten Weltkrieg, als Europa in Schutt und Asche lag, als es hieß, sich regen und eine infolge der Kriegsereignisse um fünf Jahre verspätete internationale Karriere aufzubauen, stand ein Mann, der mir damals mehr als jeder andere den Weg in die Zukunft wies: Bruno Walter.

Ferenc Fricsay war mir ein älterer Bruder, Carl Schuricht ein verehrter Lehrer, zu dem ich aufblickte, Bruno Walter war mir ein Vater.

Unser erstes Konzert: 5. Dezember 1946. Tonhalle Zürich, Großer Saal. Mit typischem Bruno-Walter-Programm: Mozarts Jupiter-Symphonie, Siegfried-Idyll von Wagner, nach der Pause die Vierte Mahlers. So begann eine innige Zusammenarbeit, die bis in die späten Lebensjahre des Meisterdirigenten reichte, bis zu seinem denkwürdigen letzten Konzert in der Carnegie Hall, als er sich von seinem New Yorker Publikum mit Beethoven und Mahler verabschiedete. Fortan erschien er immer seltener. 1959 musizierten wir in Vancouver. Zum letzten Mal. Ich hatte ihn begleiten dürfen von seinem ersten Zürcher Nachkriegskonzert bis zu seinem Abgang.

Meine Bekanntschaft mit Bruno Walter verdanke ich Schweizern. Überhaupt, Schweizern verdanke ich unendlich viel. Und auch dem Lande Schweiz und seinem Roten Kreuz, das mich in die Schweiz gebracht hat. Ich bin ja, was Leute oft überrascht, keine Schweizerin von Geburt. Dennoch, in der Schweiz bin ich zu Hause.

Als ich von der Fricsay-Gedenkfeier aus Berlin mit Silvia zurückkomme und nach der Landung in Kloten im Flughafen, als Willkommensgruß die Inschrift »Grüezi« lese, geht mir das Herz auf. Dies ist meine Heimat. In Zürich, unmittelbar am Limmatufer, lebe ich.

Kapitel 2

Zu Hause: an der Schipfe in Zürich

In Zürich am Limmatufer ist immer etwas los. Das beginnt schon am frühen Morgen.

Pünktlich um Viertel vor fünf weckt mich ein Mopedfahrer. Ob es schneit, ob es regnet, ob der Wind vom Rennweg her die Schipfe herunterfegt, an mein Schlafzimmerfenster pocht und die Kandelaber draußen rüttelt, ob im Frühsommer vom Großmünster her die ersten Sonnenstrahlen bis zu meiner Steppdecke dringen, ob ich mich wärmesuchend verkrieche oder der sommerlichen Stadthitze wegen die Decke von mir schiebe . . . der Mopedfahrer kommt. Von weitem höre ich, wie er sich nähert, vom Haldenbach her, die Weinbergstraße herab, übers Central, über den Limmatquai. Ungefähr auf der Höhe der Papeterie Waser wird geschaltet. Warum der Mopedfahrer ausgerechnet hier schalten muß, jeden geschlagenen Morgen, dreihundertfünfundsechzigmal, die Sonntage ausgenommen, weiß ich nicht. Das muß seinen Grund haben, denke ich mir, seinen benzinmotortechnischen Grund. Wenn er wüßte, daß ich auf die Zehntelsekunde genau weiß, wann er schalten wird, würde er mal etwas früher oder etwas später schalten, allein um mich zu irritieren. Aber er weiß es nicht. So zieht er, unkundig meines wachsamen Ohres, der Wasserkirche entgegen in Richtung Bellevue. Und ehe ich zweimal tief geatmet habe, ist alles wieder still.

Im Sommer singt bei schönem Wetter eine Amsel, piepst ein Dachsperling oder eine Kohlmeise vor meinem Fenster: »Dankeschön!« Meine Gedanken sind noch immer beim unbeirrbar pünktlichen Trambahnführer? Bäckermeister? Zeitungsausträger? (wer sonst surrt um Viertel vor fünf die Limmat entlang?) bis zu seinem mir unbekannten Ziel. Da piepst es abermals vom Fenster her: »Dankeschön!« – »Salü, guten Morgen, kleine Kohlmeise. Bist du es wohl, *meine* Kohlmeise?«

Meine Kohlmeise. Vor ein paar Wochen verirrte sie sich, versagte ihr in der Führerkabine eingebautes, kohlenmeisenadäquates Radarleitsystem, worauf die Meisenmaschine in meine Fensterscheibe hineinkrachte. Bumms! Sie blieb auf meinem Fenstersims liegen. Wie leblos. Die meisten Leute hätten den Vogel für tot gehalten. Ich kenne mich da besser aus. Er war nur bewußtlos. Auch bei ihm hat man zu unterscheiden zwischen Wachsein, Schlaf, Ohnmacht, Tod. Vögel sind sehr subtile Geschöpfe.

Ich hole etwas Wasser in der Küche und träufle dem Patienten ein paar Tropfen aufs Köpfchen. Er darf nicht zu lange so daliegen, man muß ihn zurückrufen an die Sonne, ans Licht. Aber die Meise rührt sich nicht. Ich gebe ein paar Tropfen hinzu. Kein Lebenszeichen. Man darf nicht nachgeben. In kleinen Zeitabständen erhält der Meisenkopf einen Tropfen oder zwei. Plötzlich zucken die Schwanzfedern. Ich fasse das Tierchen behutsam zwischen Daumen und Zeigefinger und stelle es auf die Beine. Das gelingt, aber der Vogel regt sich nicht, blickt starr zum gegenüberliegenden Limmatufer hinüber. Also fahre ich mit der Behandlung fort. Allmählich regt sich's am anderen Ende. Das Schnäbelchen geht auf und zu. »Aha!« denke ich. »Jetzt ist der Kontakt hergestellt. Von hinten nach vorne. Jetzt kann es nicht mehr lange gehen.« Und richtig. Die Meise schüttelt das Köpfchen, streckt den Hals, mit einem Mal breitet sie die Flügel aus ... »Pieps-pieps! Dankeschön!« ... und weg ist sie. Seit jenem Morgen denke ich: »Bist du zurückgekommen, kleiner Piepser? Bist du so treu?«

Über solchen Gedanken schlafe ich meistens wieder ein. Heute kann ich nicht mehr schlafen. Ich habe einen Traum gehabt. Es war 1940. Ich war wieder in Berlin. Damals, im Januar 1940, war ich ja tatsächlich in Berlin. Das kommt vielleicht davon, daß ich meine Lebenserinnerungen zu Papier bringen will. Alte Fotos sind durch meine Hände gegangen, ich habe in alten Dossiers geblättert, gelesen, erstmals seit dreißig Jahren in vergilbte Briefumschläge hineingeschaut, Umschläge, die, wenn man sie öffnet, leblos knistern. Ihre Poststempel sind kaum mehr leserlich: 1938, 1941, 1943. Das erzeugt böse Träume. Längst Vergessengeglaubtes wird lebendig, Tote erwachen ...

Mit dem bösen Traum kommt stets die Vorstellung des Hungers. Die Erinnerung an den Hunger quält mich heute noch. Der Hunger war *das* prägende Erlebnis meiner frühen Jahre. Ich kann keine festliche Tafel betrachten, ohne an den Hunger meiner Kindheit zurückzudenken. Das sind Dinge, die nicht zu steuern sind. Sie sitzen zu tief.

An meiner Schlafzimmertüre kratzt es. Ich stehe auf, lasse den kleinen Kerl herein. Es ist Sami junior, mein fuchsroter Langhaardackel. Er ist noch klein, erst ein paar Monate alt. Sami junior ist der fünfte in einer Reihe unbestechlicher blaublütiger Hundegenossen, die mich durchs Leben begleitet haben. Da war Zibu, der Kurzhaardackel der Familie Eggimann in Glattfelden, die mich als erste Schweizer Familie über Monate hinweg bei sich aufnahm, der ich überdies mein zweites und bleibendes Plätzchen am Bodensee zu verdanken habe. In Romanshorn erwartete mich Medor, nicht unbedingt einwandfreier Abkunft, aber treu bis an den Tod. Mein erster eigener Hund war Mungo, ein Langhaardackel, dann kam Sami senior, auch ein Langhaardackel, und jetzt hüpft Sami junior aufs Bett. Eigentlich ... eigentlich sollte er das nicht tun, aber meine Widerstandskraft hat angesichts seiner stürmischen Werbungen längst nachgegeben. Es ist nicht das erste Mal in meinem Leben, daß mir derlei passiert ist.

Um sechs Uhr halte ich es im Bett nicht mehr aus. Ich bin mit zehn Gedanken zu Bett gegangen, mit fünfzig bin ich aufgewacht. Und Sami muß hinaus. Also rasch in die Pantoffeln, den Morgenrock übergeworfen, ein paar Schritte durch Korridor und Küche und schon sind wir draußen. Ich wohne mitten in Zürich, in einmalig schöner Lage, im Herzen der alten Stadt, am Fuße des Lindenhofs, Ort des einstigen römischen Kastells und der kaiserlichen Pfalz im Mittelalter, in einem zweihundert Jahre alten Haus. Trete ich aus der Küche, sehe ich vor mir trutzige Steinmauern, nicht ganz so alt wie jene von Jericho, aber alt genug, um die Kürze meines eigenen Daseins daran zu ermessen. Hier bewohne ich drei Räume: mein Schlafzimmer, in meiner Lieblingsfarbe Rosa tapeziert, ein sehr geräumiges Wohnzimmer mit genügend Platz für den Flügel und zwei Sofagarnituren, die eine im Stil Louis Philippes, weinroter Plüsch, die andere hellblau, im Stil Louis' XV., sowie ein kleines Eßzimmer. Im Wohnzimmer wollte ich die schönen Parkettornamente nicht verdecken, im Eßzimmer und im Gang hingegen habe ich die Böden mit smaragdgrünen Spannteppichen ausgelegt, was mit der aufgefrischten Täfelung wohnlich kontrastiert. Bis zu fünfzig Leute haben bei mir Platz, und soviel Raum brauche ich. Denn ich habe eine Menge Freunde in Zürich, in der Schweiz, im Ausland, und Partys machen mir enorm Spaß. Überhaupt die Geselligkeit. Wo gefeiert wird, ist Maria dabei. Und was haben wir nach unseren Konzerten auf die Pauke gehauen!

Zur Zeit sieht es bei mir aus wie in einem Archiv, in dem Einbrecher gehaust haben. Überall liegen Dossiers herum, Mäppchen berstend mit alten Korrespondenzen, Fan-mail, wie der Amerikaner sagt. Da ein Brief: »Lieber höchster Inbegriff der Gesangskunst.« Ich lege ihn kopfschüttelnd beiseite. Und Programme. Wir haben eine Auswahl von etwa tausendfünfhundert protokolliert. Um etwas Übersicht zu gewinnen. Und die Fotos! Und die Reportagen! Und die Rezensionen! Manchmal möchte ich den ganzen Krempel in die Limmat werfen. Als Artur Rubinstein bei mir war, den neuen Steinway testete, erzählte er: »Ich habe jetzt tausenddreihundertzweiundzwanzig Blatt vollgeschrieben und bin im Manuskript erst zwanzig Jahre.« Gott bewahre mich davor!

Mir tut der Rücken weh. Ich habe sämtliche Bodensitzstellungen ausprobiert: gerade, krumm, angezogene Knie, Schneidersitz. Und noch woanders tut es mir weh, denn der Fußboden ist hart. Schließlich bin ich auf die brillante Idee gekommen, mir ein Sitzkissen unterzulegen, Hertha Töppers Ratschlag für fünfundzwanzig aufeinanderfolgende Matthäus-Passionen. Die dreizehnte war zum eigenen Martyrium geworden, konnte ich nicht mehr durchstehen, beziehungsweise durchsitzen. (Dazu hat mich Mutter Natur zu mager gepolstert.) Das waren Wochen, in denen ich von Bach träumte, mit Bach frühstückte, Bach auf Schritt und Tritt zu begegnen vermeinte, Bach dachte, fieberte, extemporierte und spazierenführte, und wenn mich Evangelist Ernst Haefliger nach der Zeit fragte, entgegnete ich unweigerlich auf G-Dur Quartsextakkord: »Du sagtest . . .«

Dann die Schachteln mit den DGG-Aufnahmen. »Turandot«, »Margarethe«, »Bohème«, »Wildschütz«, Arien und Opernquerschnitte. Ferner die Gesamtaufnahmen der Mozart-Opern, die Messen, Kantaten, Lieder. Bisweilen frage ich mich, wie ich das zustande brachte, ohne zusammenzubrechen.

In den Bücherregalen stehen viele Bücher mit persönlichen Widmungen. Paumgartners »Mozart«. 1945 sodann sein Schubertbuch. Wir waren Freunde, Paumi und ich. Ich habe ihm viel zu verdanken. Und an der Wand die Musikerhandschriften, die ich eine Zeitlang sammelte. Ich habe sie mir einrahmen lassen: Notizen, Briefe von Verdi, Brahms, Berlioz, Mahler, Rossini, Strauss, Robert Franz. Zwei Wände habe ich für Fotos reserviert: Leonard Bernstein, Eugene Ormandy, Herbert von Karajan, Otto Klemperer, Karl Böhm, Hans Knappertsbusch, Joseph Keilberth, Ernest Ansermet, und natürlich Carl Schuricht, Bruno Walter und beim Fenster drüben Ferenc Fricsay. Ich habe mich mit allen gut verstanden. Victor de Sabata hätte ich beinah vergessen. Auch ein Grandseigneur wie Schuricht. In Ehren halte ich das kleine Bildnis Giannina Arangi Lombardis, meiner Mailänder Lehrerin, der ich ein besonders inniges Andenken bewahre. Der Schönste von allen ist wohl der spanische Dirigent Ataulfo Argenta, ein veritabler Filmstar, jung verstorben wie Ferry Fricsay.

Im Eßzimmer hängt ein beinahe lebensgroßes Bildnis von mir in leicht erschöpfter Pose. Den Pinselstrich des Malers erkennt man von weitem – Hans Erni. Wir sind befreundet. Hans Ernis Schwager, Dr. Walter Strebi, damals Präsident des Komitees der Luzerner Musikfestwochen, stellte mich ihm vor. Hans Erni sagte: »Sie male ich einmal!«

Er kam zu vielen Proben und skizzierte Studien, aber sie stellten ihn nicht zufrieden. »Sie sind furchtbar schwer festzuhalten«, fand er. »Jedesmal sind Sie wieder anders.« Da wird er nicht unrecht gehabt haben. Ich bin nie erstarrt, weder in einer bestimmten Interpretation, noch in der Routine. Und habe ich ein Stück auch hundertmal gesungen, immer empfinde ich es wieder von neuem. Ja, es kam sogar vor, daß ich während einer Aufführung zu experimentieren begann, mich plötzlich entschloß, anders zu phrasieren, den Atem woanders zu holen, einen Legatobogen noch weiter zu spannen. So wurde für mich jede Aufführung zu einer neuen Herausforderung, zu einem neuen Risiko, zu einem besonderen Erlebnis.

Eines Morgens besuchte ich Hans Erni in seinem Atelier, warf mich in einen Stuhl und sank zusammen. Wochenlanges Konzertieren in Amerika hatte mich total zermürbt. »Herrgott! Bin ich k.o.!« stöhnte ich. »Du!« rief Erni, »eine Bewegung – und ich bring dich um!«

Schon hielt er Pinsel und Palette in der Hand und begann zu malen. Ich schaute fasziniert zu. Das war für mich etwas Neues. Innerhalb von zehn Sekunden steigerte sich der Maler zu höchster Aktivität. Bald ging er nicht mehr, er tanzte hinter der Staffelei hin und her, auf und ab, ein Raubtier, das die Fütterungsstunde wittert. Bald verschwand er hinter der Leinwand, bald tauchte er unvermutet auf, die Pinsel gefächert im Köcher seiner Hand, schnaufend, schnaubend, Farben auf die Leinwand spritzend. Ich rührte mich nicht. Eine Bewegung – und das Gitter wäre auseinandergeborsten, das Raubtier ausgebrochen, das Modell mit Haut und Haar verschlungen worden. Und ich saß da wie angeklebt, ein Häufchen Elend, zwei geschlagene Stunden lang, zur Salzsäule erstarrt. Meine Extremitäten waren längst eingeschlafen, hatten die Stadien der Taubheit, des Ameisenkribbelns bis zur schmerzhaften Kontraktion der Venen, durchgestanden, aber ich beachtete sie nicht. So sehr riß mich die Beobachtung des schöpferischen Aktes hin. Nicht ohne Wehmut wurde mir bewußt: Das Nachschöpferische ist dem Schöpferischen letztlich nicht ebenbürtig. Der schöpferische Prozeß ist auf seine Art ein heiliger.

Auch wenn ich allein bin, esse ich nie in der Küche, immer im Eßzimmer. Ich nehme mir sogar die Mühe, den Tisch hübsch zu decken, hole bisweilen mein bestes Porzellan hervor, zünde mir eine Kerze an. Ich habe gelernt, das Alleinsein zu kultivieren, in der Weise, daß ich damit etwas anzufangen weiß. Deshalb bin ich nie einsam. Ich habe immer etwas vor, mache immer Pläne. Sonntags etwa, wenn die Sonne scheint, fröne ich einer meiner harmlosen Lieblingsbeschäftigungen: einer Fahrt auf dem Zürichsee. Im Schaufelraddampfer. Abfahrt um 11 Uhr 30. Ich kenne diesen Teil des Fahrplanes auswendig.

Sami kommt natürlich mit. Die sogenannte Schipfe, wo ich lebe, eine Häuserreihe am Limmatufer, gehört vermutlich zum ältesten Teil der Stadt Zürich. Mein Haus – nicht etwa mein Eigentum, sondern das der Stadt (aber ich nenne es trotzdem »mein Haus«, so sehr fühle ich mich hier daheim) – ist geschmackvoll renoviert worden. Sicher hat es viel erlebt. Zu meiner Schande muß ich gestehen, daß ich die wenigsten Gäßchen und Sträßchen der Gegend beim Namen nennen könnte, obschon das zugleich mein Einkaufsgebiet ist. Ich gehe sozusagen blind. Den Weg finden wir zwei trotzdem immer.

Um den See zu erreichen, spazieren wir den Fluß entlang. Mit meinem kleinen Sami geht das nicht so rasch. Bis zum Seebecken sind es etwa acht- bis neunhundert Meter, ein knapper Kilometer also, eingeteilt in drei Abschnitte: Rudolf-Brun-Brücke – Rathausbrücke; Rathausbrücke – Münsterbrücke; Münsterbrücke – Quaibrücke. Wie viele Male bin ich doch als junges Mädchen über die Rathausbrücke gegangen, in den dreißiger Jahren, als ich bei Ilona Durigo studierte und zugleich am Konservatorium eingeschrieben war! Das Konservatorium oder Konsi, wie es hierzulande heißt, verborgen hinter einem Häuserberg auf der Anhöhe des anderen Flußufers, sieht man von hier aus nicht. Seine Prunkfassade ist überhaupt nahezu unsichtbar; selbst wenn man den nur wenige Schritte entfernten Hirschengraben passiert, wird man nicht auf die alte Dame aufmerksam. Sie verbirgt sich verschämt hinter anderen Häusern, wahrscheinlich weil sie noch immer dieselben Kleider trägt wie vor hundert Jahren. Ich kam also vom Konsi her, die Kirchgasse herab, am Großmünster vorüber und marschierte oder schlenderte – je nach Laune – über die Münsterbrücke auf dem Weg zum Haus einer meiner Gönnerinnen, zu Lily Reiff, die jenseits des Paradeplatzes ein großes Haus führte. Von Lily und Hermann Reiffs Musenhospiz, wo alles verkehrte, was in der Kunst Rang und Namen hatte, habe ich noch zu erzählen.

Heutzutage beschleunige ich meine Schritte auf der Höhe der Rathausbrücke. Aus grundsätzlichen Erwägungen. Um nicht in Versuchung zu kommen, vor den Schaufensterauslagen meines Hofjuweliers

Meister stehenzubleiben. Wenn ich sein ausgebreitetes Geschmeide sehe, werde ich ganz zappelig. Ich habe nämlich ein fatales Faible für Schmuck; Diamanten, Rubine, Topase und dergleichen bringen mich ganz aus der Fassung, mitunter mit nachteiligen Folgen. Als ich Mitte der fünfziger Jahre an einem Staatsempfang in Bad Godesberg zu singen hatte, saßen mir gegenüber auf den Ehrenplätzen Bundeskanzler Adenauer, König Paul von Griechenland, Theodor Heuss und, brillantenfunkelnd, die Königin von Griechenland, Frederike. Sie glitzerte wie ein Weihnachtsbaum, ich konnte Blick und Sinne von der lichten Erscheinung nicht abwenden und . . . verpatzte prompt meinen Einsatz.

Nun gilt es, noch ein paar hundert Meter Stadthausquai zurückzulegen, und das Zürichseeufer ist erreicht. Eine schattige Allee. Unter denselben Bäumen bin ich vor vierzig Jahren mit Eta Busch, der Tochter Fritz Buschs gegangen, eine immer heitere, lebensfrohe Kameradin. Sie wohnte damals bei Lily Reiff, studierte Medizin und genoß das üppige Leben im Reiffschen Hause derart, daß sie durchfiel.

Ich fragte sie: »So, Eta, was machst du jetzt?«

»Ich gehe nach Paris und werd' Papas Sekretärin«, antwortete sie. »Und in Paris finde ich einen netten Mann zum Heiraten.« Das ist dann auch planmäßig eingetreten. Eta vermählte sich mit dem französischen Baritonisten Martial Singher, die beiden sind heute noch glücklich beisammen, in Amerika, wo Martial nach einer glänzenden Karriere ein gesuchter Pädagoge geworden ist.

11 Uhr 20. Die »Stadt Zürich«, mein geliebter alter Salondampfer, tutet. Gerade noch Zeit, eine Fahrkarte zu lösen. Jetzt nehme ich den Sami besser auf den Arm.

Kapitel 3

Fahrt auf dem Zürichsee

Pünktlich um halb zwölf setzen sich die Schaufelräder in Bewegung. Früher habe ich den einen oder anderen Schiffsangestellten gekannt. Aus der Jugendzeit. Wir sind miteinander älter geworden. Liebesaffären – um diesem Gedanken zuvorzukommen – waren es nicht. Wir als junge Menschen waren zurückhaltend, ein Flirt hatte seine im voraus abgesteckten Grenzen.

Das Zürcher Opernhaus erscheint am Seeufer. Hoch und erhaben leuchtet es in seiner senfgelben Pracht. Dort – das heißt, damals hieß es noch Stadttheater – bin ich zum erstenmal auf einer großen Bühne aufgetreten. Lange her auch das. Das Opernhaus wird von zwei Seitenstraßen flankiert. In einer stand Ende Juni 1947 eine Limousine, in der, den Mantelkragen hochgeschlagen, die Mütze tief in die Stirn gedrückt, der größte Opernkomponist des Jahrhunderts darauf wartete, seine »Elektra« hören zu dürfen. Hätte der Dirigent im Orchestergraben davon gewußt, er hätte den Taktstock niedergelegt und die Vorstellung abgebrochen. Eine sonderbare Geschichte.

Das Schiff wendet. Raddampfer wie die »Stadt Zürich« und die »Stadt Rapperswil« verlassen den Landungssteg rückwärts, ziehen eine Schleife um hundertachtzig Grad, nehmen Kurs auf Kilchberg und stechen sodann mit Volldampf in See. Jetzt kommt die Tonhalle in Sicht. Die »alte« Tonhalle, Zürichs Konzertsaal im letzten Jahrhundert, stand auf dem sogenannten Sechseläutenplatz am Bellevue. Als man 1873 daran ging, die »Neue Tonhalle« auf dem Areal des heutigen Kongreßhauses am unteren Seequai zu planen, gab es in Zürich Männer mit Zukunftsvisionen. Professor H. Keller, der Präsident des Tonhallevorstandes, legte ein Mammutprojekt vor, das einen Pavillon für 2000 Personen vorsah, einen Konzertsaal für 3000 Personen, einen kleinen Saal für Kammermusik, Übungszimmer, Klublokale, Restauration mit Gesellschaftszimmern, Räume für eine angeschlossene Musikschule . . . ein Kunstzentrum! Davor schreckten die Stadtväter zurück. Dennoch, was sie schließlich realisierten, läßt sich noch sehen, steht zum Teil heute noch: So der große und der kleine Tonhallesaal, zwei der schönsten Konzertsäle, die ich kenne. 1895, vom 19. bis 22. Oktober, wurden die Säle eingeweiht. Auf dem Podium des großen Saales, wo ich so oft gestanden habe, leitete Johannes Brahms im ersten Konzert am 20. Oktober sein »Triumphlied« für achtstimmigen Chor und Orchester. Anderthalb Jahre später war er tot. Nach der Pause dirigierte Friedrich Hegar Beethovens Neunte Symphonie.

Im zweiten Konzert, am 21. Oktober, spielte Joachim Beethovens Violinkonzert und Bachs d-Moll-Chaconne; Anton van Rooy, gefeierter Sachs und Wotan der Jahrhundertwende, sang Lieder von Schubert, Schumann und Brahms. Am 22., im dritten Konzert, bot Johanna Nathan aus Frankfurt am Main eine Arie aus Marschners Oper »Hans Heiling« und Lieder von Mendelssohn, Brahms und Hegar, darunter eines meiner Lieblingslieder von Brahms, die »Feldeinsamkeit«. Unvermutet sollte mich das Schicksal mit dem Sohn Johanna Nathans, der späteren Frau Justizrat Adler, zusammenführen. Am anderen Ende der Welt.

Im kleinen Tonhallesaal sagte ich meinem Zürcher Publikum im Juni 1969 ade. Ein schwerer Entschluß, zur – glaube ich – richtigen Zeit gefällt. Mein Mann begleitete mich, einfühlsam, hochmusikalisch wie immer; für mein Kernstück – einmal mehr Schumanns »Frauenliebe und -leben« – setzte sich Géza Anda an den Flügel, eine Lebewohl-Freundschaftsbezeugung an die Kollegin. Wer hätte gedacht, daß wir es waren, die Géza bald würden ade sagen müssen . . .

Rechts neben der Tonhalle, hinter Bäumen verborgen, blinzelt das alteingesessene Hotel Baur-au-lac hervor. Dort im Teesalon traf ich mich einst zum Five-o'clock-tea mit Toti dal Monte, was meinem jungen Sängerdasein entscheidende Impulse gab. Und am gleichen Ort trafen sich 1945 zwei der berühmtesten Exponenten des Berliner Musiklebens der Zwischenkriegsjahre, Artur Schnabel und Wilhelm Furtwängler, saßen sich gegenüber am runden Tischchen und konnten den Weg nicht mehr zueinanderfinden. Der Hintergrund ist tragisch.

Früher bin ich stets zweiter Klasse gefahren, heute leiste ich mir erste. Das berechtigt Passagiere, oben zu sitzen, unterm Sonnendach, vor Zugwind geschützt. Herrlich ist es! Und wie das Schiff lautlos über den Seespiegel gleitet . . .

Am Waldrand, zuoberst am Zürichberg, die Turmspitzen des Grandhotels Dolder. Im mittleren Turm hörte ich eine Goethe-Vorlesung der alten Frau von Bülow. Rechts darunter neben dem Hotel Sonnenberg wohnte ich, als ich zum erstenmal nach Zürich kam.

Mein Blick wendet sich zur gegenüberliegenden Seeseite, dem Hafen von Wollishofen; nach der Ortschaft Kilchberg, wo Thomas Mann zuletzt lebte, seine Frau Katja ihren Lebensabend verbringt, fährt er weiter nach Rüschlikon. Eggimanns aus Glattfelden, meine Pflegeeltern, habe ich bereits erwähnt. Nachdem Herr und Frau Eggimann ihren Gasthof, den »Ochsen«, verkauft hatten, dachten sie zunächst ans Privatisieren. Aber sie langweilten sich, kauften schließlich den »Sternen« in Rüschlikon. Dort bin ich oft hingegangen, sowohl als ich noch bei Staders in Romanshorn lebte, als auch später, da ich Musikstudentin in Zürich war. Pape Stader, der mich adoptiert hatte, war fast ein wenig eifersüchtig, daß ich so gern nach Rüschlikon ging. Mein Fortbewegungsmittel von Zürich nach Rüschlikon waren die See-Schwalben. So nannte man die kleinen Dampfer, die den Kurzstreckendienst versahen. Die »Schwalben« kannte ich alle in- und auswendig. Ihre Mannschaften auch. Das ist der eine Grund, weshalb mir die Gesichter der Schiffsleute vertraut waren.

Ich bin – das wird man noch hin und wieder von mir zu hören bekommen – ein unverbesserliches Heimwehkind gewesen. Bis zu einem gewissen Grad bin ich das heute noch. Meine ersten Jahre in der Schweiz haben Spuren hinterlassen. Bei Eggimanns hatte ich die ersten Wurzeln in der neuen Heimaterde geschlagen. Und mit Miggi, einer Tochter der Familie Eggimann, war ich nahe befreundet, bis auch sie von uns mußte. In jenen Vorkriegsjahren, als ich aufs Konservatorium ging und mit Ilona Durigo arbeitete, besuchte ich Eggimanns, wie gesagt, so oft ich nur konnte. Schon der alten Atmosphäre wegen. Und um Mama Eggimanns Ragout mit Kartoffelstock zu genießen. Dann war ich im Nu wieder »s'Maieli« – ob mit »e« oder »a« bleibe dahingestellt, ich wähle jetzt »a« von Maria und Mai –, das emsig im Gasthof zupackte, servierte, Gläser wusch und herbeieilte, wenn der Gast »zahlen!« rief. Meine Zuvorkommenheit honorierten die Gäste mit klingender Münze, wofür ich dankbar war. Viel Taschengeld hatte ich nicht. Miggi Eggimann war reservierter, kühler, hatte dementsprechend nicht so viel Erfolg wie ich. Ich lachte den Gast an. Wenn er mir einen Zwanziger oder, was allerdings rar war, einen Fünfziger zuschob, sagte ich: »Merci vielmals. Das ist aber schön! Das ist aber viel Geld!« Und das *war* auch ein hübscher Batzen.

Nur mit dem Bierausschank hatte ich meine liebe Mühe und bereitete Mutter Eggimann Ärger. Weil ich so klein bin, mußte ich einen Schemel hinzuziehen. Wie später auf dem Konzertpodium. Trotzdem erzeugte ich immer zu viel Schaum. Bier gut ausschenken ist nämlich gar nicht so einfach, besonders wenn das Faß frisch angezapft wird, beim Transport zu fest geschüttelt wurde und fürs erste nur Schaum aus dem Hahn kommt.

Sonntags, wenn ein paar gute Freunde in der Wirtsstube saßen, zog mich Vater Eggimann ans Klavier. »Maieli, sing mir doch was vor.« Ganz wie Pape Stader. Gounods »Ave Maria« liebten sie beide heiß.

War die Stube auf Hochglanz gebracht, hatte Mutter Eggimanns scharfes Auge die letzten Brotkrümel entdeckt und auf ihren Wink hin entfernen lassen, sagten die Eltern: »So, ihr Mädels. Gute Nacht. Und schlaft gut.« Wir erwiderten, strahlend vor Scheinheiligkeit: »Gute Nacht, Mutter. Gute Nacht, Vater. Schlaft beide gut.« Und huschten, kaum wußten wir sie brav und bieder unter den Plumeaus, hinunter zum unweit gelegenen Schiffsdock. Dort unter den Platanen gab sich die Jungmannschaft ein Stelldichein. Auch Schiffer fehlten nicht. Ich kannte sie vom Hin- und Herfahren und vom »Sternen« her, denn wenn die »Schwalben« in Rüschlikon anlegten, nahm der eine oder andere die Gelegenheit wahr, bei uns »eine go ziehe«, was in unserer Landessprache soviel heißt wie »sich einen hinter die Binde zu gießen«. Das wäre der zweite Grund, warum mir früher meistens eine Hand zuwinkte, wenn ich ein Zürichseeschiff betrat. Dann, nachdem ich mir als Sängerin einen Namen gemacht hatte, mein Bild in den Illustrierten erschienen und ich viel am Radio zu hören war, bekam der eine oder andere Hemmungen, die Maria Stader anzusprechen. Da lag es eben an mir, die Initiative zu ergreifen und dem Matrosen unsere alte Rüschlikoner Bekanntschaft in Erinnerung zu rufen.

Hin und wieder überholt uns ein rassiges Motorboot, spritzt nach rechts und nach links. Wie am Bodensee, wenn wir mit Gmürs Schnellboot in die Kielwellen der großen Schiffe hineinschossen. Oder wenn Pape Stader Vollgas gab und ich im Bug saß, mich dem Abendwind entgegenstemmend.

Dort am Ufer gibt es Fischer, Sonntagsfischer zwar, aber dennoch, der Stattliche im schwankenden Kahn, der stehend fischt und sich trotz Wellengang nicht aus der Ruhe bringen läßt, der mit dem Schlapphut: Das könnte Pape Stader sein.

Die »Stadt Zürich« fährt das rechte Seeufer hinan. Zollikon-Küsnacht-Erlenbach-Herrliberg-Meilen, dann über den See zur Halbinsel Au, nach Wädenswil, wieder über den See nach Stäfa, dann an Ulrich von Huttens Insel Ufenau vorüber bis nach Rapperswil, der Stadt am andern Ende des »Untersees«. Die Route habe ich im Kopf, wie Paumi die Besetzungen der Salzburger Festspiele. Ich denke oft an Paumgartner. Daß ich »Mozart-Sängerin« geworden bin, habe ich nicht zuletzt ihm zu danken.

Die Halbinsel Au, etwa auf halbem Weg zwischen Zürich und Rapperswil, ist ein beliebtes Ziel für Zürcher Sonntagsausflügler. Nachdem auch Miggi Eggimann unter die Haube gekommen war und wie ich zwei Buben hatte, fuhren wir mit unserm Nachwuchs gern bis zur Au. Die meiste Zeit verbrachten wir damit, in den Maschinenraum hinunterzuschauen. Eine Sehenswürdigkeit! Die für Bubenaugen speziell eingebauten Seitenfenster geben den Blick auf die schaufelnden Räder frei. »Hätt ich tausend Arme zu rühren! Könnt ich brausend die Räder führen!« Daran denke ich unwillkürlich, wenn ich da hindurchschaue. Bloß, das Lied ist im Sechsachtel-, die Räder drehen sich im Viervierteltakt.

Über dem Maschinenraum prangt das Geburtsdatum des Dampfers: 1909. Er ist zwei Jahre älter als ich. Faszinierend ist es, hinunterzublikken und zuzusehen, wie der Mechanismus zischt und schwitzt, die Riesenräder in Gang gebracht werden. Unheimlich die Kraft, mit der die Kolben sich in die Höhe schwingen und die Last vorwärtstreiben. Die zierlichen Gefäße sehen aus wie Miniaturlaternen, kleine Wunderlampen Aladins. Es sind jedoch Ölbehälter, habe ich mir sagen lassen.

Gegen Abend kehrt die »Stadt Zürich« ins untere Seebecken zurück. Die Türme von Zürich tauchen auf. Sami ist eingeschlafen, er denkt sich: Die Mami, die hat wieder so viel vor nächste Woche, da muß man im voraus schlafen.

Er hat recht. Morgen will ich mich nach der Flugkarte erkundigen, denn über Weihnachten bin ich in Hongkong bei meinem Sohn Roland. Zum Mittagessen bin ich mit Margrit Weber verabredet, nachmittags sollte ich zwei längst fällige Krankenbesuche machen, um halb sechs kommt eine Schauspielerin, die in einem »Musical« singen muß und meine Ratschläge braucht, abends ist Konzert, am Dienstag fahre ich zu Silvia an den Zugersee nach Risch.

Auch mich hat die Rückfahrt müde gemacht. Im Spiegel sehe ich, daß meine Frisur gelitten hat. Walther wird das nicht stören, wenn er mich abholt. Sofern er es einrichten kann, will er am Landungssteg auf mich warten. Er hatte tagsüber eine Sitzung in Zürich. Wenn ich heutzutage von Walther spreche, wissen alle Freunde und Bekannten, daß damit Walther Bringolf gemeint ist.

Sami ist aufgewacht, wedelt mit dem Schwanz: *Er* hat unseren Freund am Pier schon entdeckt.

Kapitel 4

Ich hab einen Kameraden

Walther Bringolf kennt die Schweiz und die Schweiz kennt ihn. Markant, populär, bedeutend, oppositionell, umstritten – das sind fünf Eigenschaftswörter, die seine Laufbahn als Magistrat und Parlamentarier ungefähr umschreiben.

Ich weiß, daß sich Leute immer wieder fragen, was Walther Bringolf und Maria Stader, die allenthalben miteinander auftauchen, im Restaurant, im Theater, auf Reisen, verbinden mag: Vorneweg, groß und imposant, der wortgewaltige politische Haudegen, legendärer Moskaupilger und Kapitalistenschreck, hinter ihm, in ein Wölkchen Mozart eingehüllt, die kleine Stader, die, obwohl sie soweit wie möglich Abstimmungen nie versäumt hat, ein so gänzlich unpolitisches Wesen ist. Aber Politik ist eben nur eine, wenn auch zugegeben gewichtige, Seite Walther Bringolfs.

Der junge Gefreite, der gegen Ende des Ersten Weltkrieges das Kader der Schweizer Armee durch die Gründung der ersten Soldatengewerkschaft in helle Empörung versetzte, der als Fünfundzwanzigjähriger am Zweiten Weltkongreß der Kommunistischen Internationale teilnahm und dort mit Genosse Lenin über die Haltung der Schweizerischen Sozialdemokratie in der Milchpreisfrage konferierte, als jüngstes Mitglied in den Nationalrat einzog, wo er sechsundvierzig Jahre lang wirkte, 1933 bis 1969 Stadtpräsident von Schaffhausen war – in Deutschland würde man sagen: Bürgermeister –, der die Sozialdemokratische Partei, den Nationalrat und in den sechziger Jahren den Verwaltungsrat der Schweizerischen Bundesbahnen präsidierte, dieser Mann besitzt eine ausgeprägt künstlerische Ader, ist in seinem Wesen ein musischer Mensch. »Als ich jung war, hat mich Politik nur nebenbei interessiert. Ich begeisterte mich für Literatur und Philosophie«, erzählte er mir, nachdem wir uns näher kennenlernten. »Überhaupt, wer mich begreifen will, muß zweierlei wissen. Ich bin ein Schüler der griechischen Philosophen. Und ich bin Goetheaner, freilich auf meine Art.« Und ein anderes Mal sagte er: »Schöpferisch werde ich immer dann, wenn ich mich für die Gemeinschaft engagiere.«

Darüber haben wir oft gesprochen. Bei mir war es nicht viel anders. Gewiß, es kam vor, daß ich für einzelne sang, für Pape oder Mame Stader, später auch in Gedanken an Bruno Walter oder Ferenc Fricsay. Meistens sang ich jedoch bewußt für »die Menschen«, die Mitmenschen, das Publikum. Nicht immer gelang es mir, die Menschheit quasi mit dem Gesang zu umarmen. Es hängt auch von der Übereinstimmung mit dem Dirigenten ab. Mit Walter und Fricsay habe ich es am ehesten geschafft. Das waren dann begnadete Augenblicke.

Nicht nur Maria Stader, auch der junge Walther Bringolf wollte einst zur Bühne, als Schauspieler freilich, nicht als Sänger, obwohl ein Lehrer den mit einer anmutigen Tenorstimme Begabten dazu ermuntern wollte. Und er war obendrein nicht der einzige Bringolf, der mit solchen Ideen spielte, zur Bestürzung des Vaters, eines in bescheidensten Verhältnissen lebenden, von schweren Schicksalsschlägen heimgesuchten Arbeiters. Vater Bringolf wollte aus seinen Kindern brave Schneiderinnen, Maurer und Schlosser machen. Da gab es die unternehmungslustige Frieda, die in ein Wirtshaus servieren ging, um sich die Gesangsstunden zu finanzieren. Wie ich, wenn auch einige Jahre vor mir, reiste sie wöchentlich nach St. Gallen, um sich – der Zufall hat es so gefügt – bei derselben Lehrerin, bei Mathilde Bärlocher nämlich, ausbilden zu lassen. Frieda ging als Operettensoubrette nach Hamburg, dann nach München, später sang sie in Wien unter Robert Stolz.

»Ich weiß noch gut, wie Frieda nach Hause kam, in unserer kleinen Stube um den Tisch herumtanzte und ein Solo aus der ›Fledermaus‹ anstimmte. Da haben sich die Eltern trotz allem eben doch sehr gefreut«, erzählte Walther. Als ich davon hörte, mußte ich an meine eigene Jugend zurückdenken. Nach ihrer Heirat mit dem tschechischen Schauspieler und Jarno-Schüler Willi Volker sattelte Frieda aufs Schauspiel um, kehrte in die Schweiz zurück und wurde bei uns unter dem Namen Elfriede Volker bekannt, nicht zuletzt dank ihrer Zusammenarbeit mit dem Komiker Alfred Rasser.

Frieda war es, die den Bruder Ernst, Schlosserlehrling im dritten Lehrjahr, nach München entführte, wo er seine schauspielerische Tätigkeit begann. Über Königsberg kam er zu Piscator nach Berlin. Wenn er jetzt könnte, würde mich Walther unterbrechen, um von Piscator zu erzählen: »Ein Freund von mir. Wir befanden uns auf derselben politischen Linie.« Ernst Bringolf wurde einer der ersten Sprecher am verhältnismäßig jungen deutschen Radio. Als er nicht Parteimitglied der Nazis werden wollte, wurde er 1934 auf die Straße gesetzt und nach seiner Rückkehr in die Schweiz Mitarbeiter bei Radio Beromünster, Studio Bern. Vielleicht erinnern sich ältere Hörer an den Regisseur Ernst Bringolf. Unter anderem inszenierte er im Mai 1940 für den Rundfunk »Das Verhör des Lukullus« von Bert Brecht. Es war das erste Mal, daß sich hierzulande jemand für diesen Autor einsetzte.

Daß ein nach geistiger Nahrung unentwegt Ausschau Haltender wie Walther Bringolf in solchem Milieu auf den Gedanken gekommen war, selber zur Bühne zu gehen, überrascht nicht. Er versuchte sich als Shylock in einer Liebhaberaufführung von Shakespeares »Kaufmann von Venedig« und danach als Mephisto, kam aber bald zur Erkenntnis, daß dies seine Lebensaufgabe nicht sei. Das Jahr 1917 führte wichtige Entscheidungen herbei. Mit Hilfe der Schwester Frieda konnte er sich ein Studienjahr in Zürich leisten, um Versäumtes nachzuholen. Der einstige Maurerlehrling nahm Privatstunden in Latein, Italienisch, Mathematik und Botanik, er besuchte Vorlesungen an der Universität, vor allem das journalistische Seminar. Was für mich der Reiffsche Salon an der Mythenstraße war – die Begegnungsstätte meiner Jugend –, wurde für Walther das ehemalige »Café des Banques« am unteren Rennweg in Zürich, wo Musiker, Maler, Bildhauer, Literaten und Politiker verkehrten.

Wenn er davon spricht, wird Walther nostalgisch. »Donnerstags spielte dort ein kleines Ensemble klassische Musik. José Iturbi habe ich dort gehört. Im Stadttheater gastierte Bruno Walter mit dem ›Ring des Nibelungen‹. Heute mag ich die Wotan-Brüder nicht mehr leiden. Max Reinhardt führte Regie in ›Dantons Tod‹ von Büchner mit Moissi, Deutsch, der Eysoldt. In der Tonhalle hörte ich Arthur Nikisch mit Beethovens Neunter. Darüber schrieb ich voller Begeisterung im ›Volksrecht‹. Und jetzt werdet ihr staunen. Eigentlich wollte ich Feuilletonredakteur bei der ›Neuen Zürcher Zeitung‹ werden.«

»Hast du Caruso erlebt?«

»Nein, aber Mattia Battistini und den Pianisten Ferruccio Busoni, der wie ich im Rigiviertel wohnte. Wenn ich mit Busoni Tram fahren konnte, war ich richtig stolz. Er aß jeweils um die Mittagszeit im Zürcher Bahnhofsbuffet, pünktlich um Viertel nach eins wartete er vor dem Bahnhof auf die Tram, um auf den Zürichberg zurückzufahren. Ich war gleichfalls zur Stelle. Selbst wenn im Wagen Sitzplätze frei waren, stand Busoni im vorderen Abteil beim Wagenführer. Ich auch. Busoni war stets guter Laune, summte und lächelte vergnügt vor sich hin, leicht angesäuselt. Offenbar liebte er seinen Roten.«

»Hast du ihn angesprochen?«

»Aber wo denkst du hin! Das hätte ich mich nicht getraut.«

»Was? *Du* dich nicht getraut!«

»Durchaus nicht«, entgegnete Walther. »Damals war ich zurückhaltend, vielleicht sogar schüchtern. Und künstlerische Leistungen habe ich immer bewundert.«

1922 wurde Walther Bringolf Redakteur der Schaffhauser »Arbeiter-Zeitung«. Als Präsident des Bildungsausschusses der Arbeiterunion hielt er Vorträge über Architektur, über Anschauungsformen in Musik. Er hatte sich vorgenommen, die Kunst den Arbeitern näherzubringen. Um den 1. Mai abwechslungsreicher zu gestalten, inszenierte er mit Laiendarstellern Stücke mit sozialkämpferischem Inhalt, zum Beispiel Hauptmanns »Die Weber«.

Aber zunehmend stand seine Laufbahn als Politiker im Vordergrund, und bereits im Herbst 1932 wurde er zum Stadtpräsidenten von Schaffhausen gewählt. Auf Jahrzehnte erhielt der rechtsrheinufrige, im Hinblick auf die politische Entwicklung so überaus exponierte Landesteil Schaffhausen Bringolfsches Gepräge.

Von seinen moskauhörigen Kampfgenossen der zwanziger Jahre hatte sich Walther Bringolf inzwischen distanziert, ein Standortwechsel, den er in seinem Lebensbericht »Mein Leben, Weg und Umweg eines Schweizer Sozialdemokraten« beschreibt. Als in denselben Jahren die politische Entwicklung in Italien und Deutschland ihren unheilvollen Zielen entgegenstrebte, profilierte er sich zusehends als kompromißloser Gegner jeglicher Form von Demokratiefeindlichkeit. Einst als Moskowiter beschimpft und abgeschrieben, wurde er in weiten Volkskreisen zu einem Pfeiler aufrechter und lauterer eidgenössischer Gesinnung. Hier, spürte man, war ein Volksvertreter, der das Landesinteresse dem Parteiinteresse voranstellte, der, wenn die beiden Interessensphären kollidierten, durchaus imstande war, selbst gegen die eigene Partei Stellung zu nehmen. In ihm schätzte man jene Charaktereigenschaften, die ich schon früh an Vater Eggimann und Pape Stader bewunderte: Aufrichtigkeit, Unbestechlichkeit, Wahrheitsliebe und nicht zuletzt einen sicheren Instinkt für Proportionen.

Der schönste Beweis für Walther Bringolfs Ansehen ist das Prestige, das er bei seinen einstigen politischen Gegnern genießt. An einer Tagung in Genf begegnete er Alt-Bundesrat Schaffner. Die beiden hatten wohl manchen Strauß ausgefochten. Schaffner setzte sich zu Bringolf. »Ich wollte Ihnen schon lange etwas sagen«, bemerkte er.

»Bitte.«

»Ich möchte Ihnen danken für alles, was Sie für unser Land getan haben. Sie sind ein Mensch, der sich immer sein eigenes Urteil gebildet hat; Sie haben nie gewartet oder warten müssen, bis andere geurteilt haben. Sie haben selber gewußt, was Sie vertreten haben, und Sie haben es gut vertreten. Unabhängig. Ohne Protektion.«

»Das zu hören, hat mir natürlich Freude gemacht«, meinte Walther, als er mir davon berichtete.

Daß Linus Birchler, Präsident der Eidgenössischen Kunstkommission und überzeugter Katholik, den damals noch im Ruf eines radikalen Sozialisten stehenden Stadtpräsidenten von Schaffhausen, den »roten« Bringolf, 1945, kurz nach Kriegsende, ins Bahnhofsbuffet Zürich einlud, um ihm die Idee des Bachfestes von Schaffhausen vorzutragen (»Schau, Maria, das dort ist der Tisch«, sagt Walther, wenn uns der Zufall durchs Bahnhofsbuffet führt), war schon außergewöhnlich. Aber Birchler erkannte in Bringolf, trotz aller Verschiedenheit, den antifaschistischen Gesinnungsgenossen. Birchler sagte: »Jetzt ist der Krieg vorbei. Wir müssen etwas zur Versöhnung beitragen. Dazu ist Schaffhausen die geeignete Stadt, und Sie, Herr Stadtpräsident, sind der richtige Mann. Sie werden dafür sorgen, daß das Bachfest im Geiste der Humanität realisiert wird.«

Bringolf war begeistert. Er konsultierte seine Kollegen im Stadtrat, die ihn unterstützten, obgleich niemand wußte, was es kosten würde. Auch Bilderausstellungen wurden ins Auge gefaßt, mehr als das: eigentliche Kunst-Demonstrationen, Dokumentationen europäischen Geistes: »Meisterwerke altdeutscher Malerei« 1947, die Rembrandtausstellung 1949, später die Ausstellung von Bildern aus ehemaligen

Berliner Museen, was Konflikte zwischen Bonn und Berlin entfachte und Bundeskanzler Adenauer zu Gunsten Schaffhausens auf den Plan rief. Spaziert man mit Walther Bringolf durch ein deutsches Museum, zeigt er nach rechts und nach links und ruft: »Da, da, das da und das dort.« Die Bilder waren alle einst in Schaffhausen: Dürers, Grünewalds, Holbeins. Die Beschaffung solcher Leihgaben war unmittelbar nach dem Krieg keine leichte Sache. Dazu bedurfte es schon besonderer Verbindungen und des Wohlwollens der Besatzungsmächte in Deutschland. Immerhin floß der Segen an die Leihgeber zurück. Denn als die Ausstellungen nicht nur kein Defizit zeitigten, sondern namhafte Überschüsse, erhielten die deutschen Museen ihren Anteil als Hilfe zum Wiederaufbau. Der in Kunstmission reisende Stadtpräsident wurde auf dem diplomatischen Parkett ein gern gesehener Gast. »Wie du, Maria«, kommentiert er.

1946, am 1. Internationalen Bachfest, haben wir uns kennengelernt. Seither verbindet uns eine schöne Freundschaft.

*

Das Schiff legt am Landungssteg an. Walther winkt schon von weitem.

»Guten Abend, Maria.«

»Schön, daß du gekommen bist.«

»Ich habe einen Tisch reservieren lassen.«

»Wo geht's denn hin?«

»Wirst schon sehen. Es gibt was Rechtes dort.«

Walther hat, wie sich herausstellt, in der Hummerbar zwei Plätze bestellt. Wir essen gerne Fischspezialitäten. Sami kuschelt sich unter meinen Sessel. Ein Journalist aus Wien, der am Nebentisch sitzt, kennt mich und dokumentiert das, indem er mich mit »Frau Professor« anspricht. Diesen Titel hat mir die österreichische Regierung 1977 verliehen. Den ganzen Abend über nimmt mich Walther mit »Frau Professor« auf den Arm. Ich revanchiere mich mit »Herr Alt-Nationalrat«. So verbringen wir die Stunden mit Essen, Trinken, Lachen und Blödeln. Dann will er wissen, wie weit ich mit meinem Buch bin. Ich sage:

»Mit dem Kapitel über *dich* bin ich gerade fertig.«

II

Erinnerungen an die Kindheit

Kapitel 5

Kinderzeit in Ungarn

Meine früheste Erinnerung: Sommer 1917? 1918? Eine pustende Lokomotive schleppt zwei oder drei Waggons durch die Steppe. Die Fenster sind zur Hälfte heruntergelassen. Hochsommerliche Hitze lastet auf den Wagendächern. Auf einer Holzbank sitzt ein Kind, drückt die Nase an der Fensterscheibe platt und läßt den Blick in die Ferne schweifen.

Sonderbar, wie gut ich mich an jene Eisenbahnfahrt zu meinen Großeltern erinnern kann. Mutter, immer um uns Kinder besorgt, brachte mich zur Bahn, vertraute mich einem mitreisenden Ehepaar an, das am gleichen Ort wie ich aussteigen mußte. Nicht ohne Grund fürchtete sie, ich würde ohne Hilfe im Zug sitzen bleiben, womöglich bis über die Grenze. Wohin der Zug fuhr, weiß ich heute ebensowenig wie damals. Soweit es mich betraf, hatte er mich an keinen kartographisch bestimmten Ort zu bringen, sondern einfach zu den Großeltern. Die Ferienzeit war da, und ich durfte aufs Land, wo Milch und Honig floß, um den nagenden Hunger zu stillen. Denn in Budapest waren die Lebensmittel so knapp und teuer geworden, daß wir armen Leute nichts mehr zu essen hatten, tage-, wochen-, monatelang.

Vom ländlichen Bahnhof bis zu dem kleinen großelterlichen Hof mußte man ein tüchtiges Stück zu Fuß zurücklegen. Meine Beschützer gingen in dieselbe Richtung, nahmen aber gar große Schritte. Eine Weile hielt ich tapfer mit, bis meine Füße die hochgeknöpften Stiefel nicht mehr aushielten. Also setzte ich mich am Wegrand nieder, zog sie aus und trippelte barfuß hinter den Erwachsenen einher, das Schuhwerk in der einen Hand, das Bündel mit meinen wenigen Habseligkeiten in der andern. Und jeder Schritt wirbelte eine Mischung von Staub und Lehmpuder empor. Ich habe den Geruch noch heute in der Nase.

Der Weg gabelte sich, wir trennten uns, und ich mußte allein weiter. Woran mag die kleine Manzi gedacht haben, als sie so einsam des Weges trottete? Wahrscheinlich an irgendein Musikstück, an ein Kinderlied oder eine Volksweise. Nichts lag ihr näher als Melodien. So sehe ich mich summend, singend und tirilierend auf jener scheinbar endlosen Landstraße dahintappen und nach dem Haus der Großeltern Ausschau halten. Das befände sich – so war mir von Mutter eingeschärft worden – auf der linken Straßenseite.

Was aber verstand man unter links? Was unter rechts? So ohne weiteres war dergleichen nicht auszumachen! Sollte ich jemanden fragen? Dazu war ich wiederum zu stolz. Auf der Höhe der ersten Häuser blieb ich stehen, um der Lösung dieses tiefschürfenden Problems näherzukommen, in tiefe Gedanken versunken und inmitten einer Schar kläffender Hunde, empört gackernder Hennen und mich mißtrauisch von oben bis unten abschätzender Gänse, die diesen, ihre Revierrechte verletzenden Fremdling fürs erste mitnichten kommentarlos hinzunehmen geneigt waren. An die Gesellschaft der Haustiere gewöhnte ich mich im übrigen bald. Auch auf Großvaters Hof lebten sie vergnügt und eng mit ihren menschlichen Hausgenossen unter einem und demselben Dach.

Als ich schließlich am richtigen Ort eintraf, hieß Großmutter mich freudig willkommen. Von meiner Ankunft freilich hatte sie nichts geahnt. Telefone gab es in unseren Kreisen nicht, Briefe wurden nur selten ausgetauscht. Der unmittelbare Kontakt war entscheidend. Man lebte, würde man heute sagen, primitiver . . .

»Liebes Kind, wie siehst du denn aus!« rief die Großmutter entsetzt, als sie meine hohlen Wangen sah. »Komm mal her, Vater! Schau dir mal Maria an!«

»Heiliger Bonifatius! Bist unter die Türken gekommen!« Der Großvater war stark und schön, hatte hohe Stiefel an und trug oft den alten Soldatenleibrock. »Schau zu, daß sich die Kleine den Bauch mal ordentlich vollschlagen kann!«

Großmutter bückte sich, vom Boden her ertönte markerschütterndes Gekreisch, schon hielt sie ein zappelndes Hähnchen in der Hand, drehte ihm mit geübtem Griff den zierlichen Kragen um und machte sich gemütlich ans Rupfen. Die Operation verschlug mir den Appetit, aber ich dürfte den Schreck überwunden und den Leckerbissen nicht verschmäht haben, ausgelaugt wie ich nun einmal war. Dennoch empfand ich ein unfaßliches Mitleid mit der Kreatur. Es verging kein Morgengrauen, ohne daß ich nicht die Stiege hinabgeschlichen wäre, um mich zu vergewissern, ob noch alle achtzehn Küken am Leben waren.

Die Ferientage gingen wie im Flug vorüber. Tagsüber rackerten sich die Großeltern auf dem Felde ab, die frühen Abendstunden verbrachten wir in der Küche, wo sich das Familienleben abspielte. Ich nistete mich in Großmutters mit Unterröcken weich gepolstertem Schoß ein und sagte: »Oma, erzähl mir was.«

Und sie erzählte mir vom »Silbernen Pfennig«, von »Barak Hageb und seinen Frauen«, dreihundertfünfundsechzig an der Zahl, eine für jeden Tag im Jahr, nur wenn es ein Schaltjahr gab, zog er sich für einen Tag in die Moschee zurück, um des Propheten zu gedenken; und vom Froschkönig, der sich in einen Prinzen verwandelte, und von einem schrecklichen madjarischen Fürsten, der seine Feinde in brühendes Wasser werfen ließ und als »Blutsauger« in die Geschichte einging. Später hörte ich, daß es dieses Ungeheuer tatsächlich gegeben haben soll.

Unbedingter Höhepunkt des ländlichen Aufenthaltes war jedoch das eigene Bett mit echtem Daunenkissen. Dergleichen Luxus kannten wir zu Hause nicht. Hatte Mutter mit uns das Gebet gesprochen, war zuletzt die altehrwürdige Formel »Es lebe Ungarn« verklungen, schlüpften die Eltern ins eine, die beiden Brüder ins zweite und wir drei Mädels in ein drittes Bett. Kein Wunder, daß die kleine Manzi sich bei den Großeltern vorkam wie eine habsburgische Erbprinzessin.

Budapest im Krieg

Aber wie nach jedem Sonntag der unerbittliche Montag, kehrte die graue Wirklichkeit zurück. Packen, ein letzter Abschiedskuß, ein letztes Winken nach dem weißgetünchten Haus mit dem schiefen Strohdach, seinen Enten und Gänsen und dem nach Holzkohle duftenden Backofen, und schon fauchte die Dampflokomotive daher, um mich in die Stadt zurückzubringen.

Armes hungerndes Budapest! Das waren die fürchterlichen Monate des Ersten Weltkrieges, die sich unauslöschlich in meine Erinnerung eingegraben haben.

Nahe beim Stadtkern, der »City«, wie man heutzutage sagen würde, bewohnten wir ein bescheidenes Zweizimmerlogis, bestehend aus einem Wohnraum und einer Küche. »Graf-Haller-Utza« hieß die Straße, die – mutmaßlich unter weniger blaublütiger Patenschaft – noch heute existieren dürfte. Das Elternhaus beherbergte eine fünfköpfige Kinderschar. Von außen sah es nicht eben attraktiv aus. Wir lebten im Teilstück einer schmucklosen, einstöckigen, in öder Länge sich hinziehenden Holzbehausung, in einer unter vielen, die das Stadtviertel verunzierten, in einer Art Baracke. Unsere Reihe trug die Nummer 70, neben dem Wohnungseingang stand die Zahl 180. Dort kam ich am 5. November 1911 als Maria Molnar zur Welt.

In unserem Häuschen wurde pausenlos gefegt, gekehrt und gebohnert. Arm dürfe man sein, fand Mutter, schmutzig nicht. Wehe dem Kind, das die in sattem Bürgerstolz sich sonnende Wohnschlafstube unbedacht betreten, ihren makellos polierten Tannenholzboden mit gewöhnlichen Straßenschuhen bekleckst hätte! In blitzend weißer Eintracht thronten hier die drei Bettstätten, das Elternbett aus massivem Holz, dasjenige der Brüder und das Mädchenbett, wo ich zwischen den Schwestern schlief. Ein Tisch mit einer buntbestickten Decke, ein paar Stühle und ein Schrank vervollständigten die karge Einrichtung. Kam der Winterabend, zündete Mutter die Petroleumlampe an, die, verziert mit einer steifleinenen Spitzenbordüre, pompös von der Decke herabhing. Besagte Bordüre gab zu manchem Donnerwetter Anlaß. Gestärkt wurde sie mit einer konzentrierten Zuckerwasserlösung, die dem Gewebe, wie wir Kinder alsbald entdeckt hatten, einen aparten kandierten Geschmack verlieh. Dort entschädigten wir uns für die Lutschbonbons und Pralinen, die sich unsereiner nicht leisten konnte. Hatte Mutter uns den Rücken gekehrt, kletterten wir fünf auf den Tisch, reckten die Hälse hoch, setzten die Zungen in Bewegung und überließen uns unseren Schleckgelüsten.

Fehlendes Zuckerwerk wäre zu verschmerzen gewesen. Leider war es auch um die Hauptmahlzeiten schlimm bestellt. Mein Vater war einfacher Metallarbeiter und verdiente nicht viel. Als jedoch auf den Ausbruch des Ersten Weltkriegs im August 1914 die Teuerung folgte und selbst die Preise einfachster Nahrungsmittel wie Brot und Milch in die Höhe schnellten, standen wir sozusagen vor dem Nichts. Vater stand monatelang an der Front, sein Arbeitslohn blieb aus, Ersparnisse hatten wir so gut wie keine, Unterstützung, geschweige Gehaltsentschädigung gab es damals nicht. Mir ist es heute noch ein Rätsel, wie uns unsere tapfere Mutter durch die Elendsjahre hindurchrettete. Ich sehe mich als Vier- oder Fünfjährige an Mamas Schürze zerren und nach

Brot schreien. Ärmste Mutter! Ihr blieb nichts anderes übrig, als etwas Wasser aufzusetzen, eine Prise Kümmel zuzugeben und ihre Kleinen mit der garstigen Wassersuppe im Magen ins Bett zu schicken.

Dabei ließ es sich in Budapest auch während des Ersten Weltkrieges ganz gut leben, sofern man über eine gut gepolsterte Brieftasche verfügte. In seinen »Erinnerungen eines Europäers« beschreibt Stefan Zweig seine Verblüffung, als er, ein paar Schnellzugstunden von der Front, Budapest »so schön und sorglos wie nie« vorfand, wie er, in der Nase den Geruch von Jodoform, die weißgekleideten Damen, tadellos rasierten Herren und eleganten Autos bestaunte, die in Budapests Avenuen sorglos auf und ab fuhren.

In unserer Nähe wohnte eine Beamtenfamilie. Die Frau steckte mir hin und wieder etwas zu. Eines Tages fragte sie mich: »Willst du für mich Besorgungen machen, Kleine?« Ich willigte gerne ein. Fortan bekam ich regelmäßig Lebensmittelreste, die wir geschwisterlich teilten. Dennoch kam es vor, daß wir uns in Villenquartieren herumtrieben, wo wir in vor Gartentoren aufgestellten Mülltonnen wühlten.

Nagender Hunger macht selbst strenge Erziehung zunichte. Eines Tages konnte ich dem Aroma herrlicher, frischer Kaisersemmeln nicht widerstehen. Einen günstigen Augenblick abwartend, griff ich in einen zum Austragen bereiten Korb hinein und schlenderte unauffällig aus dem Bäckerladen hinaus. Jemand mußte mich beobachtet haben. Außerdem war ich unvorsichtig genug gewesen, ausgerechnet einen Bäkkerladen unserer Nachbarschaft, wo mich jedermann kannte, zum Ort meiner Missetat zu wählen. Die Sache kam meiner Mutter zu Ohren und hatte eine böse Szene zur Folge. Wie weiland Brünnhilde sollte ich aus dem Kreis der Geschwister ausgestoßen werden. Mutter schnürte meine Siebensachen zusammen, drückte mir meine häßlichste Puppe in die Hand und beförderte mich zur Tür hinaus. Heulend lief ich zur Bäckersfrau, um Abbitte zu leisten. Im Brotladen erregte mein Auftritt einiges Aufsehen, die Meisterin brachte mich heim, sprach auf Mutter ein und erwirkte, daß ich wieder in Gnaden aufgenommen wurde.

Es gab aber auch Stunden seligsten Glücks, etwa nach der Ankunft eines Pakets mit Mehl, Eiern, Schmalz, Gemüse, Äpfeln, vielleicht sogar einer Gans oder einer Wurst, im großväterlichen Kamin eigens für uns geräuchert. Ohne solche Zuschüsse vom Land hätten wir den Krieg nicht überstanden.

Gaben dieser Art trafen rechtzeitig zu Weihnachten ein. Jetzt wurde das Märchen vom Tischleindeckdich Wirklichkeit, der Traum von Entenbraten, Backhendl, Kraut- und Obststrudel, von Mutter meisterhaft zubereitet, ging in Erfüllung. Kam gar der Vater auf Urlaub nach Hause, waren sämtliche Mühseligkeiten des Alltags vergessen. Es duftete nach Tannenreisig, Mutters bunte Wandstickereien mit ihren biederen Volkssprüchen leuchteten, wie es mir schien, im Lichte Tausender Kerzen, und die Eltern strahlten.

Ich kann mich übrigens nicht entsinnen, daß meine Eltern jemals gestritten hätten. Trotz Sorge und Not fiel zwischen ihnen nie ein rohes Wort, jedenfalls nicht in unserer Anwesenheit. Gegen Eltern und Erwachsene hatten wir uns respektvoll zu zeigen. Wir sagten: »Guten Morgen, Mamachen. Haben Sie gut geschlafen?«, knicksten und erteilten Handküsse. Als ich dergleichen später in der Schweiz praktizierte, erregte ich damit begreiflicherweise großes Aufsehen.

Außer der immerwährenden Nahrungsmittelknappheit gab es, besonders im Winter, noch eine Reihe weiterer Kümmernisse. Zum einen wollte unser kleiner gußeiserner Ofen hin und wieder gefüttert werden, doch Briketts waren unerschwinglich. Es reichte auch nicht zu ordentlicher Kleidung und neuem Schuhwerk für die Heranwachsenden. Mutter pflegte mir die ausgetragenen Schuhe in Zeitungspapier einzuwickeln, damit mir die Füße nicht einfroren. Beim stundenlangen Warten in der Brotschlange hätte das leicht passieren können. Schlangestehen gehörte zu meinen und meines älteren Bruders eisernen Morgenpflichten. Um günstig anzustehen, mußte mein Bruder frühmorgens als erster aus den Federn, worauf ich ihn eine Viertelstunde vor Beginn seines Schulunterrichts ablöste. Eines Tages kam mir das Geld abhanden. Ich muß Steine erweicht haben mit meinem Geheul, und der Polizist, der vor dem Ladeneingang stand und für Ordnung zu sorgen hatte, beschwor die wartende Menge, der Kleinen doch ihre paar Batzen wieder zurückzuerstatten. Man war allseits um mich bemüht, durchsuchte meine Taschen, kroch auf allen vieren im Schnee umher. Endlich kam einer auf die Idee, mich näher zu untersuchen. »Mach mal das Händchen auf!« befahl eine Stimme. Aber ich konnte nicht, so sehr ich es auch versuchte. Die Faust war zugefroren. Man blies und rieb, tätschelte und massierte. Schließlich riß mir jemand die Hand auf. Und tatsächlich: das Geld war da.

Mit sechs Jahren trat ich in die reguläre Schule ein. Ich war nie eine brillante Schülerin, ging jedoch gerne zur Schule. Der Unterricht lenkte mich wenigstens ab, ließ mich vorübergehend den Hunger vergessen. Kürzlich blätterte ich in meinen Primarschulzeugnissen. Daß ich im Singen nur die Note »genügend« erhalten hatte, amüsierte mich. Ich erinnere mich gut an unsere junge, fröhliche Lehrerin. Eines Morgens kam sie ganz in Schwarz. Wen hatte sie wohl verloren? Sie war stets gut zu uns gewesen. Draußen wütete der Krieg. Jetzt lächelte sie nicht mehr. Wenn ich daran denke, stimmt es mich immer noch traurig.

Daß es Bühnenwerke mit Musik und Symphoniekonzerte gab, davon hatte ich damals aber auch nicht die blasseste Ahnung. Derlei lag gänzlich außerhalb unseres Erlebnisbereichs. Kam ich mit Musik in Kontakt, so geschah das rein zufällig. Etwa als die Geburt meines jüngeren Bruders bevorstand. Meine Mutter hieß mich die Hebamme holen. Was das zu bedeuten hatte, wußte ich nicht. Daß Mutter in andern Umständen war, hatte keines von uns Kindern bemerkt, und selbst wenn uns die Bauchwölbung aufgefallen wäre, hätten wir das anderen Ursachen zugeschrieben. Kinder brachte unseres Wissens der Storch.

Die Hebamme wohnte am Rand eines Parks, den ich zu durchqueren hatte. Ich kam aber nicht bis zur anderen Seite. Im Park musizierte eine Militärkapelle. Beim Klang der Hörner, Helikons und Tschinellen blieb ich wie angewurzelt stehen. Ich wäre dem Tsching-ta-ra-ta-bumms wohl bis ans Ende der Welt gefolgt. Glücklicherweise sah mich die Hebamme vom Fenster aus Maulaffen feilhalten. Sie wußte sicher schon Bescheid und machte sich auf den Weg zu Mutter. Frau Musika hätte mir um ein Haar einen bösen Streich gespielt, aber ich hatte, wie später noch oft, einen Schutzengel.

Kapitel 6

Als Ferienkind in die Schweiz

Auch in den Jahren nach dem Ersten Weltkrieg kämpften meine Eltern unentwegt mit finanziellen Schwierigkeiten. Wir erholten uns nie. Obgleich der Vater unversehrt heimkehrte, blieb alles beim alten. Er war eben, wie ich bereits erwähnte, ein einfacher Arbeiter, dessen Gehalt offensichtlich nicht ausreichte, eine siebenköpfige Familie zu ernähren und die Klippen der Nachkriegszeit zu umschiffen.

Meine jüngere Schwester Elisabeth und ich boten augenscheinlich ein besonders trauriges Bild. So ungefähr äußerten sich einige Vertreterinnen der Heilsarmee, die damals in Ungarn die einzigen waren, die praktische Sozialhilfe leisteten, Armenviertel aufsuchten, das Gespräch mit ihren oftmals schüchternen, mißtrauischen Bewohnern aufnahmen und notfalls tatkräftig eingriffen. Mutter war keineswegs geneigt, Hilfe von außen zu akzeptieren. Als man ihr vorschlug, sie möge mich und meine Schwester zur Erholung in das ferne Holland oder in die Schweiz schicken, lehnte sie entrüstet ab. Aber die Heilsarmeeleute waren so leicht nicht abzuwimmeln. Sie kamen ein zweitesmal und setzten meinen Eltern unverblümt auseinander, daß sie mit ihrer Starrköpfigkeit unsere Gesundheit, wenn nicht unser Leben aufs Spiel setzten. Schließlich gaben die beiden nach, allerdings nur unter der Bedingung, daß ihre beiden Töchter beisammenbleiben könnten, woraufhin mir eingehämmert wurde, gut auf meine kleine Schwester aufzupassen.

Daß ungarische Schulkinder mit dem Roten Kreuz für drei Monate ins heil gebliebene Schlaraffenland Schweiz fahren durften, hatte sich längst herumgesprochen. Beim Gedanken, mit von der Partie zu sein, jubelte mein Herz. Als dann die offizielle Bestätigung des Roten Kreuzes eintraf, wir die dreimonatige Dispensation von der Schule erhielten und nur noch die Rede war von unserer Reise in ein Land, wo es Häuser aus Käse und Kühe aus Schokolade gab, kannte meine Begeisterung keine Grenzen mehr. So angestrengt brav wie in jenen Tagen vor dem Schweizer Urlaub war ich noch nie – und bin ich seither auch nie mehr gewesen.

Eines Nachmittags versammelte sich die Familie auf dem Budapester Zentralbahnhof, um Abschied zu nehmen. Meine Mutter – die, seitdem sie als junges Ding in die Stadt gekommen war, um bei irgendeiner noblen Herrschaft in Dienst zu gehen, vielleicht alle Schaltjahre einmal im Bummelzug aufs Land kutschiert war – glaubte bestimmt, man entführe uns auf den Mond. Ähnliches empfanden wohl die meisten Leute, die sich erhitzt auf dem Bahnsteig drängten, letzte Mahnungen und Ratschläge mit auf den Weg gaben und ihre Sprößlinge heulend umarmten. Ich gestehe, daß ich keine Tränen vergoß. Die Aussicht, der Trostlosigkeit unseres Jammerdaseins zu entrinnen, machte den Abschied leicht. Abgesehen davon war ich schon damals fürs Leben gern unterwegs.

Endlich war es soweit. Die Waggontüren wurden zugeschlagen, eine Pause noch, dann der schrille Pfiff der schweren Dampflok, ein Zischen, ein Ruck, und der lange Zug rollte aus der glasbedachten, rußigen Halle hinaus ins Freie. Als ich meinen immer kleiner werdenden Eltern das letzte Ade zuwinkte, hätte ich mir niemals, auch nicht im entferntesten Winkel meiner ansonsten leicht erregbaren Phantasie träumen lassen, daß dies *der* entscheidende Schritt in meine Zukunft sein würde, daß ich im Begriff war, ein neues Leben zu beginnen.

Im Zug war für alles bestens vorgesorgt. Zwei Begleitpersonen in schmucker Rotkreuztracht, ferner zwei junge Männer, vermutlich Studenten, in dicken Wollpullovern und den damals modischen Knikkerbockerhosen, kümmerten sich pausenlos um unser Wohlbefinden. Für jedes Kind stand für die Nacht eine Liege zur Verfügung, und bald wiegte uns das Rasseln der Räder ein in seligen Schlaf.

Unvergeßlich das erste Schweizer »Büürli« zum Frühstück an der Grenze in Buchs und die Milchverpflegung, die ich des ungewohnten Fettgehaltes wegen nicht vertrug und gleich wieder hergeben mußte. Am Grenzbahnhof galt es, in Einerkolonne vor dem Sanitäter aufzumarschieren, der die Neuankömmlinge wie ein Schimpansenpapa seine Jungen zielstrebig nach Ungeziefer untersuchte. Läuse! Denen hatte Mutter längst den Garaus gemacht. Kein Samstag, an dem sie uns nicht in die Küche zitiert, unsere Köpfe mit Petroleum eingeschmiert, die krausen Haarschöpfe mit Hilfe von selbst hergestellter Kernseife vom Wochenschmutz befreit hätte. Es versteht sich, daß die Schwestern Molnar die Läusekontrolle glänzend überstanden. (Später stellte sich allerdings Gravierenderes heraus: einer meiner Lungenflügel war tuberkulös.)

Die Bahnlinie führte uns am Walensee vorbei. Weit oben, als könne man von ihren Gipfeln aus mit einem Satz an Petrus vorbei in den Himmel einsteigen, türmten sich die grimmigen Churfirsten, mir den ersten unauslöschlichen Eindruck von Schweizer Bergriesen vermittelnd. Dann erblickte ich den mir heute so vertrauten Zürichsee. Ortschaften wie Lachen, Richterswil und Wädenswil flitzten vorüber.

Damals sah ich nichts als Seeufer und Häuser. In Horgen erwartete mich ein Schock, der mir die ganze Reise vergällte. Elisabeth mußte den Zug verlassen. Meine Eltern waren hinters Licht geführt worden, wir wurden getrennt. Ich schrie Zeter und Mordio, allein mein Protest nützte nichts, das Schwesterchen wurde kurzerhand zum Abteil hinausgeschubst, und schon fuhr der Zug weiter.

Auf dem Zürcher Hauptbahnhof wurden ich und andere Kinder, die Familien des Zürcher Unterlands zugesprochen worden waren, vom Pfarrer von Eglisau in Empfang genommen. Gemeinsam bestiegen wir einen blitzblanken Bundesbahnwagen dritter Klasse, der angenehm nach frischgebeiztem Holz roch. Und die Fahrt ging weiter. Als ich kurze Zeit danach meinen Pflegeeltern in Glattfelden, Herrn und Frau Meier, überreicht wurde, wimmerte ich immer noch. Eine richtige Heulsuse, werden sich Meiers gedacht haben, während sie das immerzu knicksende Marili in einer ihm unverständlichen Sprache zu trösten suchten. Ich hatte schreckliche Angst wegen Elisabeth. Und zudem Heimweh. Wer würde auf das mir anvertraute Schwesterchen aufpassen? Wie würde ich mich den Eltern gegenüber rechtfertigen? Es sollte noch Tage dauern, bis ich mich von jenem Schock erholte.

Der erste Abend bei Meiers bescherte mir noch eine weitere Überraschung. Zum erstenmal in meinem Leben erblickte ich eine Badewanne, tief und hohl, auf vier zierlich geschweiften Füßen und bis zum Rand mit Wasser gefüllt – mit brühend heißem Wasser, wie die zaghaft eingetauchte Fingerspitze mir verriet. Wenn ich Frau Meiers Anstalten richtig deutete, sollte ich in diese Brühe hineingetaucht werden. Ich schrie wie am Spieß, derweil mir Großmutters greuliches Märchen in den Sinn kam, vom Scheusal, das die Bauern in siedendes Wasser tauchen ließ, ein Schicksal, das ich mit meinen Vorfahren keineswegs zu teilen gesonnen war. Frau Meier besänftigte mich, wiederholte immer wieder »glutsch-glutsch-glutsch« und »schön-schön-schön«, stieg am Ende, glaube ich, selber in die Wanne und erweckte so in mir die seither nie mehr erloschene Lust am Baden. Dann führte sie mich in ein pieksauberes Schlafkämmerlein, wo ich, von den Tagesereignissen erschöpft, vom Bad jedoch erfrischt, zwischen Bettlaken eingepackt wurde, Frau Meier das Fenster aufmachte und die reine, ländliche Abendluft mich umfing. In der Kammer roch es penetrant nach Bohnerwachs.

Zum Frühstück erhielt ich mein erstes Butterbrot mit dick aufgetragener Konfitüre, was meinem zu Schmalz, Knoblauch und Paprika erzogenen Gaumen überhaupt nicht behagte. Aber ich bin von Natur aus beweglich – zum Glück –, und, von Meiers liebevoll angeleitet, paßte ich mich rasch den neuen Gegebenheiten an. Ich lernte mit Schnürsenkeln umgehen – ungarische Kinderschuhe wurden mit dem althergebrachten Schuhknöpfer zugeknöpft –, ich fand es mit der Zeit durchaus angenehm und angebracht, fürs Bett ein eigens zu diesem Zweck bestimmtes Hemd anzuziehen – zu Hause schliefen wir Kinder in den Unterkleidern –, ja ich entwickelte eine ausgesprochene Vorliebe für »G'schwellti« und Tilsiterkäse, Spiegelei mit Rösti und – bei einem gelegentlichen Besuch in der Dorfbäckerei erstmals gekostet – Cremeschnitten und Mohrenköpfe. Ausdrücke wie »Z'nüni«, »Z'vieri« und »Z'abig« klangen alsbald freundlich in meinem Ohr; wenn Familie Meier sich gegenseitig »en Guete« wünschte, stimmte ich herzhaft mit ein, und als Frau Meier mich eines Tages mit einem Zettel in der Hand allein »go poschte« schickte, platzte ich schier vor Selbstgefühl und Stolz. In dieser beneidenswerten Verfassung betrat ich zum erstenmal die Metzgerei Eggimann, den Laden jener Familie, die meinem Leben die entscheidende Wendung geben sollte.

Eines sonnigen Nachmittags kreuzte, prächtig ausstaffiert, mein für verschollen gehaltenes Schwesterchen bei Meiers in Glattfelden auf. Es wohnte, so berichtete es, am rechten Zürichseeufer, bei einer betagten Dame, die ein ausgesprochenes Faible für Brotbrocken in Kaffee (»Kaffi und Möcke« heißt das Gericht in der Schweiz) hatte, eine Kombination, die Elisabeth gar nicht zusagte. Wir spielten mit den Kindern der Familie Meier im Garten Verstecken und Blinde Kuh, dann demonstrierte ich vor Elisabeths neidischen Augen ein virtuoses Kinderroller-Solo. Es war ein reizender Nachmittag.

Nicht lange danach besuchte ich sie in Männedorf. Wir machten einen Ausflug nach Rapperswil – zum erstenmal fuhr ich im Zürichsee-Dampfer – zum Rosenfest. Dort wurden uns Orangen vorgesetzt, für Elisabeth und mich etwas Neues. Nach der Art der Neapolitanerinnen, von denen Mörike in seiner Novelle »Mozart auf der Reise nach Prag« berichtet, schickten wir uns an, Ball damit zu spielen, worauf uns die auf gute Sitten bedachte alte Dame eines Bessern belehrte. Das süße Fruchtfleisch schmeckte vorzüglich. Als wir nach Männedorf zurückkehrten, ging Elisabeths mehrfach hämisch geäußerte Prophezeiung in Erfüllung: »Kaffi und Möcke« wurde aufgetragen, woran ich zu meines Schwesterchens stillem Entzücken eine Zeitlang mühsam herumwürgte, um schließlich, die Hände unterm Tisch, in sturer Abwehr zu verharren. Die alte Dame war bitter enttäuscht.

Dergleichen konnte ich mir jetzt leisten. Aus dem dürren, hohlwangigen Bohnenstängelchen war – zur sichtlichen Freude seiner Pflegeeltern – ein keck dreinblickender Schelm geworden. Beim bloßen Gedanken, daß ihr Marili ins ungarische Elend zurück müsse, tat den guten Leuten das Herz weh.

Herr Meier war ein tüchtiger, im Dorf bestens renommierter Schneider. Aber damals war es mit der Mode nicht weit her, auf dem Lande schon gar nicht, und die Glattfeldener kehrten ihre Fränkli wohl eher drei- als zweimal um, ehe sie eine Erneuerung ihrer Garderobe ins Auge faßten. Um dem nachzuhelfen, ging Herr Meier wöchentlich einmal von Gasthaus zu Gasthaus zwecks Kundenwerbung. Eines Samstags saß er am Stammtisch bei Eggimanns, die außer der Metzgerei den »Ochsen« bewirtschafteten, stierte niedergeschlagen vor sich hin und sagte kein Wort. Der Wirt setzte sich zu ihm. Was ihn denn bedrücke, wollte Herr Eggimann wissen. »Ihr kennt doch unser Ungarli«, jammerte Herr Meier. »Die Kleine hat sich so gut bei uns erholt, aber wir können sie nicht mehr länger behalten. Jetzt muß das Marili zurück, und das macht uns zu schaffen.« Eggimanns tauschten Blicke aus. »Wenn es weiter nichts ist und die Kleine in der Schweiz bleiben darf, nehmen wir sie zu uns«, kündigte Frau Eggimann an. »Ein Kind mehr oder weniger am Tisch spielt keine Rolle.«

Alsbald trat der hilfsbereite Pfarrer von Eglisau in Aktion, ein Gesuch mußte eingereicht, Formulare mußten ausgefüllt werden. Es folgten Tage der Spannung, bis endlich die Einwilligung des Roten Kreuzes eintraf. Als der Monat August sich seinem Ende zuneigte, saß ich eines Morgens, mich des Daseins erfreuend, im Apfelbaum in Meiers Garten, da sprang Miggi Eggimann, mit der ich mich längst angefreundet hatte, zum Gartentor herein und rief herauf: »Hör zu, Marili. Du kommst jetzt zu uns. Am Samstag hol ich dich ab.« Miggi freute sich, ihre Freundin bei sich zu haben, ich freute mich, meinen Schweizer Urlaub um drei Monate verlängern zu können, und Meiers freuten sich, daß sie ein gutes Plätzchen für ihren Schützling gefunden hatten.

Miggi Eggimann war zwei Jahre älter als ich, und das gab ihr das Recht, mich herumzukommandieren. Aber ich ertrug ihre bisweilen etwas rabiaten Puppenmutterallüren mit Gelassenheit. Schon auf dem Hinweg fing es an: »Zu meinen Eltern sagst du einfach ›Mueter‹ und ›Vatter‹«, ordnete sie an. Mir war zwar nicht klar, was es mit dieser Anrede auf sich hatte, aber wie immer fügte ich mich. Auch die biederen Eheleute Eggimann machten große Augen, als sie die Kleine, nach ungarischem Brauch zierlich knicksend und händeküssend, in ihrem geläufigsten »Schwyzerdütsch« mit »Grüezi Mueter, Grüezi Vatter« begrüßte. Miggi war mit mir zufrieden.

Ich glaube, ich habe Herrn Eggimanns Herz an jenem ersten Abend schon erobert.

Kapitel 7

Bei Eggimanns in Glattfelden

»Weißt, Marili«, erklärte Miggi noch an dem gleichen Abend, »wenn ich abwaschen muß, trocknest du ab.« Während ich das Geschirr in Empfang nahm, stimmte ich ein heiteres ungarisches Volkslied an oder lehrte Miggi zum Jux in meiner Muttersprache bis hundert zählen. Arbeit, Gesang, Fröhlichkeit, das war der Grundrhythmus meines Gastspiels bei Eggimanns.

Mit Seilhüpfen, Stelzenlaufen, Rollerfahren und stundenlangem Herumlungern im Garten war es allerdings vorbei. Bei Eggimanns gab es ordentlich zu tun, da mußte jedermann Hand anlegen. Der Hausherr widmete sich tagsüber seinem Fleischergewerbe, ihm standen zwei Gesellen zur Seite, die Meistersfrau sah im Laden nach dem Rechten und überwachte den Gastbetrieb. In Eggimanns »Ochsen« verpflegten sich mittags außer der Familie, dem Personal und dem Dackel Zibu an die fünfzehn hungrige Pensionäre, deren Wohlergehen vom Einsatz einer flinken Küchenmannschaft abhing. Dieser war ich, wie gesagt, ohne Zeitverlust zugeteilt worden.

Für Miggi und mich, die wir beieinander schliefen, begann das Tagwerk um sieben Uhr. Sie beaufsichtigte meine Toilette mit Gouvernantenaugen; wenn mein Wascheifer zu wünschen übrig ließ, griff sie energisch ein. Meine langen, zu Knötchenbildung neigenden Haare strapazierten ihre Geduld täglich aufs neue. Sie genoß es sichtlich, den Kamm durch meine seidigen blonden Strähnen zu ziehen; falls der Kamm steckenblieb, zerrte sie daran, bis entweder Haar, Kamm oder Kopf nachgaben oder bis ich kreischend aufbegehrte.

Zum Morgenkaffee nahmen Herr und Frau Eggimann, Töchter Lina und Miggi, Stallknecht, Fleischergesellen und Lehrling Platz am langen Tisch. Falls Klara, die älteste Tochter, die in der Westschweiz arbeitete, auf Besuch kam, war für mich keine Sitzgelegenheit mehr vorhanden. Ich begnügte mich mit einem Fußschemel, wobei das Ende einer Sitzbank als Tisch diente. Die Mahlzeit dauerte nicht lange, jeder war bereits in Gedanken bei seiner Arbeit. Vater Eggimann begab sich mit seinen Gesellen in den Stall, Mutter Eggimann zog im Laden die Rolläden hoch, holte die Fleischwaren herbei, füllte die Ladenkasse und bereitete sich auf die Kundschaft vor. Miggi rief mir ein hastiges »tschau« zu, und fort war sie zur Schule, schließlich blieben nur noch ihre Schwester Lina und ich in der Gaststube zurück.

Die weiteren, den Frühstückstisch betreffenden Geschäfte lasteten nunmehr auf meinen Schultern, und ich darf sagen, daß ich mein gewichtiges Amt sehr ernst nahm. Während Lina in den oberen Stockwerken die Fenster aufriß und den Staub zum Haus hinausfegte, räumte ich unten ab, entnahm dem im Herd eingelassenen sogenannten Wasserschiff das vorgewärmte Wasser, schüttete es mit einer langen Kelle in den Waschtrog, spülte Teller, Tassen und Besteck, legte jedes einzelne Stück sachte aufs Tropfbrett, trocknete es ab und verstaute es im tiefen Küchenschrank – Verrichtungen, die ich ohne Hinzunahme meines beständig mit mir herumgeschleppten Schemelchens nicht hätte bewältigen können.

Aber die anstrengendste Arbeit stand mir noch bevor, das Schuheputzen. Wenn die vielen Paare in Reih und Glied, so quasi in Habachtstellung vor meinem prüfenden Auge zur Inspektion angetreten waren, kam ich mir vor wie der Feldwebel, der während des Krieges in unserem Budapester Schulhof mit seinen Soldaten zu exerzieren pflegte, hörte ihren vielstimmigen Soldatengesang, zu meiner Linken den tiefen Baß von »Vatters« genagelten Schuhen, dann die vielen Mittelstimmen bis hoch hinauf zum metallischen Piepsduett meines eigenen Stiefel-

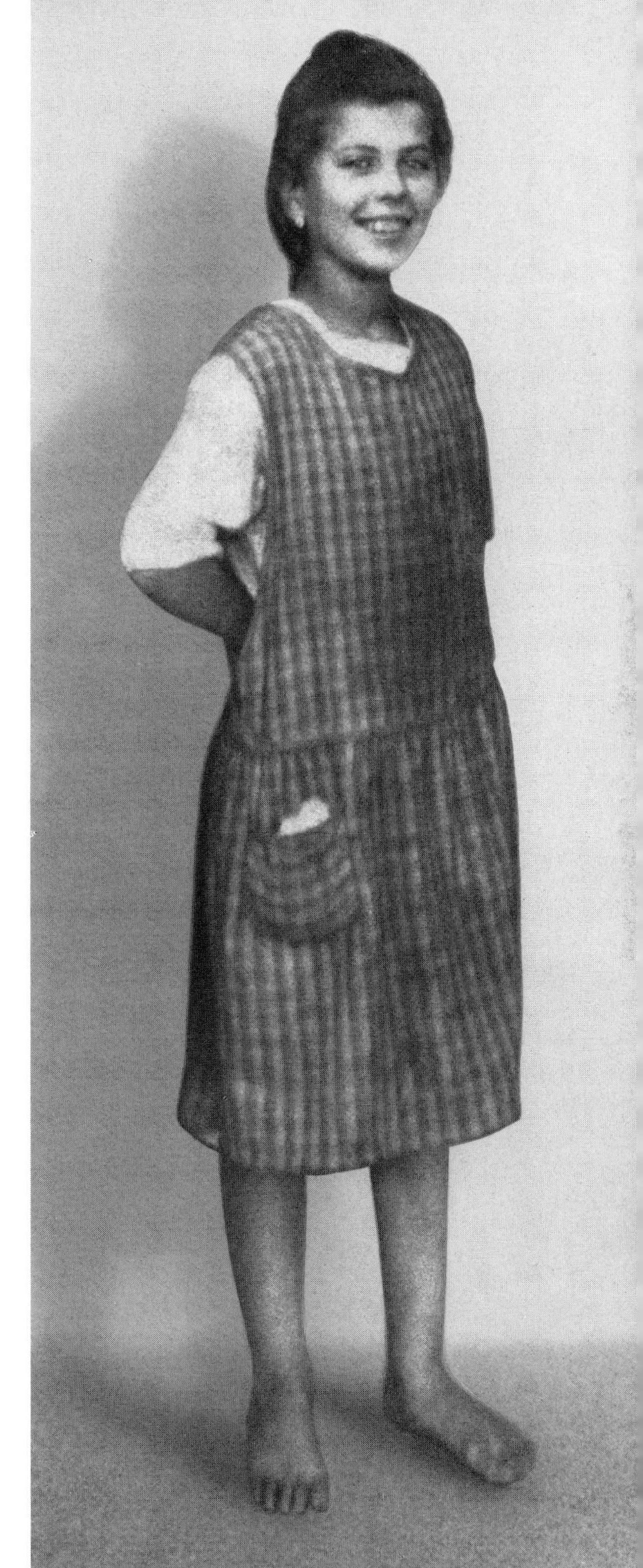

Von Hunger und Elend befreit. Die zehnjährige Maria als Bauernmädchen in Glattfelden im Kanton Zürich. Sie war kurz nach dem Ersten Weltkrieg aus dem von Kriegsfolgen heimgesuchten Ungarn in die Schweiz gekommen und lebte bei Pflegeeltern auf dem Lande wieder auf.

Oben: Maria nach dem Kirchgang in Glattfelden mit der im Schießbudenstand errungenen Glasperlenkette. Das Sonntagskleid ist ein umgearbeiteter Rock der Pflegemutter, die Schleife im Haar das Werk ihrer Freundin Miggi Eggimann.

Rechts: Die arrivierte Sängerin. Es war ein weiter Weg von Budapest über Glattfelden und Romanshorn auf die großen Podien der Welt. Die Ungarin war Schweizerin, die Schweizerin Musikbotschafterin ihres Adoptivlandes geworden.

V. I. P. und Flugkilometer-Millionärin. Flugzeuge trugen Maria Stader nach Amerika, nach Südafrika und in den Fernen Osten. Zurück nach großer Japan-Tournee, lächelt Maria für den Pressefotografen.

pärchens. Musik lief mir nach, wo ich ging und stand, ganz wie der Hausdackel Zibu.

Am späteren Vormittag rief Mutter Eggimann: »Lina! Marili! Wo steckt ihr?« Es war an der Zeit, ans Mittagessen zu denken. Im »Ochsen« wurden Leckerbissen serviert, die ich noch nicht einmal vom Hörensagen her gekannt hatte, als da waren »Siedfleisch«, »Wädli«, »Rippli«, »Schüblig« und »Landjäger«. Oder meine Leibspeise: Ragout, gelbe Rüben und Kartoffelpüree. Es galt, Kartoffeln zu schälen und Gemüse zu putzen, Geschirr und Besteck wieder hervorzuholen und die Tische zu decken. Auch das machte mir Spaß und ich war mit Elan dabei.

Es gab nur eine Arbeit, die ich von Herzen haßte, das Besteckpolieren. Täglich mußte dem auf Messern und Gabeln lauernden Rost mit Kork und schmierigem Lappen auf den Leib gerückt werden. War Miggi zu Hause, mußte sie helfen.

Wir bildeten ein geschäftiges Team, sei es beim Saubermachen des Küchenbodens, dessen durchlässige Oberfläche die unerfreuliche Eigenschaft hatte, Schmutzpartikel gierig aufzusaugen und nicht mehr herauszugeben, sei es beim Reinigen der hohen Ladenfenster, bei der Instandhaltung des Fleischer-Instrumentariums, beim Schrubben der Kacheln, beim Spänen des Metallherdes.

Abends brachte der Knecht den Tagesertrag an frischer Milch, die entrahmt und zu Butter verarbeitet werden mußte. Da kam es vor, daß meine Muskelkraft endgültig versagte und der verständnisvoll lächelnde »Vatter« mich ablösen mußte. Plötzlich stimmte er mit seinem tief dröhnenden Baß »Vo Luzärn uf Wäggis zue« an, sekundiert beim ersten »holdoridü« von Miggis Alt, beim zweiten fügte sich ein Terzklang aus meinem ersten und Linas zweitem Sopran hinzu, in der Wirtschaft rief jemand: »So macht doch die Küchentüre auf, dann hört man euch wenigstens singen!« und alsbald hallte ein improvisiertes Konzert durchs Haus, ganz wie ich es mir des Morgens beim Schuhputzen erträumt hatte.

Mittwochs tauchte ein von einem Esel gezogener, mit frischem Obst beladener Wagen in Glattfelden auf. Miggi bekam lange Finger, erleichterte die Registrierkasse um ein paar Zwanzigrappenstücke und erstand für uns beide feiste, süße Birnen. Manchmal reichte es auch zu einem Besuch in der Dorfbäckerei oder zu einem Lutschbonbon aus dem Automat am Bahnhof. Selbst Zigaretten mit Goldmundstück fehlten nicht im Sortiment. Kamen Miggis zwei Kusinen zu Besuch, zogen wir uns heimlich zu einem Damenjaß in unser Schlafzimmer zurück, bedächtig paffend, wie das die Männer in der Wirtsstube unten zu tun pflegten. Wenn eine Partei am Verlieren war, brauchte sie bloß zu sagen: »'s kommt jemand.« Schon ging es bei uns flinker zu als bei der Feuerwehr: Spielkarten und Rauchwaren unter die Matratze, Fenster auf, Kusinen in den Schrank, Miggi und ich unter die Decke, Licht aus . . ., alles lautlos und in weniger als zehn Sekunden.

Mein ureigenstes Refugium aber war der Heuboden. Dort verbarg ich mich, um die unrechtmäßig erworbenen Birnen und Bonbons zu genießen. Verbrechen aber lohnt sich bekanntlich nicht, wobei zu meiner Verteidigung gesagt werden muß, daß ich mir der moralischen Verwerflichkeit meines Handelns nicht bewußt war. Anderer Meinung war zunächst der »Vatter«, der sich eines schönen Tages ohne mein Wissen im Heuboden aufhielt, mein geheimnisvolles Kommen beobachtete und auf einmal vor mir stand. »Wo hast die Birne her, Kind?«

Auch Miggi mußte sich einem peinlichen Verhör unterziehen. Da kam die Wahrheit ans Tageslicht. Aber anstatt uns zu bestrafen, sorgte Vater Eggimann dafür, daß künftig Obst auf den Tisch kam – das, wie mir rückblickend scheint, typische Verhalten des klugen Mannes, der von Vitaminkunde nie gehört, dafür das Herz auf dem rechten Fleck hatte.

Solche Eskapaden waren harmlos im Vergleich zu unserer Gewohnheit, Miggis Spiritus-Puppenherd in Betrieb zu setzen, und zwar ausgerechnet inmitten des Sägemehls, das Vater Eggimann in der Scheune zum Würsteräuchern gelagert hatte.

Da waltete jedenfalls einmal mehr jener Schutzengel, von dem ich bereits sprach. Er stand mir auch bei, als ich mich verbotenerweise auf Miggis Herrenfahrrad setzte, den steinigen Weg, der zur Kapelle führte, hinuntersauste, die Kurve verpaßte und zu Füßen eines Baumes landete. Das Fahrrad war total demoliert, derweil ich mit dem Schrekken davonkam.

Als mein Aufenthalt wiederum allmählich zu Ende ging, suchte der »Vatter« den Pfarrer in Eglisau auf, um anzufragen, ob nicht eine abermalige Verlängerung arrangiert werden könne. Die Spesen hatte er gleich vorgeschossen. Das Rote Kreuz sagte zu, und so durfte ich mich meines Daseins im »Ochsen« um drei weitere Monate erfreuen.

Kapitel 8

Auf Umwegen nach Romanshorn

Als im März 1920 »die linden Frühlingslüfte erwachten«, hieß es die Schubladen leeren und packen, dieses Mal endgültig. Mit zwei Handkoffern kam ich in Budapest an. Den Inhalt – lauter praktische Anschaffungen meiner Schweizer Gönner – mußte ich an meine Geschwister abtreten. Gut neun Monate war ich fort gewesen. Ein gelegentlicher Briefwechsel, von Geschenken Eggimanns ergänzt, hatte den Kontakt mit der alten Heimat aufrechterhalten.

An der Graf-Haller-Utza-Straße Nummer 70/180 war alles beim alten geblieben. Obwohl jetzt Lebensmittelpakete aus dem »Ochsen« eintrafen, war der Hunger wie eh und je unser treuester Gast. Meine sangesfreudige Kehle verstummte, ich wurde ernsthaft krank, dann mußten auch noch die Mandeln entfernt werden, eine Operation, von der ich mich nur mühsam erholte. Mutters Haushaltbudget reichte nirgends hin, nicht einmal zum Kauf einer Handvoll Kaffeebohnen, geschweige denn zu einer kräftespendenden Nahrung.

Als »Vatter« Eggimann Wind davon bekam, setzte er Himmel und Hölle in Bewegung, um meine Rückkehr in die Schweiz zu erwirken. Das war gar nicht so einfach, aber ihm gelang es. Bereits im Juni desselben Jahres setzte mich meine Mutter erneut in den Direktwagen Budapest-Wien-Zürich, wo mich am Hauptbahnhof der übers ganze Gesicht strahlende »Vatter« in seine Bärenarme schloß. Er hatte gewonnen. Ich würde Budapest viele Jahre nicht mehr sehen.

Im »Ochsen« blieb ich allerdings nur kurze Zeit. Seit einem Jahr hatte ich keine Schule mehr besucht und der »Vatter« war entschlossen, für eine meinem Bildungsgrad und meinen Deutschkenntnissen angemessene Weiterbildung zu sorgen. Onkel Jakob Keller, Lehrer in Uster, ein Schwager Herrn Eggimanns, bot sich als der geeignete Mann an. Also wurde ich zu Kellers nach Uster umgesiedelt.

Am meisten vermißte ich meine Busenfreundin Miggi. Vielleicht um mich für ihre mir fehlende Fürsorge zu entschädigen, entwickelte ich eigene überschwengliche Muttergefühle, die ich vorbehaltlos auf das jüngere der beiden Keller-Kinder, auf Heidi, übertrug. Was indessen meine Fortbildung betraf, hatte sich der Eggimannsche Familienrat geirrt. Unterricht erhielt ich bei Onkel Jakob nie. Nach Schulschluß war er zu müde, um sich abermals mit Genus, Konjugation und Rechenoperationen abzuplagen. Vielleicht war ihm auch nicht klar, wo er anfangen sollte. Er beschränkte sich darauf, mich zu fleißigem Korrespondieren mit meinen Angehörigen in Budapest anzuhalten und mein für ihn geheimnisvolles ungarisches Gekritzel aus der Distanz zu überwachen.

Um so gelegener kam ich Tante Berta, die sich kein Hausmädchen leisten konnte. Eines Morgens – ich machte eben den Küchenboden sauber – trat Onkel Jakobs Frau in Begleitung eines stattlichen Herrn zur Tür herein. Der Fremde lächelte mir zu, neigte sich zu mir herab und faßte mich leicht an den Schultern.

»Du also bist das Marili«, sagte er.

»Das ist Herr Julius Stader aus Romanshorn«, erläuterte Tante Berta, »sag ihm mal schön ›grüezi‹.«

Ich blickte dem Herrn in die Augen, reichte ihm die Hand und sagte: »Grüezi.«

»Du kommst jetzt mit mir«, sagte Herr Stader. »Geh auf dein Zimmer und pack deine Sachen zusammen. Wir müssen in einer halben Stunde am Bahnhof sein.«

Ich fiel aus allen Wolken. Und meine Heidi, meine geliebte Heidi?

»Heidi?« fragte Herr Stader.

»Mein Jüngstes«, erklärte Tante Berta. »Heidi! Komm und sag dem Marili adieu!«

Marili schloß Heidi in die Arme, bekam einen Weinkrampf, warf sich auf den Boden, schrie und schluchzte. Herr Stader wandte sich an die Tante: »Ja, weiß die Kleine denn nicht . . .?« Die Tante verneinte.

Da führte mich Herr Stader behutsam beiseite. »So, Marili«, sagte er, »jetzt beruhigst du dich, gell? Schau mal, ich hab da ein großes Taschentuch. Es stinkt zwar ein wenig nach Tabak, aber es ist groß genug, um Tränen damit abzutrocknen. Und ich erzähle dir jetzt eine schöne Geschichte. Ich und meine Frau, wir freuen uns schon seit

Wochen auf dein Kommen. Wir haben einen schönen Gasthof, wie Eggimanns, aber am Bodensee. Und dort wirst du ganz bestimmt glücklich sein. Weißt, du kannst nicht länger im Kanton Zürich bleiben. Und Herr Eggimann hat alles unternommen, damit du nicht wieder nach Ungarn zurück mußt. Jetzt kommst du zu uns in den Thurgau. Bist du schon einmal Motorboot gefahren?«

Ich schüttelte den Kopf.

»Nein? Oho, *das* wird dir aber gefallen. Da werden wir zwei es lustig zusammen haben. Dann kannst du schwimmen lernen und mit dem Medor ins Wasser ...«

»Medor?« Das klang nach Hund.

»Unser Vierbeiner«, fügte Herr Stader rasch hinzu, glücklich, daß er das Richtige getroffen hatte. Er schaute auf die Uhr. »Jetzt müssen wir uns aber beeilen. Der Zug fährt um halb elf oder so ..., und die Heidi kann ja öfter zu uns zu Besuch kommen.«

So mußte ich erneut weiterziehen. Was war geschehen? Die Zürcher Fremdenpolizei hatte ein Gesuch Herrn Eggimanns um Verlängerung meines Aufenthaltes abgelehnt. Herr Eggimann gab nicht nach. Er zog Informationen ein und bat um eine Unterredung mit dem zuständigen Beamten. »Sie bemühen sich umsonst«, sagte der. »Wir erteilen keine Sonderbewilligungen mehr. Ausnahmen werden nicht gemacht. Die Kleine muß in ihr Land zurück. Dort gehört sie auch hin.« Fertig. Basta.

»Aber Sie sind hier, wie ich höre, nur für den Kanton Zürich zuständig«, gab Herr Eggimann zu bedenken. »Wie wär es denn, wenn Marie Molnar in einen andern Kanton käme? Ins Wallis meinetwegen, oder ins Bündnerland?«

»Bitte, das ist Ihre Sache«, erklärte der Beamte. »Aber da muß die Fremdenpolizei des betreffenden Kantons erst noch ihre Einwilligung dazu geben.«

»Aha ...«

»Und es müssen geeignete Pflegeeltern gefunden werden.«

»Jaja.«

»Und ob heute oder morgen – das Kind gehört schließlich zu seinen Eltern.«

Diese Auffassung teilte Herr Eggimann nicht. Der Eggimannsche Familienrat trat abermals zusammen, im »Ochsen« wurde zwischen

»Bock« und »Stöck« über Marilis Zukunft verhandelt, aber niemand wußte ein geeignetes Plätzchen. Da kam Vater Eggimann auf die Idee, sich an den Zürcher »Tages-Anzeiger« zu wenden. Er setzte einen Brief an den Briefkastenonkel auf und beschrieb, was ihn bewegte. Die Zeitung machte sein Anliegen publik, und siehe da: aus allen Teilen der Schweiz meldeten sich Leute, die sich für das Ungarli interessierten. Herr Eggimann hatte einen Freund, der ein Auto besaß. Eines Samstags zogen die beiden Männer los, um Interessenten unter die Lupe zu nehmen, fuhren kreuz und quer durch die Ostschweiz und kamen auch nach Romanshorn zu Herrn und Frau Stader, Fischereibesitzer und Inhaber eines Restaurants. Das war eine Umgebung, die dem Metzger und Wirt behagte. Auch das Ehepaar Stader fand er sympathisch, in seiner Obhut würde Marili sich bestimmt wohlfühlen. Und Staders ihrerseits, beeindruckt von diesem stämmigen Zürcher Unterländer, der sich so engagiert und zielbewußt für ein Emigrantenkind einsetzte, bekräftigten ihr Einverständnis, leiteten in Frauenfeld die notwendigen Schritte ein und erhielten alsbald positiven Bescheid. Von diesen Schritten hatte die Hauptfigur, wie gesagt, keine Ahnung.

Noch lange litt ich unter dem Schock dieses unangekündigten Tapetenwechsels, dieses Verpflanztwerdens, kurz nachdem ich Wurzeln geschlagen hatte. Es war verwirrend. Da gab es Mami und Papi in Budapest, »Mueter« und »Vatter« in Glattfelden, Onkel Jakob und Tante Berta in Uster, und jetzt fuhr ich mit unbekanntem Ziel in einem fremden Zug mit einem fremden Herrn, der mir antrug, ihn Onkel Julius zu nennen.

Dieser jüngste in der Reihe meiner Papis und Onkels erwies sich als ausnehmend galant, dafür hatte das kleine Marili ein untrügliches Fingerspitzengefühl. Und er nannte mich Miggi, was mich an meine Freundin Miggi Eggimann erinnerte. Auch das gefiel mir nicht schlecht. Kaum saßen wir in der Eisenbahn, löste er die Hülle einer Tafel Schokolade, brach eine Reihe ab und bot sie mir an, ein »Viererli«, bitteschön, und nicht etwa bloß ein »Zweierli«. Das sah vielversprechend aus.

In Winterthur schalteten wir einen Zwischenhalt ein. Onkel Julius führte mich in die Stadt. Wir hielten vor einem Hutgeschäft und betrachteten die Auslage. »Hübsche Hüte!« erklärte er. »Wie gefällt dir der rote Filzhut mit der Schnalle?«

So etwas hatte man mich noch nie gefragt. »Komm«, sagte Onkel Julius. »Darfst dir was aussuchen.« Wir gingen hinein, die Verkäuferin rückte einen Spiegel zurecht und holte den roten Filzhut aus dem Schaufenster. Aber noch besser gefiel mir ein blauer Hut mit einer kleinen Tiroler Feder. Und der gelbe mit den Gänseblümchen. »So, Kind«, sagte Onkel Julius. »Du mußt dich entscheiden. Wir verpassen sonst unseren Anschluß.« Ich wählte einen schwarzen Strohhut mit einem bestickten gelben Band, das hinten herabfiel. Hand in Hand kehrten wir zum Bahnhof zurück. Onkel Julius' Werbung war zu seinen Gunsten entschieden.

Nach der Ankunft in Romanshorn begaben wir uns in den »Thurgauer Hof«, so hieß Onkel Julius' Gaststätte, wo ich meine neue Tante kennenlernte, eine warmherzige Frau, die mich mit ihrem Schwiegervater, Großpapa Stader, und dem Personal, einem Dienstmädchen und einigen Fischereiangestellten, bekannt machte. Mit dem Mittagessen hatte man auf uns gewartet, obschon es beinahe halb zwei war. Wie im »Ochsen« nahmen wir die Mahlzeiten miteinander ein. Oben am Tisch neben Großpapa war für mich ein Platz vorgesehen. Freudig kletterte ich auf den Stuhl. Neben dem alten Herrn mit den heiteren Augen und dem vollen Stutzbart fühlte ich mich wohl.

Dann führten mich Onkel und Tante in mein Zimmer, einen helltapezierten, weiß schimmernden Raum. Die Möbel waren alle weiß lackiert: das Bett, der Spiegelschrank, die Kommode, der Tisch, zwei Stühle, Waschtisch mit Krug und Becken . . ., so wie ich mir das bei »Schneeweißchen und Rosenrot« vorstellte. Alles leuchtete mir wohltuend entgegen und lud zum Verweilen ein.

Es begann eine glückliche Zeit.

Kapitel 9

Staders adoptieren mich

»'s Miggi muß was Rechtes zum Anziehen haben«, sagte Herr Stader zu seiner Frau. »Und wegen der Schule habe ich mit dem Präsidenten gesprochen.«

Am nächsten Tag nahm mich die Tante mit ins Städtchen, um mich von Kopf bis Fuß neu einzukleiden. Wir besuchten den Schulpräsidenten, der mich prüfte und der 5. Klasse zuteilte. Da Molnar allzu fremdländisch klang und auf ungarisch überdies schlicht und einfach »Müller« heißt, wurde ich meinen neuen Klassenkameradinnen als Marie Müller vorgestellt. Nachhilfestunden in Deutsch und Sonntagsunterricht kamen hinzu. Ich war also beschäftigt.

Nachfolger von Eggimanns Dackel Zibu war Medor, der mir ebenfalls überall nachlief, auch zur Sonntagsschule. Der hundefreundliche Pfarrer ließ es sogar zu, daß Medor dem Unterricht beiwohnen konnte, obgleich er nicht zu den aufmerksamsten Zuhörern zählte, sondern regelmäßig einschlief.

Medor war undefinierbarer Abstammung. Sein Vater könnte ein Schnauzer gewesen sein, seine Mutter etwas Terrierartiges an sich gehabt haben. Er war von äußerst sanfter Wesensart, aber sehr eigenwillig. Mit der Tante besaß er insofern eine gewisse Ähnlichkeit, als beide einen Kropf hatten, bei Medor weniger sichtbar als bei der Tante, die diese Mißbildung mit Jodtabletten zu korrigieren suchte. Eines Tages bemächtigte sich Medor der Dose und fraß die Medizin restlos auf. Das verursachte große Aufregung. Wir machten uns darauf gefaßt, daß Medor seine Hundeseele jeden Augenblick aushauchen würde. Überhaupt nicht. Dagegen verschwand sein Kropf, während die Tante den ihren zeit ihres Lebens nicht los wurde.

Nicht nur am Sonntag, auch wochentags hatte ich einen verständnisvollen Lehrer. Im Lesen machte ich rasche Fortschritte, aber mit der Rechtschreibung hatte ich Mühe. Deshalb dispensierte man mich von Aufsätzen; statt dessen ließ man mich aus Büchern abschreiben, um so mein Sprachgefühl zu entwickeln. In Rechnen, Geographie und Heimatkunde kam ich ordentlich voran. Wichtig war vor allem auch Schweizer Geschichte. Ich hörte und schrieb von den Bewohnern in Uri, Schwyz und Unterwalden, vom habgierigen Rudolf von Habsburg und seiner Sippe sowie der Gründung der Eidgenossenschaft 1291. Zeichnen fiel mir nicht leicht, obwohl es mir nicht an Schönheitssinn mangelte, nicht zuletzt was meine eigene Person betraf. Überhaupt machten elegante Damen, kultivierte Gepflogenheiten, herrschaftliche Interieurs, die ich bei Besuchen in den Häusern von Schulfreundinnen sah, Eindruck auf mich. Hier fühlte ich mich zu Hause, bewegte ich mich mit einer Leichtigkeit, die nichts von meiner Herkunft ahnen ließ. Und wenn ich mich in der Abgeschiedenheit meiner Kammer knicksend vor mir selbst im Spiegel verneigte, fand ich Marie Müller in jeder Beziehung würdig, bei Hofe eingeführt zu werden. Daß es in Budapest keine adeligen Herrschaften mehr gab, wußte ich nicht.

Die Tante nahm diese Entwicklung der Dinge wohlwollend zur Kenntnis. Für den Sonntag erhielt ich sogar ein Paar Lackschuhe, dazu passende Strümpfe, die ich mir selber aussuchen durfte. Ich wählte silbergraue, eine, wie mir schien, ausnehmend schicke Kombination, die auch zu meiner übrigen Ausstaffierung paßte. Eines Sonntags kamen Eggimanns aus Glattfelden zu Besuch und waren sprachlos vor Verwunderung über die Verwandlung, die ich durchgemacht hatte.

Bei alledem blieb ich immer dasselbe Marili. Was mir so richtig Spaß machte, waren die Kostümierung und der Rollentausch. Putzsüchtig wurde ich nicht. Kamen Ferien, durfte ich für ein paar Wochen zu Eggimanns nach Glattfelden, war ich im Handumdrehen das Bauernmädchen von einst, trug ein »Bauernröckli«, putzte Herd und Schuhe und am Samstag Mutters Ladenfenster, marschierte mit dem Leiterwagen die paar Kilometer zum Glattfeldener Bahnhof, um die »Stör«-Schneiderin abzuholen, die periodisch kam, um abgewetzte Hosenböden auszubessern, kassierte dafür einen »Zwanzger« und ließ mir viermal fünf Rappen dafür geben. Für fünf Rappen erstand ich einen Mohrenkopf, für weitere fünf zog ich bei Gelegenheit Lutschbonbons aus dem Bahnhofsautomaten, und die restlichen beiden Münzen wanderten in die Sparbüchse. Daß auch an mir die Flegeljahre nicht spurlos vorübergingen, deutet ein Brief meiner Romanshorner Pflegeeltern an. »Kind, vergiß den Anstand nicht«, mahnte Onkel Julius, und »vergiß nicht, dich bei Eggimanns zu bedanken«, die Tante, die meinetwegen, wie sie betonte, mit einer neuen Goldfeder geschrieben hatte. Während ich sorglos dahinlebte, sammelten sich düstere Wolken am Firmament. In Frauenfeld waren die Behörden bereit, ein erstes, auch ein zweites Mal zu verlängern, beim dritten Mal runzelten sie die Stirn, beim vierten wurden sie ungemütlich. Onkel und Tante Stader – aus ihnen waren inzwischen »Mame« und »Pape« geworden – ließen sich nichts anmerken, aber sie waren besorgt. Wenn Pape nach einem anstrengenden Tag auf dem See abends vom Ufer heraufkam und ich ihm in die Arme sprang, drückte er mich lange an seine Brust.

Unser Gasthaus, der »Thurgauer Hof«, stand unter der Obhut Mame Staders. Am Samstag und Sonntag wurden den Gästen knusprige Bodenseefelchen serviert, werktags war die Stube meistens leer. Erst gegen Abend tröpfelten einzelne Leute herein – Männer, die in den umliegenden Fabriken arbeiteten, Färber, Maschinenschlosser, Lastwagenchauffeure, Hilfsarbeiter. Sie kehrten ein zu einem Kaffee-Kirsch, einem Bier, setzten sich stumm in eine Ecke oder zum Kartenspiel um einen Tisch. Gegen Ende des Monats, mit dem Lohn in der Tasche, bestand Gefahr, daß der eine oder andere übers Ziel hinausschoß. »Gnueg isch gnueg!« pflegte Pape Stader zu sagen. »Einen Kaffee bekommst noch, aber dann hat's sich!« Und keiner hätte es gewagt, sich dagegen aufzulehnen.

Lebhaft ging es übers Wochenende zu. An sämtlichen Tischen saßen brissagopaffende Männer, die Spielkarten in der Hand, nachdenklich sich gegenseitig zublinzelnd, manchmal auch schimpfend und schiefertafelbekritzelnd. Mitten unter ihnen saß Miggi Müller.

Mame Stader gefiel diese Entwicklung nicht. »Miggi!« rief sie von der Theke her. »Komm bitte!« Und mich hinter sich in die Küche ziehend, fügte sie hinzu: »Du weißt doch ganz genau, Kind, Pape sieht es nicht gern, wenn du mit den Männern Karten spielst.« Ihre Mahnung änderte nichts an der Tatsache, daß ich mich jedesmal hinzusetzte, wenn Pape mitmachte. Erhob er sich, um jemanden zu begrüßen oder zu verabschieden, rückte ich schnell an seinen Platz, griff die hingelegten Karten auf und spielte für ihn weiter. Meinen Partnern machte das ebensoviel Spaß wie mir.

Hin und wieder brachte einer dieser Jaßklopfer seine Frau mit. Ihr setzte man ein Glas Milchkaffee oder Bier vor und kümmerte sich nicht weiter um ihre Anwesenheit. Ich entsinne mich lebhaft dieser stillen, mitunter verhärmten Frauengestalten, die stundenlang vor sich hinstarrten und an die keiner das Wort richtete. Meldeten sie sich, was selten vorkam, hieß es barsch: »Was willscht?« – »Gib Ruh!« – »Hab jetzt keine Zeit!«

Dergleichen wäre im Umgang zwischen meinen Pflegeeltern undenkbar gewesen. Pape war aus anderem Holz geschnitzt. Die Rücksicht, mit der er Mame behandelte, der Respekt, mit dem er auf ihre Meinung hörte, die zärtlichen Blicke, die sie sich verstohlen zuwarfen: das alles bezeugte, wie sehr sie sich liebten, gab auch mir ein Gefühl der

Geborgenheit, wie ich es bis dahin nicht gekannt hatte. Ich spürte, Staders waren eine Feste, auf die ich mich verlassen konnte. Und das bedeutete mir viel. Nach den Erfahrungen, die ich gemacht hatte, war ich die Angst, mein Plätzchen zu verlieren, ausgestoßen zu werden ins Ungewisse, Hoffnungslose, nie losgeworden.

Bei besonders schönem Wetter nahm mich Pape mit auf den See. »Hast Lust, morgen mitzukommen, Miggi?« fragte er beim Abendessen. Daß ihm ein »Gärn!« entgegenschallen würde, wußte er im voraus.

Der Tag eines Berufsfischers beginnt um halb vier Uhr früh, um vier Uhr muß er auf dem See sein, weil dann die Fische an der Seeoberfläche schlafen. Pape und sein Knecht rüsteten das Boot, ordneten Taue und Netze, schleppten Benzinkanister herbei, prüften den Motor. Ich half Mame bei der Zubereitung des Tagesproviants, bestrich Leber- und Mettwurstbrote, tranchierte Fleischkäse, goß heißen Tee in die Thermosflasche – während der Arbeit wurde nie Alkohol konsumiert –, holte ein paar Äpfel aus dem Keller und verstaute alles in einer Tragtasche. Dann verabschiedete ich mich von Mame mit einem Kuß und lief, Medor an den Fersen, zum Ufer, wo Pape schon Ausschau nach mir hielt. Ein letzter Sprung – und wir landeten im Boot. »So, jetzt aber still sein!« brummte Pape. Der Motor sprang an, knatternd nahm das Schiffchen Fahrt auf, in die frische, junge Morgenluft hinein. Eben war die Sonne im Osten über dem Allgäu aufgegangen, wir würden nicht eher zurückkehren, als bis sie, den See in mächtigem Bogen überquerend, Konstanz erreicht hatte und dort rotgold jubilierend unterging. Auch ich hätte jubilieren mögen, hätte mir nicht Papes Mahnung in den Ohren geklungen.

Wir fuhren weit hinaus. Dort gab es Forellen und Hechte, aber vor allem Felchen. Darauf hatten wir Fischer es abgesehen: auf Blaufelchen im Sommer, Sandfelchen im Winter. Sobald wir uns der Seemitte näherten, verlangsamte Pape das Tempo, wir fuhren mit kaum noch tuckerndem Motor, angespannt wie die Jäger auf der Pirsch. Pape drehte am Steuerrad, das Boot setzte zu einem weiten Kreis an, während der Knecht die mit Kork bestückten Netze über Bord gleiten ließ, eines nach dem andern, bis das Boot seinen Ausgangspunkt wieder erreicht hatte und der Kreis geschlossen war. Die Netze sanken.

Im Winter läßt man die Netze tief hinunter; dort gibt es warme

Strömungen, und wo es warm ist, gibt es Fische. Im Sommer bleiben die Fische oben. Kaum sind die Netze ausgeworfen, werden sie wieder eingezogen. Das bedarf stämmiger Arme. Pape und der Knecht zogen, was das Zeug hielt. Zum Schluß, wenn die Netze im Boot lagen, half ich wacker mit, sie von ihrem zappelnden Inhalt zu befreien. Die Fische wurden in die bereitstehenden Körbe befördert, worauf der Arbeitsgang von neuem losging. Mit der Zeit hatte ich das ewige Kreisen satt. War die erste Zwischenverpflegung genehmigt, die Wartezeit vorüber, erlaubte mir Pape ein Morgenbad. Denn inzwischen hatte ich neben deutscher Grammatik und Schweizer Geschichte auch noch Schwimmen gelernt. Medor stand ebenfalls am Bordrand bereit, im voraus ahnend, was jetzt geschehen würde. Ein Plumps, und wir landeten im See. Einmal fühlten wir uns so wohl im Wasser, daß wir trotz wiederholter Aufforderung nicht ins Boot zurückkehrten. Da verlor Pape die Geduld und fuhr davon. Das war ein bestürzender Augenblick! Medor, der die Situation sofort erfaßte, geriet ganz außer sich, klammerte sich mit seinen scharfen Krallen an meinen Hals und ließ nicht mehr los. Mittlerweile wurde das Boot kleiner und kleiner, um sich an einem ziemlich entfernten Ort erneut im Kreis zu drehen. Was blieb anderes übrig, als sich auf den langen Seeweg zu machen! Mehrmals glaubte ich mich am Ende meiner Kräfte. Aber schließlich kamen wir an. Keuchend, zerkratzt und benommen gab ich meinen Passagier ab, der frohgelaunt und ausgeruht im Boot auf und ab sprang, während sich Männerarme nach mir ausstreckten und mich betont unsanft hinaufzogen. Ich kam mir vor wie ein halbtoter Blaufelchen. Es war eine heilsame Lehre.

Nach dem Mittagessen aus der Tragtasche wurde weiter gefischt, nicht selten bis acht Uhr abends. Pape gab sich nicht eher zufrieden, bis die Körbe voll waren. Das Tagwerk vollbracht, steuerte Pape das Boot in Richtung Heimathafen, gab Vollgas und schoß pfeilgerade aufs Ufer zu. Herrlich war das, vorn zu sitzen, wo einem der Abendwind durch die Haare fuhr.

Am nächsten Tag wurde der Fischsegen speditionsfertig verpackt. Die Felchen kamen in rechteckige Kisten, einer neben dem anderen, abwechselnd mit dem Kopf nach rechts und nach links. Zuoberst wurde eine Lage Gras ausgebreitet, die Kisten wurden vernagelt, mit Spezialnadeln in Jute eingenäht und zur Bahn gebracht. Adressat war die Firma Läubli in Ermatingen, die die Fische ihrerseits in Eis verpackte und in alle Welt versandte. Stolz war ich, wenn mich Pape beauftragte, nach Ermatingen zu gehen und mit Frau Läubli abzurechnen. Dann begab ich mich mit dem blauen Büchlein, worin Pape die gelieferten Mengen Fisch notiert hatte, nach Ermatingen und kassierte dort einen hübschen Batzen. Diesen versorgte ich gewichtig in Papes alter Aktentasche. Beim Abschied drückte mir Frau Läubli jeweils einen Fünfliber in die Hand. »Was fürs Kässeli«, sagte sie. »Und jetzt darfst du noch in den ›Adler‹ gehen und dir was bestellen. Was Gutes. Sag, Frau Läubli hätte dich eingeladen.« Hierauf kehrte ich im »Adler« ein und ließ mir meine Leibspeise auftischen: gebratene Felchen und rote Limonade.

Kam ein strahlendes Wochenende, wurde unser Arbeitsschiffchen festlich herausgeputzt. Pape installierte komfortable Korbsessel, pflanzte hinten einen hellblauen Sonnenschirm auf, das Schweizerfähnchen wurde hochgezogen, ich steuerte Girlanden aus Wiesenblumen bei, die eingeladenen Gäste – vornehme Herrschaften wie Dr. Haabs oder einfache wie Mames Verwandte aus Zürich – komplimentierte Pape mit hilfreichen Gesten ins schwankende Boot hinein, und los ging's zur fröhlichen Sonntagsfahrt nach der Insel Mainau, nach Lindau oder Friedrichshafen, in gemächlichem Tempo, damit die breitkrempigen Sommerhüte der Damen nicht im Wasser landeten. Manchmal durfte ich ans Steuer, aber ich neigte zu allzuvielen und manchmal heftigen Kurven, was großes Gekreisch verursachte und Pape bewog, mich schleunigst meines Amtes zu entheben. Drüben am deutschen Ufer gab es Aufschnitt von Schwarzwälder Bockwurst, Thüringer Leberwurst und westfälischem Schinken. Beim Gedanken daran läuft mir das Wasser im Mund zusammen.

Einmal die Woche klingelten verlockende Töne in den Straßen. Ein Signore Montanari schob ein hochrädriges Wägelchen vor sich hin und verkaufte italienisches Eis. »Da hast du einen Batzen«, sagte Großvater Stader. Bald zählte ich zu Signore Montanaris treuesten Kundinnen. Als ich einmal kein Geld hatte und dennoch aufkreuzte, erhielt ich einen Eisbecher auf Kredit. »Du zahlen später«, sagte Montanari. Das wiederholte sich, und bald hatte ich Schulden. In meiner Not wandte ich mich an den Großvater, der mißbilligend das bärtige Haupt schüttelte. »Wieviel?« wollte er wissen.

»Einen Franken«, flüsterte ich.

»Nun gut«, sagte er. »Dieses eine Mal. Aber so was tust du mir nie wieder. Schuldenmachen ist was Schlechtes.« Er griff in seinen Geldbeutel. »Das muß unter uns bleiben«, fügte er mit Augenzwinkern hinzu. Ich habe bis heute geschwiegen.

Mein erstes Klavier

Einstweilen reichte meine Aufenthaltserlaubnis bis zum Jahresende 1921, ich würde mich also einmal mehr für Mame und Pape als Christkind verkleiden und Weihnachten mit ihnen feiern dürfen. Um der Wahrheit die Ehre zu geben, es wäre mir nicht in den Sinn gekommen, daß sich daran jemals etwas würde ändern können. Bei Staders war ich daheim, hier gedachte ich zu bleiben. Wie gern ich bei meinen Pflegeeltern war, wird ihnen nicht entgangen sein. Ich sang von morgens früh bis abends spät, immer hallte meine Stimme irgendwo im Haus, und wenn ich bei einer Freundin gewesen war, wo sich ein Klavier befand, war ich derart begeistert, daß ich abends von nichts anderem mehr sprechen konnte.

Einige Wochen vor dem Heiligen Abend sagte Pape: »Miggi, komm. Zieh dich ein bißchen nett an. Wir gehen zusammen nach Rorschach.« Nichtsahnend begleitete ich Pape auf den Bahnhof, dort löste er zwei Fahrkarten, und wir fuhren ans obere See-Ende. Dieser Ausflug bescherte mir eine der freudigsten Überraschungen meines Lebens. Rorschach war der Sitz der Klavierfabrik Sabel. Und wahrhaftig: Ich bekam ein Klavier, ein echtes Klavier für sechshundertsechzig Franken, eine Menge Geld in den zwanziger Jahren, dazu für weitere zwei Franken ein dickes Heft mit Salonkompositionen. Kaum stand das Instrument an seinem Platz im Wohnzimmer, stürzte ich mich darauf, suchte Töne zusammen und erarbeitete mir schließlich ein Repertoire pianistischer Juwelen wie »Großmutters Abendsegen«, »Maiglöckchens Läuten«, »Rêve d'une jeune fille« und »Mondlicht auf der Alm«, dazu sang ich Ausschnitte aus »Gräfin Mariza« und dem »Zigeunerbaron«, aus voller Kehle natürlich, was mein neuengagierter Klavierlehrer gar nicht goutierte. Pape hingegen zerfloß vor Bewunderung.

»Komm Kind, setz dich hin und übe ein bißchen«, sagte Pape etwa, nahm neben mir Platz und lauschte, ganz in sich versunken. Ich spielte auch eigene Fantasien, versah sie mit Läufen und Trillern im Dreivierteltakt. Das liebte er am meisten. Wenn ich dazu noch sang, war Pape im siebenten Himmel. Und er ließ die Türe einen Spalt offen, damit Mame im Nebenzimmer ja nichts verpasse.

Ja, dieses Klavier. Im Geist sehe ich es vor mir, mattes braunes Holz, ziemlich nieder, nüchterne moderne Form. Verglichen mit dem stattlichen Steinwayflügel, der heute in meinem Wohnzimmer steht, nähme es sich bescheiden aus. Damals bezauberte es mich wie kein anderes Klavier nach ihm. Wenn meine Finger über seine oberen Tasten glitten, klangen die Töne silbern verlockend an mein Ohr, wie Papagenos Glockenspiel. Und wo immer jemand Klavier spielt, lausche ich im stillen auf diesen Glöckchenton.

Das Klavier – ist es nicht eine der wunderbarsten Erfindungen aus Menschenhand? Man möchte meinen, Orpheus habe der hadernden Menschheit ein Spielzeug gebaut, das ihr innerstes Bedürfnis widerspiegelt: die Sehnsucht nach der großen Harmonie. Ich hatte den Vorzug, die vortrefflichsten Klavierkünstler meiner Zeit kennenzulernen, mit ihnen zusammenzusein, sie zu meinen Freunden zu zählen. Immer von neuem staune ich über Wohllaut, Brillanz und Farbenpracht, die der Meisterpianist den Tasten seines Instruments zu entlocken vermag, denselben Tasten, die unter meinen Händen bestenfalls hübsche Musik machen. Oft habe ich mich gefragt: Wieso klingen dieselben acht Oktaven so anders, je nachdem, wer die Tasten niederdrückt: der mondäne Weltmann Artur Rubinstein, die scheu in sich gekehrte Clara Haskil, der zarte Bär Edwin Fischer oder die mit großmütterlicher Grandezza Klavieraudienz gewährende Elly Ney, Menschen wie du und ich, mit ihren menschlichen, allzumenschlichen Neigungen und Schwächen, und doch, sobald sie am Klavier sitzen, Auserwählte, unbestrittene Hohepriester ihres Amtes.

Ich entsinne mich eines Gesprächs mit Artur Schnabel, dem unvergleichlichen Klaviermeister, für den auch das Wort ein wesentliches Kommunikationsmittel war und der sich auf allen Gebieten bemühte, zum Wesen der Dinge vorzudringen. Nach dem Zweiten Weltkrieg, als wir uns nach Jahren im Engadin wiedersahen, spazierten wir auf der Halbinsel Chastee. Der Beethoveninterpret hatte damals Mozart neu für sich entdeckt. Wir sprachen von Stil, vom Mozartstil im besonderen. Ich weiß nicht mehr, wie wir darauf kamen, ich sagte, wie sehr ich bemüht sei, einen reinen Mozartstil zu erreichen. Schnabel schaute mich von der Seite an und zog die Augenbrauen hoch. Er war nicht sehr viel größer als ich. An den Wortlaut dessen, was er mir vordozierte – er dozierte gerne und ausgiebig – kann ich mich natürlich nicht mehr erinnern, aber dem Sinn nach sagte er folgendes: »Ein gefährliches, vieldeutiges Wort, das Sie da nennen. Stil? Haben wir überhaupt Anlaß, von Stil in der Musik zu reden? Was besagt das: Beethovenstil? Mozartstil? Was soll man sich darunter vorstellen? Sehen Sie, in der Baukunst geht das. Sag ich romanischer Stil oder gotischer Stil, kann ich mir etwas dabei denken, ein bestimmtes Wölbungssystem mit runden Bogen im Gegensatz zum Spitzbogen der Gotik, dem Dom zu Speyer neben der Gotik des Wiener Stephansdoms. Oder Sie werden, wenn Sie sich mit Ihrem Gesang mal was Hübsches verdient haben, ein eigenes Haus bauen und Ihrem Raumgestalter sagen: Ich will ein Speisezimmer im Queen-Ann- oder im Empirestil, wie das in den Werkstätten meines seligen Herrn Schwiegervaters für Sie angefertigt worden wäre. Und sehen Sie: da liegt ein wesentlicher Unterschied begründet. Stile lassen sich nachmachen, kopieren, so vortrefflich, daß selbst die Experten den Kopisten auf den Leim gehen. Aber in der Musik? Das ist entschieden etwas anderes. Da läßt sich nichts nachmachen. Wer würde es wagen, eine Fantasie oder ein Rondo von Mozart, eine Paminen- oder Zerlinenarie nachzubilden? Das ist unnachahmlich, weil es absolut einmalig ist, wie die Landschaft, die wir da vor uns sehen, den Silsersee und die Berge ringsum, die sich darin spiegeln, und alles fließt so natürlich eines ins andere über. Einmalig, Maria! Merken Sie sich das! Stile können Sie nachmachen, Technik, soweit es bloße Technik ist, auch. Aber wichtig ist, der Substanz der Musik Ausdruck zu geben. Sie haben daran Anteil oder eben nicht. Und sofern Sie daran Anteil haben, singen Sie Mozart.«

Ich erwähne Schnabels Worte, weil mir, wenn ich an große Künstler denke, das Unverwechselbare ihrer Darbietungen in den Sinn kommt, wie sich in ihrem Spiel die Einmaligkeit des Genius von Schubert, Mozart oder Beethoven manifestiert. Mit einem Wort: Sie sind Diener am Werk.

Davon hatte ich damals, als ich täglich meine Tonleitern übte oder meine Umgebung mit improvisierten Ländlern erfreute, nur entfernt eine Ahnung. Ich ließ meinem musikalischen Tatendrang einfach freien Lauf und sandte meinen Gesang in Gottes weite Natur. Nicht selten hörte man mich schon von weitem trillern und quirilieren. Als ich einmal bei offenem Fenster meine Version von Lehárs Viljalied aus der »Lustigen Witwe« zum besten gab, stellte Pape fest, daß sich eine stattliche Schar Altersgenossinnen und Nachbarsleute den Gartenzaun entlang angesammelt hatte, um zuzuhören. »Schön!« riefen sie, als ich mit einem Superakkord abbrach, und klatschten Beifall. Pape war hingerissen. Er erzählte das jedem im nahen und weiten Umkreis: dem Fischknecht, der Kartenrunde am Stammtisch, der Eierfrau, dem Milchmann, dem Pfarrer, den Mietern im ersten Stock, selbstverständlich auch unseren vornehmen Bekannten: Zellers und Dr. Haabs.

Ich werde Schweizerin

Als ich etwas älter war, hatte ich abermals einen Weihnachtswunsch, ein Fahrrad nämlich, und zwar ein richtiges zweirädriges »Meitli-Velo«, wie einige meiner Freundinnen eines besaßen. Zwei Tage vor Weihnachten fragte mich die Frau, die als Mieterin im ersten Stock unseres Wirtshauses wohnte: »Miggi, was hast du dir eigentlich zu Weihnachten gewünscht?« – »Ein Velo«, antwortete ich, »aber ich glaube nicht, daß ich eines bekomme. Ich bin in letzter Zeit nicht so recht brav gewesen. Hab viel ›umegmulet‹.«

Dennoch, die Hoffnung gab ich nicht auf. Am 24. hielt ich die Spannung nicht länger aus. Pape war ins Dorf gegangen, Mame zu einer Nachbarin, Großpapa döste in einer Ecke der Gaststube, Heidi, unsere Servierhilfe, war in spannende Romanlektüre vertieft, und der Fischknecht . . .? Wo war der Knecht? Ein hurtiger Blick zum Treppenhausfenster hinaus erspähte ihn auf der Straße bei einem Plausch mit Bäkkers Ladentochter. Also husch-husch hinauf in den Estrich, sämtliche Ecken und Winkel mit Papes Taschenlampe ausgestrahlt, dann einen Stock tiefer, wo sich die Schlafkammern der Serviererin und von Großpapa befanden. Türe auf, Türe zu. Türe auf, Türe zu. Nichts. Der erste Stock mußte übergangen werden, dort wohnten ja fremde Leute. Weiter ging's auf Zehenspitzen durch die Wirtsstube. Großpapa schlief immer noch, Heidi hörte mich ohnehin nicht. Ich erreichte mühelos den Eingang zu unserer Privatwohnung, stahl mich ins Wohnzimmer hinein, wo schon der Baum stand, ins Elternzimmer . . ., kein Velo. Vielleicht im Keller? In der Waschküche? Ich trippelte hinunter. Unser dicker Kater, wie ich von der Stille im Haus profitierend, um im dort aufgestellten Fischtank fischen zu gehen, erschrak gewaltig, als ich unversehens unterm Türrahmen erschien. Er ließ die Forelle los, gab seiner Enttäuschung jaulend Ausdruck und suchte das Weite. Miggi rümpfte ihr Näschen nicht minder enttäuscht. Auch da kein Velo. Aha! Ich Esel! Im Schuppen am See natürlich, wo Pape Netze und anderes Fischgerät aufbewahrte. Ich sauste zum See hinunter. Quiiietsch ging die Tür auf. Dunkel und feucht war's da drinnen. Lampe an . . . nichts!

Der geschmückte Baum mit den brennenden Kerzen war zu schön, ich hatte keinen Grund, ein griesgrämiges Gesicht zu machen, aber leise Trauer bewegte mich doch, als ich die einstudierten Gedichte aufsagte und meine selbstgestrickten Gaben verteilte. Da ging auf einmal die Türe auf und . . . da stand ein Velo, wie ich seinesgleichen noch nie gesehen hatte, rotgold und silbern blitzender Doppelrohrrahmen, mit Lampe und Klingel und hinten als Kleiderschutz einem feinen Netz. Selbst die Satteltasche fehlte nicht. Ich war drauf und dran, wieder einmal zu heulen, vor Glück! War das eine Weihnachtsüberraschung!

Übrigens, wo war das Velo versteckt gewesen? Bei der fremden Familie im ersten Stock, wo man mich so heimtückisch nach meinen Weihnachtswünschen ausgefragt hatte! Dort und nur dort wußte Pape sein Geschenk vor meinen Nachforschungen sicher. Das schöne Rad wurde mir Jahre später in Konstanz gestohlen. Es dauerte lange, bis ich den Verlust verschmerzte.

Wie meinten es meine Pflegeeltern doch gut mit mir! Und wie liebte ich sie! Was eines Tages geschah, traf uns alle drei mitten ins Herz. Eines Vormittags, als ich mit den Noten unterm Arm ins Wohnzimmer hereinplatzte, saßen Mame und Pape niedergedrückt am runden Tisch. Mame hatte ganz rote Augen, Pape hielt ein Schreiben seines Amriswiler Anwalts in der Hand, eine Hiobsbotschaft. Die thurgauische Fremdenpolizei, so stand darin, bestehe auf meiner sofortigen Abreise, und zwar unwiderruflich. Falls das Kind die Schweiz nicht bis am Mittag verlasse, werde es von der Polizei per Zug über die Grenze spediert, wenn's sein müsse im Viehwagen, habe der Beamte hinzugefügt.

Mame und Pape weigerten sich rundweg, mich wieder nach Budapest ziehen zu lassen. Soeben hatte ich die Aufnahmeprüfung in die Sekundarschule bestanden, aus dem einstigen Ungarli war ein beinahe waschechtes »Schwyzermeitli« geworden, das sich unter den Romanshornern sichtlich wohl fühlte.

Was ich nicht wußte, meine Pflegeeltern hatten bereits Schritte unternommen, um mich zu adoptieren; doch Frau Stader hatte das für Adoptionen gesetzlich vorgeschriebene Alter noch nicht erreicht. Außerdem mußte noch die Zustimmung aus Ungarn eingeholt werden, vorab jene meiner Eltern, die sich solchen Bestrebungen – was freilich niemand ahnte – heftig widersetzen sollten. Mich selbst belasteten diese Probleme wenig. In meiner Gegenwart war auch nie von Adoption die Rede gewesen. Ich hätte das Wort auch nicht verstanden. Hin und wieder nahm mich Pape aufs Knie, versuchte mit seinen grundgütigen Augen in mich einzudringen und fragte, ob ich nicht wieder einmal nach Budapest gehen wolle, die Eltern sehen möchte, vielleicht zu Besuch. Ich begriff die tiefere Bedeutung dieser Seelenforschung nicht. Obgleich als Maria Müller (Molnar) im Städtischen Einwohner- und Schülerregister eingetragen, liebte ich es, als Maria Stader angesprochen zu werden. Und was die Ferien betraf, zog ich die Gesellschaft Miggi Eggimanns derjenigen meiner Geschwister, dazu jede noch so anstrengende Hausarbeit im »Ochsen« den Sorgen in meinem Budapester Elternhaus vor. Die Graf-Haller-Utza-Straße war weit weg, ein Alptraum, der selbst in der Erinnerung Magenkrämpfe heraufbeschwor.

Der feinsinnige Pape spürte das, und Staders wollten mich behalten. Es galt zunächst, Zeit zu gewinnen, koste es, was es wolle. »Hör zu«, sagte Pape. »Wir machen einen Veloausflug nach Konstanz. Nimm das Nötigste mit. Den Rest bringe ich dir nach. Du wirst jetzt eine Weile dort wohnen, bis der Sturm vorüber ist.«

Also kam ich nach Konstanz, wo mich Pape bei Tante Emma, einer entfernten Kusine, einlogierte. Zugleich schrieb er mich an der Höheren Töchterschule von Konstanz ein, einem, wie sich bald herausstellte, ausgezeichneten Institut, das von Mädchen aus allen Teilen Deutschlands besucht wurde und maßgeblich zur Erweiterung meines Horizonts beitrug.

Einige Jahre später schloß ich dort meine Schulausbildung ab. Zu jener Zeit wohnte ich längst wieder – wenn auch unangemeldet – in

Romanshorn und pendelte mit einem Tagesschein über die Grenze hin und her. Gemeindeamtmann und Weibel, beides treue Freunde meines Pflegevaters, waren so entgegenkommend, meine Anwesenheit im »Thurgauer Hof« geflissentlich zu übersehen. Sie wußten ja, daß es nur eine Frage der Zeit war, bis die Adoption genehmigt sein würde.

Meine Eltern in Ungarn leisteten Papes Bestrebungen zähen Widerstand. Erst nachdem Papes Anwalt eigens nach Budapest gereist war und ihnen an Ort und Stelle vor Augen führte, wie sehr ihr Verhalten das Glück ihres Kindes bedrohte, besannen sie sich eines Bessern. Meine begeisterten Briefe aus der Schweiz mögen ein Restliches dazu beigetragen haben. Endlich, 1928, wurden die Adoptionsurkunden unterzeichnet. Meinen leiblichen Vater sollte ich nie mehr sehen. Er starb im gleichen Jahr, wenige Tage vor meiner Konfirmation.

Meine Einsegnung war ein feierlicher Augenblick, dem ich mich ganz hingab, als der Pfarrer mir die Hand aufs Haupt legte und sprach: »Einen andern Grund kann niemand legen, außer dem, der gelegt ist, welcher ist in Jesus Christus.«

III

Der lange Weg zum Erfolg

Kapitel 10

Musikalisches Erwachen

Dank der Kunstbeflissenheit und Generosität seiner führenden Familien entfaltete das Städtchen Romanshorn in den zwanziger Jahren ein reges kulturelles Treiben. Träger der meisten Veranstaltungen war die Gesellschaft für Literatur, Musik und Kunst von Romanshorn und Umgebung mit dem rührigen Dr. Haab an ihrer Spitze. Dr. Haab war Arzt in Romanshorn, seine Tochter Ruth meine Freundin. Gemeinsam warben wir Vereinsmitglieder und Konzertabonnenten, amteten als Programmverkäuferinnen und Platzanweiserinnen, genossen gratis die herrlichsten Konzerte. Diese fanden im großen Gesellschaftssaal des Hotels »Bodan« statt, der auf Anregung von Dr. Haab und mit Unterstützung einer Anzahl Patronatsmitglieder in einen Konzertsaal umgebaut werden konnte, ein im Hinblick auf das Niveau der Konzerte durchaus gerechtfertigtes Unterfangen. Dort empfing ich erste bleibende Eindrücke.

Ich hörte den neben Heinrich Schlusnus wohl bekanntesten deutschen Liedersänger, Karl Erb, damals noch mit Maria Ivogün verheiratet, unübertroffen in Liedern wie Schuberts »Liebesbotschaft«; ferner Sigrid Onegin, von ihren Agenten als größte Altistin des Jahrhunderts angekündigt. Sie sang Schuberts »Lied im Grünen« so, daß man das Grüne zu sehen glaubte. Es spielten Instrumentalisten vom Range Emanuel Feuermanns, Rudolf Serkins und Pablo Casals, die mich später alle drei mit ihrer Freundschaft auszeichneten. Diese Interpreten kamen nicht nur nach Romanshorn, vielmehr verbanden sie ihren Aufenthalt in der Schweiz mit Auftritten in St. Gallen und vorab Winterthur, wo seit 1922 der unternehmungsfreudige Hermann Scherchen am Pult des Stadtorchesters stand und Aufführungen von wahrhaft großstädtischem Format zustande brachte. Unter Scherchen sang 1926 meine spätere Lehrerin Ilona Durigo die Altpartie in der Winterthurer Erstaufführung von Mahlers »Das Lied von der Erde«.

Auch in Romanshorn gab es Orchesterkonzerte: sei es mit Gästen aus Zürich wie Alexander Schaichet, der sein Kammerorchester mitbrachte und den Romanshornern meine zwölfjährige Landsmännin Annie Fischer vorstellte, wiederum eine Freundin späterer Jahre; sei es mit dem Konstanzer Orchester und meiner künftigen Mentorin, der gleichfalls ungarischen Musikerin Stefi Geyer als Solistin in einem Violinkonzert von Mozart; sei es mit dem Gemischten Chor von Romanshorn, in dessen Reihen ich mitsang. Zu jener Zeit hörte ich erstmals von einer Musikerfamilie mit Namen Busch, von Fritz, dem Dirigenten, Adolf, dem Geiger, Hermann, dem Cellisten, und Heinrich, dem schon 1929 jung verstorbenen Pianisten und Komponisten. Denn der gefeierte Adolf konzertierte in Romanshorn, sowohl als Solist als auch mit seinem einzigartigen Quartett, in dem er am ersten Pult geigte. Damals spielte Paul Grümmer den Cellopart, später nahm Hermann Busch Grümmers Platz ein, zusammen mit Gösta Andreasson (2. Geige) und Karl Doktor (Bratsche). Buschs waren eminent begabte Kammermusiker. Beispielhaft war die Homogenität des Streicherklanges. Ob im Quartett oder Trio (mit Rudi Serkin und Hermann Busch): Adolf vermittelte mir den ersten Eindruck dessen, was es heißt, sich als geborener Solist in ein Ensemble einzuordnen. Ich erlebte ihn auch im Violinkonzert von Beethoven, das andere Geiger technisch vielleicht geschliffener und brillanter interpretieren konnten. Aber wer außer Stefi Geyer tat es Adolf an Süße und Innigkeit des Tones in den Kantilenen des zweiten Satzes gleich? Hinzu kam, daß er an jenem Abend aus allen Poren schwitzte, der Schweiß die Saiten benetzte, so daß die Intonation ins Wanken kam. Aber was tat's! Die Aufführung blieb für mich ein Erlebnis und lehrte mich, daß es in der Musik aufs Herz ankommt. So dachte auch Pablo Casals.

Pape fühlte sich im Zauberland der Operette entschieden mehr zu Hause. Im gehobenen musikalischen Cercle des Hotels »Bodan« war er ein seltener Gast, dafür ein um so fleißigerer im Stadttheater St. Gallen. Auch ich hatte eine Schwäche für Operetten.

»Ist *das* schön!« flüsterte Pape, wenn die Ouvertüre verklungen war oder die rassige Christel von der Post im Rampenlicht ihren Applaus entgegennahm. Und seine Augen blickten mich auf geheimnisvolle Weise fragend an.

An meiner musikalischen Entwicklung nahm Pape regen Anteil, nichts war also natürlicher, als daß er sich von Zeit zu Zeit nach meinen klaviertechnischen Fortschritten erkundigte. Leider führte dies eines Tages zu einer von beiden Teilen völlig unbeabsichtigten Trübung unseres ansonsten so sonnigen Verhältnisses. An jenem Nachmittag hatte ich die Klavierstunde geschwänzt, nicht aus Faulheit, sondern um einen speziell für Mame angefertigen, mit Silberfäden durchwirkten lilafarbenen Pullover rechtzeitig bis zum Handarbeitsexamen fertigzubringen. Ausgerechnet an dem Abend interessierte sich Pape für den Verlauf meiner wöchentlichen Klavierlektion. Sie sei, erzählte ich, sehr gut gegangen. Dabei wäre es geblieben, hätte sich abends nach dem Essen nicht mein Vetter Hans Stader eingefunden, auch er Schüler meines Klavierlehrers, der mich laut und vernehmlich fragte, weshalb ich nicht in die Klavierstunde gekommen sei. Der Lehrer habe sich geärgert. Da flog die Sache auf. Pape erriet meine Verlegenheit und ging darüber hinweg. Dann aber zog er mich beiseite und erzählte mir die Geschichte eines Mädchens, dessen Hang zum Lügen seine Mutter ins Grab brachte. Die Folge davon war, daß ich krank wurde und drei Tage mit Fieber im Bett lag.

Gesangsstunden! Mein Traum geht in Erfüllung!

Auf die Möglichkeit, die Stimme systematisch ausbilden zu lassen, wurde ich erstmals durch meine Schulfreundin Hella Rohrer aufmerksam. War es nach einem Liederabend mit dem Schweizer Bassisten Felix Loeffel? Ich weiß es nicht mehr genau. Wir sprachen von Schuberts »Ungeduld«, Hella sang mir die erste Strophe vor: »Ich schnitt es gern in alle Rinden ein . . .«, dabei fiel mir auf, daß Hella anders sang als ich. Der Fluß ihrer Stimme klang irgendwie gekonnter, kunstvoller. Meine Neugierde entlockte ihr schließlich die Auskunft, daß sie Gesangsstunden nahm. Gesangsstunden? Innerlich zitterte ich vor Erregung. Wo, wollte ich wissen. Bei einer Frau Bärlocher aus St. Gallen. Ich fragte nach dem Preis. Die sei allerdings nicht billig, entgegnete Hella. Sie verlange zwölf Franken die Stunde. Mein Mut sank. So etwas könne sich allenfalls eine Fabrikantentochter wie Hella leisten, dachte ich. »Nächsten Sonntag ist Vortragsübung«, fügte Hella hinzu. »Wir singen den Brautjungfernchor aus ›Freischütz‹.« Und sie stimmte hell und frohlockend an: »Schö-ner grü-ner, schöner grüner Jungfernkranz! Veilchenblaue Sei----de, veil-chenblaue Sei----de.« Ich erfuhr noch, daß diese Vortragsübung in Arbon stattfinde und öffentlich sei.

Am nächsten Sonntag begab ich mich nach Arbon, beklatschte lautstark jede Nummer, suchte hinterher die Gesangspädagogin auf und eröffnete ihr ohne Umschweife, daß ich Gesangsstunden nehmen wolle. Frau Bärlocher maß meine Statur mit Blicken – später berichtete sie ihrem Mann, sie habe jetzt eine sooo kleine Schülerin mit einem sooo kleinen Näschen und einem sooo kleinen Stimmchen bekommen – und entgegnete, daß dem an sich nichts im Weg stünde, für eine weitere Gesangselevin sei noch Platz. Sie unterrichte noch weitere Romanshorner Töchter im Musiksalon der Villa Feugt, und zwar gemeinsam. Zudem stellte sich zu meiner Erleichterung heraus, daß die Stunde nicht zwölf, sondern pro Schülerin lediglich vier Franken kostete.

In den nächsten Tagen gab ich mir alle erdenkliche Mühe, ein liebes und folgsames Kind zu sein, bis ich die Zeit für reif hielt, mit einem diplomatischen Vorschlag aufzuwarten, nämlich anstatt Klavierstunden künftig bei Frau Bärlocher Gesangsstunden zu nehmen. Die guten Eltern Stader waren damit einverstanden, und so begann meine Sängerlaufbahn.

Rückblickend bin ich dem Schicksal dankbar, das mich von Anbeginn an der Obhut einer so umsichtigen und erfahrenen Stimmbildnerin wie Mathilde Bärlocher anvertraute. Bei keinem Solistenzweig kann sich ein fehlgeleiteter Start so ruinös auswirken wie bei uns Sängern. Frau Bärlocher war die Tochter meines späteren Gesangslehrers Kammersänger Hans Keller, und, wie ihr Vater, in der Tradition Lilli Lehmanns ausgebildet worden, deren Name als Opernsängerin wie als Interpretin des deutschen Liedes für alle Zeiten am Sängerfirmament des Abendlandes strahlen wird. Die frühe Schallplatte bewahrt eine Anzahl Dokumentaraufnahmen der annähernd Sechzigjährigen, die aufnahmetechnischen Unzulänglichkeiten zum Trotz das stupende Können dieser Künstlerin ausreichend belegen. Lilli Lehmanns gesangspädagogische Schriften sind ja auch Klassiker der einschlägigen Literatur.

Meine erste Gesangsstunde hatte ich mit etwa vierzehneinhalb Jahren. Ich weiß nicht mehr genau, wann ich bei Frau Bärlocher eingetreten bin. Es wird im Sommer 1926 gewesen sein.

Frau Bärlocher erwies sich als strenge, aber niemals – wie das der Lehmann nachgesagt wird – despotische Lehrerpersönlichkeit. Mit großem Geschick und Einfühlungsvermögen in die Eigenheiten ihrer

Schülerinnen lehrte sie uns die Elemente einwandfreier Tongebung. Kein Ton durfte gesungen werden, dem nicht die korrekte Atmung, der deutlich geformte Konsonant und reine Vokal als die ihn vorbereitenden Stufen vorangegangen wären. Atem- und Sprechübungen bildeten somit die Grundlage des Unterrichts.

Als im nächsten Jahr die Weberschen Brautjungfern ihren schönen grünen Jungfernkranz wanden, war ich mit von der Partie. Pape saß, überwältigt von Vaterstolz, in der vordersten Reihe. Am liebsten hätte er sich zu Ehren des Ereignisses in Galakleidung geworfen! Bereits im darauffolgenden Jahr brachte ich ein Sopransolo mit Orgelbegleitung von Hiller zu Gehör. Im Anschluß daran sorgte meine Gesangskollegin, die Pfarrerstochter Elsa Maag, für eine im Programm nicht vorgesehene Einlage. Anstelle des wohlbekannten »Ich liebe dich so wie du mich, am Abend und am Morgen« von Ludwig van Beethoven, deklamierte sie mit Inbrunst »Ich liebe dich so wie du mich, *vom* Abend *bis* am Morgen«, und konnte gar nicht begreifen, wieso ihr Vortrag kirchenschiffumspannende Heiterkeit hervorrief.

Wie das so üblich ist, wurde ich ab und zu nach meinen Berufswünschen gefragt. Berufsberatungsstellen gab es damals nicht, man war in dieser Hinsicht mehr oder weniger sich selbst überlassen und auf zufällige Informationen und Beziehungen angewiesen. Von Dr. Haab hatte ich irgendwann einmal Näheres über den Beruf der Säuglingsschwester vernommen. Steckten ernste Berufsabsichten oder nur wachwerdende Muttergefühle dahinter? Wie dem auch sei, eine Zeitlang liebäugelte ich mit dieser Tätigkeit, doch der erfahrene Dr. Haab riet angesichts meiner zwar nicht schwächlichen, aber eben nicht genügend robusten körperlichen Konstitution von diesem Beruf ab. Dagegen empfahl er Pape, mit Frau Bärlocher zu reden. Sie habe sich kürzlich dahingehend geäußert, daß in meinem Fall eine berufliche Gesangsausbildung ernsthaft in Erwägung gezogen werden sollte.

»'s Miggi singt einfach schön!« Das wurde allenthalben festgestellt, und Frau Bärlocher redete Pape zu, den Versuch mit mir zu wagen. Fortan wohnte ich bei Bärlochers in St. Gallen, kam nur noch übers Wochenende nach Romanshorn und erhielt anstatt des wöchentlichen Unterrichts täglich Gesangsstunde. Auch das Üben wurde mit Sperberaugen überwacht. Im Frühjahr 1929 hatten wir wiederum Vortragsübung, ich hatte fleißig gearbeitet und bot dieses Mal die Pagenarie aus dem 1. Akt von Meyerbeers »Hugenotten«, ein fallenreiches, mit Läufen, Verzierungen und Kadenzen gespicktes Stück, das dem armen Pagen zu guter Letzt auch noch ein hohes C abverlangt. Als mein um die Verdienstaussichten wandernder Musikanten bangender Pape sich abermals an Frau Bärlocher wandte, entgegnete sie ziemlich unwirsch: »Miggi ist außergewöhnlich begabt, Herr Stader, aber den Brotkorb kann ich nicht dazulegen.« Hierauf schickte sich Pape ins Unvermeidliche, und ich blieb bis auf weiteres in St. Gallen.

Der Entschluß war Pape sicher nicht leichtgefallen. Er belastete meine Eltern zwiefach. Im stillen hatte Pape wohl doch gehofft – und das war nur natürlich –, ich würde dereinst Mame im Gastbetrieb unter die Arme greifen, vielleicht jemanden heiraten, mit dem ich selber ein Gasthaus würde führen können. Mame war auch immer darauf bedacht gewesen, mir Kochen beizubringen. Die Aussicht, mich nun über Jahre Gesang studieren zu lassen, war ein Luxus, der Papes finanzielle Möglichkeiten aufs äußerste strapazierte. Staders waren nicht reich, nicht einmal wohlhabend. Papes distinguierte Erscheinung mochte darüber hinwegtäuschen, er selber rechnete sich zu den einfachen Leuten. Das Einkommen aus der Fischerei reichte zwar im allgemeinen aus, um angenehm leben zu können, war aber nicht derart gewinnbringend, daß Ende des Jahres allzuviel übriggeblieben wäre. Es gab gute und weniger gute Jahre, wie auf einem Bauernhof. Auch die Einkünfte aus der Wirtschaft waren, nach Abzug der Ausgaben, bescheiden. Nicht, daß Pape und Mame über Geldmangel geklagt hätten! Das war keineswegs ihre Art. Ich habe es später mit meinen Kindern auch so gehalten. Vor einem Kind Probleme auszubreiten, zu deren Lösung es nichts beitragen kann, ist nicht sinnvoll. Erst als ich mit dem Wunsch kam, Gesang zu studieren, meinte Pape: »Wir werden es schon irgendwie schaffen.« Meinerseits trug ich zu den Ausbildungskosten bei, indem ich bei Bärlochers und später bei Kellers, bei denen ich ebenfalls während meiner Unterrichtszeit wohnte, wacker im Haushalt mithalf, was den Pensionspreis senkte. Dennoch, Pape mußte sicher tief in die Tasche greifen.

Natürlich gab ich mir alle erdenkliche Mühe, Frau Bärlocher zufriedenzustellen. Ich war, das darf ich rückblickend feststellen, eine fleißige Schülerin. Frau Bärlocher war sehr anspruchsvoll, eine hervorragende Lehrerin. Dafür sitzt meine Stimme. Sie hat mich in all den Jahren nie im Stich gelassen. Freilich, krisenfrei gingen diese Jahre nicht vorüber. Zum einen litt ich an Heimweh, ein unglücklicher, geradezu krankhafter Wesenszug, muß ich nachträglich feststellen, der allerdings vom Schicksal stets von neuem herausgefordert wurde. Bei Meiers in Glattfelden hatte ich geheult, weil ich Heimweh nach meiner Mutter in Budapest hatte, bei Eggimanns heulte ich, weil ich mich nach Meiers sehnte. Dann kam Uster. Auch dort heulte ich. Die Trennung von Uster fiel mit ebenfalls schrecklich schwer, deshalb heulte ich bei Staders in Romanshorn. Neuerdings vergoß ich Tränen in St. Gallen, obwohl die Bahnfahrt von St. Gallen nach Romanshorn keine halbe Stunde dauert. Begreiflich, daß ich mich vor jeder Trennung fürchtete.

»Wenn man mich nur nicht fortschickt!« Diese Angst bestimmte mein Verhalten. Und noch ein anderer Grund. Das dauernde Verpflanztwerden in meiner Kindheit hatte, obgleich von mir mitunter herbeigesehnt, mein – wie soll ich es nennen – inneres Orientierungsvermögen gestört. Die Unsicherheit, wo und ob ich ein Zuhause hatte, wurde chronisch. So bemühte ich mich bei allem kindlichen Übermut, stets ein braves Kind zu sein, um nur ja meinen Platz nicht zu verlieren.

Das war das eine. Zum andern gab es Studiumsnöte, Zeiten, in denen ich fest davon überzeugt war, die Grenzen meiner Fähigkeiten erreicht zu haben. Ein Gesangsstudium bei Frau Bärlocher war kein Kinderspiel, das habe ich bereits angedeutet. Vormittags wurde eine Stunde an der Technik gefeilt, nachmittags am Text, dazwischen mußte geübt werden, nie ohne Kontrolle, denn Frau Bärlocher saß im Zimmer nebenan, nähte oder häkelte und hörte dabei aufmerksam zu. Manch eine stimmliche Hürde nahm ich mit Bravour. Selbst die heikelsten chromatischen Koloraturen bewältigte ich mit Leichtigkeit. Ich war also verwöhnt. Um so unerklärlicher war mir daher meine Hilflosigkeit, als mir – ich erinnere mich gut – eine bestimmte Phrase im Frühlingsstimmenwalzer wochenlang nicht so gelang, wie es die Lehrmeisterin haben wollte. Das war schrecklich. Also war ich doch keine Sängerin. Alles, was ich an Hoffnung, an Ehrgeiz, an Gefühl investiert hatte, war demnach Täuschung gewesen. Ich malte mir aus, wie mich Frau Bärlocher davonjagen würde, sah mich meine Siebensachen packen, verzweifelt auf den Bahnhof zugehen, sah mich vor Pape treten und sagen: »Es isch halt doch nüt gsi.« Ade, geliebtes Klavier. Zu diesem Zeitpunkt war das Kopfkissen schon ganz naß.

Und dann auf einmal war das Hindernis wie weggeblasen, die böse Stelle perfekt. »So, jetzt häsch es! Jetzt isch es richtig!« rief Frau Bärlocher. Gott, war ich selig! Ich hätte die ganze Welt umarmen mögen. Aber die Gründe des Versagens blieben ebenso rätselhaft wie jene des Gelingens. Wahrscheinlich war ich einfach verkrampft vor lauter Wollen, Probieren und Versagerangst. Beim Gesang braucht es nicht viel, schon geht etwas schief: ein blockierter Nerv, ein verspannter Muskel, und der Ton kann sich nicht frei entfalten. Lockerheit, Natürlichkeit, frei schwebende Spannung und Entspannung, das ist eine einfache und dennoch komplizierte Voraussetzung der Gesangskunst.

Etwa um diese Zeit lernte ich Frau Bärlochers Vater, Kammersänger Keller aus Konstanz, kennen. Er wollte mich hören. Aber meinem beifallgewohnten Ohr wurden die üblichen Lobpreisungen versagt. Statt dessen machte Hans Keller mich auf eine ganze Reihe Mängel in Vortrag und Ausdruck aufmerksam. Da wurde ich nachdenklich. Ich merkte, daß die Zeit für einen Lehrerwechsel heranreifte.

Mitten in diese aufregende Zeit voller Spannungen und Erwartungen fiel eine Schreckensbotschaft, die alles Planen beiseite schob. Ich hatte noch zu lernen, was es bedeutet, einen geliebten Menschen bis an die Schwelle des Todes zu begleiten.

Kapitel 11

Trauer und erste Liebe

Wer Leiden nicht mitempfinden kann, dem bleiben die großen Frauengestalten mozartscher Prägung verschlossen. Die Gräfin, Pamina, Elvira trauern um verlorene Liebe, Traurigkeit ward Konstanze zum Los, die Königin der Nacht glaubt sich zum Leiden auserkoren. Immer wieder besteht die künstlerische Aufgabe einer Mozartsängerin unter anderem darin, in die Gefühlswelt leidender Gestalten einzudringen und sie dem Zuhörer zu offenbaren.

In jenen Wochen, nachdem sich herausgestellt hatte, daß Mame unheilbar krank war, meine geliebte Mame, senkte sich Stille über unser Haus. Man flüsterte, ging auf Zehenspitzen. In dieser Zeit erlebte ich die Einsamkeit eines leidenden Menschen, sein Verlorensein, seine Abkehr nach innen.

Erst jetzt fällt mir auf, daß ich von Mame Stader eigentlich so gut wie nichts berichtet habe. Im Grunde genommen paßt das zu ihr. Sie war im Leben so unauffällig, daß man sie nur wahrnahm, wenn man ihrer bedurfte. Und dennoch war sie, wie es manchmal den Anschein hatte, überall gleichzeitig, in der Küche, im Restaurant, in der Waschküche, im Gemüsegarten, im Hühnerstall . . ., von früh bis spät auf den Beinen. Versuche ich, sie mir vorzustellen, höre ich sie lachen. Sie konnte so herzlich aus dem Urgrund ihres auch noch im Alter mädchenhaft-frischen Gemüts lachen, bis ihr die Tränen kamen, die sie sich mit dem Zipfel ihrer unentbehrlichen schwarzen Schürze aus den Augen wischte. Sie war sanft und gut und tief im christlichen Glauben verwurzelt. Obschon sie ihr Leben in einer Wirtsstube verbrachte, wo es nicht nur laut, sondern manchmal auch recht grob zuging, war ihr jeglicher Wirtshauston fremd. Kippte einer im Diskussionseifer ein Bierglas um, gab es nasse Hosenbeine und derbe Flüche, wurde sie womöglich noch stiller als gewöhnlich, räumte und säuberte, ehe man sich's versah und ging zur Tagesordnung über.

Sie war mindestens so leichtgläubig wie ich selber, und das will einiges heißen. Man konnte ihr den größten Bären aufbinden. »Diese Woche hat Frau Bärlocher gesagt, ich sänge schon so gut wie die am Theater«, prahlte ich, während ich mich ans Klavier setzte und den Deckel aufschlug. Mame ließ die Stricknadeln auf den Schoß sinken und horchte auf. »Ja ja«, fuhr ich ermutigt fort, »jetzt komm ich bald ans Stadttheater St. Gallen und darf in den Operetten mitsingen.« Mames Augen wurden immer größer. Vielleicht dachte sie jetzt ebenso wie ich an die bildhübsche Dollarprinzessin im knallroten Ballkleid, die wir unlängst gesehen hatten. »Dann bekomm ich einen langen roten Rock und Diamanten ins Haar«, schloß ich und klimperte auf dem braunen Klavier drauflos. »Potzmillionen!« sagte Mame. Abends bei Tisch erzählte sie Pape stolz von Frau Bärlochers Weissagungen. Papa meinte: »Soso« und schaute mich schief und von oben herab an. Aber er widersprach nicht, er mochte Mames Traum nicht zerstören.

Nun lag sie im Bett, den müden Kopf im hochgelagerten Kissen, das früher so glatt, glänzend und straff nach hinten zu einem Knoten zusammengebundene Haar drahtig, matt und widerspenstig; man hatte seine liebe Mühe damit, sie ein bißchen präsentabel zu machen. Der Kropf, den sie zeitlebens vergeblich bekämpft hatte, jetzt eingeklemmt zwischen Kinn und Brustlade, erschien auffallender denn je, die einst so rührigen Hände lagen regungslos auf der Steppdecke. Ich nahm Urlaub von Frau Bärlocher, um Pape zur Seite zu stehen. Er verkaufte die Wirtschaft – was blieb ihm anderes übrig – und wir zogen in ein Einfamilienhaus am See. Die Krankenpflege hielt mich rund um die Uhr in Atem; die Betriebsamkeit, die ich dabei entfaltete, mag mir über die eigene Traurigkeit hinweggeholfen haben. Mames langsames Entschlummern zehrte indessen derart an meinem Lebensnerv, daß ich mir manchmal einbildete, mit ihr gehen zu müssen. Ihre Schmerzen kamen schubweise, mit grausamer Regelmäßigkeit immer etwa zur selben Stunde: morgens zwischen acht und zehn, nachmittags zwischen drei und fünf, abends zwischen neun und elf. Sie, die so herzlich lachen konnte, weinte jetzt viel. »Wenn ich nur gesund werden und dir's vergelten könnte«, sagte sie oft. Ging es ihr eine Spur besser, bat sie: »Miggi, sing mir ein Liedli vor.« Ich setzte mich ans Klavier im Nebenzimmer, sang ein Potpourri aus »Das Land des Lächelns«, selber zusammengestellt und gleicherweise Tenor- und Sopranpartie umfassend. Oder, was sie besonders liebte: das »Wiegenlied« von Johannes Brahms, jenes Kleinod, das immer von neuem bezaubert, mag man es auch tausendmal gehört und gesungen haben. Die erste Liedstrophe ist der Gedichtsammlung »Des Knaben Wunderhorn« entnommen, der auch Gustav Mahler manche Anregung verdankt. Die zweite Strophe soll erst später hinzugefügt worden sein, aber das merkt keiner, der es nicht weiß, so selbstverständlich fügt sich die eine in die andere. Die walzerhafte Klavierbegleitung mit den verführerischen Terzen in der rechten Hand lockt in den Schlaf hinüber und strahlt selige Ruhe aus.

»Guten Abend, gut' Nacht,
mit Rosen bedacht,
mit Näg'lein besteckt,
schlupf' unter die Deck':
Morgen früh, wenn Gott will,
wirst du wieder geweckt,
morgen früh, wenn Gott will,
wirst du wieder geweckt.

Guten Abend, gut' Nacht,
von Eng'lein bewacht,
die zeigen im Traum
dir Christkindleins Baum:
Schlaf nun selig und süß,
schau im Traum 's Paradies,
schlaf nun selig und süß,
schau im Traum 's Paradies.«

Dann kam der Moment, da Mame das Vaterunser verlangte. Jetzt wird Mame sterben, dachte ich. Ich sang die schlichte Weise, die der Komponist Krebs nach den Worten des Gebetes gesetzt hat. »Miggi, das mußt du singen, wenn sie meinen Sarg hinaustragen«, bat Mame.

Wenige Stunden, ehe sie von uns ging, wachte Mame wie aus tiefem Schlaf auf. Sie war plötzlich bei vollem Bewußtsein, ihre Augen glänzten, sie tastete nach meiner Hand und drückte sie an ihre Brust. »Du mußt es besonders schön haben«, sagte sie. Und: »Sorg für den armen Pape, der so gut zu uns gewesen ist.« Dann sank sie erschöpft zurück und sagte nichts mehr.

Mein Freund Heinz

Nach Mames Tod hatte ich eine lange Unterredung mit Pape. Am Schluß kamen wir überein, daß ich nun vom einmal eingeschlagenen Weg nicht abweichen dürfe, es stünde zu viel auf dem Spiel. So ging ich wieder nach St. Gallen, um meine Arbeit mit Frau Bärlocher fortzusetzen.

Nicht nur in Romanshorn, auch im benachbarten deutschen Konstanz setzten sich führende Kreise für kulturelle Belange ein. Das Konstanzer Orchester, das einen vorzüglichen Ruf genoß, habe ich bereits erwähnt. Konstanz verfügte zudem über ein Bühnentheater. Besonders der Direktor des Konservatoriums und Komponist Alfons von Zimmermann ist als Initiator musikalischer Veranstaltungen zu nennen.

Mein Cousin Adolf Stader aus Konstanz sagte eines Tages: »Du, unser Direktor möchte einen Mozartabend veranstalten, mit Cembalo, Kerzenlicht und Kostümen aus dem 18. Jahrhundert. Das wäre doch was für dich. Da könntest du singen, vielleicht ein paar deiner Arien.«

Adolf war damals Geigenschüler am Konstanzer Konservatorium und spielte erste Violine im Orchester. Er brachte mich mit Direktor Zimmermann zusammen, der mich für sein, wie er es nannte, »historisches Konzert« im maurischen Saal des Hotels Halm engagierte, »historisch« weniger seiner musikgeschichtlichen Bedeutung als der szenischen Darstellung wegen. Wir hatten inmitten ovaler Spiegel, verspielter Lüster und maurischer Stukkaturschnörkel aller Art im grazilen Firlefanz des 18. Jahrhunderts eine Art Hofkonzert zu bieten, »les demoiselles« in Reifröcken, Kavaliere mit gepudertem Zopf; die Mischung aus Rokoko und Orient mag an die Wiener Türkenwelle zur Zeit von Mozarts »Entführung« erinnert haben. Auf meinem Programm standen die beiden Cherubino-Arien aus »Figaro« – ich hatte es immerzu mit Pagen zu tun –, ferner als Encore ein Chanson mit dem einladenden Zweizeiler: »Sehen Sie mich bitte ganz genau an, ich bin hergestellt aus Meißner Porzellan.« In meiner Zapfenlockenhaartracht muß ich in der Tat wie ein Nannerl, wie Mozart-Nippes ausgesehen haben. Mein Auftritt veranlaßte nämlich den geschäftstüchtigen Inhaber eines Konstanzer Porzellanwarengeschäftes, umgehend bei mir anzufragen, ob ich mich nicht als kaffeetrinkendes Porzellanfigürchen in einem seiner Schaufenster würde ausstellen lassen. Der reklamebewußte Herr erklärte sich überdies bereit, mein Entgegenkommen mit einer Fürstenberger Suppenterrine zu honorieren. Dennoch lehnte Jungfer Hochmut ab. Da ich heute eine kostspielige Schwäche für Porzellan habe, kann ich nicht umhin, mir im Nachhinein einen Nasenstüber zu versetzen.

Dieses eine Mal war übrigens ich diejenige, die den Abend mit einer komischen Zugabe bereicherte. Von meinem Kostüm bezaubert, dem Applaus berauscht, der in maurischer Spiegelpracht sich potenzierenden Kerzenbeleuchtung um meine Standortbestimmung gebracht, dankte ich nicht nur der vorhandenen Zuhörerschaft, sondern mit nicht minder ausladender Verneigung ihrem nach rechts und links sich ausdehnenden Spiegelbild. Wäre ich ein Zuschauer gewesen, hätte ich mich ebenfalls königlich amüsiert.

Ungeachtet solcher Pannen wiederholten wir unseren Kostümabend mehrmals in Konstanz und Umgebung. Sporadische Auftritte in der Öffentlichkeit waren für die werdende Sängerin von unschätzbarem Wert. Aber abgesehen davon musizierte in dem von Direktor Zimmermann ad hoc zusammengestellten Ensemble ein Cellist namens Heinz Zulla, was nicht ohne Folgen blieb.

Heinz war ein vorzüglicher Musiker, und, wie ich bald feststellen konnte, sagenhaft fleißig. Er pflegte morgens um fünf aufzustehen, Cello zu üben und sich auf das Abitur vorzubereiten – er wollte Medizin studieren und ging aufs Gymnasium. Nach der Schule absolvierte er noch eine kaufmännische Lehre beim Vater, nahm außerdem irgendwann Cellostunden am Konservatorium und fand dazwischen sogar noch Zeit, sich mit einer von Frau Bärlochers Gesangsschülerinnen zu beschäftigen.

Ich weiß noch als wäre es gestern gewesen, wie mein Vetter Adolf Stader und ich zum erstenmal bei Zullas waren. Vater Zulla befand sich im Geschäft. Er besaß ein Einzelhandelsgeschäft in Konstanz, wo sich die Damenwelt der Umgebung mit modischen Seidenstoffen eindeckte. Das machte mir, nebenbei bemerkt, Eindruck. Heinz' Mutter empfing uns in ihrem chaletartigen Heim und setzte uns einen, unserm jugendlichen Appetit angemessenen hausgemachten Marmorkuchen vor, der mir offenbar derart schmeckte, daß ich ihn über all diese Jahre hinweg nicht vergaß.

Von da an war ich des öfteren noch Gast im Hause Zulla. Heinz hatte mir auf den ersten Blick gefallen. Und ich ihm anscheinend auch. Er sah gut aus, konnte charmant »blödeln«, sagte aber dennoch nie Unsinn, war gescheit und auf allen möglichen Wissensgebieten beschlagen. Er behandelte mich wie eine junge Dame und hatte ausgesucht gute Umgangsformen. Wir unternahmen zunächst kürzere, später zusehends längere Spaziergänge. Nachdem ich zu Kellers nach Konstanz gezogen war, dehnten wir unsere Ausflüge auf die untere Bodenseegegend aus. Besonders das damals noch unverbaute Ufer hatte es uns angetan. Was plauderten wir? Nicht viel Romantisches. Unsere gegenseitige Zuneigung stand, zumindest gesprächsweise, nicht im Vordergrund. Heinz dozierte gern, er sprach mit mir über Literatur, das heißt: *er* sprach, *ich* hörte zu –, seine Lieblingsdichter waren Schiller, Goethe, Eichendorff, Mörike. Er wollte in mir die Freude an guter Literatur wecken, meine Phantasie durch Worte beflügeln. Ich bin ihm noch heute dankbar.

Manchen Abend, bevor ich schlafen gehe, lese ich ein paar Strophen in Goethes »Faust, 2. Teil«, versuche den geheimnisvollen Sinn dieser oder jener Zeile zu ergründen, was mir meistens auch nach der zehnten Lesung nicht gelingen will. Hie und da geht mir ein Licht auf, erahne ich einen Zusammenhang, ein Gleichnis von Welten, von denen bis dahin nur die Musik zu mir sprach. Den Sinn für diese Meditationen hat Heinz Zulla in mir geweckt. Immer trugen wir Bücher mit uns herum, stundenlag las er mir vor. So erfuhr ich zum erstenmal vom Schicksal der Emilia Galotti, von der hoffnungslosen Liebe Ferdinands und Don Carlos', vom armen Gretchen, das in der Verzweiflung sein Kind umbringt. Schuberts Lied vom »Gretchen am Spinnrad« kannte ich wohl, aber ich hatte bisher nie das Bedürfnis gehabt, Gretchens Ruhelosigkeit näher zu ergründen. Meine Vorstellungen vom Kinderkriegen waren, gelinde ausgedrückt, diffus. Heinz mochte das geahnt haben, obschon wir nie darüber sprachen. Vermutlich war ich kein Einzelfall. Von einer sexuellen Aufklärung durch Pape oder Mame konnte nicht die Rede sein. Von Pape erfuhr ich überhaupt nichts, von Mame nur das absolute Minimum. Daß etwa eine monatliche Blutung zur Natur des weiblichen Körpers gehört, vernahm ich von einer Schulfreundin. »Du«, sagte die eines Tages stolz. »Ich bin unwohl.«

»Was heißt das?« wollte ich wissen. Auf diese Weise erfuhr ich, daß das bei mir auch so sein würde. Eines Tages war es so weit. Stolz ging ich zu Mame: »Du, ich bin unwohl geworden.« Die gute Mame fiel beinahe vom Stuhl. »Kind!« rief sie. »Woher weißt du das?«

Ich antwortete ziemlich gelassen: »Von Lucie. Die hat's auch.«

Mame war kreidebleich. Sie brachte kaum mehr ein Wort hervor.

So hilflos standen frühere Generationen den Heranwachsenden gegenüber. Heute ist das bekanntlich anders. Als ich mich nach einiger Überwindung daran machte, meine Buben aufzuklären, ergab sich, daß sie mehr wußten als ich. Aber damals! Die bloße Vorstellung einer geschlechtlichen Beziehung war tabu. In den Erinnerungen der von Berlin einst umschwärmten Koloratursängerin Frieda Hempel, eines Lieblings Kaiser Wilhelms II., läßt sich nachlesen, welch ein Wirbel der erste Akt des »Rosenkavaliers«, darin Fräulein Hempel die Marschallin sang, Anno 1911 entfachte. Ehe die Erstaufführung der Oper in Berlin zugelassen wurde, mußte sich Hugo von Hofmannsthals Text einige Abwandlungen gefallen lassen.

Selbst Gounods »Margarethe« wäre einst um ein Haar dem Rotstift des Zensors zum Opfer gefallen. Das geschah rund fünfzig Jahre früher, als die fesche Wienerin Pauline Lucca ihrer Zuneigung zu Faust allzu beredten Ausdruck gab, das Blut der Sittenwächter von Covent Garden, dem Königlichen Opernhaus in London, in Wallung brachte und ernsthaft darüber gestritten wurde, ob die Gartenszene an sich überhaupt tragbar sei. Wir lächeln darüber, so wie man vielleicht im Jahre 3000 über uns lächeln wird.

Ich jedenfalls war weltfremd und total verwirrt. Vor einer zu nahen Berührung mit einem Mann hatte ich panische Angst. Als ich das Zeugnis aus der Haushaltungsschule nach Hause brachte, das mich als »befriedigende« Köchin und zur Säuglingsschwester »vorzüglich geeignet« auswies, mahnte Pape: »Miggi, falls du mir einer Liebschaft wegen ein Kind bekommst, hau ich's in den See.« Glücklicherweise hatte uns inzwischen ein Arzt anhand schematischer Darstellungen aufgeklärt, sonst wäre ich wahrscheinlich jedem Mannsbild auf fünfzig Meter ausgewichen.

Nun, Pape brauchte sich keine Sorgen zu machen. Heinz und ich, wir lebten in einer anderen Welt. Freilich, mit der Zeit wurde das natürliche Bedürfnis stärker als die Hemmung, wir gingen Arm in Arm, man stahl sich gegenseitig ein Küßchen, aber dabei blieb es. Manch einer lächelte uns freundlich an, wenn wir so dahergeschlendert kamen. Im Seepark von Konstanz waren Maria Stader und Heinz Zulla bald ein stadtbekanntes Liebespaar. Jahre nach dem Zweiten Weltkrieg, als ich mir längst einen Namen gemacht hatte und in Konstanz sang, trat eine fremde Dame im Solistenzimmer auf mich zu und fragte: »Entschuldigen Sie, haben Sie eigentlich den Zulla damals geheiratet?«

»Nein«, entgegnete ich. »Aber sehen Sie, da steht er.«

Kapitel 12

Gesangsausbildung in Konstanz

Bis zum Frühsommer 1930 blieb ich unter den Fittichen von Mathilde Bärlocher. Im August desselben Jahres wechselte ich zu ihrem Vater und Lehrer Hans Keller nach Konstanz hinüber. Damit begann ein neuer Abschnitt in meiner künstlerischen Ausbildung.

Es ist nicht leicht, die für einen guten Gesangslehrer erforderlichen Eigenschaften zu definieren. Selber Sänger zu sein, genügt jedenfalls nicht. Talentierte Gesangskünstler sind deshalb noch lange nicht unbedingt talentierte Gesangspädagogen. Umgekehrt braucht ein guter Stimmbildner nicht ein berühmter Sänger zu sein. Weder Francesco Lamperti (1813–1892) noch sein Sohn, Giovanni Battista Lamperti (1839–1910), zwei Spitzenmeister des Belcanto im neunzehnten Jahrhundert (beim Senior studierten Emma Albani und Desirée Artôt, beim Junior Marcella Sembrich, ihrerseits Lehrerin Alma Glucks und Dusolina Gianninis, ferner Ernestine Schumann-Heink, eine der bedeutendsten Altistinnen aller Zeiten, unter vielen anderen mehr) traten solistisch hervor. Auch nicht der Amerikaner Louis Bachner, einst einer der begehrtesten Gesangspädagogen Deutschlands, der Lehrer Frida Leiders, Ria Ginsters und Heinrich Schlusnus'.

Mathilde Bärlocher, die mir die gesangstechnischen Grundlagen beigebracht hatte, legte nie Wert auf eine Karriere. Anders ihr Vater. Hans Keller war Königlich-Württembergischer Kammersänger gewesen, ein zwar mittlerweile obsolet gewordener Ehrentitel, der jedoch nach wie vor auf seiner Geschäftskarte stand.

Wer Kellers Lehrer gewesen war, weiß ich nicht. So viel ist mir bekannt: Keller war ein Bewunderer Lilli Lehmanns und ihrer Gesangsschule, was er immer wieder hervorhob. Ich vermute, daß er ihre Methode genauestens studiert hatte.

Schon in ihrer Jugend galt Lilli Lehmann als auserwählte Mozartsängerin. Später eroberte sie sich das hochdramatische Fach hinzu. Im Laufe ihres Lebens soll sie ihr Repertoire auf die unglaubliche Anzahl von 170 Rollen erweitert und über schier unerschöpfliche Kraftreserven verfügt haben. Bald stand sie als Konstanze oder Figaro-Gräfin, bald als Philine in »Mignon« oder als Traviata, bald als Isolde oder Brünnhilde auf der Bühne, womöglich innerhalb einer Woche mit einer Sonntagsmatinee als Fidelio, einer ihrer berühmtesten Partien. Ihre Donna Anna galt als unübertroffen. 1876 zur Eröffnung der Bayreuther Festspiele – sie war damals 28 Jahre alt – sang sie auf Wunsch Richard Wagners unter anderem den Waldvogel in »Siegfried«.

So entwickelte sich die Lehmann – was erstaunlich und wohl einmalig ist – aus einer lyrischen Koloratursängerin zu einer der bedeutendsten Hochdramatischen in der Geschichte der Gesangskunst. In Berlin war sie als »soprano leggero« überaus beliebt, ja, der Chef der Königlichen Hofoper, Baron von Hülsen, weigerte sich, sie als Vertreterin schwerer Rollen zu akzeptieren. Das bewirkte ihren Vertragsbruch und Krach mit Berlin. Erst die Erfolge in England und Amerika, nicht zuletzt als Ortrud, Sieglinde, Brünnhilde und Isolde führten eine Versöhnung mit Berlin herbei. 1885 galt sie als eine der größten Wagnersängerinnen. Dabei schwärmte man in Bayreuth für Amalia Materna, Wagners bevorzugte Brünnhilde; die Isolde und Kundry Milka Terninas, der Lehrerin Zinka Milanovs, machte Furore in New York; München hatte seine Therese Vogl, die als erste hoch zu Roß in den Scheiterhaufen Siegfrieds hineingaloppierte. Auf dem Olymp der Berliner Hofoper saß der junge Bruno Walter, bezaubert von der Isolde Rosa Suchers; da gab es die bildschöne, jungverstorbene Hedwig von Reicher-Kindermann, dann Felix Weingartners »geniale« Katherina Klafsky, ferner Therese Malten, für die Cosima Wagner eine besondere Schwäche hatte, und schließlich die phänomenale Amerikanerin Lillian Nordica, wie die Lehmann universal begabt, gleich bewundert als Donna Elvira, Traviata, Aida, Gioconda und Isolde. Welch unerhörter Stimmenreichtum!

In späteren Jahren inszenierte Lilli Lehmann Mozartopern in Salzburg, darunter »Die Zauberflöte«. Aber in der Not wäre sie eingesprungen, erzählt Frieda Hempel in ihren Memoiren, als Königin der Nacht, wenn die Hempel verhindert gewesen wäre. Damals im Jahre 1910 war Madame Lehmann 62 Jahre alt!

1950 empfing ich zusammen mit Elisabeth Schwarzkopf, Julius Patzak und Hans Braun die vom Mozarteum gestiftete Lilli-Lehmann-Medaille, nicht zuletzt als Mozartsängerin im Sinne der Lilli-Lehmann-Tradition. Hier hört die Parallele auf. Das Waldvögelein in »Siegfried« habe ich zwar studiert, übrigens mit Vergnügen; auch die jugendlich-dramatischen Partien der Elsa (»Lohengrin«) und Elisabeth (»Tannhäuser«) wären schließlich in Reichweite meines Organs gelegen, und wer weiß, was ich noch alles unternommen hätte, wäre Ferenc Fricsay nicht gestorben. Doch zum Glück besaß ich nie falschen Ehrgeiz, wie einst die lyrische Koloratursängerin Nellie Melba, der ihr Ruhm nicht genügte, die die Brünnhilde in »Siegfried« attackierte und ob dieser Verausgabung um ein Haar die Stimme verlor.

1899, 1901 und 1904 sang Keller in Bayreuth den Hans Foltz in den

»Meistersingern« und abwechselnd mit Paul Bender den Fasolt in »Rheingold« unter Hans Richter und Siegfried Wagner, vor allem aber jahrzehntelang unter Wagners Jünger Felix Mottl in Karlsruhe, wo er als Schönehans Keller in die Theaterchronik einging.

Auch mit 70 Jahren war Onkel Hans, wie wir ihn nannten, eine attraktive, stattliche Erscheinung, eines Fasolt würdig. Auf Selbstdisziplin hielt er viel. Wer mit offenem Mund lachte, wurde zurechtgewiesen. Angehende Sänger mußten lernen, ihre Stimme zu schonen.

Hans Kellers Gesangsschule erfreute sich regen Zuspruchs. Doch nur drei Schülerinnen hatten die Ehre, bei ihm und seiner Frau Adele zu wohnen: neben dem Quecksilber aus Romanshorn die blonde Gisela aus Düsseldorf und die dunkle Leni aus Zürich, zwei bildschöne Mädchen. Wir waren ein lebhaftes Trio, und Hans Keller mußte zeitweise heftig auf den Tisch klopfen, damit ihm die Zügel nicht entglitten.

Beim Gesangslehrer logieren zu dürfen, ein Glück, das mir in meinen entscheidenden Entwicklungsjahren zweimal zuteil wurde, ist für den Gesangsschüler, der davon zu profitieren weiß, ein kolossaler Gewinn. Ich habe bereits erwähnt, wie Mathilde Bärlocher mein Üben stets kontrollierte. Bei ihrem Vater war es nicht anders. Ich sang ja ununterbrochen, ob ich nun abstaubte, den Tisch deckte oder in der Küche hantierte. Singen war für mich eine Lebensnotwendigkeit, ein elementares Erlebnis, ein Urtrieb, wie Essen und Trinken. Und nebenan saß im Ohrenfauteuil Onkel Hans, die Zeitung aufgeschlagen, vor sich ein Gläschen Rheinwein, die Pfeife im Mund, aber stets mit einem Ohr durch den offenen Türspalt horchend. Genau wie seine Tochter. Auf einmal hallte es resonanzstark herüber: »Dumme Gans, tiefer atmen!« oder noch öfters derb bajuwarisch: »Scheiße! Nimm's von oben!« »Von oben« heißt, der Sänger darf nicht von unten her nach den Tönen greifen, er muß den Ton von oben her ansetzen, wie eine Taube, die sich auf ein Fenstersims niederläßt. Onkel Hans war eben durch und durch *Stimmbildner*, ihm kam es vor allem auf die *Schönheit* des erzeugten Tones an, gewissermaßen das Gegenteil meiner späteren Lehrerin Ilona Durigo, die sich auf musikalischen Ausdruck konzentrierte und bei der die Stimmbildung unterging. Hätte Onkel Hans jemals Ilonas stete Mahnung gehört: »Kind, du sollst nicht nur hundertprozentige, du mußt auch fünfzigprozentige Töne von dir geben«, er wäre ihr an die Gurgel gefahren.

Mein späterer Mann erzählte oft die Geschichte eines Sonntagmorgenkonzerts im Rundfunkstudio Beromünster. Der Beginn war auf 10 Uhr 15 angesetzt, die Konzerte waren (und sind, glaube ich, auch heute noch) öffentlich. »Ihr werdet's kaum glauben«, pflegte mein Mann zu berichten, »um 9 Uhr hat die Frau noch geschlafen. Um 9 Uhr 15 warf ich sie endlich aus dem Bett, irgendwann so gegen 10 Uhr setzte ich sie ins Taxi, das sie ins Studio brachte, um 10 Uhr 25 – das Konzert begann mit einer Ouvertüre – stand Maria auf Posten vor dem Mikrofon, sang die Zerbinetta-Arie aus Richard Strauss' »Ariadne auf Naxos« – nahrhafter Brocken, sehr gut übrigens. Um 10 Uhr 50 fuhr sie nach Hause zurück, legte sich ins Nest und schlummerte friedlich weiter.« Was ist da dabei? wird sich einer fragen, der mit den Sorgen und Nöten des Sängerberufs nicht vertraut ist. Nun, viele Sänger singen ungern vor dem Mittagessen. Allenfalls sind sie für eine Probe zu haben, aber kaum für eine Koloraturarie im Konzert. Vor allem aber wollen sie sich einsingen können, einmal, um die Stimme »in den Sitz zu kriegen«, dann, um den Körper einzuwärmen. Es gibt berühmte Sängerinnen wie Frau Schwarzkopf, die zwei Stunden an sich arbeiten, ehe sie auftreten. Mein Mann, der siebenunddreißig Jahre lang am Theater tätig war, weiß ein Lied davon zu singen.

Ich bin aus anderem Holz geschnitzt. Mir wäre es gleichgültig gewesen, auch um sechs Uhr früh Gesangsstunde zu nehmen, und ich machte kein Hehl daraus. Zum Beweis: Eines Nachts wurde ich wachgerüttelt. Jemand befahl: »Sing ein hohes C!« Ich glaubte Giselas Stimme vernommen zu haben, tat ihr den Gefallen und drehte mich wieder zur Wand. Beim Frühstück am nächsten Morgen erfuhr ich, daß eine Wette abgeschlossen worden war. Onkel Hans und Gisela hatten die Behauptung aufgestellt, ich könne ohne weiteres nachts um drei ein hohes C zustande bringen. Tante Adele und Leni meldeten Zweifel an. Und verloren die Wette.

Mit Onkel Hans und seiner Frau, als ehemalige Sängerin dazu qualifiziert, meine Textdeutlichkeit zu drillen, arbeitete ich ununterbrochen bis Ende 1934. Ferien hatte ich in dieser Zeit nie. Eine Stimme, fand Onkel Hans, bedürfe keiner Ausruhperioden, solange sie beim Singen und Sprechen richtig angewendet werde. In der Tat habe ich während meiner Laufbahn nie irgendwelche Anzeichen von Stimmerschöpfung gespürt. Ich war beispielsweise ohne weiteres in der Lage, von morgens zehn Uhr bis in die Nacht hinein für Platteneinspielungen zur Verfügung zu stehen. Mit Ferenc Fricsay waren Marathon-Sitzungen nichts Außergewöhnliches. Müde wurde ich höchstens in den Beinen.

Das plattenhörende Publikum denkt kaum daran, wieviel Arbeit in den schwarzen Scheiben steckt, die so ansprechend verpackt in den Regalen der Schallplattenhandlungen liegen, was Dirigenten und Techniker von sich selber und vom Sänger verlangen. Als ich unter Karl Böhms Leitung an der Einspielung von Beethovens »Missa solemnis« mitarbeitete, konnte sich Böhm mit dem Geigensolo im »Benedictus« nicht befreunden. Der Klang, den der Geiger hervorbrachte, war ihm nicht innig genug, er war derart unglücklich, daß er wiederholt mit dem Gedanken spielte, Wolfgang Schneiderhan kommen zu lassen. Inzwischen wiederholten wir den Satz nicht weniger als zehnmal. Für den Sopran bedeutet das zehn hohe C's. Keine Bagatelle. Als wir auseinandergingen, war der Maestro noch immer nicht zufrieden. Ein Foto hält den Augenblick fest, in dem Böhm zu mir sagt: »Passen's mir auf das hohe C auf für morgen! Packen's gut ein über Nacht, ja?« Ich weiß nicht, was der Geiger in jener Nacht unternahm, um an Sinnlichkeit zu gewinnen, jedenfalls klang sein Spiel anderntags auf einmal völlig gelöst . . . und passierte Böhms Kontrolle. (Wie schade übrigens, daß es mir nie vergönnt war, »Così fan tutte« mit Karl Böhm zu machen. Wir haben uns prächtig verstanden.)

Anstrengende Proben und Sitzungen dieser Art riefen mir viele Jahre später Frau Kellers Mahnung in Erinnerung: »Sprich die Konsonanten! Schon' die Vokale und die Stimme!« Manchmal sagte sie auch: »Sing mit der Aussprache! Ruh auf den Konsonanten aus!«

Das alles gehört zur richtigen Anwendung der Stimme, von der Hans Keller immer sprach. Was ist darunter zu verstehen? Hier ist gewiß nicht der Ort, um Gesangsunterricht zu erteilen, aber mich gänzlich über mein Handwerk auszuschweigen, wäre, denke ich, eine Unterlassung. Überdies möchte ich gern erklären, aus welcher Schule ich hervorgegangen bin.

Grundbegriffe meiner Gesangstechnik

Der Leitgedanke meiner gesamten Technik war und ist: *Vermittels der Technik den Weg zur Natur zurückzufinden.* Ein Sänger, der mit seiner Technik auf seine Technik aufmerksam macht, hat keine gute Technik, ist ebenso unvermögend wie der Schauspieler, dem man den Regisseur anmerkt. Gesang muß vor allem und immer *natürlich* klingen, so als gäbe es für den Sänger nichts Selbstverständlicheres auf der Welt, als eben zu singen.

Wilhelm Furtwängler drückte das so aus – er sagte es jedem, der ihn danach fragte, der mit ihm auf dieses Thema zu sprechen kam –: »Der Gesang muß die *natürliche* Sprache des Sängers sein. Der Zuhörer muß das Empfinden haben, als sei das menschliche Wesen, das da vor ihm singt, gar nicht in der Lage, sich anders auszudrücken als mit Gesang, als *singend*. Mein Ideal einer Opernaufführung ist es, den Eindruck zu haben, als befände ich mich im Sprechtheater.«

Kürzlich habe ich mir eine Sprechplatte angehört. Sie heißt »Furtwängler spricht über Musik« und bringt Ausschnitte aus Diskussionen und Interviews. Sie hat mir manches in Erinnerung gerufen, was ich von Furtwängler hörte. Auf der Platte spricht Furtwängler unter anderem von Wagnergesang. Im Verlauf irgendeiner Diskussion erklärt er folgendes:

»Ich erinnere mich an eine Bayreuther Aufführung aus dem Jahre 1912, die zweifelsohne die schönste Wagner-Aufführung war, die ich *je* erlebte. Unter Richter. Man hatte gar nicht den Eindruck, in einer Oper zu sitzen, es kam einem so vor, als handle es sich bei den ›Meistersingern‹ um ein *Konversationsstück*. Man hörte alle Pointen, wie in einem Theaterstück, einem gesprochenen Theaterstück. Dabei war das Ganze in eine musikalische Atmosphäre getaucht, die von *kolossaler* Wirkung war. Damals wurde mir bewußt, wie Wagner sich das gedacht hat.«

Und im Zusammenhang mit der Frage der Verschmelzung von Stimm- und Orchesterklang zieht Furtwängler den Vergleich: »Die Stimme muß auf dem Orchester liegen wie Öl auf dem Wasser.«

Es gehört festgehalten, wer die Sänger waren, die Furtwänglers Ideal am nächsten kamen, die ihm diesen unauslöschlichen Eindruck vermittelten.

Den Sachs sangen alternierend Hermann Weil und Walter Soomer, den Walther Walter Kirchhoff, den David Karl Ziegler. Eva war Lilly Hafgren und Magdalena Ernestine Schumann-Heink abwechselnd mit Gisela Staudigl, der Magdalena der Bayreuther Erstaufführung 1888.

Freund Beckmesser wurde von Heinrich Schulz, Pogner von Paul Knüpfer dargestellt. Dirigent war Hans Richter.

Wie beschafft sich der Sänger die technischen Voraussetzungen, um solchen Anforderungen zu genügen?

Als erstes muß der junge Sänger lernen, »bewußt« oder quasi »visuell« zu singen, in sich »hineinzuschauen« und sich Vorgänge »vorzustellen«, die an sich nur mitempfunden und als »vorgestelltes Gefühl« erlebt und nachvollzogen werden können. Das ist schwierig. In dieser Fähigkeit, die nicht zuletzt *instinktiv* ist, offenbart sich echte sängerische Begabung. Probleme dieser Art haben mich während meiner ganzen Studienzeit beschäftigt und führten mich schließlich nach Mailand zu meiner vielleicht bedeutendsten Lehrerin, Giannina Arangi Lombardi. Sie war damals genau die richtige Lehrerin für mich. Die *Wahl des Lehrers* ist nämlich auch ein Teil sängerischer Begabung, ein sehr wesentlicher sogar. Der Schüler muß eine Nase für den richtigen Lehrer haben, und mit »richtig« meine ich jenen, der zu ihm paßt. Etwas überspitzt hat das Julius Patzak so ausgedrückt: »Es gibt keine guten Gesangslehrer, es gibt nur gute Gesangsschüler.« Für den angehenden Sänger steckt ein tiefer Sinn in diesem Satz. Patzak meint, daß nicht jeder Lehrer für jeden Schüler gut ist, aber daß ein Schüler, wenn er den sängerischen Instinkt hat, stets das Beste aus seinem Lehrer für sich herausholt und übernimmt. Diesen Instinkt besaß ich in hohem Maße, und je älter ich wurde, um so rigoroser bestimmte er mein Verhalten. Mein Mann, mit dem ich in den vierziger Jahren viel arbeitete und der ausreichend Gelegenheit hatte, meine sängerische Entwicklung zu beobachten, sagte: »Maieli, du bist wie ein Tierchen, das, wenn's krank ist, genau weiß, welches Kräutchen es fressen muß.« Ein Gesangsschüler sollte daher nie Hemmungen haben, den Lehrer zu wechseln, wenn er das Gefühl hat, nicht am richtigen Ort zu sein. Ich weiß, daß das nicht ganz leicht ist, so wie man ja auch nicht gern seinen Arzt wechselt. Es empfiehlt sich natürlich, offen mit seinem Lehrer über solche Probleme zu sprechen. Ein Gesangslehrer, der sich von einem Schüler nicht freundschaftlich trennen kann, verdient diese Berufsbezeichnung nicht.

Keller verglich den Sänger mit einem Streichinstrumentalisten, der mit seinem Instrument identisch ist. Die Stimmbänder sind dessen Saiten, der Atem sein Bogen, der menschliche Körper sein Gehäuse. Zum echten Sänger gehört deshalb ein totales Körperbewußtsein. Nicht nur der Schädel, der Hals, die Brustpartie – der ganze Körper macht beim Singen mit. Was diesem Instrument Schwingungen entlockt, sanft wie ein Cellobogen über die Saiten streicht, das ist der Atem. Die Gesangskunst basiert auf der Atemführung. Darüber, was richtige Atemtechnik ist, gehen die Meinungen auseinander. Die Atemmethode eines Sängers ist – das steht außer Zweifel – von grundlegender Bedeutung, des Pudels Kern jedoch ist die Antwort auf die Frage, ob der Sänger die Methode, die er vertritt, auch wirklich meistert, ob er sich, während er ein- und ausatmet, auf die Lockerheit seiner Atemmuskulatur verlassen kann, ob sich sein Bauch niemals zusammenzieht, sein Instrumentengehäuse, der Körper, sich niemals versteift. Ich atme ausschließlich mit der hinteren Hälfte meiner beiden Lungenflügel, eine Methode, die viel Übung erfordert, die ich bereits beherrschte, als ich zu Hans Keller kam. Sie hat den Vorteil, daß der Sänger die Last der eingezogenen Luft wie einen Rucksack auf dem Rücken trägt. Gleich einem geübten Bergsteiger nach anstrengender Tour spürt er so die Anstrengungen beschwerlicher Probentage, wenn überhaupt, dann wie gesagt, bloß in den Beinen.

Intensität und Engagement des Sängers, seine Fähigkeit, musikalische Linien nachzuzeichnen und ins Bewußtsein des Hörers zu übertragen, entscheiden darüber, ob sein Gesang das Publikum zu fesseln vermag. Auf der anderen Seite wird ein Gesang, möge er auch noch so tief empfunden sein, das Ohr des Kenners nie und nimmer befriedigen, wenn er dickflüssig wie ein Brei aus der Kehle des Sängers emporquillt. Stets muß der Ton, von oben her kommend, auf die vordere Schädeldecke konzentriert und schlank wie durch ein in die obere Gesichtshälfte eingelassenes Nadelöhr ins Freie projiziert werden.

Es steht natürlich jedermann frei, sich eigene Hilfsvorstellungen zurechtzulegen. Als ich 1940 nach meinem Berliner Debüt mit Maria Ivogün, der großartigen Koloratursängerin der Zwischenkriegsjahre, ins Fachsimpeln kam und wir unsere Methoden verglichen, bemerkte sie: »Sie liegen goldrichtig. Ich stelle mir immer eine ins Nasenbein eingebaute Fadenspule vor, und dann strecke ich den Faden. So muß der Ton aussehen. So muß er bleiben.«

Das Färben der Vokale, die Kunst, sie wie bunte Edelsteine in den Klang der Konsonanten einzufassen, ist eine Lehre für sich. Vokale und Konsonanten müssen, wie Frau Bärlocher geduldig zu predigen pflegte, »immer in der Form sein«, und die besonderen, ihren eigenen Gesetzen gehorchenden Stellungen des Mundes und der Zungenspitze muß man so lange üben, bis Ton und Wort sich zur Einheit verschmelzen. Gesangsfarbe aber ist *Ausdruck* der Sängerpersönlichkeit, ihrer Künstlerschaft, ihres Einfühlungsvermögens, ihres Herzens.

Dies alles bietet Stoff für ein sieben-, vielleicht acht- oder unter Umständen sogar neunjähriges Studium. Im Grunde genommen hat der Sänger nie ausgelernt.

Bei Keller war ich in guten Händen. Er half mir auch mein Repertoire zu erweitern, das heißt mein Opernrepertoire, denn Keller war Opernsänger und, wie das bei Opernsängern mitunter vorkommt, einseitig und nur im Opernfach zu Hause. Aber abgesehen davon: Ich strebte zur Bühne, wollte Soubrette werden und beschäftigte mich mit den gängigsten Soubretten-Partien wie Blonde, Barbarina, Papagena, Ännchen im »Freischütz«, später mit dem Cherubino, der Marzellina in »Fidelio«, der Mignon von Ambroise Thomas und so weiter.

Zaghafte erste Schritte auf der Bühne

Eine Möglichkeit aufzutreten bot sich, als der Direktor des Konservatoriums in Konstanz, Alfons von Zimmermann, meiner Kollegin Leni Kern und mir Hauptrollen in seiner Oper »Das verlorene Herzchen« anbot, einer Märchenoper à la Humperdinck. Onkel Hans war einverstanden; es war wichtig, daß ich mich im Auftreten übte. Ich gab das »verlorene Herzchen«, ein sterbendes Kind, das fiebernd von himmlischen Heerscharen erzählt. Wir probten fleißig, wurden dann allerdings enttäuscht, als die Oper entgegen anfänglicher Pläne nur konzertant aufgeführt wurde. Dies war eigentlich meine erste abendfüllende Aufgabe.

Hoffentlich gewinnt man, wenn ich so erzähle, nicht den Eindruck, ich sei der Inbegriff des Lerneifers und Fleißes, eine Musterschülerin einsamer Klasse gewesen. In mancher Hinsicht hatten wir Kinder einer früheren Generation es allerdings leichter. Eine auf unsere Ablenkung zugeschnittene Unterhaltungsindustrie gab es nicht, Diskotheken waren noch nicht erfunden. Wer mit der Zeit Schritt halten wollte, besaß allenfalls ein Radio, um sich über die Entwicklung des Weltgeschehens auf dem laufenden zu halten. Verblieb das kostspielige Grammophon mit seinen scherbelnden Schallplatten, an dem gekurbelt wurde.

Mit Liebesgeschichten und damit verknüpften Problemen seiner Schülerinnen wurde Hans Keller ohne Umstände fertig: Er schickte Gisela, Leni und mich abends um acht Uhr aufs Zimmer. Noch mit dreiundzwanzig Jahren ließ ich mir von meinem Gesangslehrer sagen, wann ich ins Bett zu gehen hätte, gehorchte ich um meiner Kunst willen seinem kategorischen Ausgehverbot.

Natürlich machten wir selber viel Musik, sei es im Freundeskreis, sei es vor geladenem Publikum. Unsere Schülerkonzerte erfreuten sich regen Zuspruchs, besonders wenn sie mit irgendeinem festlichen Ereignis zusammenfielen, so wie damals, als Onkel Hans die Siebzig erreichte. Viele Freunde, Bekannte, Schüler und ihre Eltern wurden eingeladen. Onkel Hans schlug vor, daß seine Tochter etwas singen solle, Frau Bärlocher warf den Ball zurück und schlug vor, Hans Keller möge etwas singen. Schließlich einigte man sich wenige Tage vor Torschluß auf das Quartett aus »Fidelio«.

Onkel Hans übernahm den Rocco, Mathilde Bärlocher die Leonore, ein ehemaliger Schüler Kellers den Jaquino und ich Jaquinos heißbegehrte Marzelline. Die Probe am Vorabend verlief zufriedenstellend, dann kam der Abend im festlich geschmückten Saal, wo wir uns feierlich verbeugten, ehe der Begrüßungsapplaus verklang. Es folgte weihevolle Stille während der überirdisch schönen Einleitung, dann setzte ein jeder von uns ein: »Mir ist so wunderbar.« Es dauerte nicht lange, und ich verfehlte einen Einsatz, befremdende Harmonien schlichen sich ein, das Klanggebäude geriet ins Wanken, drohte über den Mitwirkenden einzustürzen . . ., da winkte Vater Rocco ab, Frau Bärlocher warf vernichtende Blicke in meine Richtung, wir sammelten uns und begannen nochmals von vorn. Mir war alles andere als »wunderbar« zumute.

Besser erging es mir in der »Zauberflöte«, die zu Ehren Kellers im Konstanzer Stadttheater gegeben wurde. Ich war höchstens etwas übereifrig. Als Papageno mich, seine ihm so lange vorenthaltene Papagena endlich in seinen Armen hielt, zischte er mir ein erbostes: »So zapple doch nicht immer so!« ins Ohr. Das siebzigjährige Geburtstagskind sang einen hoheitsvollen, seiner heiligen Hallen würdigen Sarastro. Allerhand, in diesem Alter.

Zu den ergebensten Schülern Hans Kellers und seiner Tochter zählten die Gattin des Konstanzer Krankenhaus-Chefarztes Langendorff und die Geschwister Gmür aus Rorschach. Die großräumige, auf einer Anhöhe gelegene Villa Dr. Langendorffs ist mir in lebhafter Erinnerung geblieben. Hier besuchte ich meinen ersten Ball, ein Faschingsfest mit Pierrots und Kolumbinas, Papierschlangen, Knallfröschen, Lampions und Champagnerbowle. Bodenseekünstler hatten die hohen Zimmerwände mit bunt bebilderter Jute überspannt, ein Grammophon schleuderte feurige Rhythmen in den Saal, die jüngere Ärzteschaft von Konstanz und Umgebung erging sich in ausgelassenen Späßen. Aber Ordnung mußte sein, Punkt ein Uhr klopfte Onkel Hans ab, seine drei Pensionärinnen wurden nach Hause gebracht.

Hausbälle und Garçonne-Mode waren damals en vogue. Tonangebend war Frau Gmür, die Mutter Rolfs und Isas, eine Dame, die in uns heute entrückten Zeitbegriffen dachte. Hatte eines ihrer Kinder das Abitur bestanden, nahm sie es mit auf eine Weltreise, die jedesmal ein volles Jahr beanspruchte. So fuhr sie viermal um den Erdball. Ich sehe sie vor mir, die aristokratischen Züge, das nach hinten genommene, zu einem Chignon gebundene dunkle Haar, wie sie, die Schleppenspitze ihres Kleides in den Fingerspitzen der rechten Hand, mit ihrem Sohn den Ball eröffnet. Ihre Kotillons waren geistreich ausgeklügelt. Eines davon zwang die Teilnehmer, sich mit Hilfe gleichtönender Blasinstrumente in der pechschwarzen Dunkelheit des Gmürschen Gartens zu suchen. Gisela und ich saßen auf einem Ast, lockten die Kotillonkavaliere an, stupsten uns gegenseitig, wenn sie sich vorübertasteten, und kicherten hämisch, wenn sie, wie Tamino und Papageno in Sarastros unterirdischen Gewölben, zwischen den Bäumen umherirrten. Uns bereitete das ein Mordsvergnügen.

Im Kreis der gastfreundlichen Familie Gmür verbrachte ich herrliche Ferientage. Ihr Lebensstil, die Führung ihres Hauses, die unaufdringlich luxuriöse Behaglichkeit, die sie umgab, der weitläufige, von einem Gärtnerehepaar besorgte Park mit seiner dicht mit roten Rosen behangenen Laube und den mit tropischen Raritäten bestückten, stark nach Erde riechenden Gewächshäusern, entzückten mich. Eine besondere Attraktion war das im eigenen Bootshaus auf übermütige Fahrgäste wartende, goldbraun gebeizte, pfeilschlanke Rennboot, in dem wir übers gleißende Wasser schossen. Das alles sprengte den Rahmen dessen, was ich bisher unter dem Etikett »schweizerisch« kennengelernt hatte. Als Inhaber einer mit Baumwolle und Gewürzen handelnden Exportfirma hatten Gmürs viele Jahre in Manila gelebt und den Geschmack an weltmännischen Maßstäben gewonnen. Das hatte auch seine komische Seite. Als ehemalige Deutsche konnte Frau Gmür ihre Aversion gegen die schweizerische Verkleinerungsform nie verwinden. Um sich ein für allemal gegen jedes »li« abzusichern, ließ sie ihre nächste Tochter auf den Namen Felicitas taufen. Nicht ohne Genugtuung sprach ihre Schwiegermutter, die Oma Gmür, nur mehr vom Felicitässli . . .

Im Sommer 1933 meldete mich Onkel Hans am Theater in Karlsruhe zur sogenannten Bühnenreifeprüfung an. Ich produzierte mich als Nr. 28 mit »Ihr edlen Herrn«, der Hugenottenarie mit dem hohen C, womit ich Eindruck zu machen hoffte. Ich kam jedoch nicht dazu. Mitten in einem perlenden Lauf unterbrach mich eine rauhe Männerstimme mit dem grausamen: »Besten Dank, Fräulein. In vierzehn Tagen haben Sie Bericht. Nächste bitte.«

Gesenkten Hauptes trat ich von der Bühne. Durchgefallen! In Gedanken schaufelte ich mir mein Grab in entlegener Einöde. Wozu noch weiterleben! Aus einer düsteren Ecke des rückwärtigen Szenariums grüßte mich ein Bühnenarbeiter mit der Bierflasche: »Na, Mamsell!« rief er leichten Sinnes. »Wie geht's unserem Herrn Schönehans?« Ich warf ihm einen vernichtenden Blick zu. Alberne Frage! Wie sollte es dem Herrn Kammersänger schon gehen, wo seine Schülerin derart versagte, dazu an seinem Stammhaus. Während ich vor mich hin brütete, kam eine Dame auf mich zu, umarmte mich und flüsterte: »Sie sind durchgekommen!«

Mit einem Mal hing der Himmel voller Geigen! Ich erzähle dieses kleine Erlebnis, weil es für die werdende Karriere typisch ist. Ständig ist der junge Künstler den Gezeiten des Mißerfolges und des Erfolges ausgesetzt, auf Lob folgt Kritik, auf Ermutigung folgt Enttäuschung. Wer sich allzusehr davon berühren läßt, der lasse die Finger von unserm Beruf.

Die liebenswürdige Dame, die mich aufzuheitern suchte, hieß Mally Fanz, war Jurymitglied, in Karlsruhe fest engagiert und überdies ehemalige Schülerin Kellers. Sie täuschte mich nicht. Zwei Wochen später hielt ich das Reifezeugnis in der Hand, versehen mit dem Vermerk:

»Zauberhafte Stimme, tadelloser Vortrag, hübsche Erscheinung, leider etwas klein für die Bühne.«

Kapitel 13

Enttäuschung und neue Hoffnung

Zu klein für die Bühne! Das war etwas Neues. Daran hatten weder Onkel Hans noch ich gedacht. Wir wollten es auch nicht wahrhaben. Kellers Tochter hingegen, die erfahrene Mathilde Bärlocher, sah klarer. »Ich hab es dir seit jeher gesagt, Papa!« schimpfte sie. »Miggi muß Oratorien- und Konzertstücke lernen. Dort kommt sie bestimmt unter.« Aber Hans Keller ließ sich nicht belehren. »Oratorien!« brüllte er zurück mit tiefer Stentorstimme. »Dummes, langweiliges Zeug! Mit solch einem Material! Da geht man doch zur Büüüühne!«

Das war früher eine typische Einstellung, selbst in Fachkreisen, besonders unter den Wagnerianern. Na ja, wenn's zur Oper nicht reicht, dann singt man eben Konzerte, dies ungeachtet des Umstandes, daß es damals in deutschen Konzertsälen hervorragende Sängerpersönlichkeiten gab, die, ohne sich jemals im Opernhaus produziert zu haben, ihren gefeierten Kollegen auf der Bühne in nichts nachstanden: Lotte Leonard, Ria Ginster, Ilona Durigo, die Schweizerin Maria Philippi, die Bachsänger Georg A. Walter und Hermann Schey, um einige zu nennen.

Also arbeiteten wir im bisherigen Sinne weiter. Etwa ein Jahr später fand Onkel Hans, jetzt sei ich so weit, den Schritt ins Berufsleben zu wagen. Auch ich war sehr dafür. Pape hatte schon so viel für mich getan. Ich wollte ihm nicht länger zur Last fallen. Auch hatte er wieder geheiratet, zwischen der neuen Frau Stader und mir gab es Spannungen. Wenn Pape mich in Konstanz besuchte, bemerkte er neuerdings so nebenher: »Sag dann zu Hause nicht, daß ich dagewesen bin . . .« Das waren Alarmzeichen.

Als bei Onkel Hans eine Anfrage aus Augsburg für die Saison 1934/35 eintraf, war ich überglücklich. »Die wollen eine Soubrette, genau das Richtige für dich!« rief er. Ich reiste hin, blieb noch einen

Augenblick vor dem hübschen Theater stehen, fragte mich: »Wirst du's schaffen, Miggi?«, antwortete »Und ob!« und marschierte hinein. Ich sang Arien aus meinem wohlerprobten Repertoire, zum Schluß einen Straußwalzer. Es ging vortrefflich. Der Intendant nahm mich mit ins Büro, rückte mir einen Stuhl zurecht und bat mich, Platz zu nehmen. Ich hielt den Atem an. »Glanzvoll, Fräulein Stader, in jeder Beziehung«, begann er. »Wir möchten sie furchtbar gern bei uns haben, aber leider können wir uns keine zwei Soubretten leisten. Sehen Sie, in Augsburg müßten Sie außer Blondchen und Papagena auch eine Zerline in Aubers »Fra Diavolo« singen, dazu die Hauptrollen in den Operetten.« Er zog ein paar Fotos hervor. »Unsere Tenöre, na, das sind kräftig gepolsterte Kerle, was! Da sähen Sie noch kleiner aus, als Sie in Wirklichkeit sind. Das gäbe ein komisches Liebespaar, nicht wahr?«

Auf dem Weg zum Bahnhof ließ ich mich auf eine Bank fallen. War ich mit meinen »ein Meter vierundvierzig« wirklich unbrauchbar auf der Opernbühne? War es möglich, daß wir, mein Lehrer Keller und ich, uns so total verrannt hatten? Daß Frau Bärlocher am Ende recht hatte? Konzertgesang! Keine Kostüme, keine Bühne, keine Theaterluft! Mit diesem Gedanken konnte ich mich nicht befreunden. Und Arbeit hatte ich keine gefunden! Ich würde weiterhin auf Papes Zuwendungen angewiesen sein. Ich war ein hoffnungsloser Fall. Am besten, du gehst gleich in den Bodensee, dachte ich. Aber nein, meinte eine freche Stimme, du würdest gar nicht untergehen. Du kannst viel zu gut schwimmen ...

Fünfundzwanzig Jahre danach sollte die »kleine« Stader als »große Stader« in Augsburg und Karlsruhe empfangen werden, auf dem Podium freilich, nicht auf der Bühne. Dennoch, ich wünschte mir, die beiden Intendanten hätten das erlebt.

Aber bis dahin war noch ein weiter Weg. Als ich die Tür zur Kellerschen Wohnung aufstieß und Onkel Hans mit roten Augen entgegentrat, wußte er Bescheid. Er hatte sehr mit einem Engagement gerechnet und fiel aus allen Himmeln. Wir waren ratlos.

Ich lerne Stefi Geyer kennen

Nichts ist so erfolgreich wie der Erfolg, pflegt Artur Rubinstein zu sagen. Ich erlebte damals das Gegenteil. Frau Kellers Ton wurde um eine Spur spitzer, ich mußte noch mehr als bisher im Haushalt helfen, der sonst immer so beschwingte Onkel Hans, zugegeben auch nicht jünger geworden, zeigte Anzeichen von Resignation. Kam Frau Bärlocher zu Besuch, fragte sie gleich: »Habt ihr jetzt das Duett aus der h-Moll-Messe einstudiert? Was! Noch nicht? Aber auf was wartet ihr eigentlich? Los! Los!«

Dann geschah etwas Unerwartetes. Im Frühherbst 1934 – es waren an die vier Jahre vergangen, seit ich in Kellers Gesangsschule eingetreten war – nahm mich Pape beiseite. »Miggi«, sagte er, »es fällt mir schwer, so offen mit dir reden zu müssen, aber du mußt dich jetzt mit dem Gedanken befassen, deinen Lebensunterhalt selber zu verdienen. Es geht mir nicht mehr so gut wie früher, die Frau ist oft krank, und du weißt, seit Mame nicht mehr da ist und wir den ›Hof‹ nicht mehr haben . . .«

»Aber Pape«, sagte ich und nahm seine Hände in die meinen, »das hättest du mir schon lange sagen müssen. Mach dir keine Sorgen. Ich werde schon durchkommen.«

Onkel Hans schlug vor, ich solle Gesangsstunden geben, ich sei geschickt im Umgang mit Anfängern, könne stimmtechnische Probleme gut erklären und spüre, was sie richtig und was sie falsch machten. Aber sein Schwiegersohn, der Gatte meiner früheren Lehrerin, stellte die Weichen anders. Er wandte sich an Walter Schulthess, Chef der Agentur »Konzertgesellschaft« in Zürich, dessen Frau er kannte, und erkundigte sich, ob Schulthess an einer jungen, begabten Sopranistin eventuell interessiert wäre. Der Konzertagent forderte mich auf, ihm vorzusingen, und so fuhr ich zusammen mit Herrn Bärlocher nach Zürich, wo wir im Pianohaus Jecklin am Pfauen erwartet wurden. Walter Schulthess begrüßte mich freundlich, aber unverbindlich, setzte sich an einen der zwanzig Flügel, die da herumstanden, und verlangte meine Noten.

An seinem Klavierspiel erkannte ich sogleich den kompetenten Musiker. Wir musizierten eine Weile, ich sang für ihn Lieder und Arien von Mozart und Haydn, ohne daß er sich dazu äußerte. »Nun, mißfallen wirst du ihm nicht, sonst hätte er die Übung längst abgebrochen«, dachte ich für mich. Erst Mozarts »Alleluja« entlockte ihm ein zustimmendes Grunzen. Dann verlangte er nach Schubertliedern. Nachdem ich »Du bist die Ruh« vorgetragen hatte, machte er die Noten zu, schloß den Klavierdeckel und lud uns, falls wir Zeit hätten, zum Mittagessen ein. Seine Frau unterrichte am Konservatorium und würde sich bestimmt freuen.

Und ob ich Zeit hatte! Seit ich diese begnadete Künstlerin in Romanshorn gehört hatte, verehrte ich sie. Herr Schulthess führte Herrn Bärlocher und mich zu sich nach Hause an die Zollikerstraße, dort bot sich vor dem Mittagessen Gelegenheit, Frau Schulthess vorzusingen. Auch sie nickte beifällig und zog mich in ein herzliches Gespräch. Ehe wir uns verabschiedeten, versicherte uns Herr Schulthess, daß wir von ihm hören würden.

Jahrzehnte später erfuhr ich, daß ich an jenem frühen Nachmittag einen gewaltigen Eindruck gemacht hatte. Nachdem die Wohnungstür hinter uns zugefallen war, sagte Frau Schulthess zu ihrem Mann: »Dieses putzige kleine Ding wird Weltkarriere machen.« Herr Schulthess stimmte zu. Ein fabelhaftes Material, wunderbar ausgebildet. Nur mit dem Rhythmus, der Genauigkeit der Noten- und Pausenwerte hapere es. Hier müsse der Hebel angesetzt werden. Und Stefi und Walter Schulthess begannen, Pläne zu schmieden.

Wer war dieses Ehepaar, mit dem mich Herr Bärlocher zusammengeführt hatte? Frau Schulthess, bekannt unter ihrem Künstlernamen Stefi Geyer, kam wie ich aus Ungarn. Sie war die Tochter des Budapester Polizeiarztes Josef Geyer, der selber Geige spielte. Eines Tages bat die dreijährige Stefike um ein eigenes Instrument und spielte wunderbare Töne darauf, ohne jemals geübt, geschweige denn Stunden gehabt zu haben. Vielleicht hatte sie es ihrem Vater einfach abgeguckt, wie Centovic das Schachspielen seinem Pflegevater in Zweigs »Schachnovelle«. Denn die Töne kamen wie von allein. Und was für welche! Stefi wurde Schülerin Jenö von Hubays, dem Lehrer Josef Szigetis, und als neunjähriges Wunderkind der Öffentlichkeit vorgestellt. Die Sängerin Ellen Gulbranson, später eine gefeierte Wagnerinterpretin, hätte es sich besser überlegen sollen, ehe sie die kleine Stefi als Einlage zur Ausfüllung ihrer Erholungspausen in einem Wiener Konzert verpflichtete. Das Auftreten Stefis wurde zur Sensation des Abends. Jetzt wurde Stefi herumgereicht, von Land zu Land, von Hof zu Hof. Noch ehe sie zwanzig Jahre alt war, galt sie als eine der ersten Geigerinnen ihrer Generation.

Dann kam der Erste Weltkrieg. Stefi hatte einen Wiener Rechtsanwalt geheiratet, der an der sogenannten Neunzehner-Grippe umkam, 1920 – sie war jetzt 32 Jahre alt – lernte sie den jungen Schweizer Komponisten und Pianisten Walter Schulthess kennen und zog mit ihm in die Schweiz.

Walter Schulthess kam ebenfalls aus einer Arztfamilie. Die Zürcher Schulthess-Klinik ist das segensreiche Werk seines Vaters, des Orthopäden Professor Wilhelm Schulthess, in dessen Familienkreis Musik ausgiebig gepflegt wurde. Walter studierte Klavier, Komposition und in Wien und Berlin Dirigiertechnik, wandte sich dann aber zunächst der Komposition zu. Größere Werke für Gesang schrieb er meines Wissens nicht, dafür Lieder, von denen ich zwei, »Der laue Nachtwind« und »Wiegenlied«, später wiederholt in meine Programme aufnahm. Die nun folgenden Jahre reisten Stefi und Walter Schulthess, wie später ich mit meinem Mann, als konzertierendes Ehepaar in Europa und Amerika, 1928 zog sich Walter aus dem Konzertleben zurück und gründete die »Konzertgesellschaft«. Stefi hingegen entfaltete weiterhin ihre musikalische Tätigkeit, wo immer sie auftrat stürmisch geliebt und bejubelt. Freundschaft hatte sie einst mit Reger, Goldmark, Dohnányi, Berg und Carl Spitteler verbunden, jetzt gehörten Furtwängler, Casals, Feuermann, Edwin Fischer, Clara Haskil, Backhaus und der von ihr besonders hochgeschätzte Pierre Fournier zu ihrem Kreis, auch der Schweizer Komponist Othmar Schoeck, der sein Violinkonzert für Stefi schrieb. Er war nicht der einzige, der ihrer musikalisch gedachte. 1907 hatte Béla Bartók sein Herz an die um sieben Jahre jüngere Landsmännin verloren und ihr sein erstes Violinkonzert gewidmet und geschenkt.

»Ihre Leitmotive umschwirren mich ...«, schrieb er der Verehrten. Ein Sprung der Solovioline, wie von der Feder eines Schleuderbrettes losgeschossen, leitet das Konzert ein: D – Fis – A – Cis!

Stefi spielte das Konzert nie öffentlich. Vielleicht um die Erinnerung an eine Jugendliebe zu bannen, verschloß sie das Manuskript im Notenschrank, wo es beinahe ein halbes Jahrhundert ruhte. Während dieser Zeit bekam niemand die Partitur zu Gesicht, sie galt sogar zeitweise als verschollen. Wenige Jahre vor ihrem Tod beschloß Stefi, daß das Werk nach ihrem Tod aufgeführt werden solle, und sie vertraute ihr Geheimnis Paul Sacher an. Stefi starb 1956. Die Partitur wurde Paul Sacher überreicht, und das wiederum brachte ein merkwürdiges Zusammentreffen ans Licht: Das erwähnte »Stefi-Motiv« Bartóks war identisch mit einem zentralen Motiv in Willi Burkhards 1943 vollendetem, Stefi Geyer und Paul Sacher zugeeigneten Violinkonzert, ein »Zufall«, der Stefi damals sehr frappierte. Wie kam es dazu, daß Burkhard, ohne von Bartóks Jugendwerk zu wissen, für Stefi Geyer dasselbe Motiv schrieb? Liegen diese Dinge in der Luft? – Ich halte das für möglich.

Rosmarin Jaggi-Schulthess, die Tochter Stefis, machte mich auf diese Zusammenhänge aufmerksam. Sie sagen, meine ich, einiges über das Mysterium schöpferischer Tätigkeit in der Musik aus. Rosmarin erinnert sich gut an meinen ersten Besuch damals, als ihre Eltern beschlossen, mich im Rahmen eines ihrer eigenen Konzerte dem anspruchsvollen Zürcher Publikum vorzustellen. Die Einladung dazu bildete den Inhalt eines von mir ungeduldig erwarteten Briefes, den mir Walter Schulthess etwa zehn Tage nach meinem Besuch an der Zollikerstraße schrieb: Am 16. November 1934 sollte ich im Rahmen der damals populären Jecklin-Konzerte im Großen Saal des Limmathauses auftreten, und zwar zusammen mit dem Ehepaar Schulthess. Sie würden mit Händel, Mozart und Tartini beginnen, ich würde dann eine Arie aus Haydns »Schöpfung« und Mozarts »Alleluja« singen. Nach der Pause war Platz für eine kleine Schubert-Gruppe, wonach meine musikalischen Paten das Konzert mit einigen virtuosen Stücken zu beschließen gedachten. Ich wählte drei Schubert-Lieder: »Im Frühling«, »Du bist die Ruh«, schon früh eines meiner Glanzstücke, und »La Pastorella«. Herr Schulthess fügte noch hinzu, daß er die Anwesenheit von Frau Ilona Durigo und Herrn Dr. Volkmar Andreae, zwei der wichtigsten Zürcher Musikerpersönlichkeiten, voraussehe. Daß dieses Konzert wegweisend für meine Zukunft sein würde, war offensichtlich.

Mein Konzert fiel in die Mitte eines an musikalischen und belcantistischen Ereignissen alles andere als armen Konzertwinters. Zwei Tage nach mir sang die Negeraltistin Marian Anderson zum erstenmal in der Schweiz, wenige Tage später konnte man Tito Schipa und Jan Kiepura nacheinander in der Tonhalle hören. Die Presse berichtete, Kiepuras Anhänger hätten ihn bis auf den Zürcher Hauptbahnhof begleitet und noch applaudiert, als der Zug in die Nacht hinausfuhr. Und im Jecklin-Konzertzyklus sang als nächste Sigrid Onegin. Um mehr als nur einen Achtungserfolg zu erringen, mußte man also einiges bieten.

Um es kurz zu machen: Ich hatte Erfolg. Das Publikum hörte nicht auf zu klatschen, und als mich Stefi zum x-ten Mal hinausstieß, wollte ich nicht glauben, daß der Beifall meinem Gesang gelte. Ich sagte zu ihr: »Die klatschen nur, weil ich so klein bin.«

In der »Neuen Zürcher Zeitung« sprach Willi Schuh von einer »anmutig gebildeten, nur in der Tiefe noch der Festigung bedürftigen Stimme von zartem Schmelz«, er lobte die »feine Führung der Koloratur« und das »hauchzarte, aber tragende Piano«. Keller-Schule!

Debüt beim Rundfunk

In Konstanz machte dieser Erfolg keinen Eindruck. Dort wartete man immer noch auf das große Engagement. Nachdem feststand, daß Pape ab 1935 nicht mehr zahlen konnte, wurde die Luft zusehends schwüler. Kurz vor Weihnachten kam die Bescherung.

»Wir können Sie nicht mehr länger bei uns behalten«, sagte Frau Keller. »Mein Mann bekommt Anfang des Jahres eine neue Schülerin, und wir brauchen Ihr Bett. Wir sind darauf angewiesen.« Ich eilte zu Onkel Hans. Es war ihm gar nicht recht, aber auch er wußte nicht weiter. »Was soll ich machen, Kind? Wir gehen schweren Zeiten entgegen. Wir müssen zusehen, daß wir uns durchbringen. Geh jetzt mal vorübergehend zu deinem Vater nach Romanshorn. Es wird sich bestimmt eine Tür für dich öffnen. Nur die Hoffnung nicht verlieren!«

An jenem Abend warf ich mich schluchzend in Heinz' Arme. So verzweifelt hatte er mich noch nie gesehen. Es war nicht nur die ungewisse Zukunft, die auf mir lastete. Es war das Gefühl, ausgestoßen zu werden. Der Alptraum meiner Kindheit würde sich verwirklichen. Man stellte mich vor die Tür, schickte mich weg. Das Schicksal hatte mit mir gespielt, hatte mir eine glänzende Zukunft vorgegaukelt, um mich in den Abgrund zu schleudern wie der Wind, der ein Blatt hoch in die Luft wirbelt, um es desto tiefer fallen zu lassen. Ohne Heinz' Hilfe hätte ich mir an jenem Abend sehr wohl etwas antun können. Ich hielt mich krampfhaft an seinem Arm fest. Wir wanderten auf unserem Bodenseeweg. Das deutsche Ufer war unsichtbar, in Nebel eingehüllt. Der Schnee war hart, knirschte unter unsern Stiefelsohlen.

»Also ist es so weit. Ich meine, jetzt gehst du fort von Konstanz«, sagte Heinz.

»Wird mir nichts anderes übrigbleiben.«

»Weiß es dein Vater?«

Ich schüttelte den Kopf.

»Er wird dich nicht im Stich lassen.«

»Natürlich nicht. Aber ich will doch endlich auf eigenen Beinen stehen. Wenn ich nur irgendwo ein Engagement bekäme! Ach, weißt du, ich geh ins Wasser.«

»Wieder einmal in unser Schwäbisches Meer. Sieht doch wirklich aus wie ein Meer.«

»Das ist immer so, wenn man von der anderen Seite nichts sieht.«

»Aber ich seh was.«

»Was?«

»Ein Stückchen Ufer drüben. Der Nebel teilt sich. In fünf Minuten siehst du Land. So wird's auch bei dir sein. Irgendeinen Ausweg gibt's bestimmt für dich.«

»Vielleicht in Zürich.«

»Zürich? Wieso in Zürich?«

»Nun, Herr Bärlocher hat gestern angerufen. Herr Schulthess braucht mich für eine Aufnahme am Zürcher Radio.«

»Wirklich? Aber das ist ja großartig!«

»Wohin soll das schon führen?«

»Was singst du?«

»Mozart.«

»Wer begleitet dich?«

»Das Radioorchester.«

»Das Orchester? Aber das ist doch fabelhaft! Wisch deine Tränen weg. Freu dich! Da tut sich was. Ich bin überzeugt davon, daß sich da was tut.«

So richtete er mich immer wieder auf. Die Radioaufnahme war in der Tat das einzig Erfreuliche, was mir bevorstand. Viel versprach ich mir allerdings nicht davon. Was ich ersehnte, war eine Dauerstellung mit festem Monatsgehalt.

Herr Schulthess hatte über Herrn Bärlocher den Programmwunsch des Radios ausrichten lassen: die beiden Cherubino-Arien aus »Figaros Hochzeit« und Mozarts »Alleluja«, das ich bereits im Jecklin-Konzert gesungen hatte. Im Studio wurde ich in einen Saal geführt, wo das Orchester unter Hermann Hofmann probte. Ich wartete in einer Ecke.

Schließlich klopfte er ab und sagte: »Schön. Das wär's.« Dann wandte er sich um. »Sind Sie die junge Dame, die mit uns singen wird?«

Ich bejahte.

»Fräulein Stader, nicht wahr? Freut mich. Treten Sie bitte näher, da vors Mikrophon. Nicht zu nahe. Gut so. Also, wir beginnen mit ›Exsultate‹.«

Exsultate? Mir schwante Böses. Das müsse ein Irrtum sein, meinte ich.

»Mir sagte man ›Alleluja‹.«

Herr Hofmann lächelte mir freundlich zu. »Aber Fräulein Stader! Da gehört doch eins zum andern. Wissen Sie das nicht?« Geigen, Celli und Kontrabässe kicherten überlegen. Ich wurde rot wie eine Thurgauer Kirsche.

»Da besteht allem Anschein nach irgendwo eine Informationslükke«, meinte Herr Hofmann.

Gewiß. Und überdies hatte man irrtümlicherweise angenommen, eine so bewanderte Konzertsängerin wie das Fräulein Stader denke sich, so man »Alleluja« sage, das Übrige hinzu, wisse, daß das »Alleluja« der dritte Satz einer dreiteiligen Motette sei, die sich »Exsultate, jubilate« nennt. Aber weder der Herr Kammersänger Keller, der aufs präziseste auseinandersetzte, wie Meister Wagner sich Mimes Gekeife oder das Gähnen des aus bleiernem Schlaf aufgerüttelten Lindwurms vorstellte – der von der gängigen Konzertliteratur jedoch höchst vage Kenntnisse hatte –, noch ich, seine gelehrige Schülerin, geschweige denn Herr Bärlocher, der als Vermittler tätig war, wären auf diese Idee gekommen. Herr Hofmann nahm mir diese Bildungslücke nicht übel. Für ihn war ich eine Unschuld vom Lande, die nicht bis drei zählen konnte. Ohne viel Aufhebens ersetzte er das »Exsultate« durch die »Maurerische Trauermusik«, ich legte dafür ein strahlendes »Alleluja« hin und entfernte mich leicht angeschlagen, aber mit der vollen Gage von Fr. 50,– in der Tasche. Hofmanns noble Haltung habe ich ihm nie vergessen.

Anschließend war ich wieder einmal bei Herrn und Frau Schulthess zum Mittagessen eingeladen. Seit meinem Auftreten nahm die offenherzige Stefi sich meiner an. »Was geschieht jetzt mit Ihnen? Was haben Sie vor?« hatte sie gefragt. Da vertraute ich ihr meine Sorgen an, daß ich in der Klemme saß, daß ich ab Januar auf mich selber angewiesen sei und mich mit Stundengeben irgendwie durchbeißen müsse. Während wir Kaffee tranken, sagte sie plötzlich: »Übrigens habe ich noch ein Geschenk für Sie. Raten Sie, was.« Ich tippte auf einen Arienband, auf Lieder, etwas von Wolf, auf Konzertkarten, oder aber vielleicht etwas zum Anziehen ... »Falsch«, sagte Stefi immer wieder. Schließlich zog sie einen Umschlag aus ihrer Handtasche und gab ihn mir. »Wir sind dafür, daß Sie nach Zürich kommen«, erklärte sie. »Technisch können Sie viel, aber Sie müssen sich im Ausdruck vervollkommnen, wenn Sie's zu etwas bringen wollen. Dazu müssen Sie zu Ilona Durigo. Sie erhalten jetzt monatlich denselben Betrag. Damit sollten Sie auskommen können.«

Ich war sprachlos, zögerte. Durfte ich so etwas annehmen? Stefi erriet meine Gedanken. »Hör zu, Püppchen!«, befahl sie. »Sie haben keine andere Wahl. Stundengeben können Sie noch früh genug. Aber inzwischen haben Sie viel zu lernen, und dazu ist jetzt der Augenblick. Los! Greifen Sie zu!«

Ich wußte natürlich, daß sie recht hatte.

Kapitel 14

In Zürich öffnen sich Türen

Im Januar 1935 kam ich in jene Stadt, die dereinst meine Heimat werden sollte. Als ich in die mir heute so vertraute Halle des Zürcher Hauptbahnhofes einfuhr, flogen meine Gedanken wohl nicht ohne Wehmut die etwas mehr als fünfzehn Jahre zurück. Hier unter diesem Bahnhofsdach hatte der Pfarrer aus Eglisau auf den Rotkreuzzug gewartet, hier hatte er ein verheultes Ungarli in seine Obhut genommen und zu Meiers nach Glattfelden gebracht.

Herr Bärlocher, verständnisvoll und bemüht, hatte mir eine erste Unterkunft bei einer musikbegeisterten alten Dame namens Menet am Römerhof besorgt. Hier sollte ich mich an meine neue Umgebung gewöhnen, mich auf mein Studium bei Frau Durigo vorbereiten und in aller Ruhe ein Zimmer suchen. Frau Menet war eine liebenswerte Gastgeberin alter Schule. Bei ihr versank man nahezu in Plüsch, Petit point und Spitzenbordüren aller Art. Gleich zu Beginn unserer Bekanntschaft verriet sie mir, sie habe Clara Schumann gut gekannt. In ihrer Bibliothek zeigte sie mir einige Bücher, reichverzierte Bände aus dem Besitz einer Schumann-Tochter, die ehedem in den Regalen Robert Schumanns gestanden hatten und die ich mit gebührender Ehrfurcht bestaunte. Außerdem stellte sich heraus, daß Frau Menet ausgezeichnet Klavier spielte und mich mit sichtlichem Genuß begleitete. Wenn ich ihr gar Schumanns »Widmung« oder »Nußbaum« aufs Notenpult legte, schwelgte sie Minuten im voraus.

Später fand ich ein Zimmer mit Vollpension im Einfamilienhaus der Familie Aldis am oberen Ende der Hegibachstraße, dicht am Waldrand beim Hotel Sonnenberg. Zugleich schrieb ich mich am Konservatorium ein, speziell für weitere Kurse im sogenannten Vomblattlesen, was ich, Gott sei's geklagt, bitter nötig hatte. Vor allem aber mußte ich mir ein Repertoire aufbauen. Es wäre sinnlos gewesen, zu Ilona Durigo zu gehen, ohne ein umfassendes Repertoire vorzulegen, an dem wir arbeiten konnten. Im Konzertsaal und nicht an der Oper lag meine Zukunft. Das war mir inzwischen klar geworden.

Ich beriet mich mit Herrn und Frau Schulthess. Sie rechneten mit einem Vorbereitungsjahr, empfahlen mir den Pianisten Walter Lang als Korrepetitor und halfen mir bei der Repertoire-Aufstellung. Bach, Haydn, Mozart und Schubert standen im Vordergrund, daneben Lieder von Schumann, Mendelssohn, Brahms. Dabei durften meine täglichen Stimm- und Sprechübungen nicht zu kurz kommen. Ich hatte also eine Menge vor.

Pünktlich am Ende jeden Monats trafen dreihundert Franken ein. Bei sparsamer Haushaltung reichte das aus. Das Patronat hatte ich Stefi zu verdanken, die, sobald sie von meinen Geldnöten hörte, nach Gönnern Ausschau gehalten hatte. Mit meinen Mäzenen verband mich später eine Freundschaft, die ein ganzes Leben hielt.

Im Lauf des Sommers erfuhr ich von Stefi, daß der Schweizerische Tonkünstlerverein ein Stipendium zur Verfügung stellte. Mit den ausgesetzten fünfhundert Franken würde ich mein Studium mitfinanzieren können. Stefi ermutigte mich, den Versuch zu wagen.

Um in den Genuß dieser Unterstützung zu kommen, hatte sich der Anwärter einem Gremium zu stellen, das die Eignung prüfte. Dazu gehörte für Sänger auch Primavistagesang, und so übte ich auf Leben und

Tod Dreiklänge und Intervallsprünge unter Anleitung Stefis, die sich dieses Stipendium für mich in den Kopf gesetzt hatte. Wir schufteten noch am Prüfungstag bis zum letzten Augenblick, dann zog sie mich in ihr Schlafzimmer, setzte mich an den Frisiertisch und sagte: »So, und jetzt machen wir Sie noch ein bißchen hübsch, denn das sind alle drei gesetzte Herren . . .« Ein bißchen Lippenstift, ein leichtes Betupfen mit der Puderquaste, ein paar Tröpfchen Parfüm taten ein übriges, und kurz vor zwei Uhr begab ich mich klopfenden Herzens ins Direktionszimmer des Konservatoriums, wo die gewichtige Jury, bestehend aus den Herren Andreae, Gagnebin und Schulthess versammelt war. Kaum hatte ich Monsieur Gagnebin die Hand gedrückt, setzte er sich an den Flügel, während ich mich umzudrehen und die Töne anzusagen hatte, die er auf den Tasten anschlug. Das ging fürs erste gründlich daneben. In der verzweifelten Hoffnung auf Schützenhilfe signalisierte ich optische SOS-Rufe in Richtung Walter Schulthess, der breitschultrig am Fensterrahmen lehnte. Aber er war offensichtlich gegen solche Mogeleien und blieb hart.

Nach diesem Fiasko reichte mir Dr. Andreae ein Heft zum Vomblattlesen. Ich öffnete es zitternd. Ein Blick aufs Notenblatt genügte, um mir den letzten Mut zu nehmen. Vorzeichen waren keine angegeben, offensichtlich wollte sich die Melodie keiner herkömmlichen Tonart unterordnen, dafür wimmelte es im Text selber von giftig mich fixierenden Doppelkreuzen, Auflösungs- und Erniedrigungszeichen. Monsieur Gagnebin spielte die Einleitung, ich schöpfte Atem, setzte ein, aber wir kamen nicht über die ersten Takte hinweg. Monsieur Gagnebin räusperte sich, begann ein zweites Mal, doch umsonst. Peinliche Stille, die Herren tauschten vielsagende Blicke aus, endlich meldete sich Dr. Andreaes Baß zu Wort: »Staderli, das isch nüt gsii«, seufzte er. »Singet Sie eus liäber öppis vor.« Dankbar griff ich nach der zu diesem Zweck bereitstehenden Mappe, die ich in weiser Voraussicht mitgeschleppt hatte, schichtete neben Monsieur Gagnebin einen regelrechten Notenturm auf und warf mich in Positur. Aus dem hehren Direktionszimmer ertönten alsbald – neben Arien aus der »Schöpfung« und Mozartmessen – meine damaligen Paradenummern: der Frühlingsstimmen-Walzer, Schuberts »Forelle«, alles kreuz und quer. Auch die »Königin der Nacht« durfte nicht fehlen. Die Herren nickten sich bedeutungsvoll zu, Dr. Andreae bemerkte: »Soso, das gaht ja wiä's Bisiwätter. Da händ Sie's Couvert.« Ich bedankte mich, eilte zurück an die Zollikerstraße und warf mich in Stefis Arme.

Bei Ilona Durigo

Im Herbst 1935 hatte ich meine erste Stunde bei Ilona Durigo. Die Durigo war zweifelsohne eine einzigartige Musikerin, aber – und das wußte sie wohl selber am besten – keine Stimmbildnerin. Als Anfängerin zur Durigo zu kommen, hätte schwerlich ans Ziel geführt. Nur technisch Fortgeschrittene, Sänger, die ihres Rüstzeugs sicher waren, konnten aus ihrem Unterricht profitieren. Und selbst für sie barg ihr urmusikantisches Wesen seine Gefahren in sich. Wer vor ihrem alles durchdringenden musikalischen Künstlertum bestehen wollte, mußte vor lauter Intensität und Ausdruck nachgerade zerspringen. Und sie stürzte sich mit einer solchen Vehemenz auf mich, sie war derart darauf versessen, das Letzte aus mir herauszuholen, daß ich bereits nach einem halben Jahr Mühe mit meiner Höhe hatte.

Unter den Altistinnen der Zwischenkriegsjahre hatte der Name Ilona Durigo eigenes Gewicht. Im Gegensatz zu ihren Kolleginnen Maria Olszewska, Sigrid Onegin, Karin Branzell, Emmi Leisner, Luise Willer, Kerstin Thorborg, Rosette Anday, Friedel Beckmann und dem französischen Orpheus Alice Raveau ist die Durigo mit einer einzigen, regelbestätigenden Ausnahme nie in der Oper zu hören gewesen. Sie war also die erste internationale Konzertsängerin par excellence, die ich näher kennenlernte. Seit ihrem fünften Lebensjahr spielte sie Klavier und entwickelte sich zu einer glänzenden Pianistin, so daß ihr auch dieser Weg offenstand. Aber sie wählte den Gesang.

Ilona Durigo hatte unter anderem bei der Patti-Rivalin Etelka Gerster studiert, die in Berlin eine mondäne Gesangsschule leitete. Ob Ilona Madame Gerster je zu Gesicht bekam, oder, wie Lotte Lehmann, mit einer Assistentin vertröstet wurde und mit einem Holzstäbchen oder Zahnstocher zwischen den Zähnen solfeggieren mußte, habe ich nie erfahren.

Ilona Durigo erwies sich, darüber besteht für mich auch nicht der Schatten eines Zweifels, als eine der urmusikantischsten und urmusikalischsten Persönlichkeiten, die mir je begegnet sind. Ihre Darstellung etwa der »Feldeinsamkeit« oder des Schlummerliedes »Ruhe, Süßliebchen« von Johannes Brahms, des Zyklus »Frauenliebe- und leben« von Schumann, des »Kreuzzugs« oder von »Im Abendrot« von Schubert, der Wolf-Gesänge »Gebet«, »Anakreons Grab« und »Auf ein altes Bild« werden ewig in mir nachklingen. Ich brauche nur ihr Foto zu betrachten, um ihren von Herzenswärme durchstrahlten Gesang wieder zu hören.

Unvergeßlich sind für mich die Schoeck-Abende Ilona Durigos im kleinen Tonhallesaal. Im Oktober 1936 verband sie sich mit Stefi Geyer. Stefi spielte die ihr von Schoeck gewidmete Sonate in D-Dur, Opus 16, Ilona sang Lieder: »Dämmerung senkte sich . . .«, »Abendlandschaft«, »Im Wandern«, »Im Herbste«. Wie immer saß Othmar Schoeck am Flügel.

Ein anderes Mal konzertierten Ilona Durigo und Othmar Schoeck allein. Das Publikum verlangte Zugaben. Jemand rief: »Ravenna!« Das bezog sich auf Schoecks Lied »Auch ich bin in Ravenna gewesen«. Ilona nickte dem Bittenden freundlich zu und wollte anfangen. Indessen blätterte Othmar Schoeck in den Sammelbänden, die er mitgebracht hatte, suchte die Noten. Ilona wartete. Schließlich stand er auf, beugte sich vor, wisperte: »Ich hab die Noten nicht. Ich kann's nicht auswendig.« Ilona marschierte um den Flügel herum, schob den Komponisten vom Stuhl, setzte sich hin, sang und begleitete sich selbst in »Ravenna«.

Großartig.

Manche ihrer Interpretationen wurden auf Platten festgehalten, so eine Aufführung der »Matthäuspassion« unter Willem Mengelberg, aber sie vermögen auch nicht im entferntesten das wiederzugeben, was der Hörer empfand, wenn er diese Frau vor sich hatte. Das Zwischenmenschliche »Jetzt spreche ich zu dir. Hörst du, was ich dir zu sagen habe?« kann nicht auf elektrisch-mechanischem Wege übertragen werden.

Auf der Bühne hätte Ilona eine prächtige Erda abgegeben. Sie war Mutter Natur mit allen Strömungen. Sie war tosender Wasserfall, sprudelnder Bergquell, breit dahin sich wälzender Strom, rieselndes Bächlein zwischen Auen im Sommerflor, eine Menge Gegensätze zu einer Synthese vereint, die in der Gestaltung eines Liedes zum Ausdruck kam. Treffend drückte das der St. Galler Pfarrer Dr. Weidemann in seiner am 30. Januar 1944 gehaltenen Gedenkrede aus. In ihrem Innern hätten Gegensätze kein Unheil angerichtet. Ilona habe nicht nur im Bereich der Töne ein absolutes Gehör gehabt, sondern auch im Bereich des Geistes und der Seele. In ihrer Innenwelt hätten sich Walt Whitman mit dem heiligen Franziskus, Bach mit Eichendorff, Goethe mit Heinrich Kaminski vertragen. Und sie habe gesagt: Um die Welt in ihrer vollen Gültigkeit zu sehen, müsse der Mensch den Standort wechseln können.

Was für die Künstlerin zu ihrer Stärke, kann für die Gesangspädagogin zur Schwäche werden: das reine Naturtalent. So paradox das klingt: Ilona war *zu* begabt. Was unsereiner sich bausteinchenweise abzwingen mußte, kam ihr nur so zugeflogen. Sie kannte die technischen Hürden nicht, die ihren Schülern den Weg versperrten, sie hatte sie nicht am eigenen Leib erlebt und konnte sie nicht verstehen. Sie hatte auch nie Anlaß gehabt, sich selber so genau zu beobachten, wie ich das gelernt hatte. Im Grunde genommen wußte sie weder und interessierte sich auch nicht dafür, *wie* sie das berückende Piano bei »spricht das Mägdelein, Mägdelein spricht« in Brahms' »Von ewiger Liebe« zustande brachte, mit einer ä-Färbung so zart und rein, daß einem das Herz weh tat, noch wie es kam, daß ihr Ausruf »unsere Liebe muß ewig, ewig besteh'n« tatsächlich so klang, als schmelze der darin aufflammende Lichtstrahl Eisen und Stahl zu nichts. Sie meinte, das sei lediglich eine Frage der inneren Einstellung, des Ausdrucks. Und sie ließ mich forcieren.

Für Fragen reiner Gesangstechnik hatte sie also nicht viel übrig. Sie war keine in Lilli Lehmanns und damit in meinem Sinne »bewußte« Sängerin und konnte nichts anfangen mit Schülerinnen, die immerzu über technische Probleme nachgrübelten. Unsere Lektionen gestalteten sich etwa so: Kaum hatte ich mich eingesungen, sagte sie: »Ach geh, wir machen jetzt Musik.« Sie legte ihre Hände auf die Tastatur und begleitete mich im »Libera me« des Requiems von Verdi. Das ganze Orchester war da, aber ich hätte die Partie niemals singen sollen. Es war viel zu früh. Wenn ich Unglücksrabe allzu vorsichtig nach dem Schluß-»b« des »Requiem aeternam« griff – Verdi, der Idealist, schreibt da wieder einmal »pppp« vor –, schwang sie sich auf ihrem Drehstuhl herum, stemmte die Hände auf die Oberschenkel und erklärte: »Du denkst mir wieder viel zu viel an deine verflixte Technik! Laß dich gehen, versenk dich total in den Text und mach Musik! Mu-

Maria Staders hochbetagte Mutter Juliane Molnar in Budapest. 1920 nahm die Tochter endgültig Abschied von Ungarn. Maria kam zu Pflegeeltern in die Schweiz, wo sie später adoptiert wurde. Als sie ihre Mutter nach fast vierzigjähriger Trennung auf dem Zürcher Flughafen umarmte, hatte sie Ungarisch verlernt, und sie mußte sich mit Zeichen verständigen.

Sie stellten die entscheidende Weiche. Metzgermeister Eggimann im Kreise seiner Familie. Von links nach rechts: Frau Marie Eggimann, Töchter Miggi, Lina, Klara. Bei ihnen verbrachte die kleine Maria die ersten Monate in der Schweiz. Als dem Ziehkind polizeiliche Ausweisung drohte, suchte und fand Fritz Eggimann die neuen Pflegeeltern Julius und Anna Stader am Bodensee, die das Mädchen dauernd bei sich aufnehmen und schließlich adoptieren sollten. Eine lebenslange Freundschaft verband Maria Stader mit der Familie Eggimann.

Konfirmationsfoto. Unter dem wachsamen Auge des Romanshorner Pfarrers Maag nimmt die Konfirmationsklasse vor dem Kirchenportal Aufstellung. Pfarrer Maag war nicht so streng, wie es hier den Anschein hat. Daß Maria im Mittelpunkt steht, verdankt sie ihrem kleinen Körperwuchs und dem Symmetriebedürfnis des Fotografen. Die Kleine macht begreiflicherweise ein ernstes Gesicht. Wenige Tage zuvor hatte sie erfahren, daß ihr leiblicher Vater Janos Molnar, den sie seit mehr als fünf Jahren nicht mehr gesehen hatte, in Budapest gestorben war.

Links: Glückliche Jahre im »Thurgauerhof«, dem Gasthaus der Familie Stader in Romanshorn. Hier verlebte Maria ihre Jugend und fand die ersehnte Geborgenheit.

Rechts: Die Adoptiveltern Pape Julius und Mame Anna Stader mit ihrer Tochter. Sie hingen an ihrem »Maieli« und konnten sich ein Leben ohne das Kind nicht mehr vorstellen.

Links: Ein alter Jünger Petri. Seit Generationen waren Staders Bodenseefischer. Großvat Stader, noch immer rüstig, hängt Netze zum Trocknen auf

Rechts: Marias Adoptivvater Julius Stader beim Forellenfang im Rheintal. Ging es auf die Jagd nach Blaufelchen im Bodensee, fuhr Maria oft mit.

Eine Künstlerehe. Maria Stader mit ihrem Mann Hans Erismann, Kapellmeister und Chordirektor. In Konzerten rund um die Welt begleitete er seine Frau als Dirigent und am Flügel. Sie gingen nach dreißig Ehejahren in Freundschaft auseinander.

Roland und Martin, die Söhne Marias und Hans Erismanns. Daß sie das Zubettgehen hinauszögerten, konnte Mutter nicht verhindern. Sie war meistens unterwegs und hatte Heimweh nach ihnen. Für Ordnung im Bubenzimmer sorgte der Vater.

Seltene Mutterfreuden. Für ihre Kinder lebte Maria Stader, wenn sie nach monatelangen Konzertreisen einige Wochen zu Hause in Zürich verbrachte. Die musikalische Ausbildung der Söhne wurde von den Eltern zwar gefördert, aber nie forciert. Zum Vierhändigspiel kommen sie kaum mehr. Beide sind technische Kaufleute geworden. Der ältere Roland (Mitte) leitet einen Galvanobetrieb in Hongkong, Martin lebt mit Frau und Töchterchen in Zürichs Umgebung. Auf dem Bild wird an einem Militärmarsch von Franz Schubert geübt. Mama sieht zu, daß die Kapelle im Takt bleibt.

sik, hörst du! Man kann nicht zugleich im Ausdruck stark und technisch vollkommen sein!« Aber in dieser Beziehung war – und bin ich auch heute noch – anderer Auffassung.

Ilona Durigo erwies sich also weniger als Stimmbildnerin wie als das, was die Angelsachsen »a coach« nennen – einer, der anleitet, korrigiert, anfeuert und beflügelt. Darin war sie allerdings phänomenal. Kein Zusammensein mit ihr, das einen nicht bereichert hätte! Ich gab mir aber auch alle erdenkliche Mühe, sie zufriedenzustellen. Eher hätte ich mich krank gemeldet, als daß ich bei Frau Durigo unvorbereitet angetreten wäre. Dennoch geschah es einmal, daß ich andauernd aus dem Takt fiel, bei Schumanns »Intermezzo« glaube ich, dem zweiten Lied aus Opus 39, dem »Liederkreis«, mit seinen vertrackten Synkopen. Frau Durigo klappte den Albumdeckel zu, daß es krachte. »So, Kindchen«, sagte sie. »Fort! Nach Hause! Und wenn du es kannst, dann kommst du wieder!« Ich war todunglücklich, nicht nur aus verletztem Ehrgefühl. Wahrscheinlich spielte eine gute Dosis Lebensangst mit. Ich empfand mich als viel zu kleines Ding in dieser großen und gefährlichen Welt, so ganz auf mich angewiesen und nur mit einer Sopranstimme ausgestattet, um durchzukommen. Was, wenn Ilona meinen Gönnern mitteilte: »Aus dem Kind wird nichts.« O Gott! Ich hörte Frau Geyer: »Wir haben unser Möglichstes getan, Fräulein Stader. Das übrige wäre Ihre Sache gewesen. Mein Mann und ich können Ihnen nicht mehr helfen . . .« Da niemand da war, der mir derlei ausredete, so redete ich es mir eben ein.

Aber die Depression dauerte im allgemeinen nicht lange. Meine Verbindung mit Radio Zürich war seit dem denkwürdigen Debüt nicht abgebrochen. Hermann Hofmann gedachte meiner. Auch Direktor Dr. Jakob Job fand immer wieder eine lohnende Aufgabe für mich. Man wußte, daß ich den Zuschuß gut brauchen konnte. Selbst der Hörspielleiter Artur Welti hatte Verwendung für mich. »Staderli, es ist zwar ein Männerlied, aber sie werden das für uns singen.« Ich erhielt dafür dreißig Franken, damals eine ansehnliche Summe – wenigstens für mich. Konnte ich gar in einem Oratorium mitmachen, kassierte ich fünfzig bis hundert Franken, ein kleines Vermögen. Mit der Zeit legte ich sogar etwas auf die Seite.

Aus dieser Zeit datiert meine, ich darf schon sagen, innige Verbindung mit Schweizer Musikdirektoren und Chören. Einer der ersten, der mich holte, war Heinrich Funk in Wädenswil, im September 1936. Wir führten eine Bach-Kantate auf. Damals ahnte ich nicht, daß Bach einmal im Zentrum meiner Konzerttätigkeit stehen würde. Ich sang »Die Jahreszeiten« in Burgdorf unter August Oetiker, in Kirchenkonzerten in Amriswil und St. Gallen; die Gesellschaft für Literatur, Musik und Kunst von Romanshorn und Umgebung, deren Programme ich einst verkauft hatte, engagierte mich für einen ganzen Liederabend (mit Maria Bella am Klavier), Konzertverein und Tonhallegesellschaft St. Gallen verlangten »Et incarnatus est« von Mozart, die große Traviata-Arie aus dem 1. Akt, den Frühlingsstimmen-Walzer von Johann Strauß. Pape war vor lauter Aufregung seit drei Tagen nicht mehr fischen gegangen. Im November 1937 trat ich zum erstenmal im Zürcher kleinen Tonhallesaal auf, wo ich dereinst mein Abschiedskonzert geben sollte – in einem Duett- und Liederabend mit der Altistin Nina Nüesch. Wir sangen Duette von Marcello, D'Astorga, Mendelssohn, Schumann und Brahms und dazwischen Solo-Lieder. Dieses Mal war Willi Schuh strenger. Er lobte zwar wiederum das Organ von seltener Schönheit, den beseelten Klang, den sicheren Geschmack, aber er wies auch hin auf leichte Trübungen der Intonation und wünschte sich größere rhythmische Festigkeit. Vom »schwebenden Piano« und der »vollendeten Rundung der melodischen Linie« war er wiederum besonders angetan.

Am Flügel begleitete mich Fritz Brun, was nicht wenig zum Erfolg beitrug. Eine erlesene Zuhörerschaft saß im Saal: Musiker, Sänger-Kollegen, die musikalische Hautevolée von Zürich, und das hatte seinen guten Grund.

Im Geniesalon in der Mythenstraße

Ich war noch nicht lange bei Ilona Durigo gewesen, als sie unvermittelt fragte: »Haben Sie am Mittwochnachmittag etwas vor?« Ich verneinte. »Dann kommen Sie um halb vier zu mir. Ich nehme sie mit zu Frau Reiff. Es wird Zeit, daß Sie interessante Menschen kennenlernen, auch junge Musiker Ihres Alters. Sie sollten aus Ihrem Schneckenhaus herauskommen und etwas Luft der weiten Welt atmen. Bei Reiffs verkehren Buschs und Walters und Manns, die ganze Korona aus Stadttheater und Schauspielhaus. Für Sie ein enormer Gewinn.«

So kam ich zu Lily Reiff.

Als ich in das stattliche Heim des Ehepaars Hermann und Lily Reiff an der damaligen Mythenstraße eingeführt wurde, waren die wöchentlichen musikalischen Teenachmittage zu einer Institution geworden, die kein junger Musiker mehr missen mochte. Zu Ehren Zürichs sei gesagt, daß der herrschaftliche Bau mitten in der Stadt am Rand des Engequartiers bislang keinem Hochhaus weichen mußte und heute noch bestaunt werden kann. Manches freilich ist anders geworden. Hinter dem Gebäude, wo ein anmutiger Stadtgarten zu einem Spaziergang nach dem schwarzen Kaffee einlud, reiht sich heute Garagentor an Garagentor.

Wo früher Willem Mengelberg und Stefan Zweig, Richard Strauss und Felix Weingartner, Emil Ludwig und Romain Rolland, Carl Zuckmayer und Ernst Zahn, Alfred Cortot, Fritz Kreisler, Jacques Thibaud, Hans Pfitzner und Albert Bassermann einer dem andern die Türklinke in die Hand drückten, sind heute Büroangestellte untergebracht, und in den Räumen, wo Lily Reiffs beide Konzertflügel standen, Adolf Busch für uns spielte und die Onegin Schuberts »Abendroth« für uns sang, klappern Schreibmaschinen. Und als wollte selbst die Straße mit der Zeit Schritt halten, ließ sie die »Mythen« fallen und legte sich die pragmatischere Bezeichnung Genferstraße zu.

Der Hausherr Hermann Reiff, von Beruf Textilfabrikant, war bis 1935 Präsident der im Musikleben Zürichs tonangebenden Tonhalle-Gesellschaft. In dieser Stellung konnte er sich frei hinter den Podien des kleinen und großen Tonhallesaales bewegen, Verbindungen anknüpfen und vermitteln. Das allein hätte jedoch nicht genügt, sein Haus zu einem musikalischen Mittelpunkt, ja während der kritischen dreißiger Jahre zu einem geistigen Zentrum zu machen. Es war auch nicht bloß die gewinnende Persönlichkeit Lilys und Hermanns, ihr Talent als Gastgeber, ihr Wohlstand und die Tatsache, daß sie ein geräumiges Haus mit Gästezimmern, einem Speisesaal, der leicht zwanzig Personen Platz bot und tüchtiges Hauspersonal zur Verfügung hatten. Das hatten damals andere auch. Und es war mitnichten bloßer Ehrgeiz, berühmte Leute um sich zu haben, obschon Ehrgeiz meiner Auffassung nach keine Untugend ist. Nein, bei Reiffs war entscheidend, daß zu allen übrigen glücklichen Voraussetzungen die seltene Gabe der Uneigennützigkeit hinzukam. Galt es, Sorgen und Nöte jemandem anvertrauen zu müssen, war man auf Rat und Hilfe angewiesen, konnte man sich keine besseren Freunde vorstellen als Reiffs. Mit einzigartigem Takt verstanden es die beiden, die Anliegen des andern zu ihren eigenen zu machen und mit dem nicht geringen Gewicht ihres Einflusses, ihrer Beziehungen und nicht zuletzt ihres Portemonnaies für ihn einzustehen, ohne daß der Hilfesuchende sich in die Rolle des Bittgängers hineingedrängt sah.

Bei Reiffs ging es oft genug wie in einer gehobenen Familienpension zu. Morgens um neun Uhr wartet der Chauffeur des Hauses auf dem Bahnsteig des Bahnhofs Enge auf Herrn Franz Werfel, der mit dem Nachtzug aus Wien oder Paris eintreffen wird. Im Vestibül an der Mythenstraße steht, zu einem Kofferberg aufeinandergetürmt, das reisefertige Gepäck der Familie Fritz Busch, die auf der Durchfahrt in Zürich einen Zwischenhalt eingeschaltet hat. Sie sitzen mit ihrer Gastgeberin beim Frühstück, als Hermann Reiff anruft, um mitzuteilen, daß Alexander Brailowsky sich freundlicherweise bereit erklärt habe, am nächsten Abend in der Tonhalle einzuspringen. Er müsse nachmittags um halb drei am Hauptbahnhof abgeholt werden und bleibe bis Mittwoch früh. Auch sei dafür zu sorgen, daß er ungestört üben könne. Lily kehrt zu Buschs zurück; kaum hat sie sich gesetzt, klingelt es abermals. Das Dienstmädchen meldet einen aufgeregten Professor, dessen Namen sie nicht verstanden habe. Lily geht an den Apparat. Es sind alte Freunde aus Königsberg, ein Arzt und seine Frau, die Hals über Kopf aus Deutschland geflohen und in Basel eingetroffen sind, beinahe mittellos. Ob sie nicht bei Reiffs ein paar Tage wohnen könnten.

Und ehe Buschs sich verabschieden, läutet der Apparat womöglich zum drittenmal, und es ist vielleicht Ilona Durigo, die mitteilt, daß sie sich erlauben werde, übermorgen ein gewisses Fräulein Stader mitzubringen, die bei dieser Gelegenheit gern etwas vortragen würde. Sie sei ein sehr kleines Ding, würde aber ihren Weg machen. Und auch für Ilona hat Lily Reiff nette Worte parat.

»Sie also sind das Fräulein Stader«, sagte Frau Reiff, als sie mich zum erstenmal begrüßte, bückte sich und streckte mir beide Hände entgegen. »Seien Sie willkommen. Frau Durigo hat mir von Ihnen erzählt. Und gestern war ich in der Konditorei Künzli am Bahnhofplatz, um Wienerrahmtorte zu bestellen, und traf dort Frau Schulthess-Geyer, die Sie ja gut kennen. Und auch sie war des Lobes voll.«

Sie zog mich aufs Sofa. »Heute spielt eine junge Holländerin Klavier, und nachher liest Werfel aus einem neuen Manuskript vor. Sie müssen von nun an jeden Mittwoch zu uns kommen und uns bald einmal etwas vorsingen. Sind Sie schon lange bei Frau Durigo?«

Ich gab einen kurzen Überblick über meine gesangliche Ausbildung.

»Sieh mal an! Eine St. Gallerin!«

Ich mußte Frau Reiffs geographische Kenntnisse korrigieren und erklären, daß Romanshorn im Kanton Thurgau liege. Aber ich sei in Wirklichkeit eine Papier-Thurgauerin, denn meine ursprüngliche Heimat sei Budapest. Herr und Frau Stader hätten mich adoptiert.

»Hermann, das ist Fräulein Stader«, sagte Lily zu ihrem Mann, der jetzt zu uns trat. »Stell dir vor. Sie kommt aus Budapest.«

Ich war aufgestanden und blickte zum hochgewachsenen Herrn Reiff auf. »Sie erinnern mich an Maria Ivogün«, sagte Herr Reiff. »Die ist auch so ein kleines Persönchen mit einer silbernen Kehle, kam aus Budapest in die Schweiz und wohnte nur wenige hundert Meter von hier.«

»Ich werde Sie mit einigen Altersgenossinnen und -genossen bekanntmachen«, entschied Lily Reiff. »Dort drüben im Speisezimmer sitzen die jungen Leute. Dort, wo es nachher etwas Gutes zu essen gibt.«

Inzwischen hatten sich die drei großen Räume gefüllt, der mittlere Salon, in dem ein dritter Konzertflügel spielend hätte untergebracht werden können, mit bequemen Armsesseln, die für prominente Gäste reserviert waren, flankiert vom Herrensalon und dem Speisezimmer für das Fußvolk. Hier wurde jeden Mittwoch vom Januar bis in die Karwoche hinein musiziert, kein leichter Test für die, die an Lampenfieber litten. Manch einer hätte es vorgezogen, sich im Konzertsaal vor der anonymen Menge zu produzieren, als Angesicht zu Angesicht mit Freunden, Bekannten oder gar Berühmtheiten, von denen man wußte, wie verwöhnt und kritisch sie eingestellt waren. Immerhin, der Applaus war ermutigend und wohlwollend. Bat gar einer der Anwesenden Frau Reiff an den Flügel – sie war Lisztschülerin und begleitete vorzüglich – und ihren Mann ans Cello, dann wurde über die Maßen geklatscht.

Im Gegensatz zu den meisten meiner Kollegen litt ich fast nie an Auftrittshemmungen. Woher kam das? Freilich, als reife Künstlerin hatte ich keinen Grund zur Sorge, ich konnte mich auf mein Handwerk verlassen. Aber schon als Kind kam es nie vor, daß man mich lange ans Klavier bitten mußte. Ein Wort Pape Staders genügte, schon warf ich den Klavierdeckel zurück. Man vergesse nicht: Ich war arm wie eine Kirchenmaus in die Schweiz gekommen, mit nichts als dem Bedürfnis, den fremden Menschen zu gefallen, damit sie mich nicht wieder fortschickten. Meine Hauptsorge war: Was kann ich tun, um mich beliebt zu machen? Fürs erste griff ich überall zu, wo Not am Mann war, und als ich entdeckte, daß mein Gesang Aufmerksamkeit erregte, daß ein kleines Lied dem Feuerwehrhauptmann oder dem Herrn Altgemeindeschreiber ein Fünffrankenstück entlockte, daß Maielis Gesang zum Gesprächsthema einer Tafelrunde wurde, lag nichts näher, als von dieser Gabe ausgiebig Gebrauch zu machen.

In dieser Beziehung war ich ähnlich veranlagt wie Stefi Geyer. Man saß mit ihr im Künstlerzimmer, während draußen im Saal vom Orchester das erste Stück gespielt wurde, unterhielt sich über welterschütternde Probleme wie die Frage, ob die Katzen zu Hause eingeschlossen seien oder Tochter Rosmarin nicht doch das Küchenfenster offengelassen habe. Irgendwann einmal steckte der Orchesterdiener den Kopf herein, erklärte: »Frau Geyer, wenn ich bitten darf.« – »Ach ja«, erwiderte Stefi, packte die Guarneri aus, machte im Gehen, die Saiten kontrollierend, noch eine Bemerkung über die Katzenfütterung und ging unbekümmert hinaus, als gelte es, frische Luft zu schnappen.

»In zwei Wochen sind wir dran«, sagte Ilona. »Was wollen wir bei Reiffs machen?«

Wir wählten die Pamina-Arie, drei Schubert-Lieder – »Frühlingsglaube«, »An die Nachtigall« und »Die Forelle« – und als Überraschungs-Zugabe die zweite Arie der Königin der Nacht. Ilona begleitete mich bei Reiffs, unsere Darbietung wurde mehr als nur freundlich aufgenommen. Fortan durfte ich mich zum inneren Kreis zählen.

Herr Reiff sagte: »Am liebsten würde ich Sie in ein Bauer sperren, dann dürften Sie nur noch für mich und den Kaiser von China flöten, Sie kleine Nachtigall.« Und Frau Reiff fügte hinzu: »Schade, daß Fritz Busch nicht da war. Aber er wird in ein paar Wochen wieder bei uns sein, dann bringen wir sie mit ihm zusammen.«

So lernte ich Fritz Busch kennen. Stets nur mit meinem Studium beschäftigt, wußte ich so gut wie nichts von dem, was ihm in Deutschland widerfahren war. Aber bei Reiffs war man natürlich eingehend über alles im Bild, was im Dritten Reich vor sich ging.

»Busch ist überall und nirgends zu Hause«, bemerkte jemand.

»Ist er nicht mehr in Berlin?« wollte ich Ahnungslose wissen.

»Busch war in Dresden. Zehn Jahre lang stand er hundertmal jährlich am Pult der Staatsoper, hat in Dresden Operngeschichte gemacht, hat ›Intermezzo‹ uraufgeführt und ›Ägyptische Helena‹, und als Quittung haben ihn die Nazis zur Oper herausgegröhlt.«

Ich war entsetzt. Daß so etwas vorkommen konnte, noch dazu in den erlauchten Räumen eines Opernhauses, überstieg meine Vorstellungskraft.

»Da kann ich Ihnen nachhelfen«, sagte mein Nachbar. »Sie stellen sich einfach ein paar Hundert uniformierte Hammel vor, die zum Auftakt eines Opernabends ›Busch raus!‹ brüllen.«

Fritz Busch genoß den vorbehaltlosen Respekt aller, die ich sprach. Bruno Walter *mußte* gehen, so wie Otto Klemperer, Artur Schnabel, Richard Tauber, meine Fachkollegin Lotte Schöne und zahlreiche andere bekannte jüdische Musiker; Fritz Busch hätte bleiben können, ja die Bonzen in Berlin und Bayreuth buhlten förmlich um seine Dienste. Aber so sehr es ihn auch schmerzte, er kehrte Deutschland den Rücken. Welch ein Mann!

Busch machte keine großen Komplimente. Nachdem er mich gehört hatte, sagte er: »Bleiben Sie noch ein Jahr bei Frau Durigo, und wir werden uns wiedersehen.«

»Was meinen Sie, Fritz? Gäbe sie nicht einen Pagen ab?«, fragte Herr Reiff. Er bezog sich nicht auf Cherubino, sondern, wie er nachher erklärte, auf den Oskar im »Maskenball« Verdis, der 1932 unter Buschs Leitung an der Städtischen Oper Berlin gegeben worden war und wovon man noch lange sprach. Regie hatte der Intendant der Städtischen Oper, Carl Ebert, geführt, auch er ein Vertriebener, der zeitweise bei Reiffs wohnte und jetzt neben mir stand. Ebert maß mich von Kopf bis Fuß. Was dachte er wohl?

Ich wußte damals nicht, daß Busch und Ebert weiterhin zusammenarbeiteten, nicht mehr in Deutschland freilich, sondern im englischen Glyndebourne an der Privatoper des Mr. Christie, von dem ich noch zu berichten habe. Die Glyndebourner Busch-Ära (1934–1939) ist inzwischen in die Operngeschichte eingegangen, zu Recht, wie jeder weiß, der die Plattenaufzeichnungen kennt. Später erfuhr ich – von Eta Busch, wenn ich nicht irre –, daß ihr Vater mit der Besetzung der Norina in »Don Pasquale« durch Mrs. Christie, die unter dem Namen Audrey Mildmay bereits die Susanne und Zerline gesungen hatte, nicht glücklich war. Dachte Ebert damals an mich?

Obschon ungleich folgenschwerer für meine Karriere als meine Bekanntschaft mit Busch und Ebert, kann ich mich an mein erstes Zusammentreffen mit Bruno Walter beim besten Willen nicht mehr erinnern. Seit jenem verhängnisvollen vierten Bruno-Walter-Konzert mit den Berliner Philharmonikern im März 1933, als die Obrigkeit drohte, sie würde – sollte Walter das Podium betreten – im Saal alles kurz und klein schlagen lassen, war Dr. Walter ein Heimatloser geworden. Richard Strauss war damals an seine Stelle getreten und hatte seine »Sinfonia domestica« dirigiert, was ihm, wie Grete Busch in der Biographie ihres Mannes Fritz erzählt, nach seinen eigenen Worten in den Augen aller anständigen Menschen mehr Schaden zugefügt habe, als je eine deutsche Regierung an ihm hätte gutmachen können.

In Zürich stiegen Walters, wenn ich nicht irre, bei Reiffs nur dann ab, wenn ihre bevorzugten Zimmer im Dolder-Hotel belegt waren, während Buschs und Eberts ständig als Hausgäste kamen und gingen.

Bruno Walter bei Reiffs anzutreffen war seltener. Dennoch schaute er hin und wieder herein, auf dem Weg von Rom nach Amsterdam, beehrte ein Mittwochkonzert mit seiner Anwesenheit und hörte auch mir zu, als ich sang, zum Beispiel Bachs »Bist du bei mir«, das Lily Reiff besonders gern hatte. Ich sang das Lied zum letzten Mal für sie im Mai 1958, als die Zweiundneunzigjährige zu Grabe getragen wurde.

Nach dem Krieg, als man sich wieder gefunden hatte, unterließ es Bruno Walter nicht, sich schon in seinem ersten Brief an Lily Reiff nach mir zu erkundigen. Ich muß ihm also Eindruck gemacht haben, was ich damals nicht einmal ahnte, geschweige denn zu träumen gewagt hätte.

Bei Reiffs traf man nicht nur Musiker. Auch Mitglieder des Schauspielhauses waren vertreten.

Sprechen Zürcher Habitués vom Zürcher Schauspielhaus vor und während des Zweiten Weltkrieges, kommen sie ins Schwelgen. Zürichs Sprechbühne war damals mehr als ein Theater, sie war zum Sprachrohr der Freiheit geworden. Am »Pfauen« hörte man allabendlich die besten Schauspieler deutscher Zunge, die oft genug dem Zugriff ihrer Verfolger nur um ein Haar entronnen waren und in der Schweiz Zuflucht gefunden hatten. Viele von ihnen waren politisch engagiert gewesen, haßten den Nationalsozialismus und bildeten eine kulturelle Abwehrfront. Als der Besitzer der Pfauenbühne, Herr Rieser, 1938 auswanderte und sein Haus zum Verkauf ausschrieb, drohte das Theater unterzugehen. Schon rissen Nazis, deutsche und schweizerische, jauchzend ihre Bierseidel hoch. Begreiflich, daß Ferdinand Riesers Emigration wie eine Bombe einschlug, auch bei Reiffs. Therese Giehse, Maria Becker, Ernst Ginsberg, Kurt Horwitz, Erwin Parker ... sie alle gehörten zu unserm Kreis. So manche ihrer Diskussionen habe ich heute noch im Ohr:

»Na, Thereschen, gehn wir halt ooch nach Amerika.«

»Was heißt Amerika? Bei mir reichts gerade noch für 'ne Tramkarte bis zum Zoologischen und zurück.«

In der Ecke leierte eine Baßstimme: »Der Dolly, der geht's gut, die ist in Hollyvud und sitzt mit Lilian Gish an ...? – Weiß jemand, wie's weitergeht?«

»... am selben Tisch.«

»Nee, det ist unrhythmisch. Hast kein Gefühl für Jamben, Schätzchen.«

»Wie wär das: und sitzt mit Lilian Gish an Valentinos Tisch.«

»Entschieden förderlicher wäre: An Rockefellers Tisch.«

»Na, hört euch das an! Diese Aussprache! Rrrrockäfellar. Man merkt's. Der Otto, der nimmt Englischstunden. Der sorgt vor. Sag uns mal was auf englisch, Otto. Hau duh juh duh ... Okay?«

»Damit kommste nicht einmal zum Hollyvuder Flohzirkus.«

»Dann geh ich zum Stummfilm.«

Keiner mußte zum Stummfilm. Ein beherzter Mann machte die Sache des Schauspielhauses zu seiner eigenen, der Verleger Emil Oprecht. Mit ihm verbanden sich Walther Bringolf, der spätere Bundesrichter Kurt Düby und der Stadtpräsident von Zürich, Emil Klöti; auch private Geldgeber schlossen sich an. Riesers Privattheater wurde von einer neu ins Leben gerufenen Aktiengesellschaft übernommen, der Direktion Oskar Wälterlins anvertraut. Das Pfauentheater war gerettet.

Curt Riess schildert diese Zeit anschaulich in seiner Geschichte des Zürcher Schauspielhauses »Sein oder Nichtsein«. Er gedenkt auch der Teenachmittage bei Reiffs und schreibt: »Übrigens schien Frau Reiff meist zu wissen, wem es gerade nicht so gut ging. Sie steckte dem Betreffenden auf ebenso noble wie rührende Weise Geldbeträge zu, die nicht einmal so geringfügig waren. Eine große Dame, die dem Schauspielhaus leidenschaftlich anhing ...« Ob es allerdings so war, wie Curt Riess weiter meint, daß die hungernden Schauspieler quasi als Gegenleistung für die belegten Brötchen Musikvorträge über sich ergehen lassen mußten, möchte ich bezweifeln. Es soll, habe *ich* mir sagen lassen, auch unter Schauspielern Musikliebhaber geben.

Besonders ihr ans Herz gewachsene Schützlinge ernannte Lily zu »Samstagsfrühstückskindern«. War man Samstagsfrühstückskind geworden, durfte man sich samstags zum Mittagstisch einfinden. Serviert wurde ein von uns jugendlichen Kostgängern stets bis zur letzten Faser verschlungener Berg gekochten Rindfleisches – »Tafelspitz«, wie österreichische Gäste sagten –, umkränzt von einer süßsauren Fülle bunter Beilagen. Schien die Sonne, fuhr gegen halb drei Uhr Reiffs weißbereifte Limousine vor, eine jener motorisierten Droschken, wie es sie in den dreißiger Jahren noch gab, hoch, elegant, auf breiten Rädern, innen mit Vorhängen, Fußstützen und kleinen Blumenvasen ausgestattet. Hinten saßen sich bequem drei und drei gegenüber. Eine Glasscheibe trennte die Herrschaft vom Chauffeur.

»Alles da? Gebt auf die Hunde acht!« rief Lily. Die Lage sämtlicher Hundeschwänze wurde sorgsam überprüft, ehe die Seitenflügel schwer und dumpf wie Safetüren ins Schloß fielen. Denn das Reiffsche Hundegespann Ritar und Dando, ein Spitz und ein Malteser, beide schneeweiß, flink wie die Wiesel, waren bestimmt mit von der Partie. Und hatte sich Judith Hellwig, die reizende Jugendliche vom Stadttheater, der Gesellschaft angeschlossen, kam noch ein dritter weißer Hund dazu. Der Motor sprang an, schnurrte leise, und los ging's bis zum See, dann nach links in den alten Alpenquai, über Quaibrücke und Bellevueplatz die Rämistraße hinauf, dann nach rechts auf Hottingen zu – ins Grüne.

Etwa fünfundvierzig Minuten später, hinter dem Forchdenkmal oder in der Nähe des Schlößchens Greifensee befahl Herr Reiff: »Halt! Ausgestiegen!« Man folgte dem Kommando, der Chauffeur erhielt Anweisung, bis zu einem nicht allzu fernen Gasthaus vorauszufahren, denn man wollte diese Distanz auf Schusters Rappen zurücklegen. Im Gasthaus angekommen, wurde ein langer Holztisch im Wirtshausgarten mit Beschlag belegt, kellerfrischer Apfelsaft, Tilsiterkäse und knuspriges Bauernbrot aufgetragen. Da erzählte mir Judith dann das Neueste vom Stadttheater und von ihrer Lieblingsrolle, der Pamina. Plötzlich schossen die drei Hunde auf und davon, um den Hof herum, Judiths Schoßkind verfehlte eine Kurve, und platsch! landete es in der Jauchegrube. Großes Gekreisch am langen Holztisch, bis ein eilends herbeigerufener Knecht das Hundebündel dunkel wie Monostatos aus der Tiefe zog. Den Jauchegeruch wurde man nicht mehr los.

Gleichfalls nicht unbedingt der Luftreinheit förderlich war der Zigarillo, der stets, morgens, mittags und abends, aus einem Mundwinkel Annette Kolbs hing. Frau Kolb war öfter Dauergast bei Reiffs. Gesellschaftsausflüge ins Grüne schätzte sie nicht. Sie erschien kurz vor dem Mittagessen, freundlich, aber förmlich, wie eine Generalswitwe in einer englischen Pension. Sofort nach dem Essen zog sie sich wieder auf ihr Zimmer zurück.

Eines Samstags – sämtliche Samstagskinder hatten im Speisezimmer Platz genommen – mußten wir länger als sonst auf Frau Kolb warten. Lily war im Begriff nachzusehen, ob etwas passiert sei, als Frau Kolb endlich kam, sonderbarerweise mit Kopfbedeckung. Man wunderte sich im stillen, besonders als sie zum Tee abermals mit Hut erschien. Aber es wäre unschicklich gewesen, Fragen zu stellen. Nachdem sich Frau Kolb entfernt hatte, verkündete Lily: »Um das Geheimnis zu lüften, das euch alle beschäftigt: Frau Kolb vermißt ihre Perücke, sie ist aus ihrem Zimmer entwendet worden.«

Wir schauten einander groß an. Sollte das bedeuten, man verdächtige einen von uns, ihr diesen Streich gespielt zu haben? Jetzt wurde gerätselt, was mit der Perücke passiert sei. Ich versuchte mir vorzustellen, wie Frau Kolb ohne Perücke aussah – kein sehr erhebendes Bild, das ich schleunigst aus meinen Gedanken zu bannen suchte.

Als ich das nächste Mal bei Reiffs war, hörte ich zu meiner Erleichterung, daß der Dieb entlarvt worden war: Einer der Hunde war beutestolz mit der Perücke im Maul zur Küche hereinspaziert.

Zu den älteren Gästen an der Mythenstraße gehörte auch Elly Ney. Hätte sie für sich in Anspruch genommen, im Trauerzug Beethovens mitmarschiert zu sein, man hätte das für durchaus natürlich und naheliegend empfunden. Ihr Beethovenianertum war ihr förmlich ins Gesicht eingemeißelt worden, was seine Wirkung nie verfehlte. Auch bei mir nicht. Ich greife jetzt zeitlich vor, denn Elly Ney lernte ich zwar bei Reiffs kennen, jedoch mitten im Krieg, als ich bereits verheiratet war. Als eines der Reiffschen »Samstagskinder« war ich wieder einmal zur Table d'hôte eingeladen worden und brachte meinen zweijährigen Roland mit. Beim Anblick des kleinen Buben verwandelte sich die üblicherweise Distanz wahrende Matrone in eine von Zärtlichkeiten übersprudelnde Großmutter. Dies brachte uns einander näher.

»Ich höre Schönes von Ihrem Mozartgesang«, sagte sie.

Mir fiel nichts Gescheiteres ein, als mich zu beklagen. »Ach, wissen Sie, kaum habe ich angefangen, trage ich schon den Mozartstempel.«

»Na, na!« Sie schüttelte ihr weißes Haupt und legte ihre gewichtige, mit Leberflecken bedeckte Hand auf die meine. »Ich bin über sechzig und würde mich glücklich schätzen, diesen Stempel zu tragen.«

Daß sie bereits den Beethovenstempel trug, wagte ich nicht zu bemerken.

Frau Ney erzählte gerne aus ihrer Vergangenheit, zumindest bis zum Jahre 1933. Einer ihrer Klavierlehrer war Schüler von Friedrich Wieck, dem Vater Clara Schumanns, gewesen. Ich sollte überhaupt erfahren, daß jeder Musiker, der etwas auf sich hielt, auf irgendeine Weise mit Schumann, Brahms, Liszt oder Joachim liiert war, so wie es bei den Sopranistinnen einer gewissen Generation gleichsam als Fähigkeitszeugnis galt, von Toscanini geküßt worden zu sein. Später hatte Elly Ney bei Theodor Leschitizky studiert, aus dessen Händen, wenn man so sagen kann, sich ein Heer von Pianisten über die Welt ergoß. Über Leschitizky hatte Elly nicht nur Gutes zu berichten. »Er huldigte einer gewissen Art Tastaturspiel, das mir ganz und gar nicht zusagte«, meinte sie. »Und als er mir schließlich vorwarf, ich nähme das Klavier zu ernst, hatte ich genug. Ich wechselte über zum Lisztschüler Emil von Sauer. Der war mehr nach meinem Geschmack.« Jemand prägte den Begriff des Klaviatursportlers. »Das ist gut gesagt«, fand Elly. »Die hinterlassen keine Leuchtspur. Aber bei Leschitizky steckt schon mehr dahinter als das. Man mußte eben seine Sprache sprechen, wie zum Beispiel Artur Schnabel, der doch zu den Großen gehört. Nur eben, *wir* verstanden uns nicht.«

Uns allen war natürlich bekannt, daß Elly Ney sich, um es gnädig auszudrücken, in den Fußangeln des Dritten Reiches verfangen hatte. War sie anwesend, wurde das Thema geflissentlich gemieden, aber es lag nichtsdestotrotz in der Luft. Lily Reiff war die Patin von Ellys Tochter Leonore und mit dem Takt der guten Gastgeberin darauf bedacht, daß kein Unglück geschah. Setzte sich Elly an den Flügel, um uns mit lichter Grazie Beethovens »Für Elise« oder, in sich ruhend wie die Mondsichel am nächtlichen Firmament, den ersten Satz aus der Mondscheinsonate vorzutragen, schien alles Böse aus der Welt verbannt, konnte man sich nimmermehr vorstellen, wie diese Frau mit den schwarzen Dämonen des tausendjährigen Reiches fraternisieren konnte. Später hörte ich ihre »Appassionata«. Da taten sich plötzlich Pforten auf, die zu tiefgelegenen unterirdischen Schächten führten.

Als ich Elly Ney zum letztenmal nach einem Klavierabend im Kleinen Tonhallesaal sah, ärgerte sie sich darüber, daß ihr Konzert als »letztes« oder »Abschiedskonzert« angekündigt worden war. »Ich spiele, so lange mich meine Beine zum Flügel tragen«, erklärte sie. Sie war damals Mitte Achtzig und hatte kaum mehr die Kraft, sich durch ein überaus anspruchsvolles Programm hindurchzukämpfen. Ich dachte, weniger wäre mehr gewesen. Aber vielleicht wollte Elly auf diese ihre Weise vor dem Herrgott Abbitte leisten. Sie war nämlich ein zutiefst gläubiger Mensch.

Die Kinderfreundin Elly Ney erinnert mich übrigens an eine Szene in New York. Als ich mich fünfzehn Jahre später mit meinem Mann in der Hudson-Metropole aufhielt, waren wir mit Igor Strawinsky zusammen, der mit meinem Mann befreundet war. Der alte Herr trug gern ein grimmiges, unnahbares Gesicht zur Schau, besonders wenn er Fotografen und Autogrammjäger in der Nähe witterte. Aber das war alles Pose. An jenem Nachmittag kam sein Sohn zu Besuch. Mit den Kindern. Als die Enkel zur Tür hereinsprangen, verwandelte sich der brummige Igor, wie von Petruschkas Zauberstab berührt, in eine überschwengliche altrussische Nanja. Igor spielte Hampelmann, Drehorgel, Karussell und zerdrückte Blechtrompete, und hätte seine Gesundheit es ihm gestattet, hätte ich ihn mit den Kleinen auf dem Buckel wie einen Tanzbären im Zimmer umherführen müssen.

Gastfreundliches Zürich

Zurück in meine ersten Zürcher Jahre. Gesellschaftliche Anlässe größeren Formats erlebte ich im Hause von Carola Escher-Prince an der obern Rütistraße, im Dolder-Quartier. In ihrem Familien- und Freundeskreis sang ich oft beim traditionellen Weihnachtstee. Ein anderer Kreis traf sich bei der Familie Horber und bei Heinrich Wagner. Sie alle, Reiffs, Herr und Frau Escher-Prince, Ilonas Freundin Frau Horber, Heinrich Wagner sowie Erika von Schulthess-Rechberg waren unermüdliche Helfer in der Not, liebenswerte Stützen von uns tastenden Anfängern. Es wird oft vergessen, wie sehr der werdende Künstler auf Freunde dieser Art angewiesen ist. Ohne sie käme manche Karriere nicht zustande. Ihrer Güte und Großzügigkeit möchte ich hier ein wenn auch nur bescheidenes Denkmal setzen.

Mag es damals formeller zugegangen sein als heute, steif waren diese Anlässe nie. Frau Escher-Prince besaß als Rheinländerin einen besonderen Sinn für Komik. Als ihr Mann am Abend seines 60. Geburtstages nach Hause kam, überraschte sie ihn mit der Nachricht, es fände im Grandhotel Dolder ein Dinner zu seinen Ehren statt. Escher stürzte sich in seinen Smoking. Vor der Gartentüre sagte Frau Escher: »Ich habe meine Handschuhe im Wohnzimmer liegen gelassen. Auf der Heizung.« – Escher eilte ins Haus zurück, ins Wohnzimmer, knipste das Licht an . . . und erblickte die versammelte Gästeschar in großer Toilette, das gezückte Champagnerglas in der Hand. Frau Escher hatte Familie und Freunde rechtzeitig ins Haus geschmuggelt, wo sie mucksmäuschenstill auf das Geburtstagskind warteten.

Lebhaft erinnere ich mich an einen literarischen Nachmittag im eben erwähnten Grandhotel Dolder, das wie ein Grimmsches Königsschloß am Waldrand des Zürichbergs thront. In einem Turmzimmer hielt Frau Schachian Cercle. Vor ihrer Emigration in die Schweiz hatte sie, ähnlich wie Lily Reiff in Zürich, in ihrem stattlichen Berliner Heim Teenachmittage gegeben, um junge, in Berlin noch unbekannte Künstler in die Gesellschaft einzuführen, unter ihnen, wenn ich nicht irre, Walter Gieseking, für den sich anfänglich niemand sonderlich interessierte. Bei Frau Schachian bezahlte man jedoch Eintritt, wobei der Erlös den jeweiligen Solisten zugute kam, eine lobenswerte Gepflogenheit. Jetzt empfing sie in ihrem Hotelzimmer. Man saß ziemlich eng. »Das war in Berlin natürlich anders«, sagte sie. »Dort hatte ich drei Empfangsräume zur Verfügung. Und wenn nach einem Konzert bei Marie kein Platz mehr war und die Leute auf der Treppe standen, begab sich die ganze Gesellschaft zu mir oder zu Steinthals.«

Mit Marie meinte sie Marie von Bülow. Sie war die zweite Frau des Dirigenten Hans von Bülow, dessen Eheleben musikhistorische Dimensionen annahm, als ihn seine erste Frau, Cosima, Tochter Franz Liszts, verließ, um Richard Wagner zu folgen. Nicht lange danach heiratete Hans eine junge Meininger Schauspielerin, eben besagte Marie. Jetzt war sie eine betagte Dame, und wir waren gekommen, um zuzuhören, wie sie – teilweise aus Originalhandschriften – Briefe vorlas, zuerst von und an ihren Hans, dann von Goethe. Sie trug unter anderem ein Empfehlungsschreiben Liszts vor, das Liszt seinem jungen Schüler Hans von Bülow ausgestellt hatte. »Je réclame tous les services de mes amis pour lui comme pour moi même, et les considérerais comme rendus à ma personne«, hatte Liszt geschrieben, »car je le reconnais comme mon successeur légitime, comme mon héritier par le grâce de Dieu et de son talent.« Ich kritzelte Notizen, eingepfercht zwischen einer polnischen Gräfin und einer Freiherrin aus Baden-Württemberg, die sich französisch über meinen Kopf hinweg unterhielten. »Liszt était si tendrement attaché au jeune von Bülow«, wisperte die Comtesse. »Et von Bülow à Liszt«, ergänzte die Freiherrin. »Alors qu'il n'y avait pas d'autre solution que d'épouser la fille.« Die Comtesse wandte sich indigniert ab. »Ne remouons pas dans le passé«, sagte sie.

Über von Bülow zirkulierten bei Reiffs eine Menge Anekdoten. Schneidig, schnippisch und schlagfertig machte der kleine Mann mit dem Spitzbärtchen allenthalben von sich reden, nicht zuletzt, weil er sich selber gerne reden hörte. Berüchtigt waren seine improvisierten Ansprachen ans Konzertpublikum, die er seinen Aufführungen vorangehen ließ und in denen er sich mitunter in der Hitze des Gefechts arg verhaspelte, so etwa als er eine Eloge auf den soeben verstorbenen Kaiser Wilhelm I. hielt, allem Anschein nach zu Brahms hinüberleiten wollte, den er noch zu dirigieren hatte, auf dem Weg dahin den Faden verlor, vergaß, daß er in Hamburg war und des langen und breiten über Leipzig und Mendelssohn referierte, um, als er sich seiner Umgebung wieder bewußt wurde, zum Schluß in den Saal hinauszutrompeten: »Der Kaiser ist tot! Mendelssohn ist tot! Bismarck lebt! Brahms lebt!«

Von der Bülowschen Korrespondenz ist mir nichts in Erinnerung geblieben. Nachher gab es feinen Tee und delikates Blätterteiggebäck, hierauf kramte Frau von Bülow in einer goldbeschrifteten Mappe und zog Kostbarkeiten aus Goethes Hand hervor. Ich wußte, daß Goethe eine besondere Vorliebe für Mozarts »Zauberflöte« hatte, aber in den Briefen, die Frau von Bülow vorlas, stand nichts davon. Hingegen bedankte er sich bei Achim von Arnim für das ihm zugestellte Exemplar der von Arnim und Brentano herausgegebenen Gedichtsammlung »Des Knaben Wunderhorn«, das überall dort zu finden sein müsse, wo frische Menschen wohnten. »Wo frische Menschen wohnten«, diese hübsche Wendung ist mir geblieben, und wenn ich das Solo in Mahlers Vierter Symphonie sang, dachte ich daran.

Von weniger bekannten Sorgen Goethes erfuhr man aus dem Zeugnis, das Goethe einer Köchin aushändigte. Ich erbat mir den Text und schrieb ihn ab. Ich dachte, sollte ich es jemals so weit bringen, Dienstboten zu haben, könne ich mich notfalls bei der Lektüre dieses Dokumentes trösten. Hier also das im März 1811 abgefaßte Schreiben an das Polizeikollegium in Weimar: »Nach der älteren, erst vor kurzem unter dem 26. Februar erneuerten Polizeyordnung, welche den Herrschaften zur Pflicht macht, die Dienstboten nicht blos mit allgemeinen und unbedeutenden Attestaten zu entlassen, sondern darin gewissenhaft ihr Gutes und ihre Mängel auseinanderzusetzen, habe ich der Charlotte Hoyer, welche als Köchin bei mir in Diensten gestanden, als einer der boshaftesten und incorrigibelsten Personen, die mir je vorgekommen, ein, wie die Beylage ausweist, freylich nicht sehr empfehlendes Zeugnis bey ihrem Abschiede eingehändigt. Dieselbe hat sogleich ihre Tücke und Bosheit noch dadurch im Uebermaass bewiesen, dass sie das Blatt, worauf auch ihrer ersten Herrschaft Zeugnis gestanden, zerrissen und die Fetzen davon im Hause herumgestreut; welche zum unmittelbaren Beweis gleichfalls hier angefügt sind. Ein solches gegen die Gesetze wie gegen die Herrschaften gleich respectwidriges Benehmen, wodurch die Absichten eines hohen Polizeicollegii sowohl, als der gute Wille der Einzelnen den vorhandenen Gesetzen und Anordnungen nachzukommen, fruchtlos gemacht werden, habe nicht verfehlen wollen, sogleich hiermit schuldigst anzuzeigen, wobei ich noch zu erwähnen für nöthig erachte, dass es die Absicht gedachter Hoyer war, in die Dienste des hiesigen Hofschauspielers Wolff zu treten. (Beylage das Zeugniss) Charlotte Hoyer hat zwey Jahre in meinem Hause gedient. Für eine Köchin kann sie gelten, und ist zu Zeiten folgsam, höflich, sogar einschmeichelnd. Allein durch die Ungleichheit ihres Betragens hat sie sich zuletzt ganz unerträglich gemacht. Es beliebt ihr nur nach eigenem Willen zu handeln und zu kochen; sie zeigt sich widerspenstig, zudringlich, grob, und sucht diejenigen, die ihr zu befehlen haben, auf alle Weise zu ermüden. Unruhig und tückisch verhetzt sie ihre Mitdienenden und macht ihnen, wenn sie nicht mit ihr halten, das Leben sauer. Außer andern verwandten Untugenden hat sie noch die, dass sie an den Thüren horcht. Welches alles man, nach der erneuten Polizeyordnung hiermit ohne Rücksicht bezeugen wollen ...«

Ein einmaliges gesellschaftliches Ereignis jener Jahre war der Ball der Zürcher Konservatoriumsstudenten, der Konsi-Ball, meines Wissens der letzte seiner Art. Originelle Dekorationen schmückten die kahlen Gänge und Räume des altehrwürdigen Instituts und trugen dazu bei, die nüchterne Schulhausatmosphäre zu verjagen. Der beschwingte Abend begann mit einem der leichteren Muse gewidmeten Konzert, gegen dessen Ende zwei Studenten eine mannshohe, von einem leuchtend roten Band umschlossene Schachtel aufs Podium trugen. Soeben sei, erklärte der Dirigent des Konsi-Orchesters, aus Wien eine Sendung eingetroffen. Während das Orchester die Einleitung zum »Frühlingsstimmenwalzer« von Johann Strauß spielte, wurde die Schleife auseinandergezogen, der Deckel mit Zeremoniell abgehoben, worauf singend ich zum Vorschein kam. Klänge aus der Fledermaus: »Mein Herr Marquis, ein Mann wie sie« leiteten zum Tanz über. Die Ballnacht endete allerdings anders, als ich mir erträumt hatte. Des körperlichen Energieaufwandes überdrüssig, zog sich Volkmar Andreae mit zwei Herren in den frühen Morgenstunden in ein oberes Unterrichtszimmer zurück, um »einen Jaß zu klopfen«. Was fehlte, war der vierte Partner. Marili mußte herhalten. Als Wirtstochter war ich bekanntlich auch in dieser Kunst geübt.

So lebte ich ziemlich sorglos dahin, während am politischen Horizont Gewitterwolken aufzogen. Bei Eggimanns in Rüschlikon verbrachte ich, wie ich bereits erzählt habe, manches Wochenende, während der Konsi-Ferien war ich mitunter auch Dauergast. Nach Romanshorn kam ich jetzt weniger, hielt aber Pape über alles Wissenswerte auf dem laufenden. Ich erzählte ihm von Erika von Schulthess, die den musikalischen Nachwuchs mit einem von ihr lancierten Zyklus in der »Meise« und im Großmünster förderte. Überschüsse gehörten den Mitwirkenden. Hans Andreae und Sylvia Kind spielten Cembalo, Antonio Tusa Viola da gamba, Othmar Nussio Flöte, ich sang in einem Duett- und Arienabend mit dem Bariton Marko Rothmüller Ausschnitte aus Opern von Mozart, Bizet, Verdi und Rossini. Man schrieb April 1937.

Ungefähr um diese Zeit hörte ich erstmals von Gerüchten, wonach meine Lehrerin Ilona Durigo beabsichtigte, nach Budapest zurückzukehren. Bei aller Bewunderung ihres Künstlertums hatte ich ohnehin eine Trennung von ihr ins Auge gefaßt. Ich sehnte mich nach einem Pädagogen, der Wert auf die technischen Aspekte der Gesangskunst legte. Überdies hatte Frau Durigo es darauf abgesehen, mehr Volumen aus meiner Stimme herauszuholen, mehr als im Augenblick zu holen war, ein zwar gutgemeintes, aber in meinem Fall verfrühtes Unterfangen. Ich mußte die »Butterfly« einstudieren, eine ausgesprochen lyrisch-dramatische Partie, die mich zum Forcieren verleitete. Auf die Dauer hielten das meine Stimmbänder nicht aus, ich war drauf und dran, meine Höhe zu verlieren. Manchmal klang meine Stimme belegt. Bei Onkel Hans war so etwas nie vorgekommen, auch nicht, wenn wir uns noch so sehr verausgabt hatten.

Für eine Sängerin sind das Warnsignale, die sie gar nicht ernst genug nehmen kann. Auch meine Intonation ließ zu wünschen übrig. Ich sang zu tief. Das hatte nichts mit mangelhaftem Gehör zu tun, sondern gesangstechnische Gründe. Vor lauter Ausdruck setzte ich die Töne nicht mehr hoch genug an, sie verloren an Kopfklang, an Kopfresonanz. Es war eben kein Keller da mit seinem »Scheiße! Nimm's von oben!« Der feinhörige Willi Schuh legte seinen Finger auf den wunden Punkt, als er in der bereits erwähnten Kritik nach dem Duettabend in der Tonhalle auf eben diese Störung hinwies. Jetzt war guter Rat teuer.

Kapitel 15

Der Wegweiser zeigt nach Italien

»Machen Sie sich keine Sorgen. Wir werden das zusammen wieder in Ordnung bringen«, sagte Stefi Geyer. Ilona Durigo war gegangen.

Statt zu ihr begab ich mich täglich an die Zollikerstraße zu Stefi. Wir übten vollkommen tonreine Oktavsprünge. Stefi spielte das Intervall auf der Geige vor, ich sang es ihr nach, wurde korrigiert, bis es saß. So übten wir Quinten und Oktaven, stufenweise in chromatischer Folge bis ins dreigestrichene G hinauf. Auf diese Weise (und mit Onkel Hans im Ohr!) gelang es mir tatsächlich, meine Intonation nach und nach zu regenerieren.

Oft besprachen wir die Frage eines neuen Lehrers. Aber wer? Vielleicht sollte ich mein Glück in Italien suchen, im Land des Belcanto. Ich beschloß, Fritz Busch um Rat anzugehen. Er hatte mich bei Frau Reiff gehört und sich lobend geäußert. Aus London telegraphierte er mir: »Irene Eisinger.« Frau Eisinger war die Despina von Buschs Glyndebourne-»Così fan tutte«, eine international bekannte Soubrette, und lebte in England. Stefi hatte mir jedoch einen Floh ins Ohr gesetzt, ich wollte nach Italien und benachrichtigte Busch in diesem Sinne. Umgehend schlug er Therese Schnabel vor, Irene Eisingers Lehrerin. Sie unterrichtete jetzt in Tremezzo am Comer See. Örtlich bedeutete das natürlich Italien, gesangstechnisch jedoch, soweit Stefi und ich es beurteilen konnten, weiterhin deutsche Schule. Mein Telegrammaustausch mit Fritz Busch beruhte auf einem Mißverständnis. Ich hatte mich vielleicht nicht deutlich genug ausgedrückt. Mit Italien meinte ich zugleich »italienische Schule«. Mich faszinierte die Herzenswärme, das Glutvolle, das Metall der italienischen Stimmen. Busch hatte sich indessen präzise dadurch einen Namen gemacht, daß er italienische Opern mit nicht-italienischen Sängern aufführte, und dies mit eklatantem Erfolg. Seine Verdi-Ensembles – mit Meta Seinemeyer, Maria Nemeth, Tino Pattiera, Robert Burg, Hans Reinmar, Ivar Andresen u. a. m. – erregten die vorbehaltlose Bewunderung Arturo Toscaninis, seine damalige Wiederbelebung von »Maskenball« und »Macht des Schicksals« in Deutschland ging als Markstein in die Musiktheatergeschichte Berlins und Dresdens ein. Und für seinen Glyndebourne-»Macbeth« holte er Vera Schwarz aus Wien. Bei allem Respekt vor Fritz Buschs Kompetenz war er für mein spezifisches Anliegen nicht der richtige Mann.

Ein Zufall lenkte mich auf die richtige Spur. Zwar erlaubte mir mein bescheidener Haushaltsplan keine großen Sprünge, aber wenn mir jemand unter die Arme griff – oft genug tat das die gute Stefi – reichte es hin und wieder zu einem Konzert- oder Opernbillett.

Besonders das Stadttheater, die Oper in Zürich, hatte es mir angetan. Es wurde vom früheren Bariton des Hauses, dem erfahrenen Karl Schmid-Bloss geleitet und bot neben Oper, Operette und Ballett auch Sprechtheater mit dem Ensemble des Schauspielhauses. Krönenden Saisonabschluß bildeten damals wie heute die Juni-Festspiele mit prominenten Gästen und als besondere Nachtischdelikatesse die Stagione d'Opera Italiana des Impressarios Max Sauter-Falbriard, der berühmte italienische Künstler der Epoche nach Zürich brachte: Lina Bruna Rasa und Aureliano Pertile für »Nerone« des »Cavalleria«-Komponisten Pietro Mascagni mit dem Komponisten am Dirigentenpult, Gina Cigna und Ebe Stignani für »Aida« und dann die hinreißende Koloratursängerin Toti dal Monte 1937 als »Lucia«, 1938 als »Traviata«. Doch auch das Jahr hindurch gab es neben solider Ensemblearbeit stets interessante Gäste zu hören: die Tenöre Richard Tauber und Kurt Baum, die Wagnersängerinnen Anni Konetzni und Paula Buchner, ja es gab sogar Konzertveranstaltungen im Stadttheater: das Busch-Quartett mit Vladimir Horowitz, einen Klavierabend mit Alfred Cortot und Orchesterkonzerte der Tonhallegesellschaft, vermutlich weil damals am neuen Kongreßhaus für die Landesausstellung 1939 gebaut wurde. Zwei Opernszenen aus dieser Zeit sehe ich noch bildhaft vor mir: eine »Carmen«, letzter Akt, mit Sigrid Onegin und Max Hirzel, eine »Forza del Destino«, Klosterbild, mit Dusolina Giannini. Beide Male war das Zusammenwirken von Stimmwohllaut und Bühnenpräsenz einfach phänomenal. Dann kam Kirsten Flagstad und bei Reiffs sprach man nur noch von ihr. Im Jahrbuch des Stadttheaters 1939/40 widmete Schmid-Bloss der neuen Isolde und Walküren-Brünnhilde Zürichs einen Aufsatz, betitelt: »Das Erlebnis Flagstad«. »Nie vorher habe ich, und viele mit mir, ein derart wundersames Erlebnis durch die Wirkung einer Sängerpersönlichkeit von der Bühne herab genossen wie durch diese Frau«, schrieb er. »Man hatte schon von ihr gehört als einem amerikanischen Super-Star mit enormen Gagen und war dadurch gewarnt und skeptisch . . ., und dann kommt eine schlichte, stille Künstlerin . . . Sie scheint von innen heraus zu leuchten.« So war es. Ich hörte sie in einer »Walküre« unter Wilhelm Furtwängler mit vier weiteren herrlichen Sängerdarstellern: Max Lorenz als Siegmund, ferner mit der französischen Wagnersängerin Germaine Lubin als Sieglinde, Karin Branzell als Fricka und Joel Berglund, dem ich später als Direktor der Stockholmer Oper wiederbegegnete, als Wotan. Noch sehe ich die zusammengebrochene Brünnhilde zu Füßen des zürnenden Gottes. »War es so schmählich . . .?« Bisher hatten mich Theatererlebnisse bewegt, begeistert, gerührt . . ., dieses Mal war ich tief erschüttert. Das hat sich seither nie mehr in diesem Ausmaß wiederholt.

Mein späterer Mann, der viele Jahre an der Zürcher Oper tätig war, erlebte das »Wunder Flagstad« aus allernächster Nähe. 1947 kehrte die norwegische Hochdramatische nach Zürich zurück, um abermals in den Juni-Festspielen die Isolde zu geben, unter Hans Knappertsbusch. Max Lorenz war ihr Tristan, Andreas Boehm, Lubomir Vischegonov und meine Kollegin in vielen Oratorienkonzerten, die damals junge Elsa Cavelti, die eine zauberhafte Brangäne sang, waren mit von der Partie. Im dritten Akt tritt Isolde von Kareols Ufern her auf. Ehe sie die Bühne betritt, ruft sie hinter der Szene nach dem Geliebten: »Tristan! Tristan!« Forte-Einsatz auf dem hohen A.

Mein Mann hatte die Einsätze hinter der Bühne zu geben, dem Englischhorn und weiß Gott noch wem . . ., auch Isolde gehörte dazu. Er postierte sich dicht neben die Flagstad. (»Ein Riesenweib! Alles Resonanzräume! In den Pausen hat sie sich kaltes Bier die Kehle runtergeschüttet.«) Der Einsatz nähert sich. Die Musik wirbelt das Geschehen in die Höhe, man sieht Isolde den Hügel heranstürmen, die Flagstad, eben noch entspannt, friedlich um sich blickend, faßt Fuß, blickt starr geradeaus, geht leicht in die Knie, auf die Zehenspitzen, saugt Luft ein . . ., und dann: »Tristan! Tristan!« Mein Mann war außer sich, als er nach Hause kam. »Die hat mein Trommelfell schier entzweigerissen!« berichtete er. »Niemals hätte ich es für möglich gehalten, daß ein einzelnes menschliches Wesen imstande ist, einen so lauten Ton von sich zu geben. Übermenschlich! Und schön dazu. Verdammt schön!«

Als Sängerin mit Stimmsorgen interessierte ich mich natürlich brennend für die stimmtechnischen Leistungen der Primadonnen. Bei der Onegin und der Flagstad bewunderte ich die herrlich ausgebildete Mittellage, die sich nach oben und unten vollkommen gleichmäßig ausdehnte. Mein Problem aber war die Höhe, und zwar die extreme Höhe, die ich beinahe eingebüßt und nur mit Mühe wieder einigermaßen zurückgewonnen hatte. Immer lauschte ich auf die hohen Kopftöne meiner arrivierten Kolleginnen. Es war Toti dal Monte, bei der ich in dieser Beziehung erstmals in meinem Sinn völlig begeistert war. Welche Weichheit und Leichtigkeit selbst in dreigestrichenen Sphären! So und nicht anders mußte es klingen. Würde sie mir helfen?

Auf Stefis Betreiben hin setzte sich Walter Schulthess mit Signora dal Monte in Verbindung, erfuhr jedoch, daß sie keine Gesangsstunden gab. Ihr Konzertkalender ließ ihr dazu nicht genügend Zeit. Dagegen lud sie mich ins Baur au Lac zum Tee ein. Vor mir sehe ich das strahlende, rundliche Gesicht der liebenswürdigen Signora, die alles über mich wissen wollte, über meinen Werdegang, meine Pläne, meine Sorgen, und ich sprach mich offenherzig darüber aus. Madame sprach ein heiteres Durcheinander von Italienisch, Französisch und Deutsch.

»Chiaro! Chiaro! Ick verstehe tous ces problèmes perfettamente. Dunque, senta bene. Je vous donne una lettera di raccomandazione. Sie gehen à mia collega Arangi Lombardi. Ist beste Lehrerin di Milano. E grande artista. Sie helfen. Sûrement, sûrement, carina.«

Sie ließ sich Schreibpapier geben, entnahm ihrer Handtasche einen dicken versilberten Füller und warf ein paar Zeilen aufs Büttenpapier. »Nikt verlieren!« mahnte sie. »Senza raccomandazione sie nehmen niemand. Personne. Nessuno. Dunque, sie gehen a Milano, geben questa lettera alla Arangi. Sarà lavoro duro. Molto duro.«

Aaa-rraaangi! Wie sie das sagte! Das allein klang bereits wie die personifizierte Gesangskunst. Ich bedankte mich sehr und verließ die Hotelhalle wie auf Wolken.

Auf dem Umschlag stand: Giannina Arangi Lombardi. In diesem Namen, wie in jedem großen Sängernamen, lebt ein Stück Überlieferung der wunderbaren, einzigartigen Gesangskunst, die seit Jahrhunderten nie schriftlich, nie mittels Bücher, sondern mündlich, im Zwiegespräch, von Lehrer zu Schüler weitergegeben wurde. Die Arangi war einer der hervorragenden Soprane im Italien der zwanziger und dreißiger Jahre, als an den italienischen Bühnen eine Reihe erstrangiger, im »drammatico« brillierender Operndarstellerinnen miteinander konkurrierten: Ester Mazzoleni, Maria Llacer, Lina Bruna Rasa, Carmen Melis, die Lehrerin der Tebaldi, Tina Poli Randaccio, Iva Pacetti, Gina Cigna, Bianca Scacciati und die weit über die Grenzen ihres Heimatlandes berühmte, mit der Duse verglichene Claudia Muzio.

Die Versuchung, dem Bühneneffekt des Verismo zu erliegen, ist für italienische Sänger groß, für dramatische erst recht. Eine Tosca, die sich am Boden wälzt, kann ihr Publikum für manches entschädigen, das ihre Kehle nicht mehr zu bieten hat. Zwar sang die Arangi Lombardi Santuzza, Tosca, Turandot und Maddalena in »Andrea Chénier« von Giordano, aber in ihrem sängerischen Wesen blieb sie als ebenbürtige Partnerin Aureliano Pertiles, Giacomo Lauri Volpis und Benjamino Giglis dem – wie es der echte italienische Opernliebhaber will – »repertorio ottocentesco«, dem belcantistischen Repertoire des 19. Jahrhunderts verpflichtet, also jenen Werken, in denen die Darsteller mit vokalen Mitteln zu »schauspielern« haben, in denen Charakterfarben und Emotionen *primär akustisch* und erst in zweiter Linie visuell ausgedrückt werden. Leider gibt es immer wieder Opernregisseure, die nicht begreifen wollen, daß eine Sängerin bei der Wiedergabe so anspruchsvoller Arien wie »Dove sono«, »Casta diva« oder »Caro nome« ihre Beine nicht bewegen sollte.

Giannina Arangi Lombardi sang in »Mosè« von Rossini, in Bellinis »Beatrice di Tenda« und »Norma«, in Donizettis »Lucrezia Borgia« und Spontinis »Vestalin«, sie sang die beiden italienischen Leonoras – in »Forza« und »Trovatore« –, und sie sang Mozart, ja es ist nicht zuviel gesagt, sie *die* Donna Anna der Scala der Zwischenkriegszeit, sogar *die* italienische Donna Anna des Jahrhunderts zu nennen. Mailand hörte ihre Anna zum erstenmal in der Saison 1929 in einer nota bene rein italienischen Besetzung, sodann, 1935, Salzburg in der berühmten Bruno-Walter-Aufführung mit Ezio Pinza als Don Giovanni.

Hinweis und Empfehlung Signora dal Montes waren – das wußte ich – die denkbar glücklichste Fügung des Schicksals. Und doch hatte sich Fritz Busch für mich verwendet, wenn sein Rat auch in eine andere Richtung wies. Durfte ich darüber hinweggehen?

Kapitel 16

Bei Schnabels in Tremezzo

Fragte sie eine Schülerin, ob sie ihr Geigendiplom in Budapest gemacht habe, pflegte Stefi Geyer zu antworten: »Ich besitze nur *ein* Diplom, ein Schwimmdiplom.«

Obschon ich eine mit den Gewässern der meisten Schweizer Seen gewaschene Schwimmerin bin, habe ich nicht einmal ein Schwimmdiplom. Wir Solisten sind ein besonderer Fall. Unser Publikum interessiert sich weder für Titel, Zeugnisse noch sonstige Bescheinigungen: Es will die Leistung des Augenblicks. Und daß er diese Leistung erbringen kann, darauf muß sich der Solist verlassen können.

In dieser Beziehung machte ich mir Sorgen. Um sie loszuwerden, befolgte ich zunächst einmal Fritz Buschs Rat, erst recht nachdem ich vernommen hatte, er habe eigens nach Tremezzo geschrieben, um mich seiner Freundin Therese Schnabel ans Herz zu legen. Daß ich mir diese Reise leisten konnte, verdankte ich wiederum der Hilfsbereitschaft meiner Zürcher Gönner.

Kurze Zeit vor meiner Abreise rief Frau Haab, die Frau unseres Romanshorner Arztes, an und berichtete von einer Sitzung des Kunstvereins, dem Dr. Haab präsidierte. Der Vorstand sei zusammengetreten, um über das Programm für den Winter 1938/39 zu beratschlagen, ein junger Dirigent aus Weinfelden namens Hans Erismann habe an dieser Sitzung teilgenommen. Er plane für November 1938 die Aufführung des Oratoriums »Das Lebensbuch Gottes« nach Texten von Angelus Silesius des Münchner Komponisten Joseph Haas und suche einen Sopran. Herr Erismann sei Musikdirektor in Weinfelden. Frau Haab bestand darauf, daß ich, ehe ich mich nach Tremezzo begebe, Herrn Erismann vorsinge. Sie habe Herrn Erismann für den kommenden Sonntag eingeladen und erwarte auch mich.

Einerseits lag mir daran, meine Beziehungen zu den Schweizer Musikdirektoren zu erweitern. Inzwischen hatte mich Oskar Disler nach Schaffhausen geholt, Ernst Wolters nach Winterthur. Warum also nicht Weinfelden dazunehmen? Andererseits war ich bereits verabredet. Mein Freund Heinz Zulla, der in München Medizin studierte, war soeben für den Sommer in Konstanz eingetroffen, er würde, wenn ich aus Italien heimkehrte, wieder in München sein. Der Sonntag war die einzige Gelegenheit, sich nach längerer Pause wiederzusehen, und wir hatten Sehnsucht nacheinander.

»Dann bringen Sie den Heinz eben mit«, schlug die praktische Frau Haab vor. Also trafen wir uns alle bei Haabs, und nach dem Mittagessen sang ich vor. Der Dirigent Erismann spielte vortrefflich Klavier. Daß zwischen den jungen Herren Giftpfeile hin und her schnellten, die

Luft zum Zerreißen gespannt war, entging mir gänzlich. Erismann engagierte mich vom Fleck weg und erhielt meine Adresse in Tremezzo, um mich über Probetage und Aufführungstag ins Bild zu setzen. Nicht im mindesten ahnte ich die Folgen – daß ich soeben meinem zukünftigen Mann begegnet war.

Unbeschwert und voller Arbeitseifer fuhr ich im Juni 1938 nach Italien, erlebte zum erstenmal das Wunder der sich in gebirgige Höhen hinaufschlängelnden Gotthardlinie und ihres langen Tunnels, der den Reisenden in einer Viertelstunde aus granitharten, kantigen Felsenschluchten in die sattgrüne Mulde des Leventina und so ins milde Tessin bringt. Staunend betrachtete ich die üppige, subtropische Vegetation, die Palmen, Zedern und Zypressen, das sonnenüberflutete Lugano zu Füßen seines Zuckerhutes, alles schien so hell, heiter und sorglos. Und genauso war mir zumute.

In Como bestieg ich einen leicht heruntergekommenen Autobus, der mich nach dem am Ufer des Comer Sees gelegenen Tremezzo brachte, wo Artur und Therese Schnabel in der etwas höher gelegenen, chaletartigen Villa Ginetta Quartier bezogen hatten. Hier befand sich auch das Sekretariat der Schnabel-Schule unter der versierten Leitung von Peter Diamand, dem späteren Leiter des Holland-Festivals, der über das Wohlergehen der etwa fünfzig Meisterschüler wachte. Professor Schnabel unterrichtete die Pianisten, seine Frau Therese die Sänger und der von den Nazis als Konzertmeister der Berliner Philharmoniker entlassene Szymon Goldberg die Geiger. Wir Schüler waren in umliegenden Hotels untergebracht.

Daß Artur Schnabel, zweifelsohne einer der bedeutendsten Pianisten seit Menschengedenken, eine nicht weniger bedeutende Musikerpersönlichkeit zur Frau hatte, wußten nur jene, die Therese in ihren jungen Tagen auf dem Konzertpodium gehört hatten oder sie näher kennenlernten. Die Sängerin Therese Behr – nach ihrer Heirat 1905 Therese Schnabel-Behr –, deren Karriere als Konzertaltistin um die Jahrhundertwende vielversprechend begann (Richard Strauss gehörte zu ihren eifrigsten Bewunderern) und die, mit ihrem Verlobten und späteren Mann am Flügel, den Berlinern unvergessene Abende schenkte, trat mit zunehmendem Alter immer seltener an die Öffentlichkeit. Sie schien es darauf abgesehen zu haben, bescheiden – wie auf der in diesem Buch abgebildeten Gruppenaufnahme – im Hintergrund zu stehen und ihrem Mann den Vortritt zu lassen, obwohl sie als Konzertsängerin durchaus die höchsten Stufen der Leiter hätte erklimmen können. Allerdings hatte sie zunehmend mit ihrer Stimme Mühe, vielleicht, weil sie sich ganz dem Wohlergehen ihrer Familie widmete und infolgedessen das Üben zu kurz kam. In der geräumigen Wohnung an der Berliner Wielandstraße – es soll eine gigantische Zimmerflucht gewesen sein – okkupierten allerdings die beiden Konzertflügel Arturs und seine viertausend Bücher – so viele waren es, die Zahl ist wörtlich zu nehmen – die zentralen Örtlichkeiten. Therese begnügte sich mit einem kleineren Zimmer am Ende eines langen Ganges, wo man sie und ihre Gesangsschüler nicht hörte. Denn sie konzentrierte sich bald ganz aufs Stundengeben.

Fortan war das ihre Domäne, ihre künstlerische Selbstbestätigung, wenn man so will, die Artur nie antastete. Es soll indessen auch Zeiten gegeben haben, da Artur, der von Geld weder viel hielt noch verstand, auf Thereses Verdienst angewiesen war, um die angeschlagenen Familienfinanzen im Lot zu halten.

Als ich Therese kennenlernte, war sie kränklich – sie unterrichtete deshalb stets liegend –, dennoch zog mich die Urkraft ihres Musikertums sofort in ihren Bann. Ich hing an ihren Worten.

»Gutes Kind«, sagte Frau Schnabel, nachdem ich ihr »Nun beut die Flur« aus Haydns »Die Schöpfung« und die erste Arie der Königin der Nacht vorgesungen hatte, »Sie scheinen ja eine fertige Künstlerin zu sein. Ihre Stimme sitzt, technische Probleme sehe ich keine. Arbeiten wir also an der Interpretation.« Dem hielt ich entgegen, daß ich seit zwei Jahren mit Frau Durigo ausschließlich an der Interpretation gearbeitet hätte, wobei ich mir technischer Unzulänglichkeiten bewußt gewesen sei. Diese beträfen vor allem meine Höhe, die ich zwar sicher produzierte, aber ohne eigentlich zu wissen wie, also nicht wirklich »bewußt«. Damit kamen wir auf Technisches zu sprechen; befriedigt stellte ich fest, daß meine neue Lehrerin, im Gegensatz zu meiner ehemaligen, technisch gezielt zu arbeiten verstand und diesen bisweilen undankbaren und sehr individuellen Problemen nicht auswich.

Niemand wußte besser Bescheid um Thereses künstlerischen Genius als ihr Mann. Eingeweihten war bekannt, daß er selber bei Therese musikalischen Rat holte. Hatte sie etwas auszusetzen, an einer Betonung, einer Phrasierung, einem Tempo, ruhte er nicht, bis sie zufriedengestellt war. Da gab es kein Pardon. Im Berlin der Vorkriegszeit, wurde erzählt, spielte Artur einmal unter Klemperer das Vierte Klavierkonzert von Beethoven. Zu Hause angekommen, verlangte Therese die Noten, schlug sie auf, zeigte auf eine Stelle: »Das da hier, du spielst das *so* ...« Sie sang ihm die Takte vor. »*Sooo* muß es klingen!«

Artur soll gestutzt haben.

Zwei Wochen danach war er als Solist unter Bruno Walter angesetzt, mit Beethovens Fünftem. Louise Wolff, die »Königin« Louise, wie sie allgemein hieß, Chefin der berühmten Konzertdirektion Wolff und Sachs – ihr Mann war jener Hermann Wolff, der an der Wiege der Berliner Philharmoniker gestanden hatte – erhielt einen Anruf. »Sagen Sie bitte Doktor Walter, daß ich nicht das Fünfte, sondern das Vierte spielen werde.«

Die Königin protestierte. »Das geht auf keinen Fall. Es gibt jetzt keine Programmänderungen mehr!«

Aber Artur setzte seinen Willen durch. Er spiele das Vierte – oder er spiele überhaupt nicht. Er müsse es nämlich noch einmal, und dieses Mal »richtig« spielen. Mit Seitenblick auf Therese. »Gut so?«

Es kam auch vor, daß Artur im Nebenzimmer übte und Therese, mit irgendeiner Handarbeit beschäftigt, plötzlich aufsprang, die Türe aufriß: »*Jetzt* hast du's!« Und Artur schmunzelte wie ein Honigkuchenpferd.

Äußerlich waren die beiden kaum füreinander geschaffen, er mollig, untersetzt, sie ausgesprochen hochgewachsen; innerlich harmonierten sie wie die große Terz. Wiederholt begleitete ich sie auf ihren mitunter sehr langen Spaziergängen. Artur liebte ausgedehnte Wanderungen, die Berge, den glitzernden See. Die Comer-Gegend ist ja auch bezaubernd. Ich kehre jedes Jahr einmal dorthin zurück, nehme mir ein Zimmer mit Blick auf den See. Nachts, ehe ich mich schlafen lege, öffne ich die Fensterflügel weit, damit die frische Luft hereinströmen kann, wie damals ... lausche den Wellen, die ihr plätscherndes Wiegenlied singen, versenke mich in die flackernden Lichter am gegenüberliegenden Ufer. Dann ist mir auf einmal, als sei ich wieder die junge Miggi in Tremezzo, die nur vom Schönen auf der Welt träumte, immerzu lachte, voller Hoffnungen war ...

Schnabels besaßen einen Foxterrier, Mackie, der natürlich ebenfalls von Arturs Bewegungslust profitierte. Meine Tierliebe entging Artur nicht. Mackie war zumeist der Vorwand, um mich zum Mitkommen zu animieren. »Wir gehen an die frische Luft. Ein paar Schritte«, schelmisches Blinzeln, » . . . mit Mackie.« Dem konnte ich schwerlich widerstehen.

Artur zuzuhören, war stets ein Genuß. Manchmal war er überaus gesprächig, erzählte von den Ausflügen in den Wienerwald, die er als Junge in Gesellschaft älterer Musiker gemeinsam mit Brahms unternommen hatte (»Mich hat Meister Brahms stets mit zwei tiefschürfenden Fragen bedacht. Vor der Jause ›Hascht Hunger?‹ und nach der Jause ›Hascht gnue?‹«) oder von seinem Lehrer und Jugendidol Eusebius Mandyczewski, der ihm den Weg zu Schubert gewiesen hatte. Oder von Mark Twain, dessen Töchter mit ihm studierten und bei dem er oft eingeladen war. Oder von der kurzen, aber prägnanten Begegnung mit Anton Bruckner. Therese, die alle diese Geschichten wahrscheinlich schon hundertmal gehört hatte, hörte sie auch zum hundertundeintenmal nachsichtig mit an und lächelte großmütig, wenn die Pointe kam: »Eigentlich sollte nicht Mandy mein Lehrer werden, sondern Bruckner. Wenn einer mit zehn Jahren so Klavier spiele wie ich, fand meine Mutter, müsse er auch komponieren können. Und da sei nur das Beste gut genug. Also suchten wir Bruckners Wohnung auf, kamen in einen dunklen Gang, der Geruch von Kohlsuppe und abgestandenem Tabak lagerte im Treppenhaus, kletterten die Stufen empor, da hing, mit einem Reißnagel befestigt, ein Zettel, darauf stand ›Bru . . .‹, der Rest war nicht zu entziffern. Eine Klingel war nicht vorhanden. Also faßte sich Mutter ein Herz und klopfte an die Tür. Nichts regte sich. Noch ein Versuch. Man vernahm Schlurfen und Grunzen. Der Schlüssel wurde in Bewegung gesetzt, die Tür öffnete sich einen Spalt, der Kopf einer alten Schildkröte wurde sichtbar: ›Wünschen?‹ – ›Verzeihen, bittschön, der Herr Professor die Störung, aber mein Bub, der Artur, der ist Schüler von Leschitizky und möcht zu Ihnen kommen für Kompo . . .‹

›Hosenmätz unterricht i net‹, brummte die Schildkröte und drückte die Tür zu. »Das«, schloß Artur, »war das Ende meiner Bekanntschaft mit Meister Bruckner.«

Plötzlich konnte Artur traurig werden. Dann wechselte er Blicke mit Therese. Später erfuhr ich, daß Arturs Mutter im von Hitler besetzten Wien lebte.

Bei längeren Wanderungen schaute sich Therese nach einem Albergo oder einer Trattoria um. »Dort is e scheens Kaffeeplätzle!« verkündete sie frohlockend, sobald sich dergleichen abzuzeichnen begann, sich trotz der Berliner Jahre gerne der heimischen Mainzer Mundart bedienend. Artur wäre lieber weiterspaziert. Kam eine Biegung, eine Anhöhe in Sicht, wollte er wissen, was sich dahinter verbarg. Meistens nochmals eine Anhöhe, nochmals eine Biegung. Dann mußte auch diese erforscht werden.

»Willst einen Kaffee?« fragte er.

»Nein«, sagte Therese, »Maria und ich, mir nehmen e Spritzelwasser.« Spritzelwasser für Mineralwasser. Das war wiederum ein typischer Therese-Ausdruck, den sie so gewinnend vorzutragen wußte, daß man ihn heute noch bei Schnabel-Freunden zu hören bekommt. Auf ihre Art war die stille, uneitle, ungezwungene Therese nicht minder originell als ihr Mann.

Es kam aber auch vor, daß Artur bei einem Ausflug kein Wort sagte und immer schneller ging. »Der komponiert wieder ein Allegro«, meinte Therese, nach Atem schöpfend. Denn Artur Schnabel komponierte viel. Am liebsten hätte er das Klavierspiel an den Nagel gehängt (»Der Unterschied zwischen meinen Programmen und jenen anderer Pianisten ist der, daß meine nicht bloß im ersten Teil langweilig sind, sondern auch im zweiten.«) und sich ganz dem Komponieren zugewandt. »Gebt meinem Artur einen großflächigen Tisch, einen Stapel Notenpapier, eine Auswahl gespitzter Bleistifte, Federn und verschiedenfarbiger Tuschefläschchen«, seufzte Therese, »und ihr habt ihn gesehen.«

Daß er als Komponist so wenig Anerkennung fand, bedrückte ihn. Er hatte den Menschen so viel Freude gegeben, wieso konnten ihm die Manager und Konzertagenten nicht die Freude machen, ihn einmal zu bitten, eigene Kompositionen zu spielen. Immer nur Schubert, Beethoven und Mozart. Und nochmals Beethoven. Aber nur die intimeren Freunde kannten diesen Kummer. Er sprach selten davon, und er war, was sein Innerstes betraf, viel zu zurückhaltend, um seine Tongebilde andern aufzudrängen. Allerdings blieb uns, und ich glaube auch Therese, ein Rätsel, wieso ausgerechnet der Mann, der dazu prädestiniert schien, den Klangschöpfungen der Romantik neues Leben einzuhauchen, derart publikumsfeindliche Kompositionen in die Welt setzte.

Und die Proportionen ... Schnabels atonale Soloviolinsonate, die von Carl Flesch im Rahmen von Hermann Scherchens »Neuer Musikgesellschaft« in Berlin uraufgeführt wurde, dauerte nicht weniger als fünfundfünfzig Minuten! Prompt erschien anderntags in einer Berliner Zeitung die Retourkutsche in Form eines Zweizeilers. In Abwandlung von Hans Sachs' »Fliedermonolog« hieß es: »Dem Schnabel, der heut sang, dem war der Vogel hold gewachsen ...«

Ein Heiratsantrag

Die Freundschaft mit Schnabels konnte jedoch nicht darüber hinwegtäuschen, daß ich noch immer die gleichen gesangstechnischen Probleme wälzte. Therese Schnabels wie übrigens auch Ilona Durigos Lehrer war Julius Stockhausen gewesen, der berühmteste »Christus« in Bachs »Matthäus-Passion« der sechziger und siebziger Jahre, Idol einer ganzen Sängergeneration, ein Freund Johannes Brahms', der ihm die Romanzen aus Tiecks »Magelone« widmete. Und zum Abschluß hatte sich Therese den letzten Schliff bei Etelka Gerster geholt. Wie Ilona. Allmählich stellte sich heraus, daß meine neue Lehrerin eine andere Auffassung von Tongebung hatte als Hans Keller. Eine Umschulung kam für mich nicht in Betracht. Während wir gelernt hatten, den Ton hochkonzentriert in den Kopf »zu setzen«, ihm so Schädel- und Stirnresonanz zu geben – den »Squillo«, wie die Italiener sagen –, wollte Therese selbst in höchster Höhe die Verbindung zwischen Kopf und Brust nicht vermissen. Ich bemühte mich redlich, ihren Anweisungen zu folgen, übte tagelang in meinem kleinen Hotelzimmer bei glühender Hitze und im Badekostüm und machte mir auch diese Technik zu eigen. Ich wandte sie an, wo es mir angezeigt schien, etwa bei den Koloraturen der ersten Arie der »Königin der Nacht«, die dann weniger »kopfig« klingen. In späteren Tagen sollte mir Josef Krips versichern, er habe noch nie so beseelte Koloraturen gehört – dabei ist mir das funkensprühende, zänkische, rachedurstige Weibsbild einer Königin höchst unsympathisch! Doch mit dieser Technik heißt es sparsam umgehen, und mit Bedacht, denn die Höhe, die unbedingt von oben angepeilt werden muß, kann darunter leiden. Bewußter in der Höhe singen lernte ich dadurch nicht, im Gegenteil: alte Probleme mit der Höhe tauchten von neuem auf. Immer wieder zog ich Toti dal Montes

Empfehlungsschreiben hervor, unschlüssig, ob es nicht angebracht wäre, Schritte in diese Richtung einzuleiten. Da passierte etwas, das die beflissene Jüngerin Polyhymnias jäh aus alteingefahrenen Gleisen hob, obwohl sie diese Entwicklung bei einiger Aufmerksamkeit längst hätte voraussehen können.

Wir hatten eben gefrühstückt, Marianne Isler, die mit Goldberg arbeitete, und ich, als von Hans Erismann eine Karte ankam, die seinen Besuch ankündigte. Er fahre nach St. Moritz; von dort bis nach Tremezzo sei es nicht weit. – »Na schön«, bemerkte ich Unschuldslamm zu Marianne. »Soll er kommen, dann kannst du ein bißchen mit ihm flirten.«

Herr Erismann erschien pünktlich im Hotel Bazzoni und erkundigte sich nach mir beim Portier. Ein Blick in das Gesicht des jungen Mannes genügte dem in solchen Dingen bewanderten Hotelmann, um daraus zu schließen, daß da ein Herz nach mir brannte. Er hielt es allem Anschein nach für seine Pflicht, ein Loblied auf die kleine Signorina zu singen, die sich allabendlich um acht Uhr zurückziehe und niemals mit fremden Herren tanzen gehe. Daß dem wirklich so war, sollte Herr Erismann am selben Abend erleben. Ich zog mich wie sonst auch um Viertel nach acht auf mein Zimmer zurück und überließ ihn meiner Freundin Marianne. Hans Kellers Erziehung hatte ihre Spuren hinterlassen.

Nach drei Tagen vergeblicher Annäherungsversuche beschloß Herr Erismann, den Stier bei den Hörnern zu packen. Er lud mich zu einer Bootsfahrt auf den See ein. Hoppla, dachte ich, da tut sich was. Eine total aussichtslose Julia war ich also nicht; allmählich gingen mir die Augen auf, wenn auch mit Bedenken. Allein zu zweit . . .? Nach längerem Überlegen gab ich nach. Und an jenem lauen Sommerabend wiegte sich einsam und sanft ein Schiffchen mit zwei jungen Menschen auf dem Comer See, die sich teils fragende, teils skeptische, teils bereits innige Blicke zuwarfen. Hans erzählte mir aus seinem Leben. Sein kranker Vater hatte früher ein Uhrengeschäft in Aarau betrieben. Er war für seine solide Arbeit bekannt. Wer ihm eine Uhr zur Reparatur brachte, konnte damit rechnen, daß sie nie mehr kaputtging. Die Folge: Es gab bald nicht mehr genügend defekte Uhren und Wecker in der Stadt Aarau. So ließ der Geschäftsgang zu wünschen übrig. Die Stadtväter hatten Vater Erismann wohlweislich zum Wächter sämtlicher Kirchturmwerke der Stadt Aarau bestellt, teils drei- bis vierhundert Jahre alte Rädergetriebe. Besonders liebevoll erzählte Hans von seiner Mutter, was mich sehr für ihn einnahm. Er selber bekleidete in Weinfelden das Amt eines Musikdirektors. Er war Stadtorganist, Dirigent des Thurgauer Kammerorchesters – Stefi Geyer und Adrian Aeschbacher hatten schon mit ihm musiziert –, leitete den Chor und unterrichtete Schulgesang.

Nach dieser beinahe formellen Einführung wurde Hans bald sehr persönlich und machte mir unvermittelt einen Heiratsantrag. Von seinem Ernst war ich zwar überzeugt, mußte mich jedoch erst einmal erholen. Drei Tage Bekanntschaft erschienen mir zu kurz für eine so lebensbestimmende Entscheidung. Am Samstagnachmittag reiste er ab, er hatte anderntags seiner sonntäglichen Orgelpflicht in Weinfelden nachzukommen, nachdem er nach einem Ersatzmann umsonst Ausschau gehalten hatte. Aber als er sich am Sonntag der Kirche näherte, dröhnten ihm Orgelklänge entgegen: Man hatte in der Zwischenzeit doch einen Ersatz gefunden. Also erschien mein Freier am Sonntagabend wieder in Tremezzo. Seine stürmische Aufwartung war beeindruckend. Und – ich war verliebt. Dennoch bat ich mir Bedenkzeit aus.

Was würde Heinz sagen? Und obendrein quälten mich die alten Stimmsorgen. Um wenigstens damit ins reine zu kommen, reiste ich heimlich nach Mailand. Ich läutete bei Signora Arangi Lombardi. Ein Dienstmädchen mit weißer Spitzenhaube nahm mir das Empfehlungsschreiben ab, kehrte nach wenigen Minuten wieder zurück und führte mich in den Salon, einen angenehm kühlen, düsteren, saalhohen Raum. Durch vereinzelte Ritzen in den herabgelassenen Jalousien – draußen stach die Sonne auf Dächer und Pflaster – drangen einige Strahlen herein, tänzelten auf den Kristallprismen der Lüster, ruhten auf dem matten Blattgold der Spiegel- und Bilderrahmen. Die Möbel waren mit Tüchern überzogen. Es duftete sanft nach Kampfer und Lavendel. Da ging eine Tür auf und eine Dame von atemberaubender Ausstrahlung trat ein. Sie entschuldigte sich für die fehlende Sitzgelegenheit, sie sei soeben aus den Ferien zurückgekommen. Ich hatte wieder einmal Glück gehabt.

Das also war die Signora Arangi Lombardi. Ich war von ihrer Haltung, ihrer Eleganz, ihrer dunklen, sonoren Stimme hingerissen. »Dunque vedremo«, sagte sie. Ich mußte ihr Tonleitern vorsingen, keine Texte, keine Melodie. Sie schloß die Augenlider und horchte. »Warum kommen Sie zu mir?« unterbrach sie mich. »Ihre Stimme klingt vollkommen ausgeglichen. Sie singen technisch einwandfrei.«

»Meine Höhe macht mir trotzdem Sorgen«, wandte ich ein. »Vor einem Jahr habe ich die Stimme dermaßen forciert, daß ich die Höhe beinahe verloren hätte. Und wenn sich die Stimme wieder erholt hat, so nur, weil ich sie aufs äußerste schone. Aber *warum* ich die Höhe wieder gewonnen habe, weiß ich nicht.«

Die Signora lächelte und nickte mir ermunternd zu.

»Ich möchte die Höhe bewußt erreichen können, damit ich sie, wenn die Stimme später altert und mir nicht mehr so spielend gehorcht, in der Hand habe und mich kontrollieren kann.«

»Ah, bambina molto intelligente!« sagte die Signora. Ich durfte kommen, und für mich stand außer Zweifel, daß ich so schnell wie irgend möglich kommen mußte. Keiner konnte voraussehen, wie sich die politische Lage entwickelte. Vielleicht würden die Grenzen im kommenden Jahr schon geschlossen sein. Von dieser Möglichkeit sprach man in Tremezzo.

Auf dem Rückweg nach Tremezzo zerbrach ich mir den Kopf, wie ich mich von Frau Schnabel lösen konnte. Beide, sie und ihren Mann, hatte ich liebgewonnen, ich wollte sie unter keinen Umständen verletzen. Da kam mir als Ausrede meine neue Liebschaft mit Hans Erismann zugute. Niemandem war entgangen, daß das kleine Mariechen Herrenbesuch erhalten hatte und seither jeden Abend um sieben Uhr ans Telefon gerufen wurde. Man munkelte, da sei etwas im Gange. Das kam mir gelegen. Als ich mit Schnabels eines Abends den Quai entlang promenierte, erwähnte ich, daß ich mich zu verloben gedenke und demnächst nach Hause müsse. Therese fiel aus allen Wolken. Tränen schossen ihr in die Augen.

»Aber Kind!« rief sie. »Sind Sie wahnsinnig geworden! Mit dieser Stimme!« Sie hatte gehofft, ich würde mit Artur und ihr nach Amerika gehen, dem Land der kometenhaften Karrieren. Europa sei verloren.

Schnabels sind ohne mich nach Amerika gezogen. Als sie nach dem Krieg nach Tremezzo zurückkehrten, fanden sie ihre wunderbaren, aus Berlin nach Norditalien geretteten Kunstgegenstände unversehrt vor. Auch die viertausend Bücher. Herta Kroehling, Thereses Schülerin und Vertraute, war in der Villa Ginetta zurückgeblieben. Nachdem die Deutschen einmarschiert waren und aus dem Hauptquartier Drohungen laut wurden, sorgte sie für die Räumung des »Judenhauses am Berghang«. In aller Stille wurden fünfundvierzig Kisten besorgt, die Bilder, Bücher und Antiquitäten darin verpackt und frühmorgens um drei über den See geschafft. Drüben brachte sie ein Lastwagen auf den Berg, wo vertrauenswürdige Helfer mit Pickel, Spaten, Kelle und Mörtel bereitstanden, sie einmauerten oder vergruben.

Trotz der langen Trennung verloren wir uns nicht aus den Augen. Sobald ich nach Kriegsende Schnabels wieder in Tremezzo wußte, besuchte ich sie mit meinen beiden Buben. Welch ein schönes Wiedersehen! Sechs Jahre waren vergangen, die einem wie eine Ewigkeit erschienen. Und wie Therese sich doch über die Kinder freute!

Wiederholt sahen wir uns auch in Zürich und im Engadin. An eine Begebenheit im Sommer 1947 erinnere ich mich besonders gut. Ich lief Artur beim Waldhaus in Sils-Maria in die Arme. Er schritt entschlossen den Hügel hinan, im offenen Polohemd, pflanzte sich vor mir auf, die Hände in den weiten Hosentaschen.

»Hat er's recht gemacht?«

Er war beim Friseur gewesen. Ich drehte ihn um seine eigene Achse wie eine Schaufensterpuppe. »Blendend!« sagte ich. »Sie gefallen mir.«

Aber er war nicht länger zu halten. »Ich muß um fünf im Hotel sein«, sagte er, »eine Stunde geben. Einem jungen Mann. Unerhörte Begabung. Einen Scarlatti spielt er! Macht ihm keiner nach! Rührend, daß dieser unwahrscheinliche Kerl überhaupt mit mir arbeiten will.« Ich wollte mich verabschieden. »Nein. Bleiben Sie in der Nähe. Ich mach das Fenster auf. Laß ihn eine Sonate spielen.« Und weg war er.

Etwas später wurden tatsächlich zwei Fensterflügel im Parterre aufgemacht. Ich schlich mich ans Fenster, spitzte die Ohren. Stühle wurden zurechtgerückt, der Flügel geöffnet. Ich hörte jemand lachen, Artur hatte wohl wieder mal ein Bonmot zum besten gegeben. Dann Stille. In diesem Augenblick begann die Hoteldrehtüre zu kreisen, Kinder stürmten die Treppe herunter, kreischten. Drinnen wartete man noch. Das Kindergeschrei verhallte. Nur irgendwo in der Höhe machte sich ein Specht an die Arbeit: Tak-Tak-Tak. Da, auf einmal, setzte Musik ein, einstimmig, leicht federnd, dann Triller, bald oben, bald unten: ein ganzes Glockenspiel. Es schwebte mir entgegen, zum Fenster heraus und zerstreute sich im Wald, zwischen den hohen Baumstämmen, wo der Specht »Tak-Tak-Tak« machte, wie eine Waldfee, unsichtbar in ihren tausend silbernen Schleiern. Ich dachte an Loewes Tom der Reimer, dem die Muse hoch zu Roß begegnet, leicht zieht sie an ihrem Zügel, daß die Glöcklein helle klingen. »Und Tom der Reimer zog den Hut, und fiel aufs Knie, und grüßt und spricht: ›Du bist die Himmelskönigin, du bist von dieser Erde nicht . . .‹«

Ich dachte an Eichendorffs Hexe Loreley: »Was reit'st du einsam durch den Wald? Der Wald ist lang, du bist allein, du schöne Braut! Ich führ' dich heim!« Und an Mary Garden dachte ich, die einst in einer Loge von Covent Garden saß, während unten die Melba mit Caruso das Schlußduett des ersten Aktes aus der »Bohème« sang, jenes mit dem abschließenden hohen C aus der Ferne. Dieses hohe C der Melba, berichtet die Garden, war etwas Unwahrscheinliches: Es »segelte« an der Logenbrüstung entlang, gleich einem Irrlicht, langsam verlor es sich im Raum. Und ich dachte an den güldenen Ball, den der Froschkönig für die kleine Prinzessin aus dem Brunnen fischt.

All das fiel mir ein, während ich selber wie eine verzauberte kleine Prinzessin unterm Hotelfenster lauschte und drinnen Dinu Lipatti – so hieß Schnabels Jünger – die Sonate von Scarlatti zu Ende spielte. Als Lipatti bald darauf ein Recital in der Kirche von Silvaplana gab, standen die Leute bis auf die Straße.

Nach meinem Abschied von Tremezzo und bevor ich nach Mailand fuhr, mußte ich noch Fritz Busch vorsingen, der im Herbst 1938 an den Luzerner Musikfestwochen mitwirkte. Auch Hans Erismann kam, um zu hören, was Busch mit mir vorhabe.

Ich begann, mich an den Gedanken eines Lebens zu zweit zu gewöhnen, und die Aussicht sagte mir zu.

Kapitel 17

Im Tempel des Belcanto

Luzern 1938. Salzburg ist in deutschen Händen. Ein Weltgewitter wird sich entladen. Niemand spricht davon. Jedermann ahnt es. Von überall her strömen Musikfreunde in die Schweiz, um Arturo Toscanini, Fritz Busch, Bruno Walter vielleicht zum letztenmal zu hören. Eine Epoche geht zu Ende.

Ich suchte die Familie Busch im Hotel Montana auf. Es gab ein freudiges Wiedersehen. Fritz Busch war von meinen Fortschritten angetan. »Hätten Sie Lust, nach Glyndebourne zu kommen?« Ich hatte keine Ahnung, wovon er sprach.

Da die Hotels in Luzern überfüllt waren, wurde ich kurzerhand im Zimmer der Busch-Töchter untergebracht und schlief im »Gräbli«, wie einst zwischen meinen Schwestern in Budapest.

Noch einmal fuhr ich dann über den Gotthard, dieses Mal bis nach Mailand. Gespannt sah ich der ersten Stunde bei Signora Arangi Lombardi entgegen. Ich erwartete viel. Mein untrügliches Ohr für guten Gesang – das muß ein jeder haben, der gut singen will – hatte das Echte und Wahre an der Kunst Toti dal Montes erkannt, »c'est ca!« hatte ich mir gesagt, und nun würde mich eine Hohepriesterin einweihen. Ich sollte nicht enttäuscht werden. Schon in der ersten Stunde merkte ich: Diese Frau spricht *meine* Sprache.

Mir war wenig von der Lehrtradition der italienischen Gesangskunst bekannt, die dieses Wissen über die Jahrhunderte von Generation zu Generation überliefert hatte. Die Tafel »Ein Stammbaum des Belcanto« soll das veranschaulichen. Natürlich könnte der Stammbaum wie eine Rosenhecke nach allen Richtungen hin erweitert werden. Zum einen hatten die darin aufgeführten Sänger meistens mehr als nur einen Lehrer gehabt, zum andern hatten sie als spätere Lehrer wiederum ihre Schüler. Aus der Gesangsschule Pistocchis etwa gingen Dutzende von Kastratensängern hervor, wie Pasi, Fabri, Minelli und Bartolini, um die sich die kleinen Fürstenhöfe Europas rissen und die später höchstwahrscheinlich ihrerseits in Gesang unterrichteten. Freilich will das nicht heißen, daß sie die Lehre genauso weitergaben, wie sie sie vom Meister übernommen hatten. Im Lauf der Jahrhunderte bleibt manches auf der Strecke liegen. Der Geschmack ändert sich. Neues kommt hinzu. Ihr Rüstzeug hatte sich Giannina Arangi Lombardi bei Beniamino Carelli* geholt, einem neapolitanischen Gesangsmaestro und Komponisten, der selber Opern schrieb.

Giannina Arangi Lombardi hatte als Mezzosopran begonnen. 1920

---

* siehe Seite 177

debütierte sie als Lola in »Cavalleria«, sie sang auch die Leonora in Donizettis »La Favorita«. Drei Jahre später wechselte sie plötzlich zum Sopran über. Leo Riemens, der bekannte holländische Sängerlexikograph, stand vor vielen Jahren in Korrespondenz mit der Assistentin des Tenors und Gesangslehrers Eduardo Garbin (1862–1943), dem Fenton der Falstaff-Uraufführung, und liefert dazu eine Erklärung, die andere Nachschlagewerke schuldig bleiben. Die Arangi Lombardi hatte inzwischen bei Garbins Frau, der Österreicherin und hernach naturalisierten Italienerin Adelina Stehle studiert. Die Stehle, die Verdi im Januar 1893 als Gilda so sehr gefiel, daß er ihr sogleich die Nannetta in der Uraufführung des »Falstaff« vom 9. Februar 1893 anbot, wurde eine der großen ausländischen Primadonnen, die das sangesstolze Italien gerne für sich in Anspruch nimmt. Mit Emma Carelli teilte sie Star-Honneurs an der Scala in Mailand, jedoch in leggero-Rollen wie Manon in »Manon« von Massenet, Violetta in »La Traviata« und Mimì in »La Bohème«, die sie viele Male mit ihrem Mann sang. Unter Adelina Stehles Führung dürfte sich die Arangi Lombardi zum dramatischen Sopran entwickelt haben. Meiner neuen Lehrerin war es also nicht viel anders ergangen als mir: Sie war mit sich unzufrieden gewesen und hatte anderswo Rat eingeholt. Mag sein, daß sie nicht zuletzt auch deshalb so viel Verständnis für mein Anliegen hatte.

»Lachend, aber nicht ohne Tränen«, erzählt Gemma Bellincioni, die Santuzza der »Cavalleria«-Uraufführung und eine der größten Sänger-Darstellerinnen, die Italien hervorgebracht hat, in ihrer »Gesangsschule«, wie ihr Lehrer und späterer Mann, der ebenfalls berühmte Tenor Roberto Stagno, sie Tag für Tag, Woche für Woche, von morgens bis abends mit Skalen drillte und tyrannisierte. Das sollte auch mein Los werden.

Wir übten langsame Skalen, von do bis sol, immer legato, auf allen Vokalen, aber nie mechanisch:

beginnend beim tiefen G, halbtonweise hinauf bis zum dreigestrichenen G. Das Hauptgewicht lag auf einer der entsprechenden Ton-

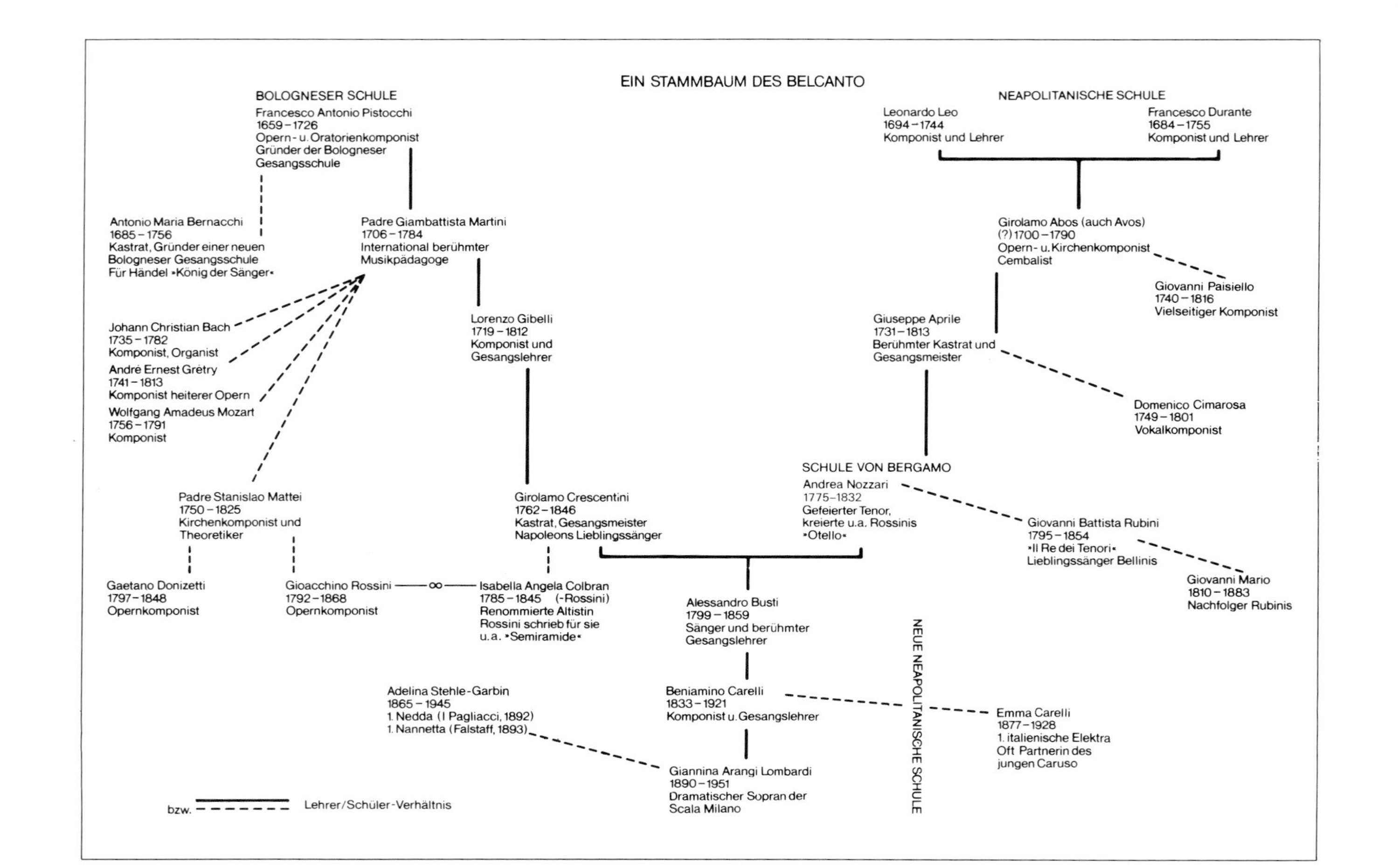

EIN STAMMBAUM DES BELCANTO
BOLOGNESER SCHULE
Francesco Antonio Pistocchi
1659–1726
Opern- u. Oratorienkomponist
Gründer der Bologneser
Gesangsschule
NEAPOLITANISCHE SCHULE
Leonardo Leo
1694–1744
Komponist und Lehrer
Francesco Durante
1684–1755
Komponist und Lehrer
Antonio Maria Bernacchi
1685–1756
Kastrat, Gründer einer neuen
Bologneser Gesangsschule
Für Händel »König der Sänger«
Padre Giambattista Martini
1706–1784
International berühmter
Musikpädagoge
Girolamo Abos (auch Avos)
(?) 1700–1790
Opern- u. Kirchenkomponist
Cembalist
Giovanni Paisiello
1740–1816
Vielseitiger Komponist
Johann Christian Bach
1735–1782
Komponist, Organist
André Ernest Grétry
1741–1813
Komponist heiterer Opern
Wolfgang Amadeus Mozart
1756–1791
Komponist
Lorenzo Gibelli
1719–1812
Komponist und
Gesangslehrer
Giuseppe Aprile
1731–1813
Berühmter Kastrat und
Gesangsmeister
Domenico Cimarosa
1749–1801
Vokalkomponist
SCHULE VON BERGAMO
Andrea Nozzari
1775–1832
Gefeierter Tenor,
kreierte u.a. Rossinis
»Otello«
Padre Stanislao Mattei
1750–1825
Kirchenkomponist und
Theoretiker
Girolamo Crescentini
1762–1846
Kastrat, Gesangsmeister
Napoleons Lieblingssänger
Giovanni Battista Rubini
1795–1854
»Il Re dei Tenori«
Lieblingssänger Bellinis
Giovanni Mario
1810–1883
Nachfolger Rubinis
Gaetano Donizetti
1797–1848
Opernkomponist
Gioacchino Rossini
1792–1868
Opernkomponist
∞
Isabella Angela Colbran
1785–1845 (-Rossini)
Renommierte Altistin
Rossini schrieb für sie
u.a. »Semiramide«
Alessandro Busti
1799–1859
Sänger und berühmter
Gesangslehrer
NEUE NEAPOLITANISCHE SCHULE
Adelina Stehle-Garbin
1865–1945
1. Nedda (I Pagliacci, 1892)
1. Nannetta (Falstaff, 1893)
Beniamino Carelli
1833–1921
Komponist u. Gesangslehrer
Emma Carelli
1877–1928
1. italienische Elektra
Oft Partnerin des
jungen Caruso
Giannina Arangi Lombardi
1890–1951
Dramatischer Sopran der
Scala Milano
bzw.
Lehrer/Schüler-Verhältnis

Anmerkung zu Seite 174

1855, zwei Jahre nachdem Verdi seine »La Traviata« vollendet hatte, stellte Carelli der Welt sein »Il Traviato« vor. Nach der »Verirrten« jetzt »Der Verirrte«. Das Thema muß in der Luft gelegen haben. Carelli gab auch Lehrbücher für Gesang heraus (»Cronica di un respiro«, Neapel 1871, und »L'Arte del Canto«, Neapel 1873), was ihm öffentliche Ehren eintrug. Denn man vergesse nicht: die Gesangskunst ist in hohem Maße Bestandteil des italienischen Kulturgutes, und wer sich darin auszeichnete, wurde als Nationalheld gefeiert. Emma und Bice, die beiden Töchter Carellis, wurden Sängerinnen, Emma eine bedeutende italienische Hochdramatische, was ziemlich außergewöhnlich ist. Wie fünfundzwanzig Jahre nach ihr meine Lehrerin Arangi Lombardi war Emma unter Toscanini ein Star der Mailänder Scala, wo sie 1900 an der Seite Francesco Tamagnos, Verdis Ur-Otellos, die Desdemona und 1901 mit Caruso in »Bohème« sang. Als spätere Direktorin des Teatro Costanzi in Rom brachte sie Strauss' »Elektra« nach Italien und sang auch gleich die Titelrolle, für die damalige Zeit (ihr Mann, Walter Mocchi, war linksradikaler Politiker) sicher eine kühne Tat. Und noch eine Parallele: 1925 in Turin, als Strauss' »Ariadne auf Naxos« zum erstenmal auf italienischem Boden gegeben wurde, war Giannina Arangi Lombardi die Ariadne.

1902 publizierte Beniamino Carelli die Stimmübungen seines Lehrers Alessandro Busti. Busti komponierte vor allem gesangspädagogische Literatur, die in vielen Ländern Verbreitung fand. Als Schüler des Kastratensängers Crescentini und des Tenors Nozzari muß er in der Tat Zugang zu einem immensen Fundus an Wissen gehabt haben. Crescentini war einer der berühmtesten männlichen Soprane aller Zeiten. So suspekt das klingt, sein Gesang rührte Napoleon I. zu Tränen. In den »Serapionsbrüdern« widmet ihm E. T. A. Hoffmann eine seitenlange Laudatio und Schopenhauer schrieb in sein Tagebuch: »Seine übernatürliche schöne Stimme kann mit keiner Frauenstimme verglichen werden. Es gibt keinen volleren und schöneren Ton in solch silberner Reinheit, der bald in einer unbegreiflichen Stärke in allen Ecken widerhallt, bald sich im leisesten Piano verliert ...« Crescentini war einer der letzten Vertreter einer Gesangsinstitution, die die Kirchenväter geschaffen hatten, als sie Frauenstimmen vom Gottesdienst ausschlossen.

Für Andrea Nozzari, den anderen Lehrer Bustis, schrieb Rossini die Tenorpartien in »Otello«, »Mose«, »Donna del Lago« und »Zelmira«. Sowohl Nozzari als auch Crescentini hatten eine Reihe berühmter Schüler. Bei Nozzari studierte Rubini, wohl der berühmteste Tenor des 19. Jahrhunderts, bei Crescentini die skandalumwitterte Colbran, deren Reizen der damals noch schlanke und hübsche Rossini erlag.

Besondere Erwähnung verdient Padre Giambattista Martini. Bernhard Paumgartner nennt ihn »Mozarts guter Schutzgeist in Italien«. Über die Italienreisen des zwanzigjährigen Mozart schreibt er: »Die Fahrt in dieses gelobte Land der Musik allein vermochte damals einem strebsamen jungen Künstler den Meistertitel, Ruhm und Ansehen bei seinen Landsleuten zu verleihen.« Der gelehrte Padre Martini in Bologna führte Mozart in die strenge alte Kontrapunktik ein. »Dadurch«, fährt Paumgartner fort, »gewann seine Technik wertvolle Grundlagen, die seine Arbeiten gefestigter und reifer erscheinen lassen, als sich Wolfgang späterhin erneut von dem galanten Zuge der Neapolitaner Richtung mitreißen läßt.«

Der Kastrat Pistocchi schließlich gründete die erste Bologneser Gesangsschule, die berühmteste Ausbildungsstätte Europas für Kastratensänger. Er darf als ein Stammvater des Kunstgesanges betrachtet werden.

höhe angepaßten Öffnung des Ansatzrohres, die der Sänger der zunehmenden Spannung der Stimmbänder anzupassen hat, also auf dem Ansatz. Jeder Ton mußte nahtlos in den nächsten übergehen. Mit äußerster Aufmerksamkeit achteten wir beide auf die leiseste Unebenheit.

Neunzig Stunden arbeitete ich mit der Signora, neunzig geschlagene Stunden sang ich nichts als Skalen, das Üben im stillen Kämmerlein nicht miteinbezogen. Gegen Ende der Lehrzeit bemerkte die Signora einmal: »Nicht wahr, bambina, jetzt wissen Sie, weshalb unser Opernhaus ›La Scala‹ heißt.« Und schmunzelnd fügte sie hinzu: »Der Witz ist so alt wie die Scala selber.«

Opern- und Konzertliteratur wurde nur nebenher erwähnt. Gegen Ende des Studienganges nahmen wir einen Opernausschnitt in Angriff, Teile der Glöckchenarie aus Delibes' »Lakme«. Bereits bei Ilona Durigo hatte ich mich mit diesem, wie jeder Opernfreund weiß, anspruchsvollen Koloraturstück abgeplagt, war damit aber nicht zu Rande gekommen. Bei der Arangi ging mir der Knopf auf.

Zurückblickend stelle ich fest: Ich muß von Gesang besessen gewesen sein, und zwar von dem, was mir unter »schönem Gesang«, unter »Belcanto« vorschwebte. Ich war jetzt siebenundzwanzig Jahre alt, hatte mehr als zehn Jahre Gesangsunterricht hinter mir, hatte selber unterrichtet und seit vier Jahren eine vielversprechende Karriere begonnen . . ., und da übte ich nochmals tagelang nichts als Solfeggien.

Sang mir die Arangi vor, war ich im siebenten Himmel. Welch ein Organ! Welche Natürlichkeit der Stimm-Emission! Welch ein Legato! Wenn sie in der Nilarie aus »Aida« das hohe C nahm, setzte sie piano an und ließ den Ton, ihn immerzu schlank fortspinnend, mehr und mehr anschwellen. Das war schon ganz hohe Schule! Von ihr lernte ich, die Sprünge nach oben bewußt zu nehmen, so wichtig in Arien wie »Et incarnatus est« aus der Mozartschen c-Moll-Messe oder in Mozarts Konzertarie »Vorrei spiegarvi«. Freilich, mit der Zeit wird diese Technik zur zweiten Natur, aber sie muß Stufe um Stufe erarbeitet werden. Es wird einem nichts geschenkt.

Bei allem Respekt erlaubte sich die Schülerin einmal, an der Lehrerin zu nörgeln. In ihrer Wiedergabe von »Suicidio«, der Arie der Gioconda aus dem 4. Akt von Ponchiellis heißblütigem Opus, fielen mir unmotivierte Farbwechsel auf. Ich konnte nicht umhin, darauf hinzuweisen und nach der Ursache zu fragen. Die Signora schaute mich erstaunt an, dann dachte sie eine Weile nach, lachte auf und meinte: »Ich weiß es nicht.« Alles an ihr war ungemein aufrichtig und echt.

Nicht nur als Lehrerin, auch als Mensch faszinierte mich diese Frau. Sie nahm sich sogar die Mühe, mir eine geeignete Unterkunft zu besorgen, in einer riesigen, labyrinthischen Wohnung, in der man sich leicht verlaufen konnte. Allerdings hatte mein Zimmer den für Musiker unbezahlbaren Vorteil, daß ich ungestört Skalen üben konnte, ohne einem Mitbewohner auf die Nerven zu gehen.

Ehe wir auseinandergingen, wollte mich die Signora überreden, die Gretel an der »Scala« zu singen, wo ihr Wort nicht ohne Einfluß war. Um dieselbe Zeit ließ mich Fritz Busch durch Frau Reiff wissen, der Glyndebourne-Sommer 1939 sei in Vorbereitung und ich müsse ihm grundsätzlich Bescheid geben. Hätte der Krieg nicht vor der Tür gestanden, wäre ich am Ende doch noch Opernsängerin geworden.

»Ich wünsche Ihnen alles erdenkliche Glück«, sagte die Signora, als wir uns zum Abschied umarmten. Wir hatten beide Tränen in den Augen. Ich versprach, im nächsten Jahr zur Kontrolle zu kommen. Dann drückte sie mir einen verschlossenen Umschlag in die Hand. »Erst im Zug aufmachen«, sagte sie.

Es war ihr signiertes Bild, das ich oft mit auf Reisen nahm und das heute in meinem Wohnzimmer hängt.

Kapitel 18

ICH HEIRATE

Auf der Rückfahrt von Mailand nach Zürich wurde mir bewußt, wie nebensächlich Entscheidungen geworden waren, die meine Laufbahn betrafen. In Weinfelden und in München warteten zwei junge Männer auf meine Stellungnahme. Ich mußte antworten.

Die Antwort kostete mich einiges Kopfzerbrechen. Ich war meinem Jugendfreund Heinz innigst zugetan und wußte, wieviel ich ihm zu verdanken hatte. Aber einer Verlobung stand Wichtiges entgegen. Zum einen waren wir beide mittellos, er ein werdender Arzt, ich eine

Sängerin vor unsicherer Zukunft. Um uns warfen die Tagesereignisse unheilvolle Schatten voraus, unter keinen Umständen war ich gewillt, deutsche Staatsbürgerin zu werden.

Heinz hatte mir versichert, er beweise mir seine Liebe dadurch, daß er mich freigäbe, falls ich den richtigen Mann gefunden zu haben glaubte. Ich klärte ihn auf, und er hielt Wort. Er schrieb mir einen wunderbaren Brief, der mir ins Bewußtsein rief, was ich an ihm verloren hatte. Der Seelenqual war kein Ende gesetzt, obschon – oder vielleicht gerade weil – ich den Weg, den ich zu gehen hatte, kannte. Hans' taktvolles Verhalten während dieser alles andere als leichten Zeit trug wesentlich dazu bei, mir diesen Weg zu ebnen.

Nach meiner Rückkehr aus Mailand mietete ich mich am Stadelhofen in Zürich ein, erteilte Gesangsstunden und schlug mich ganz ordentlich durch. Binnen verhältnismäßig kurzer Zeit hatte ich an die zweihundert Franken beisammen, was natürlich noch lange nicht für eine Aussteuer ausreichte. Ich führte Hans bei meinen Nächsten ein, allen voran bei Pape Stader. Er runzelte die furchige Stirn. »Was ist er? Was macht er? Wo kommt er her?« entfuhr es ihm mit althergebracht patriarchalischer Skepsis. Ich erzählte, was ich über Hans wußte, und Pape atmete auf. Ein fahrender Musikus wäre nicht in Frage gekommen, aber einer mit festem Gehalt . . . na ja, darüber ließ sich reden. Gut, daß der junge Mann ein Schweizer sei. Vor einem Wohnwechsel nach Deutschland könne er mich nicht genug warnen.

Als wir am 13. November 1938 das Haas-Oratorium in der evangelischen Kirche in Weinfelden aufführten, waren sich Hans und ich einig. Das müssen unsere Blicke verraten haben, denn am Sonntag darauf klebten Unbekannte ein aus der Radiozeitung herausgeschnittenes Porträt der Geliebten an Hans' Orgel. Um unsere Verbindung offiziell anzuzeigen, gaben Hans und ich am 8. Januar 1938 einen Lieder- und Arienabend, sozusagen ein »Verlobungskonzert«, mit Gesängen von Mozart, Schubert, Wolf und Schoeck, typisch für viele noch folgende Abende. Der Rathaussaal Weinfelden war bis zum letzten Stehplatz besetzt, die halbe Stadt schien an unserem Glück Anteil zu nehmen.

Im März 1939 sang ich erstmals das Sopransolo im Requiem von Brahms in Kreuzlingen unter Julius Billinger. In Winterthur konzertierte ich mit Peter Speiser, in Baden bei Zürich unter Hans, in Romanshorn sang ich mit Karl Erb . . ., als wir danach unsere Hochzeit für den 2. Mai 1939 ankündigten, regnete es Gaben und gute Wünsche.

Wir mußten uns nicht einen einzigen Löffel selber kaufen. Frau Haab führte den Reigen an, bot Waschfrau, Bügelfrau, Schneiderin und Monogrammstickerin auf und lieferte gleich die gesamte Aussteuer. Als Tochter eines Fabrikanten von Bettwäsche fand sie, drei Dutzend von jeder Sorte sei so etwa das Bedarfsminimum für einen jungen Haushalt. Wir wurden förmlich überschwemmt mit Tischtüchern, Servietten, Leintüchern und Kissenbezügen, alles in hervorragender Qualität. Einiges davon habe ich heute noch.

Über meinen zukünftigen Lebenspartner hatte ich nach und nach immer mehr Einzelheiten erfahren. Daß er ein der Musik ergebener, umfassend gebildeter Musiker war, hatte ich bald gemerkt. Natürlich interessierte mich sein Werdegang.

Hans hatte die Kantonsschule in Aarau besucht. Es ist bezeichnend für den Musikdramatiker Erismann, zu dem er sich immer mehr entwickelte, daß er, wenn er von seiner Kantonsschulzeit sprach, vor allem *eine* Einrichtung nicht genug rühmen konnte: die jährliche Einladung an namhafte Schauspieler, vor den Kantonsschülern zu rezitieren. So hörte er in jungen Jahren die Spitzenkräfte damaliger Bühnen: Alexander Moissi, Josef Kainz und *den* großen Rezitator, von dem ich ältere Jahrgänge immer wieder schwärmen hörte: Ludwig Wüllner. Die Gäste sprachen Shakespeare, Schiller, Goethe, Kleist, Hölderlin – für Hans unvergeßliche Eindrücke.

Wir gerieten bald aneinander. Hans genügte Stimmschönheit nicht. Er sagte: »Dein Keller, Miggi, weißt du, das ist alles gut und recht. Schöne Töne, Schöngesang! Deine Linienführung in ›Du bist die Ruh‹, das macht dir so rasch niemand nach. Und dein ›Incarnatus‹! So rein! Oh, so rein! Wie weißes Porzellan! Aber ...«

»Aber was?«

»Ach, dieser Opernsänger Keller! Der hat bestimmt, wenn er früher schöne Töne von sich gab, zunächst mal eine Fermate draufgepflanzt. Doch das Wort, Miggi. Der *Sinn* des Wortes, der mit Musik ausgedrückt wird, der ist flöten.« Und er erzählte mir voller Begeisterung von Wüllner, der den Tannhäuser gesungen habe, und das sei ein überwältigendes Erlebnis gewesen. Und Wagner, der habe zusammen mit der Frau von Ignaz Heim den ersten Akt »Walküre« im Hotel

Baur-au-lac für die Zürcher Gesellschaft uraufgeführt, wobei Wagner den Siegmund und zugleich den Hunding gesungen habe, während am Flügel Liszt und Kirchner Winterstürme, Wonnemond und Wälsungenweihe aus den Tasten hervorhexten. Und das sei ohne Zweifel auch ein überwältigendes Erlebnis gewesen, denn die hätten daran geglaubt und sich dem hingegeben. Und er erzählte das so mitreißend, daß er mich im Nu gleichfalls mitriß. Denn Hans ist ein feuriger Erzähler und könnte das alles noch viel anschaulicher bringen als ich.

Dennoch, Ausdruck hin oder her, das Problem der Stimmschönheit ließ ihm ebenfalls keine Ruhe. »Miggi, weißt, diese Reinheit, diese unwahrscheinliche Intonationsreinheit, über die ich mit dir sprach ... Ich hab's mir überlegt, woher das kommt, was da dahinter ist.«

»Was?«

»Also dem Keller und dir, ich muß euch *so* viel zugute halten. Es sind die Obertöne. Das weiß ich vom Glockenstimmen.«

»Vom was stimmen?«

»Glockenstimmen. Hab ich dir noch nicht erzählt? Ich habe mal in der Glockengießerei Rüetschi in Aarau Glocken gestimmt, um etwas Geld zu verdienen. Da muß man darauf achten, daß, wenn die Glocke bim-bam macht, die Obertöne haargenau in der richtigen Reihenfolge aufgebaut sind. Das ist enorm wichtig. Es gibt zum Beispiel Geigen, bei denen das nicht der Fall ist. Dann verschiebt sich etwas. Aber bei dir, Miggi, da stimmt's. Da sind alle Obertöne am richtigen Platz.«

»Und ist das der Grund, warum du mich lieb hast?«

»Ein bißchen schon ...«

Ein Stipendium der Stadt Aarau öffnete den Weg zum Konservatorium Basel, aber das Studium verdiente sich Hans zu einem guten Teil selber. Er gab Klavierstunden, später Gesangsstunden, mit Frauen- und Männerchören führte er Operetten und Opern auf: »Der fidele Bauer« von Leo Fall und Etienne Méhuls dreiaktige Oper »Josef in Ägypten«, womit er sich seinen Berliner Aufenthalt finanzierte. 1934 schloß er sein Basler Studium am Konservatorium mit vier Diplomen ab: beim Abschlußkonzert dirigierte er Brahms' Haydn-Variationen, spielte unter der Leitung des Konsi-Direktors Felix Weingartner das fünfte Klavierkonzert von Beethoven, sang »Schon eilt der frohe Akkersmann« aus Haydns »Jahreszeiten« und hätte, wenn es das Programm erlaubt hätte, auch noch orgeln können.

»Stimmlich, ich merk's, kannst du mir noch einiges beibringen, Miggi.«

»Willst doch noch Sänger werden?«

»Nein, ich will nur wissen, wie du's machst. Damit ich weiß, wie's gemacht wird.«

Immerhin, als wir uns kennenlernten, hatte Hans schon eine beachtliche Sängerlaufbahn hinter sich: Schöpfung, Jahreszeiten, Bachkantaten. Und in den vierziger Jahren, als er längst als wohlbestallter Chordirektor am Zürcher Stadttheater wirkte, war Hans' Sängerkarriere noch immer nicht zu Ende. Während einer Rigoletto-Aufführung fiel der herzogliche Höfling Marullo aus. Das ist schlimm, denn im 3. Bild, wo Rigoletto seine Gilda sucht, muß sich Marullo über den Hofnarren mokieren. Hans sprang ein, und ihm fiel die Ehre zu, mit Heinrich Schlusnus auf der Bühne zu stehen und Duett zu singen. Darüber schmunzelt er heute noch.

Aus der Basler Konservatoriumszeit stammt die Freundschaft mit . . . aber nein, das ist eine Geschichte, die Hans am besten selber erzählt: »Ich war von Karl Grenacher für einen Liederzyklus des Aargauers Werner Wehrli in die Stadtkirche Brugg engagiert worden. Die Lieder verlangen nebst untermalender Orgel eine obligate Violine. Ich fragte: ›Habt ihr einen Geiger?‹ – ›Ja ja. Wir haben da einen jungen Kerl, erzmusikalisch. Der wird das machen.‹ Der junge Geiger kam und entledigte sich der Aufgabe tatsächlich mit Bravour. Er hieß Haefliger, mit Vornamen Ernst. Der wußte damals noch gar nicht, daß er singen konnte!«

Hans, der mit Ernst Haefliger beide Evangelisten-Partien einstudierte, betrachtet Haefliger als das Nonplusultra, was Musikalität anbelangt. Das Gegenstück dazu ist ein einst gerühmter Tenor, der sich auf einer Probe im Zürcher Stadttheater mit Impetus in der Bildnisarie des Tamino aus der »Zauberflöte« erging, während das Orchester im Graben zum Jux mit der Begleitung zu »Non piu andrai« aus »Figaros Hochzeit« sekundierte, ohne daß der Bühnenheld sich der Katzenmusik bewußt wurde.

Er hörte eben nur auf sich selber. Die Geschichte, möchte man glauben, sei dazu erfunden worden, die Ritter des hohen C zu verulken. Hans hat sie jedoch miterlebt.

Musikalische Analphabeten, wie er sie nannte, waren dem durchtrainierten Kapellmeister unerträglich. Das machte mir Hans von allem Anfang an klar. Ich gestehe, daß auch in meiner musikalischen Erziehung einiges auf der Strecke geblieben war. Beim Anhören schöner Stimmen neigen, wie wir am Beispiel Volkmar Andreae und Kollegen gesehen haben, selbst gestrenge Prüfungsexperten dazu, ein Auge zuzudrücken. Man sagt sich: Die mit ihrer Bombenstimme wird schon ihren Weg machen. Hans war da anderer Auffassung, und Miggi Stader war einsichtig genug, ihm recht zu geben und sich ihm anzuvertrauen. Also ließ ich mich willig in die kapellmeisterliche Zange nehmen. Da mich die Natur zum Glück mit einer raschen Auffassungsgabe bedacht hat, konnte ich in kurzer Zeit manches nachholen.

Hin und wieder riß mir der Geduldsfaden.

»Jetzt reite nicht auf diesem doppelpunktierten Achtel herum!«

»Doppelpunktiert ist nicht einfach punktiert. Zweiunddreißigstel sind nicht Sechzehntel. Das ergibt eine ganz andere Wirkung. Und dann gib auf die Synkopen acht! Los! Ich schlage: eins – zwei – drei ...«

»Du bist ein unverbesserlicher Perfektionist!«

»Selbstverständlich bin ich Perfektionist. Was glaubst du? Du auf deiner Stufe! Auf diesem stimmlichen Niveau! Da kann man gar nicht exakt genug sein. Da ist nur das Beste gut genug!«

Ich wußte, wie gesagt, daß Hans recht hatte, und wenn das Schicksal mich später mit Dirigenten zusammenbrachte, die nicht mich führten, sondern die offenbar erwarteten, von mir geführt zu werden, dachte ich stets dankbar an diese Lektionen zurück.

Hans hatte sich keineswegs von allem Anfang an für den Opernbetrieb entschieden. Als er Basel 1936 verließ, um seinen Horizont in Berlin zu erweitern, wollte er Kirchenmusiker werden. Er träumte davon, die gesammelten Bachkantaten aufzuführen und verbrachte manche Stunde in der Preußischen Staatsbibliothek, wo er Bachs handschriftliche Urfassung mit Bachs später hinzugefügten Korrekturen, den Erstdrucken und späteren Ausgaben verglich.

Es war sein neuer Lehrmeister Clemens Krauss, der ihn aus sakralen Höhen in den Venusberg der Oper entführte. Krauss war total aufs Theater ausgerichtet. Anstelle von Passionen besprach man »Parsifal«, anstelle von Brahms Richard Strauss. Wie ich in Konstanz von den Vorteilen der Studentenmark profitierend, stürzte sich Hans ins Berli-

ner Opernleben, nährte das hungrige Ohr an der Isolde der Frida Leider, dem Kaspar Michael Bohnens und der Sophie der jungen Erna Berger und wunderte sich über den Mut und die Immunität Clemens Krauss', der unentwegt abfällige Bemerkungen über das Hitlerregime machte, ohne behelligt zu werden. Auch Bruno Kittels Chorunterricht besuchte er. Hans: »Kittel war Nazi, ein Obernazi.«

»Für mich eine wunderbare Zeit, und doch unheimlich«, erzählte Hans weiter. »Seither ist mir klar, wie eine gesteuerte Presse ein ganzes Volk hinters Licht führen kann. Wer eine deutsche Zeitung aufschlug, las lauter Lügen und Entstellungen, aber das konnten nur jene wissen, die Zugang zu ausländischen Zeitungen hatten, wie ich, der ich in die Schweizerische Botschaft ging und mich in die Schweizer Blätter vertiefte. Was ich dort erfuhr, stimmte aber auch nicht im geringsten mit dem überein, was die deutschen Zeitungen berichteten. Der kleine Mann auf der Straße, der Uneingeweihte, wußte kaum, was vor sich ging. Er sah immer nur, was man ihm zu sehen gab, und wußte nur, was man ihm mundgerecht zum Frühstück reichte. Sich diese Situation heute zu vergegenwärtigen, ist nicht leicht.«

Was ihn aber nicht zuletzt an Berlin fesselte, waren Persönlichkeiten wie Professor Georg Schünemann. (Hans: »Der Mann, dem ich vielleicht am meisten verdanke, der den stärksten Einfluß auf mich ausübte.«) Es muß ein echtes Lehrer-Schüler-Verhältnis gewesen sein, ähnlich der Freundschaft Schnabels und Paumgartners zu Eusebius Mandyczewski. Schünemann, vormals Direktor der Musikhochschule und dann mangels politischer Lupenreinheit »ins Archiv abgeschoben«, wie Hans zu sagen pflegte, war Chef der Musikabteilung der Preußischen Staatsbibliothek und leitete das Musikinstitut für Ausländer. Hans wurde Schünemanns Assistent, was die Pforte Sesam öffnete. Ein unbeschreiblicher Reichtum an Musikschätzen breitete sich vor ihm aus. Er spielte auf Bachs Silbermann-Cembalo, Mozarts Klavier, Beethovens und Webers Flügel, für den jungen Musiker bleibende Erlebnisse. Und dazu Schünemanns Privatsammlung! Er besaß unzählige Bücher, Noten, Erstausgaben, ferner fünf historische Cembali. Auch Professor Schünemann hatte Freude an diesem jungen Mann. Am Sonntagmorgen klingelte das Telefon. »Was haben Sie vor? Sind Sie allein? Kommen Sie zu uns zum Mittagessen.« Und dann verbrachte man den Nachmittag plaudernd und wie unter alten Freunden.

Clemens Krauss nahm mit seinen Schülern auch Bruckner-Symphoniesätze und Strauss'sche Tondichtungen durch; aber selbst wenn sich Hans für den Konzertsaal entschieden hätte, der Weg des Dirigenten zum Konzert führte über die Oper. Das gehörte zu den Eigenheiten des damaligen deutschen Musiklebens. An offenen Stellen fehlte es nicht. Krauss hatte eine ganze Liste auf Lager, und solange man sich nicht unbeliebt machte, waren Ausländer willkommen, ja das Regime gefiel sich darin, Opernkapellmeisterposten in der Provinz mit Ausländern zu schmücken. Aber Hans witterte Unheil und zog es vor, in die Schweiz zurückzukehren, auch wenn das mit offenkundigen Nachteilen verbunden war. Hierzulande war die Situation keineswegs rosig. Sämtliche interessanten Stellen waren auf Jahre hinaus besetzt, er mußte dankbar zugreifen, als ihm ein Thurgauer Städtchen das Amt eines Musikdirektors anbot. So kam er nach Weinfelden, gab dem Thurgauer Musikleben neuen Auftrieb und machte sich einen Namen als Organist.

»Wer wird bei unsrer Hochzeit orgeln?« fragte ich. »Es ist ja doch niemand gut genug für dich.«

»Machen wir's einfach und ohne großes Getute. Es ist jetzt nicht die Zeit dazu.«

Ich war einverstanden. Zu einer großen Hochzeitsreise reichte es nicht, doch zu einem Abstecher gen Süden. Was lag da näher als Tremezzo mit seinem Hotel Bazzoni? Wie gerne hätte ich Therese und Artur umarmt, die vergnügliche Kollegenrunde begrüßt und dem hellseherischen Portier ein Extratrinkgeld zugesteckt! Aber im Mai 1939 waren sie in alle Winde zerstreut.

Kapitel 19

Mit der Zerbinetta-Arie beim Genfer Wettbewerb

War es Stefi Geyer, die mich auf den internationalen Solistenwettbewerb 1939 in Genf aufmerksam machte? Diese Einzelheit ist mir entfallen. Jedenfalls wurde ich bedrängt, mein Glück in der Rhonestadt zu versuchen.

Angehenden Solisten geben Wettbewerbe Gelegenheit, auf ein Ziel hin zu arbeiten, sich zu produzieren, sich zu bewähren, in der Öffentlichkeit genannt zu werden. Das weitere hängt von der künstlerischen Qualität und Integrität der Jurys und der Organisatoren ab. Gegen das, was mir in Genf zustieß, sind Wettbewerbsleiter freilich machtlos:

Unmittelbar nach Abschluß des Wettbewerbs suchte mich Adele Kern auf, die gefeierte Sophie und Zerbinetta Münchens und Berlins. Sie war Mitglied der von Felix Weingartner präsidierten Jury und berichtete, sie habe beim ersten Vorsingen, als es ans Erteilen der Zensuren ging, bemerkt, wie ein in der Nähe sitzendes Jurymitglied es unterlassen habe, mir auch nur einen einzigen Punkt zu geben. Das sei ihr verdächtig vorgekommen und aus diesem Grund habe sie mir die maximale Punktzahl zuerkannt. Ob dieser Mann mich, meine Stimme kenne? Ob er ein Interesse an meinem Mißerfolg haben könne?

Ich war begreiflicherweise entrüstet, nannte auch sofort den Namen des betreffenden Herrn, dessen Anwesenheit in der Jury mir bekannt war, der sehr wohl um meine Existenz wußte – wir hatten zehn Tage zuvor in Lugano zusammen gesungen, im Mozart-Requiem, und dessen talentierte junge Freundin sich gleichfalls unter den Konkurrentinnen befand ... Adele Kern sagte: »Aha ...« Ob der Cavaliere je wieder eingeladen wurde, in der Jury mitzuwirken, weiß ich nicht.

Der aufmerksamen Adele Kern hatte ich es zu verdanken, daß ich zur zweiten Selektion zugelassen wurde. Sie fand vierzehn Tage später als öffentliche Veranstaltung statt. Vom Heer der Anwärter waren noch neun übriggeblieben. Wir waren für halb zwei bestellt und wurden alphabetisch aufgerufen. Folglich durfte ich, Buchstabe ›S‹, mit einer längeren Wartepause rechnen. Hans und ich zogen uns diskret auf die Galerie zurück, um von dort aus einen Eindruck von den übrigen Kandidatinnen und Kandidaten zu gewinnen und dem Gang der Ereignisse zu folgen. Mich ärgerte die Disziplinlosigkeit des Publikums. Die Leute raschelten ungeniert mit den Programmen, schwatzten unverdrossen drauflos und genierten sich nicht, während der Darbietungen aufzustehen und den Saal zu verlassen. Allerdings fiel mir das ungeschickte Benehmen einiger Sänger auf. Anstatt Augenkontakt mit ihrem Publikum aufzunehmen, blickten sie andauernd vor sich nieder, einige der Herren wußten nicht, was sie mit ihren Händen anfangen sollten, andere bewegten sich vom Flügel weg oder hatten nicht die mindeste Ahnung, wie man sich vor seiner Zuhörerschaft verneigt. Auch das gehört dazu, muß geübt und gelernt sein.

Es gab aber auch Grund zur Beunruhigung. Eine junge italienische Koloratursängerin, die mit einem fabelhaft gesungenen Rossini aufwartete, riß mich mit. Ich stieß meinen Mann an. »Du, die hat den ersten Preis.«

Um halb sechs endlich kam ich mit Hans aufs Podium. Während er die Noten ordnete, konzentrierte ich mich; als er zum Vortrag bereit war, hielt das Getuschel unvermindert an ..., und ich wartete weiter. Einige Zuhörer klopften mit der flachen Hand auf die Armlehne, eine Frauenstimme rief: »Mais commencez!«, aber ich ließ mich nicht aus der Ruhe bringen. Im Gegenteil: Ich trat einen Schritt zurück, lehnte mich leicht an den Flügel an und schlug die Augen nieder. Am liebsten hätte ich wie Nürnbergs Lehrbuben »Silentium! Macht kein Reden und kein Gesumm!« in den Saal hineingerufen. Das Publikum würde keinen Ton von mir hören, ehe es nicht still war. Onkel Hans, die Durigo, Therese und die Signora zogen vor meinem geistigen Auge vorüber und nickten mir ermutigend zu. Nach und nach verstummte das Rascheln und Räuspern, die verehrten Anwesenden hatten langsam begriffen, worum es mir ging. Dann, als kein Laut mehr zu hören war, gab ich Hans das Zeichen, wir begannen mit »Zerfließe mein Herz« von Bach, es folgten die zweite Arie der Königin der Nacht, die Arie der Zerbinetta aus »Ariadne auf Naxos« von Strauss, mit ihren Koloraturperlensträngen und Schuberts »Die Forelle«. Die Zuhörer rasten. Weit entfernt davon, mir meine Zurechtweisung übelzunehmen, wurde ich anscheinend dafür belohnt. Mit der Masse Publikum verhält es sich mitunter wie mit einem wilden Hengst. Um ihr Respekt abzugewinnen, muß sie gebändigt werden.

In der langen Zerbinetta-Arie aus »Ariadne auf Naxos« von Richard Strauss, die ich als letzte Nummer auf meinem Programm hatte, passierte mir ein Schnitzer, der leicht böse Folgen hätte nach sich ziehen können. Kein Wunder! Ein technisch heikleres Gesangsstück als diesen Brocken von einem Koloraturfeuerwerk hätte ich mir nicht aussuchen können! Damit hat Richard Strauss die Grenze des Möglichen erreicht. Wer daran zweifelt, werfe einen Blick aufs Notenbild. Die stimmakrobatischen Hürden, die Zerbinetta zu nehmen hat, um die dem Theseus nachtrauernde Ariadne über das Wesen der Männerliebe zu belehren, sind eines olympischen Wettstreits würdig. Wollte der vielgeplagte Opernkapellmeister und -komponist am rouladen- und kaskadensüchtigen Geschlecht der Koloraturprimadonnen Rache nehmen?

Es heißt, Strauss habe die Zerbinetta-Arie dem ersten Sopran der Dresdener Hofoper, Margarethe Siems, zugedacht. Ihre Kopftöne waren von ungewöhnlicher Lauterkeit und Leuchtkraft. Eine der berühmtesten Schülerinnen der Siems habe ich erwähnt: Sigrid Onegin, eine Altistin, die über eine sagenhafte Verzierungskunst verfügte, und, was für einen Alt nicht alltäglich ist, veloursweiche Kopftöne. Die Herkunft dieser Kopftöne verleugnete sie nie. »Die hab ich von der Siems«, erklärte sie lachend, wobei ihr langes Bernsteinohrengehänge vor Vergnügen zu klappern begann. Und dann fügte sie mit einem Augenzwinkern hinzu: »Die Kopftöne sind die Gesundheit der Stimme!« Ja, diese Kopftöne! Diese bezaubernden Kopftöne! Wo wäre das Publikum, das sich von ihrem Geglitzer nicht becircen ließe? Ich weiß ein Lied davon zu singen. Und wer mag sie inniger geliebt haben als Richard Strauss, der Schöpfer von »Arabella« und »Rosenkavalier« mit den in himmlischen Höhen dahinschwebenden Frauenensembles? Wir Jüngerinnen der Siems haben ihm daher die Zerbinetta-Arie längst verziehen – um so mehr, als sich Strauss nach der Uraufführung zu einer Revision entschloß. In der ursprünglichen Fassung erstreckt sich die Arie über dreihundertfünfzehn Takte! Fast neun Minuten lang singt Zerbinetta auf die Ariadne los, das entspricht etwa der Dauer des ersten Satzes eines Mozartschen Violinkonzerts. Aber auch die Stimmführung erinnert an ein Schaustück für Geige. Bis hinauf ins hohe Fis muß Zerbinetta klettern, höher hinauf noch als die Königin der Nacht. Auf dem Weg hin und zurück lauern Oktavsprünge aufs hohe C, aufs hohe Cis und hohe Es und obendrein hinter jeder zweiten Hecke größere und kleinere Triller, insgesamt zweiundzwanzig (!) an der Zahl.

Im Jahre 1916, als Strauss und Hofmannsthal die neue »Ariadne« vorlegten, stand Mahlers Koloraturkönigin Selma Kurz auf der Bühne. Dennoch, Strauss war der höheren Gewalt gewichen. Er hatte die Arie von einigen gefürchteten Klippen befreit, an die siebzig Takte gestrichen und den zweiten Teil um einen Ganzton von E-Dur nach D-Dur hinuntertransponiert, ein – man merkt es irgendwie – widerwillig dargebrachtes Opfer am Altar menschlicher Stimmgrenzen. Das plötzliche D-Dur wirkt wie ein orangefarbener Klecks mitten im perlenblau schimmernden Des- und E-Dur-Teppich der alten und der neuen Partitur. (Einen neu hinzugefügten langen Triller auf dem dreigestrichenen D hatte sich Strauss allerdings nicht verkneifen können, aber vielleicht war das ein Präsent für die in ihre Triller vernarrte Selma Kurz.)

Gesangshistorisch nicht uninteressant ist die Tatsache, daß sich außer der Siems noch weitere Sängerinnen an die halsbrecherische Urfassung heranwagten, wie die beiden Wienerinnen Hermine Bosetti und Hedwig Francillo-Kaufmann, die Plattenaufnahmen hinterlassen haben: atemraubend das Können der Bosetti, ein bißchen mechanisch vielleicht wie Spalanzanis Puppe die Kaufmann. Mit dem begleitenden Dirigenten stand Frau Hedwig auf Kriegsfuß. »Wenn Sie nicht leiser spielen, singe ich nicht weiter!« verkündet sie mitten drin, was vom Techniker getreulich mitaufgezeichnet wurde. Fidele Aufnahmesessionen waren das in jenen Jahren! Aber nachdem die erleichterte Version erschienen war, wurde die Urfassung ad acta gelegt. Selbst ein so leuchtender Stern wie Maria Ivogün bediente sich der neuen Lesart, desgleichen Adele Kern und Erna Berger – und ich.

Doch zu meinem Ausrutscher. Ich kürzte die Arie nämlich um weitere weiß Gott wie viele Takte. Das passiert schneller, als man »Richard Strauss« sagen kann. Eine falsche Weichenstellung – päng! Man befindet sich irgendwo, wo man sich längst noch nicht hätte befinden sollen. Mein gewiegter Begleiter Hans schaltete augenblicklich, sprang mit, und – Wunder über Wunder! – wir landeten auf den Vorderpfoten geschmeidig wie zwei Katzen.

Erste Konversation hinter der Bühne:

Ich: »Ich hab ja ein Riesenstück ausgelassen. Wie mir das nur passieren konnte!«

Er: »Niemand hat etwas gemerkt.«

Ich: »Sagst *du!* Meinen Preis kann ich mir in den Kamin schreiben.«

Er: »Unsinn! Hör doch, wie sie klatschen. Keiner kennt die Arie.«

Ich: »Aber die Jury mit Adele Kern.« Überdies war anzunehmen, daß einige der Jurymitglieder mit aufgeschlagenen Noten zuhörten. Ich weiß nicht mehr, wer im Auftrag der Jury kam, ich glaube, es war Frau Kern: »Machen Sie in dieser Arie immer einen Sprung?«

Ich wurde verlegen, begann zu stottern, da fiel mir Hans ins Wort: »Ja, sonst wird sie zu lang fürs Publikum.«

»Hmm ... da haben Sie möglicherweise nicht unrecht.«

Mir fiel ein Stein vom Herzen.

Es stellte sich heraus, daß Felix Weingartner, Adele Kern, Frank Martin, der angesehene französische Liedsänger Pierre Bernac und die anderen Jurymitglieder von meinen Darbietungen nicht weniger angetan waren als das Publikum. Mitte Juli 1939 meldete die Landespresse stolz: »Den ersten Preis errang die Schweizerin Maria Stader.«

Am 25. September 1963 veranstalteten die Organisatoren des Wettbewerbs mit Henri Gangebin und André Marescotti, wie ehedem in vorderster Front, und dem allen Teilnehmern väterlich beistehenden Generalsekretär Frédéric Liebstoeckl ein Jubiläumskonzert zur Feier des fünfundzwanzigsten Concours-Jahres. Wie im Jahre 1939 traten unter Ernest Ansermets Leitung fünf der damaligen Preisträger auf: mein Baß-Kollege Fritz Ollendorff, der Oboist Paul Valentin, André Jaunet, Flöte, Robert Gugolz, Klarinette. Nur einer fehlte: Arturo Benedetti-Michelangeli, der uns als Neunzehnjähriger mit seiner Interpretation des Es-Dur-Konzerts von Liszt aus unsern Stühlen gerissen hatte. An seiner Stelle spielte eine Landsmännin, die gleichfalls phänomenal begabte Maria Tipo, Preisträgerin des Jahres 1949.

Noch ein Wort zur Persönlichkeit des Jury-Vorsitzenden von 1939, Felix Weingartner, einem der ersten Musiker seiner Zeit, Opern- und Liederkomponist, Dirigent von Weltrang, eine Persönlichkeit von umfassender Bildung. Er war zweimal als Direktor an die Wiener Oper berufen worden, hatte aber als Nachfolger Gustav Mahlers keinen leichten Stand gehabt. In jungen Jahren war er mit Brahms und Liszt befreundet gewesen, 1882 pilgerte er nach Bayreuth und lernte Wagner kennen. Für ihn waren fast alle Sänger von Rang und Namen seit etwa 1880 lebendige Erinnerung, angefangen mit der alten Bayreuther Garde Materna, Reichmann, Winkelmann und Scaria. Er hatte Lilli Lehmann und Emma Calvé, Jean de Reszke und Enrico Caruso gehört, auch die namhaftesten Koloratursängerinnen seit Menschengedenken: die Sembrich, die Arnoldson, die Melba, die Kurz. Schon zu Brahms' Zeiten setzte sich Weingartner für Berlioz ein und lancierte eine Gesamtausgabe seines Werks bei Breitkopf & Härtel. In seinen Lebenserinnerungen schildert Weingartner, wie Brahms vor einem Konzert empfindlich darauf reagierte, daß er nach einer Brahms-Symphonie Berlioz' ›Carnaval Romain‹ auf das Programm gesetzt hatte.

»Erst bei Ihrem Berlioz werden die Leute aufwachen«, sagte Brahms gereizt.

Als wir nach der Preisverleihung mit einigen Jurymitgliedern und Organisatoren zusammensaßen, erzählte uns Weingartner von einer Begegnung, die mich stark beeindruckte. Ende des vorigen Jahrhunderts, Weingartner war damals fünfunddreißig Jahre alt, hatte er eine alte Dame kennengelernt, die als junges Mädchen in der Wiener Uraufführung der Neunten Symphonie Beethovens unter der Leitung des Komponisten im Chor mitgesungen hatte. Sie beschrieb, wie der taube Meister, ganz in sich versunken, die Musik dirigierte, die er nicht hören konnte. Den tosenden Beifall konnte er auch nicht wahrnehmen, weder den, der mitten im zweiten Satz, wo die Solopauke apokalyptisch ins Geschehen eingreift, ausbrach, noch den Schlußapplaus. Jemand mußte aufs Podium gehen und Beethoven umdrehen, damit er die Bewegung im Saal sehe.

Sooft ich das Sopransolo in der Neunten sang, dachte ich daran.

Leider war es mir nicht vergönnt, unter Weingartners Leitung zu singen. Er starb drei Jahre später in Winterthur. Überhaupt mußte ich damals manche schöne Hoffnung begraben. Was nützten all die Auslandsengagements, die mir wohlmeinende und begeisterte Leute in Aussicht stellten? Über Europa brach das Unheil herein und machte allem einen dicken Strich durch die Rechnung.

Kapitel 20

Pape Stader wird Grossvater

Unser erstes Heim in Weinfelden war das Haus des pensionierten Pfarrers, ein reizendes, für unsere Bedürfnisse ausreichend Platz bietendes kleines Einfamilienhaus. Wir leisteten uns sogar eine Haushaltshilfe, »es Meitli«, wie man hierzulande sagt. Während ich zweimal wöchentlich nach Zürich reiste, um in einem gemieteten Studio Stunden zu geben, erfüllte mein Mann seine Pflichten als Weinfeldener Musikdirektor. Zwischendurch, wenn man am wenigsten darauf gefaßt war, rief ihn die Eidgenossenschaft zur Fahne. Es war die Zeit des

Aktivdienstes. Im Schrank hing die Uniform, lagen Karabiner, Munition und Vollpackung griffbereit.

Im Januar 1940 erlebte ich Berlin. »Wunderbar und unheimlich« hatte Hans gesagt, der sich bis Frühjahr 1937 ein Jahr lang in Berlin weitergebildet hat. Noch unheimlicher fand ich die Stadt jetzt, nachdem Hitler den Krieg begonnen hatte. Im ersten Kapitel habe ich es zu beschreiben versucht. Der Erfolg, den ich in Berlin hatte, kam durch die Kriegsereignisse kaum mehr zum Tragen. Andere Umstände kamen hinzu ...

Seit einiger Zeit fühlte ich mich kränklich. Im Mai 1940 fuhr ich ins Tessin in die Ferien. Hans hatte inzwischen wie Tausende von Ehemännern seine Uniform anziehen müssen und war einberufen worden. Im Tessin suchte ich einen Arzt auf. »Sie sind kerngesund«, sagte er. »Im übrigen darf ich Ihnen gratulieren. Sie bekommen ein Baby.«

Ich rief meinen Mann an, was mit einer Menge von Komplikationen verbunden war. Hans war in einem abgelegenen Ort im Fricktal im Kanton Aargau stationiert. Schließlich erreichte ich ihn durch den Posthalter, in dessen Scheune ich jeweils übernachtete, wenn ich Hans übers Wochenende besuchte.

»Du, Hans, ich war beim Doktor. Ich bin in Erwartung.«
Mein Mann war sehr gerührt. »Maieli, hier sieht's schlecht aus. Wir haben Informationen, wonach die Deutschen morgen über den Rhein kommen. Weißt, was das bedeutet.«

Wir kamen überein, daß er mich abends um zehn anrufen solle. Wer jenen Tag miterlebt hat, wird ihn so leicht nicht vergessen. Die zweite Mobilmachung hatte stattgefunden, die Armee war gegen Norden aufmarschiert, aber mitten im Land setzte ein Exodus ohnegleichen ein, und zwar nach Westen und Süden. Wer sich's leisten konnte, verließ die Städte im Flachland, setzte sich ins Auto, in den Zug und eilte mit Sack und Pack in die Innerschweiz, ins Berner Oberland, in die französische Schweiz, in das Tessin. Den ganzen Tag bis tief in die Nacht hinein bewegten sich die Autoschlangen in Richtung Brünig, Gotthard und Julier, und in den Schnellzügen nach Genf reisten die Leute aneinandergedrückt wie die Felchen in Pape Staders Transportkisten. In den Offizierskasinos, in den Hotels und Beizlis strengten sich Fouriere und »Chuchitiger« fieberhaft an, eine besonders schmackhafte womöglich letzte Mahlzeit auf den Tisch zu zaubern. Die Wellen der Brüderschaft schlugen hoch, Bier- und Weingläser klirrten. Würde man den morgigen Tag überleben?

Abends, pünktlich zur vereinbarten Zeit, machte sich Hans auf den Weg zum Posthalter, um mich anzurufen.

»Guten Abend, Herr Basler.«

»Guten Abend, Herr Erismann.«

»Sie, könnt ich jetzt bitte die Frau in Lugano anrufen.«

»Freilich. Gehen Sie nur in die Stube.«

Als Hans in die Stube eintrat, blieb er wie vom Donner gerührt auf der Schwelle stehen. Er sah seine Frau.

»Maieli!«

Wir lagen einander in den Armen.

»Maieli! Maieli! Alles dreiht durre, keit de Chanarievogel id Schiessi und chaibet dervo. Und du, du Chrott, chunnsch vo Lugano da anne!«

Ich sagte: »Wenn du verrecksch, verrecke mer zämme.«

Aber jenseits der Grenze sagten die deutschen Soldaten:

»Die kleine Schweiz, das Stachelschwein,
Die stecken wir auf dem Rückweg ein.«

Gottlob, sie zogen in die andere Richtung, und der Rest der Geschichte ist bekannt.

Während des Krieges auf dem Zürichberg

In unserem Garten in Weinfelden hatten die Blumenbeete längst praktischeren Bedürfnissen, nämlich Gemüse und Salat, weichen müssen. So verlangte es die Kriegsvorsorge. Ich hatte Dutzende von Bülacherflaschen erstanden, hatte sterilisiert, was der Garten hergab, außerdem Eier, Butter und Schmalz eingemacht. In Weinfelden gab es nicht so leicht eine Hausfrau, die mit derselben Inbrunst ans Werk ging. Mein Hunger als Kind in Budapest war mir wieder gegenwärtig.

Im Mai gab es eine überraschende Nachricht: Aus Zürich kam eine Anfrage, ob Hans gewillt wäre, den Posten eines Chordirektors am Zürcher Opernhaus, dem Stadttheater, zu übernehmen. Einige Wochen lang überlegten wir, ob dieser Wechsel tunlich sei. Weinfelden war eine hübsche Stadt, wir hatten uns prächtig eingelebt, wir mochten die Menschen. Hans allerdings wollte zum Theater, aber als Kapellmeister, nicht als Chordirektor. Den Ausschlag gaben schließlich zwei

Überlegungen: Erstens füllte ihn das Musikdirektorenamt nicht aus; was Weinfelden zu bieten hatte, war für ihn, der in Berlin gearbeitet hatte, doch eher bescheiden. Das sonntägliche Orgeln war schön und recht; sich hingegen Woche für Woche die pfarrherrlichen Ergüsse anhören zu müssen, nicht unbedingt dazu angetan, den Geist zu erweitern. Zweitens bestand an einem Theater die Möglichkeit, als Kapellmeister nachgezogen zu werden. Wir entschieden uns für Zürich. Weinfelden war großzügig und gab Hans frei. Am 1. August 1940 trat er seinen neuen Posten an. Fortan pendelten wir beide zwischen Weinfelden und Zürich hin und her. Aber auf die Dauer war das keine Lösung. Was wir zunächst erhofft hatten, den Wohnsitz in Weinfelden behalten zu können, komplizierte das Leben derart, daß sich ein Umzug mehr und mehr aufdrängte. Lily Reiff war wieder einmal Helferin in der Not. Spontan stellte sie uns – da ihr Haus besetzt war – die Turnhalle im obersten Stock der Mythenstraße 21 als Pied-à-terre zur Verfügung, dort packten wir aus und packten wir ein, bis unsere Wohnprobleme in Zürich gelöst waren. Hauptsache war zunächst, daß Hans sich in der Oper einlebte.

Damals lernte ich Schwester Jetty kennen. Sie war mir von Leni Häfeli-Kern, meiner Zimmergenossin bei Onkel Hans in Konstanz, als Hebamme empfohlen worden. Leni hatte bereits drei Kindern das Leben geschenkt, auf ihr Urteil konnte ich mich verlassen. An Schwester Jetty ließ sich ermessen, wie recht Dr. Haab hatte, als er mir, meiner körperlichen Konstitution wegen, vom Beruf der Säuglingsschwester abgeraten hatte. Schwester Jetty war nicht nur groß, sie war mächtig, und sie ging breit, schwer und fest im Boden verankert. Ihre berufliche Tüchtigkeit und ihr Einfühlungsvermögen sicherten ihr die Hochachtung nicht nur ihrer Patienten, sondern der Ärzteschaft, die mit ihr in Kontakt kam. Bei Krisenfällen wurde sie wie ein Spezialist herbeigezogen. Schwester Jetty war durch und durch Praktikerin, und sie verband dieses Können auf einzigartige Weise mit intuitivem Wissen. In entscheidenden Augenblicken tat sie recht ungewöhnliche Dinge, aber sie tat sie mit nachtwandlerischer Sicherheit. Sie war tief gläubig. Während des eigentlichen Vorgangs der Geburt bewegten sich ihre Lippen fast unmerklich, aber pausenlos. Sie betete.

Meine Entbindung 1940, zwei Tage vor dem Heiligen Abend, verlief nicht ohne schwere Komplikationen. Der Entschlußkraft und dem Geschick Schwester Jettys verdanke ich mein Leben und wahrscheinlich auch dasjenige meines ersten Kindes Roland.

An einem frostigen Januarnachmittag des Jahres 1941 fuhr die Familie Erismann von Zürich, wo Roland im Rotkreuzspital zur Welt gekommen war, nach Weinfelden zurück, noch etwas mitgenommen die Mutter, neben ihr auf der Sitzbank eingebettet in einen Wäschekorb die Hauptperson des Tages, auf der gegenüberliegenden Bank das Familienoberhaupt mit stark aus dem Gleichgewicht geworfenem Magen. Sein Leiden hatte Schwester Jetty herausgefordert. Als zur Niederkunft Schnuller, Beißringe, Rasseln und Babykleider eintrafen, der auf eine Tüte Pralinen hoffende Vater aber so gänzlich zu kurz kam, hatte Schwester Jetty Mitleid und spendierte ein Pfund Schokolade, die Hans auf der Stelle verschlang.

Schwester Jetty starb in ihren besten Jahren und ausgerechnet an den Folgen eines operativen Versehens. Von vielen Ärzten, die sie auf ihrem letzten Weg begleiteten, trat nach den Feierlichkeiten einer vor, legte die Hand auf den Sarg und sagte schlicht und verhalten: »Adieu, Schwester Jetty.« Das war ein würdiger Abschied, ganz in ihrem Sinne.

Endlich, Juli 1941, gelang es uns, auf dem Zürichberg in der Nähe des Zoos ein neues Heim zu finden. Wir sagten Weinfelden ade. Auch unser neues Haus hatte einen Garten und wurde pflichtbewußt umgestochen, bestellt und bewässert, was Gelegenheit zum Gedankenaustausch mit den gleicherweise beschäftigten Nachbarn bot. Es waren zunächst harmlose Gespräche, die da angeknüpft wurden, man hoffte gemeinsam, bald auf Sonne, bald auf Regen, beglückwünschte sich gegenseitig zum gelungenen Kopfsalat. Nur hin und wieder kam jemand auf die politische Entwicklung zu sprechen. Mit meiner Hausnachbarin – wir lebten in einem Zweifamilienhaus – entstanden Differenzen. Eines Vormittags warf die nebenan werkende Frau, eine mit einem Schweizer verheiratete Ostpreußin, einen stechenden Blick über den Gartenzaun auf meinen blondlockigen, friedlich am Wegrand umherkrabbelnden Roland und verkündete: »Ist der Führer erst mal da, kommt der Junge zur Hah-Jott! Und die Frau Erismann, die kommt nach Sibirien!«

Von diesem Moment an fühlten wir uns nicht mehr wohl in unserem Garten. Die Spannung wuchs noch, als ein »Student« bei unseren Nachbarn einzog, eine ominöse Gestalt, die zu den unmöglichsten Nachtstunden ein- und ausging. Zwischen Mitternacht und drei Uhr früh vernahm ich verdächtige Laute, Morsezeichen und schreibmaschinenähnliches Geklapper. Tagsüber sah ich, wie der Bursche die über dem nahen Flugplatz Dübendorf aufsteigenden und niedergehenden Flugzeuge mit seinem Feldstecher verfolgte. Die Sache wurde unheimlich. Eines späten Abends, als Ernst Haefliger zu Besuch war, gab es plötzlich wieder geheimnisvolle Geräusche. Hans und Ernst meldeten die Vorgänge der Polizei, der junge Mann wurde beschattet, überführt und verurteilt. Im letzten Kriegsjahr soll er gegen einen Schweizer Spion ausgetauscht worden sein.

Es gibt aber auch durchaus erfreuliche Erinnerungen aus diesen Jahren der Bedrohung. Unsere französischen und belgischen Ferienkinder, François, Michel und Roger, brachten jugendlichen Übermut ins Haus, und jedesmal fiel uns der Abschied von ihnen schwer. War doch auch ich einst als Ferienkind in die Schweiz gekommen...

Natürlich konzertierte ich im Rahmen des Möglichen in kleineren und größeren Orten. Regelmäßig holte mich das Radiostudio Beromünster für Sendungen, so daß der Name Maria Stader nach und nach bis in die hintersten Alpentäler drang. Mit Hans-Willi Haeusslein, dem wohl renommiertesten unter den Zürcher Liederbegleitern, zog ich wiederholt »ins Feld«, den Aktivdienstlern Ablenkung zu bieten. Hans begleitete mich bei einem solchen Anlaß vor den Kameraden seines Regimentes.

Weniger wohl ist mir zumute beim Gedanken an einen Nachmittag, da Hans, Roland und ich den damals in der Südschweiz lebenden Bernhard Paumgartner besuchten. Aus dem kriegsverwüsteten Italien flüchtend, hatte er eine vorübergehende Bleibe in der Nähe von Morcote gefunden und sich mangels Einkommen auf Selbstversorgung eingestellt.

»Komm«, hatte Hans gesagt, »wir wollen ihn wieder mal besuchen.« Abends mußte Hans zur Truppe zurück, ich hingegen hatte das gegenüberliegende Ufer des Luganer Sees zu erreichen, wo ich mit meinem Sohn einige Ruhetage verbrachte. Wer die Topographie kennt, weiß: Es gibt nur zwei Möglichkeiten. Entweder man nimmt die ziemlich langwierige Rundreise über den Damm von Melide in Kauf, oder aber man wählt den kürzeren Weg über den See. Privatautos gab es nicht. Ich wäre auf eine Reihe von Busverbindungen angewiesen gewesen, also vertraute ich mich und meinen noch nicht vierjährigen Roland, obschon ich schwanger war und trotz bedrohlich über uns sich ballender Wolkenfelder, einem Ruderboot an. Schließlich war ich eine erfahrene alte Bodenseeratte, von Pape Stader sogar im Stehrudern ausgebildet. Als Roland und ich uns der Seemitte näherten, ging der wahre Satan los. Was uns da an Wassermassen entgegenrollte, auf und ab wippte und im Kreis herumschleuderte, war nicht mehr von dieser Welt. Während ich verbissen um die Oberhand kämpfte, mir, um mein werdendes Kind bangend, kalter Schweiß auf der Stirn stand, fiel der ob des unverhofften Schaukelvergnügens außer Rand und Band geratene Bub um ein Haar ins Wasser. Ich sah das jammervolle Ende dieser hirnverbrannten Expedition vor Augen. Mit äußerster Anstrengung gelang es mir schließlich, dem sich unter uns aufbäumenden Schiffchen meinen Willen aufzuzwingen, das ferne Ufer anzupeilen und, die Wellenkuppen senkrecht schneidend, zentimeterweise unserem Ziel entgegenzuschleichen. Von allenfalls in mir noch schlummernder seemännischer Abenteuerlust bin ich seitdem geheilt.

Zu meinen schönsten Erinnerungen in diesen Jahren gehören die Besuche Pape Staders. Als Roland ihm präsentiert wurde, rief er entzückt: »Ganz der Vater! Ganz Hans Erismann!« Wir mußten lachen. Pape spielte auf die Bemerkung eines früheren Stammgastes des ›Thurgauerhofs‹ an, der, als er mich eines Tages auf Pape zustürmen sah, ein Kompliment machen wollte: »Ganz der Vater«, fand er, »ganz Julius Stader.« Diese Feststellung war inzwischen sprichwörtlich geworden.

Seit Roland zur Welt gekommen war, figurierten wir, Hans und ich, nur noch unter »ferner liefen«.

»Schade, daß ihr auf eurem Züriberg keine Kaninchen habt. Wie wir Anno dazumal. Das würde dem Roland gefallen. Weißt noch, Maieli, wie du hinter den Hasen her in den Hühnerstall hineingekrochen bist und dich Mame abschrubben mußte?«

»Unten in der Waschküche«, präzisierte ich.

»Und gleich daneben den Fischtrog!«

»Mit lebenden Forellen, Felchen, Egli!«

»Dort ist der Kater rein, wenn man nicht aufgepaßt hat.«

»Ja, der hat sich den Bauch vollgeschlagen. Und was er noch in der Wirtschaft alles dazugekriegt hat! Einmal im Winter haben wir den Peter gewogen. Weißt noch, Pape? Vierzehn Kilo!«

»Ja, beim Eid! Und das bist *du* gewesen! Immer hast du ihm etwas zugesteckt.«

»Konntest eben nicht schimpfen. Wenigstens nicht mit mir. Und nachdem Mame mich ausgeschimpft hatte, sagte sie: ›Jetzt sag doch du auch mal was, Julius‹. Und weißt du, was du gesagt hast? ›Hast ja schon geredet.‹ «

Pape lachte über das ganze Gesicht. So schwelgten wir von alten Zeiten.

Mindestens zweimal im Monat, sonntags um neun, stand er vor der Tür, die Taschen voller Schokolade und Leckereien, die er in jener Zeit der Rationierung weiß Gott wo aufgetrieben hatte. Wir glaubten manchmal, er ließe sich seine Fischlieferungen mit Schokolade bezahlen. Durchaus denkbar, für »seinen« Roland.

Nachmittag zuckelten die beiden los, um Tram zu fahren: Von der Allmend Fluntern nach Tiefenbrunnen, von dort ans andere Ende der Stadt, nach Schlieren und, wenn die Zeit reichte, zurück nach Wollishofen und wieder hinauf. Das dauerte den ganzen Nachmittag. Oder sie gingen in den Zoo und zum ›z'Vieri‹ ins Klösterli, wo Pape Speck und Bier auftragen ließ. Und dazu kam dann noch die Schokolade, gerade die richtige Nahrung für den Bub. Regelmäßig wurde er krank.

»Räum dir die Taschen aus!« schimpfte ich.

»Räum nur. Werd wieder Schokolade finden.«

»Nix wirst du finden! Heut sind alle Läden zu!«

»Werd trotzdem welche finden!«

»Du verdirbst das Kind! Schließlich hat Roland keinen Katzenmagen!«

Genützt haben meine Einsprüche nicht allzuviel. Pape konnte sehr eigensinnig sein – fast so sehr wie die alte Frau Bringolf, die Mutter meines späteren Freundes Walther Bringolf aus Schaffhausen. Als alle Anzeichen darauf hindeuteten, daß sie ihr Kind Ende Juli zur Welt bringen würde, setzte sie sich's in den Kopf, daß es der 1. August, der schweizerische Nationalfeiertag, sein müsse. Am Morgen des 31. Juli äußerte sie: »Und wänn's mich putzt, ich verheb's«. Und wahrhaftig, Walther kam am 1. August zur Welt.

Als mein zweites Kind unterwegs war, zogen wir es vor, die unselige Nachbarschaft zu verlassen. Martin wurde am 11. Oktober 1944 geboren. Seine ersten Tage verlebte er in einem stattlichen Einfamilienhaus an der Freudenbergstraße, das wir, beinahe zu feudal für unsere Verhältnisse, gefunden hatten. Damals trat Schwester Ida in mein Leben, eine glänzende Säuglingsschwester und Pflegerin. Sie steht mir auch heute noch manchmal zur Seite. In ihrer Obhut blühte Martin wie eine Magnolienknospe im Frühling.

Kleine Kinder lieben Tiere. Bei Martin war die Tierliebe jedoch besonders entwickelt. Als er größer wurde, trug Großpape Stader zur Erweiterung seines Tierbestandes bei.

»Nun, Herr Zoohalter«, kündigte er an, »das nächste Mal kriegst was aus Romanshorn.«

Martin spekulierte auf Futter, vor allem auf Mäuse-, Hasen- und Schlangenfutter. Und Opa vergaß ihn nicht. Auf ihn konnte er sich verlassen.

Eines Tages rückte er mit einer geheimnisvollen Packung an und verschwand mit Martin sogleich im Badezimmer. Ich hörte Wasser rauschen, dann Stille ... dann platsch!

»So, ihr zwei!« rief ich. »Was geht da vor? Laßt mich rein!«

»Ruhe!« befahl Pape.

Nochmals platsch!

Ich rüttelte an der Tür. Endlich wurde aufgemacht. In der Badewanne tummelten sich Fische ... Felchen, zwei Prachtexemplare.

»Also das kommt überhaupt nicht in Frage! Die nimmst du gleich wieder mit!« Ich zog an der Stöpselkette.

»Halt!« Erschrocken breitete Martin seine Arme schirmend über die Felchen aus.

»Meinst etwa, ich möchte gemeinsam mit den Viechern baden?«

»Die kann man ja solange ins Waschbecken rüber tun.«

»Gewiß. Täglich hin und her. Das fehlt gerade noch. 's gibt Felchen zum Mittagessen!« ordnete ich an.

Keiner mochte einen Bissen zu sich nehmen.

Pape blieb jeweils von Sonntag bis Mittwoch bei uns. Dann mußte er zurück, um die Netze einzuziehen.

»Kommst wieder mal mit mir fischen?«

»O ja, Pape. Von Herzen gern.«

Aber es blieb beim Vorsatz.

Natürlich verfolgte Pape meine ersten Erfolge mit größtem Interesse. »Hast wieder Kritiken?« wollte er wissen. Ich reichte ihm ein Bündel. Aussuchen mußte ich keine. Sie waren, darf ich rückblickend sagen, fast immer ausgezeichnet.

Während ich ihm über die Schulter guckte, konnte ich mir die Bemerkung nicht verkneifen: »So, glauben die zu Hause immer noch, du hättest den Größenwahn?« Als nämlich die Verwandtschaft von meinen sängerischen Ambitionen gehört und nachdem Pape verkündet hatte, er würde mich als Sängerin ausbilden lassen, hatte es Kopfschütteln und skeptische Reaktionen gegeben.

»Die haben jetzt andere Sorgen«, brummte Pape.

Ging er auf Besuch, so kleidete sich Pape gepflegt wie ein Grandseigneur, der er auch war, auf seine Art: ein Grandseigneur mit lederhäutigen, von harter Arbeit am Wasser geprägten Arbeitshänden. Wenn er so dastand, sagte ich: »Bist immer noch der Schönste in Romanshorn.« Roland und Martin fanden das auch.

Und Pape strahlte.

IV

Musik ist mein Leben

Kapitel 21

Ich werde Mozartsängerin

Konzerten für gute Zwecke verweigerte ich meine Unterstützung eigentlich nie. Ein Anlaß ist mir begreiflicherweise besonders in Erinnerung: ein Konzert zum »Tag des hungernden Kindes«. Die Veranstaltungen im städtischen Altersheim »Lilienberg« in Affoltern am Albis, eine Schöpfung Hermann Reiffs, wurden auch während des Krieges nicht unterbrochen. Damit setzte Lily Reiff das Wirken ihres 1938 verstorbenen Mannes fort, dem Zürich die »Freiwilligen- und Einwohnerarmenpflege« zu verdanken hat, eine Institution, aus der das Städtische Fürsorgeamt hervorging.

Die Zusammenkünfte mit der bald achtzigjährigen Lily Reiff waren immer beglückend. Lily hatte zu Liszts Weimarer Kreis gehört, zum »conservatoire perpétuel«, wie Liszt seine Schülerschar nannte. Nach Wagners Tod nahm er Lily mit nach Bayreuth, wo sie »Parsifal« an seiner Seite erlebte. In ihren für ihre Freunde herausgegebenen Erinnerungen berichtet sie vergnüglich aus heiteren Tagen, da verzückte junge Mädchen die weißen Haare des Meisters, die zuweilen auf seinem schwarzen Talar lagen, wie Reliquien einsammelten und aufbewahrten, die letzten Tropfen aus seiner Teetasse in Flakons umgossen oder ihm lockende Töne aus der Venusbergmusik vorspielten, bis er das Getue satt hatte und die Sirenen anschnauzte. Zugleich wuchs in seiner Nähe die neue Pianistengarde heran: Siloti, Friedheim, Rosenthal und der unförmige Reisenauer, den Liszt »mein Fettfleck« nannte. Lily war sein »Benjamin«.

In diesen Jahren fiel mir auf, daß mein Mozart-Gesang besonders geschätzt wurde, daß Dirigenten, Freunde, ja selbst die alten Leute in Lily Reiffs »Lilienberg«, immer wieder Mozart verlangten, die Lieder, die Arien aus der »Zauberflöte« und »Figaros Hochzeit«, »Et incarnatus est« und natürlich das »Exsultate«. Mein Mozart-Repertoire war noch etwas beschränkt, aber das sollte bald anders werden. Überhaupt war es für mich wichtig, mein Gesichtsfeld zu erweitern, und dazu trugen die Musikwochen Braunwald nicht wenig bei.

Braunwald liegt im Glarnerland zu Füßen des Klausenpasses, der die Glarner mit ihren Nachbarn, den Urnern am Vierwaldstätter See verbindet. Von der Ortschaft Linthal zuhinterst im Tal der Linth führt eine Drahtseilbahn zum Dorf Braunwald hinauf. Andere Zufahrten gibt es nicht. So bleibt Braunwald von Auspuffgasen verschont. Hier riecht es nach Tannennadeln, Moos und taufrischem Sonnenschein. Mitte der dreißiger Jahre war Dr. Nelly Schmid, Schriftstellerin und Lehrerin aus Zürich, die in Braunwald ihre Ferien verbrachte, auf die Idee gekommen, in Braunwald Musikkurse durchzuführen. Es sollten Kurse für Musikliebhaber sein, Leute, die im idyllischen Braunwald ausspannen und sich fortbilden wollten. Das war etwas Neues. In Prof. A.-E. Cherbuliez von der Zürcher Universität gewann Nelly Schmid einen geneigten Ratgeber und Mitgestalter. Es war ein Experiment, das sich lohnen sollte; schon für den ersten Kurs 1936 gingen hundert Anmeldungen ein.

1938 leitete Paumgartner einen Mozart-Kurs. Die Kurse standen jeweils unter einem Generalthema: 1936 »Das nationale Musik-Erleben«, 1937 »Die Romantik in der Musik«, 1975 hieß das Thema »Umkreis Mozart« und 1978 »Franz Schubert«. Ich wurde eingeladen, geistliche Musik von Mozart zu singen und folgte fortan gern dem Ruf Nelly Schmids, nach Braunwald zu kommen. Vielen Künstlern begegnete ich dort zum erstenmal: Clara Haskil, der innigst verehrten späteren Freundin, Julius Patzak, ebenfalls dereinst ein lieber Freund, den Liedinterpreten Heinrich Schlusnus und Charles Panzéra, dem Pianisten Géza Anda, abermals ein Freund späterer Jahre, dem Schweizer Pianisten Max Egger, dessen pädagogisches Talent einer unheilvollen Zürcher Konservatoriumspolitik zufolge an Japan verlorenging. In Braunwald lernte ich auch den Thomaskantor Günther Ramin kennen, mit dem ich noch viele Male konzertieren sollte, dann die Instrumentalisten André Jaunet, Flöte – wie ich 1939 1. Preisträger in Genf –, und Marcel Saillet, Oboe, um nur einige zu nennen. Vergnüglich ist die Erinnerung an unser heitergelauntes Vokalquartett mit Maria Helbling, Ernst Haefliger, Heinz Rehfuss und mir.

Zu Vorträgen, die es musikalisch zu illustrieren galt, brachte der unermüdliche Entdecker Bernhard Paumgartner die ausgefallensten Partituren mit, die er uns regelmäßig im allerletzten Augenblick vorlegte. Zwar hatte ich im Primavistagesang Fortschritte gemacht, aber was uns Paumi zum Singen gab, konnte auf Anhieb unmöglich gelingen. Inständig appellierten wir an sein Musikertum, malten ihm die schauerlichsten Blamagen vor, aber der Gemütsmensch ließ sich nicht aus dem Gleichgewicht bringen. »Geht's, Kinder, des könnt ihr eh! Unn wenns steckn bleibt, red i scho weiter.« Da stapfte auch schon die wachsame Nelly Schmid zur Tür herein, um uns pünktlich zur Schlachtbank zu führen. Paumi begann mit seinem Vortrag, kam dann die Reihe an uns, legten wir uns gewaltig ins Zeug; wurde es problematisch, trällerte ich in einem dem Stück einigermaßen adäquaten Stil virtuose Koloraturen und Vokalisen eigener Komposition. Meine Kollegen halfen sich jeder auf seine Art aus der Patsche. Nach der Veranstaltung, während sich der erlauchte Redner verneigte, konnten wir uns hinter der Bühne vor lauter Lachen und Tränen in den Augen dem Publikum nicht mehr zeigen.

Meine Freundschaft mit Paumgartner gestattete mir Freiheiten, die ich mir nur noch bei Pablo Casals erlaubte. Als Dirigent neigte Paumgartner, seinem Naturell entsprechend, zu behäbigen Tempi, mit anderen Worten, er schleppte, was selbst eine über respektable Luftreserven verfügende Sängerin in Verlegenheit bringen konnte. Aus der Konzertarie »Nehmt meinen Dank, ihr holden Gönner« wurde eine getragene Ode. Ich drehte mich zum Orchester um und agierte auffällig hinter dem Rücken des Dirigenten, was vom Orchester sogleich begriffen und mit merklichen Accelerando erwidert wurde. Paumgartner, dem das Orchester entglitt, machte Anstalten abzuklopfen, indessen fidelten und bliesen die Herren munter weiter. Der entmachtete Maestro blickte entgeistert in die Runde, ich lächelte ihn schelmisch an, und wir blieben gute Freunde. Er nahm sich den Wink sogar zu Herzen, beschleunigte seine Tempi ein wenig, eine Zeitlang zumindest.

1918 war Paumgartner mit dreißig Jahren Direktor am Konservatorium Mozarteum in Salzburg geworden. Er war Pädagoge aus Leidenschaft. Zeit seines Lebens blieben Jugenderziehung und Bildungsfragen ein Hauptanliegen Paumgartners. Ihm schwebte die Gründung eines musischen Gymnasiums vor, das kulturell interessierten jungen Menschen eine nach kunstanschaulichen Prinzipien gelenkte Allgemeinausbildung bieten sollte. 1938 wurde er aus Salzburg abberufen, weil er kein Nationalsozialist war. Clemens Krauss war von den Nazis als Nachfolger erkoren. Durch Vermittlung eines einflußreichen ehemaligen Schülers konnte sich Paumgartner mit einem Forschungsauftrag der Wiener Universität nach Florenz absetzen, wo er in der Stille einer Bibliothek alte Manuskripte studierte, während ringsum die Welt in Flammen aufging. Gegen Ende des Krieges kam der Musikwissenschaftler, von vielen Musikfreunden herzlich willkommen geheißen, als Flüchtling in die Südschweiz. Dort habe ich ihn, wie schon erwähnt, einige Male besucht.

Ich war Paumgartner erstmals vor dem Krieg begegnet, als ich unter seiner Stabführung mit dem von ihm in den frühen zwanziger Jahren gegründeten Mozarteum-Orchester im Zürcher Fraumünster sang. »Sie hol ich mir eines Tages nach Salzburg!« gelobte er damals. Aber kurze Zeit darauf mußte er, wie gesagt, Salzburg verlassen. Was ich später von ihm lernte, sollte für mich in mancher Hinsicht wegweisend werden. Aus jenem gewaltigen Reservoir an Wissen schöpfend, das seine Zuhörer immer von neuem erstaunte, erweiterte er mein Mozartbild, unterwies mich in Interpretations- und Verzierungsfragen, machte mich auf die Spannweite Mozartscher Vokalmusik aufmerksam. Sein Mozartbuch lag auf meinem Nachttisch.

»Sie müssen unbedingt die Konzertarien kennenlernen«, erklärte er. »Das ›Exsultate, jubilate‹ ist ein zu Recht berühmtes Stück Musik, aber es ist schade, vor lauter ›Exsultate‹ die übrige wertvolle Vokalmusik zu vernachlässigen.«

»Das ›Exsultate‹ könnte ich jede Woche singen«, antwortete ich. »Mozart wußte schon, was wir Frauen gern mögen.«

»Männer, liebe Frau Maria. Das ›Exsultate‹ wurde nicht für eine Frau, sondern für einen Mann, den Sopran Venanzio Rauzzini geschrieben. Das ist Ihnen offenbar entgangen, als Sie mein Buch lasen.«

»Einen Mann?!« Das schien mir doch etwas rätselhaft.

Paumi lächelte. »Freilich. Das war damals ein einträgliches Metier. Musikalische und reizvoll singende Knaben riskierten, von ihren Eltern zum Chirurgen geschleppt zu werden. Aber es waren gar nicht immer die Eltern. Mir sind heute noch Fälle von Sängerknaben bekannt, die schwere Depressionen kriegen, wenn die Mutation einsetzt.«

»Ich kann mir das gar nicht recht vorstellen, das ›Exsultate‹ von einem Mann ...«

»Wieso nicht? Die Engel waren ja auch Männer, obgleich sie wie die

Schotten Röcke trugen, zumindest auf den alten Bildern. Und dann sehen Sie sich einmal die Koloraturen im ersten Satz an. Und erst im ›Alleluja‹. Die erstrecken sich bis zu achtzehn Takten, strenggenommen. Das ist für Männerlungen geschaffen. Frauen haben da atemtechnische Probleme.«

»Ich hatte nie atemtechnische Schwierigkeiten.«

»Sie haben aber auch mordsmäßige Blasebälge, kleine Maria. Sie und die alte Lehmann. Die hat das ›Exsultate‹ noch mit sechsundsechzig Jahren runtergepfeffert, am letzten Salzburger Mozartfest vor dem Ersten Weltkrieg.«

Ich glaube, Paumgartner kannte alle Programme sämtlicher Mozartfeste und Salzburger Festspielaufführungen mitsamt der Besetzungen auswendig. So kam es mir jedenfalls vor. Ich weiß noch, wie er uns in Braunwald erzählte, daß einer der Söhne Mozarts, der Musiker geworden war, am ersten Mozartfest, Mitte des letzten Jahrhunderts, ein Klavierkonzert des Vaters gespielt hatte. Er wußte genau, welches und daß er es gar nicht so übel vorgetragen habe.

»Maria, ich werde Ihnen einige Arien besorgen, die sich für Ihre Stimme eignen. Sie müssen sie unbedingt mal anschauen.«

Bald erhielt ich ein stattliches Paket Orchesterpartituren, Kopien der Mozartschen Gesamtausgabe mit einer besonderen Eigenart: die Sopranstimme ist nicht, wie das heute üblich ist, im G-Schlüssel notiert, sondern im C-Schlüssel, versetzt auf die unterste Linie. Ein gewöhnlicher C-Dur-Dreiklang sah nicht mehr so

sondern so: aus.

Daran muß man sich erst einmal gewöhnen. Hans, den die Arbeit vormittags und abends in der Oper festhielt – morgens Proben, abends Aufführungen –, setzte sich nachmittags hin und schrieb meinen Part auf den augenfreundlicheren G-Schlüssel um. Er tat noch mehr. Er extrahierte sämtliche Orchesterstimmen, d.h. er schrieb die einzelnen Stimmen heraus, die im Orchester an die einzelnen Instrumentengruppen verteilt werden. Damit konnte ich die Arien in mein Orchester-Repertoire aufnehmen, nicht zuletzt im Hinblick auf unsere – damals meistens selbst finanzierten – Konzerte mit dem Winterthurer Stadtorchester. Einige dieser Arien behielt ich bis zuletzt im Repertoire, sie begleiteten mich bis ans Ende meiner Karriere. Zum Beispiel »Per pietà bell'idol mio« (KV 78), nicht zu verwechseln mit Fiordiligis schwieriger Arie »Per pietà ben mio« aus »Così fan tutte«. Sie ist das Werk eines Vierzehnjährigen, eine grazile Kantilene, ergänzt von Fiorituren im italienischen Stil. Mozart war fünf Jahre älter, als er »Voi avete un cor fedele« (KV 217) schrieb. Die Anlage ist breiter (Andantino – Allegro – Tempo I – Tempo II – Tempo I), die Neigung zur dramatischen Koloratur wird sichtbar, aber der Unterton ist noch immer leicht beschwingt, der »Empfindungswelt des deutschen Singspiels« verwandt, sagt Paumgartner.

Vollends reife Meisterschaft erreichte Mozart, als er siebenundzwanzigjährig die Arie »Vorrei spiegarvi, oh Dio!« (KV 418) schuf. Vier Jahre vor dem »Don Giovanni« für die geliebte Schwägerin, Aloysia Weber-Lange, die Donna Anna der Wiener Erstaufführung (1788) komponiert, nimmt sie die großen Arien der Donna Anna in Stimmung und Farbe voraus. Auch die Tonart A-Dur deutet auf eine Verwandtschaft hin. In mancher Beziehung ist diese Arie eine von Mozarts schwierigsten, wenn nicht (vor den Fiordiligi-Arien aus »Così«) sein schwierigstes Stück für Frauenstimme überhaupt. Zum ersten ist die Tessitura, das heißt die registermäßige Anlage der Stimmführung, hoch. Mehrmals müssen hohes C und hohes Cis angepeilt werden, und quasi als Abschlußbouquet schreibt Mozart einen Sprung vom zweigestrichenen A anderthalb Oktaven hinab zum eingestrichenen Cis vor, dann vom darunter liegenden H wieder um zweieinviertel Oktaven hinauf ins dreigestrichene D.

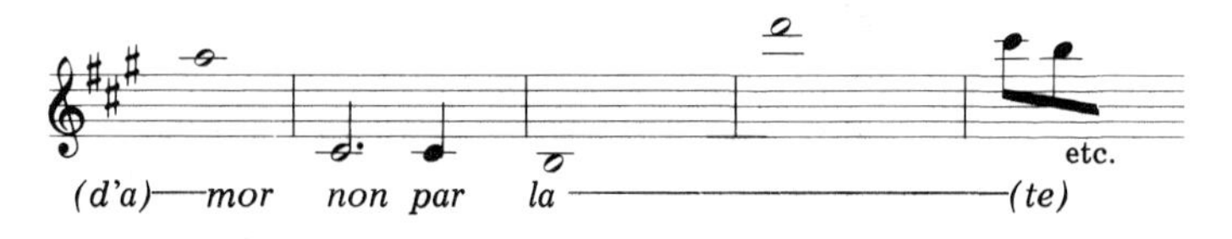

Aber was die Gestaltung der Arie besonders schwer macht, ist der Stimmungswechsel, der von der Sängerin innerhalb der Arie nachzuvollziehen ist, der Gegensatz von passivem Leiden und Klagen zu aktivem Agieren. »Or sai che l'onore« (Donna Anna), »Mi tradì« (Donna Elvira), »Martern aller Arten« (Konstanze), »Ach, ich fühl's« (Pamina), »Der Hölle Rache« (Königin der Nacht), sie alle haben ihre Tükken, aber die emotionelle Einstellung bleibt stets von Anfang bis Ende konstant: verletztes Ehrgefühl und Rachedurst bei der Donna Anna, Reue und Selbstmitleid bei Donna Elvira, Verachtung des Schicksals bei Konstanze, Liebestrauer bei Pamina, Zorn und tiefe Verzweiflung bei der Königin der Nacht. Das ist die Grundhaltung, die sich nicht ändert.

Anders freilich liegt der Fall bei der ersten Arie der Königin der Nacht: »Zum Leiden bin ich auserkoren« (in derselben Tonart wie die Pamina-Arie!). Hier ist die Mutter Paminas zunächst eine ihr Schicksal beklagende Frau, um sich urplötzlich von Hoffnungen auf Rettung ihrer Tochter beflügeln zu lassen und Tamino zu heroischen Taten anzufeuern. Es gibt Sängerinnen, die über diesen Stimmungswandel der Königin der Nacht hinweggehen. Ob die Königin leidet, ob sie heldenhafte Mutter ist, ob sie in Zorn entbrennt, ob sie aus einem Gefühl der Ohnmacht heraus spricht, ob sie sich in Machtdemonstrationen ergeht, davon merkt der Zuhörer nichts. Alles wird im gleichen Einheitskolorit wiedergegeben, Hauptsache die Läufe und die bösen hohen F's sitzen. Dabei sind die Koloraturen der ersten Arie gänzlich anderer Natur als jene der zweiten.

Auf Differenzierungen dieser Art legte ich stets hohen Wert. Wäre das nicht der Fall gewesen, hätte ich kaum eine Konzertarie wie »Vorrei spiegarvi« überzeugend zu gestalten vermocht. »O Gott, ich möchte euch (Herrn Graf) erklären, was es mit meinem Kummer auf sich hat, aber die Umstände zwingen mich zu weinen und zu schweigen«, heißt es im Adagio des ersten Teils, einer Beschreibung erduldeten Leidens, gefolgt im zweiten Allegro-Teil von einer Aufforderung an den Grafen zum Handeln: »Ah conte, partite, correte, fuggite lontano da me«, »Ach Graf, entfernt euch, eilt, flieht weit weg von mir.«

Besonders reizvoll ist das Zwiegespräch mit der Oboe im ersten Teil, eine wahrhaft beglückende Eingebung des Meisters. Wie sich da die Stimme mit der Oboe vermischt! Mir passierte es, daß meine Stimme – aus Gründen, die ich mir selber nicht erklären kann – die Instrumentalfarbe der Oboe annahm, so daß, wie mir Dirigenten, Orchestermusiker und Zuhörer wiederholt versicherten, besonders in den hohen Lagen nicht mehr zu unterscheiden war, ob der Oboist blies oder die Stader sang.

Das Rondo »Non più, tutto ascoltai« (KV 490), eine Zusatzarie zu »Idomeneo«, »Un moto di gioia« (KV 579), eine Zusatzarie für die Susanne und »Chi sà, chi sà, qual sia« (KV 582) standen ebenfalls bis zuletzt auf vielen meiner Programme, aber die Arie, die mir besonders ans Herz wuchs, inhaltlich und musikalisch, die man überall auf der Welt mit mir assoziiert, mit der ich mich schließlich von meinem Publikum verabschiedete, weil ihre Worte so ganz meiner Empfindung entsprachen, ist KV 383: »Nehmt meinen Dank, ihr holden Gönner.« Lange bevor ich mit der Arbeit an diesen Erinnerungen begann, nahm ich mir vor: Solltest du jemals ein Buch über dein Leben herausgeben, wirst du es »Nehmt meinen Dank« nennen.

Die Arietta ist ein kleines, aber gefühlstiefes Meisterwerk, so vollkommen proportioniert mit seinen leisen instrumentalen Gegensätzen. Zu Beginn begleiten die Streicher pizzicato, Oboe und Fagott heben die Melodie variierend an, die Flöte kommt hinzu, dann setzt die Stimme ein:

Nehmt meinen Dank, ihr holden Gönner!
So feurig, als mein Herz ihn spricht;
Euch laut zu sagen, können Männer,
Ich, nur ein Weib, vermag es nicht.
Doch glaubt, ich werd' in meinem Leben
Niemals vergessen eure Huld ...

Bei den Worten »Doch glaubt, ich werd' in meinem Leben« verändert sich die Klangfarbe. Es verbreitet sich Ariel-Stimmung im Orchester, ein gewisses Etwas, das immer dann entsteht, wenn Holzbläser sich durch liegende Streicher hindurchweben; Feenhaftes liegt in der Luft, wie in Smetanas »Moldau«, wo der Fluß von den im Mondlicht über den Ufern schattenhaft vorbeihuschenden Schloßruinen erzählt. Wen das nicht packt, der möge – um mit Dante zu sprechen – jede Hoffnung aufgeben. Nicht selten hatte ich bei diesem ersten Vers Mühe, die Tränen zurückzuhalten. »Ein halbes Mal lustig, ein halbes Mal traurig«, wie die Marschallin sagt. Ja, wenn ich wußte, hierher kommst du bestimmt noch einmal zurück, hier wirst du wieder stehen, die alten Freunde, den vertrauten Saaldiener, den Saal, die Stadt mit allen Sehenswürdigkeiten wiedersehen, dann konnte ich lächeln. Galt es hingegen endgültig Abschied zu nehmen, dann fielen mir die Worte schwer. An jedem Ort, wo ich Menschen liebgewonnen habe, spüre ich das Heimweh im voraus.

Es folgt der zweite Vers mit der gleichen Melodie, leicht variiert, noch reicher geschmückt, doch in denselben Farben, mit jener spielerischen Leichtigkeit, die das Wahrzeichen vollkommener Natürlichkeit ist. Man hat das Gefühl, eine schöne Frau zweimal gesehen zu haben, zuerst im dekolletierten Abendkleid, dann noch einmal in einen Pelzmantel gehüllt.

Auch mir bislang unbekannte Mozartlieder lernte ich dank Paumgartner kennen. Er erweiterte mein Mozartbild, und ich wurde allmählich auf die immense Spannweite des Mozartschen Vokalschaffens aufmerksam.

Als wir die sogenannten Konzertarien erstmals in Zürich brachten, erwies es sich, daß die wenigsten Mozartliebhaber und Musikkenner von ihrer Existenz etwas wußten, geschweige denn, daß sie sie jemals gehört hatten.

Kritiker vom Range Willi Schuhs und Robert Oboussiers sprachen von einer »Offenbarung«. Aus unerforschlichen Gründen hatte man sie jahrzehntelang links liegen gelassen. Jetzt interessierten sich Verlage für die Wiederentdeckung.

Mein Mann verhandelte mit der Universal-Edition; gemeinsam beschlossen sie, ein Maria-Stader-Album herauszugeben, das meine Lieblingsarien umfaßte. Hans wurde beauftragt, die Orchesterpartituren für Klavier zu setzen. Bald darauf meldete sich der Verleger Schirmer in New York, und von da an konnten Musiker diesseits und jenseits des großen Teichs erstmals Klavierauszüge dieser Arien erstehen.

Für die Sammlung der Universal-Edition (UE-Nr. 12152) einigten wir uns auf die folgenden zehn Arien: »Nehmt meinen Dank« (Il grazie mio gradir vogliate); »Sage nicht, o du Geliebte« (Per pietà, bell'idol mio); »Endlich naht sich die Stunde« (Giunse alfin il momento), Rezitativ und Arie der Susanne aus »Figaros Hochzeit«; »Ich Arme, wo bin ich?« (Misera, dove son?); »Große Seele, edles Herze« (Alma grande e nobil core); »Alcandro, ich gestehe« (Alcandro, lo confesso); »Ja, Ihr habt ein treues Herze« (Voi avete un cor fedele); »Euch, ihr einsamen Schatten« (Solitudini amiche), Rezitativ und Arie der Ilia aus »Idomeneo«; »Ora pro nobis« aus »Regina coeli«; »Alleluja« aus der Motette »Exsultate, jubilate«.

Kapitel 22

Im Land der Oper

Obgleich meine Laufbahn als Konzertsängerin vorgezeichnet war, denke ich mit Vergnügen an zwei Abstecher ins Land der Opernphantasie.

Im Februar 1940, ich war gerade aus Berlin zurückgekommen, sang ich zum erstenmal Oper in Zürich in »Hoffmanns Erzählungen«. Ich erschien im Rampenlicht, Primadonnenehren kameradschaftlich teilend, mit Georgine von Milinkovič (Giulietta) und Leni Funk (Antonia). Die junge Hilde Güden sang den Niklaus. Der Opernkenner weiß bereits, worin meine Aufgabe bestand. Nachdem mich Spalanzani in einer rubinrot ausgeschlagenen Puppenschachtel präsentiert und mein Uhrwerk mit einem großen Schlüssel aufgezogen hatte, zwitscherte ich mechanisierten Ganges über die Bühne, um hinter den Kulissen pünktlich außer Funktion gesetzt zu werden. Man attestierte mir, daß ich vorzüglich gesungen und gebührend hölzern gewirkt hatte. Zehnmal noch wurde »Hoffmanns Erzählungen« gegeben, und nach dem vierten Mal bereits marschierte die Puppe Olympia wie geölt und geschliffen.

Ein Jahr später wurde ich in bedeutend dramatischere Ereignisse verwickelt. Im Rahmen der Junifestwochen 1941 gastierten drei Debussy-Interpreten aus Paris in Zürich, um mit dem Orchestre de la Suisse Romande unter Ernest Ansermet »Pélleas et Mélisande« zu geben. Bildschön, blutjung, wie füreinander geschaffen erschienen Elen Dosia und Jacques Jansen als Titelpartner, ihnen gegenüber stand die finster brütende Gestalt Henri-Bertrand Etchéverrys, ein Golo-Othello, wie er sich fürchterlicher nicht denken läßt. Auch ohne Schwert in der Hand jagte er dem kleinen Yniold Angst ein. Der war ich.

Man erinnere sich der einfachen, traurigen Handlung. Golo findet die elfenhafte Mélisande im Wald, nimmt sie nach Hause, heiratet sie und stellt dann mit wachsendem Unmut die zwischen Mélisande und seinem jüngeren Bruder Pélleas keimende Liebe fest. Im dritten Akt spitzt sich das Geschehen zu. Von Zweifeln geplagt, fragt Golo das Kind Yniold, seinen Sohn aus erster Ehe, über Pélleas und Mélisande aus. Hat das Kind etwas gesehen? In Mélisandes Turmzimmer geht ein Licht an, Golo hebt seinen kleinen Sohn hoch und befiehlt, ihm zu berichten, was oben geschieht.

Golo: Ne fait pas de bruit; je vais te hisser jusqu'à la fenêtre ... ich werde dich bis zum Fenster hochnehmen, mach aber nicht den geringsten Lärm, Petite-Mère bekäme schrecklich Angst ... Siehst du sie?

Yniold: Ja ... Oh! 's ist hell drinnen ...

Golo: Ist sie allein?

Yniold: Ja ... nein, nein, Onkel Pelléas ist auch da ...

Golo: Er ...

Yniold: Au, au! Petit-Père, du tust mir weh ... (Das war echt. Golo hatte wirklich recht schmerzhaft zugepackt!)

Golo: 's ist nichts. Sei still. Ich mach's nicht mehr. Schau gut, Yniold. Und sprich leiser. Was machen sie?

Yniold: Sie machen nichts, Petit-Père.

Golo: Sind sie nah beieinander? Reden sie?

Yniold: Nein, Petit-Père. Reden tun sie nicht.

Golo: Aber dann, was machen Sie?

(Au! dachte ich im stillen ...)

Yniold: Sie schauen ins Licht.

Golo: Beide?

Yniold: Oui, Petit-Père. (Furchtbar das Feuer in Golos Augen. Ich begann zu zittern.)

Golo: Sie sagen einander nichts?

Yniold: Non, Petit-Père. Sie machen die Augen zu ...

Golo: Sie nähern sich einander nicht?

Yniold: Non, Petit-Père. Sie machen die Augen zu ... Oh, ich hab schrecklich Angst!

Aber Golo wurde immer heftiger. Ich zweifelte keinen Augenblick mehr an einem uns alle dahinraffenden Blutbad.

Golo: Schau, schau hin.

Yniold: Petit-Père, laß mich runter!

Golo: Schau hin!

Yniold: Ich werde schreien! Petit-Père, laß mich runter!
Golo: Komm . . .

Ich schätzte mich glücklich, heil von der Bühne zu kommen. Die Magie des Spieles hatte mich im Handumdrehen in einen hilflosen, dämonischen Mächten ausgelieferten kleinen Wurm verwandelt. Mit einem solchen Darsteller wurde einem das Schauspielern leicht gemacht.

Nach der Aufführung stürmte der von Szene, Musik und Gesang berauschte Ansermet auf die Bühne, riß den samtbewamsten kleinen Yniold gleichfalls hoch und versetzte ihm einen Kuß auf die Stirn. Im selben Augenblick teilte sich der Vorhang. Das gab natürlich Sonderapplaus.

Dem ansonsten vornehm zurückhaltenden Ansermet war ich bereits in Genf begegnet. Damals dirigierte er das Abschlußkonzert des Internationalen Wettbewerbs. In der Folge sollten wir noch viele Male zusammen konzertieren. Bei Ansermet sah ich zum erstenmal, daß auch Füße mitdirigieren können, Synkopen pflegte er nämlich mit dem Absatz zu markieren.

Ich bewunderte Ernest Ansermet sehr und vertraute mich gerne seiner väterlichen Führung an. Als Dirigent genoß er wahrscheinlich das höchste Ansehen, das einem Schweizer Orchesterchef jemals zuteil wurde, dies nicht nur in der französischen Schweiz, dessen »Orchestre de la Suisse Romande« er nahezu fünfzig Jahre lang leitete und das internationales Niveau erreichte. Wie Hermann Scherchen in Winterthur und Felix Weingartner in Basel, bahnte er vielen jungen Komponisten den Weg in die Öffentlichkeit.

Ansermet war kein Konformist und schon gar nicht ein Fortschrittler um des Fortschritts willen. Sein Urteil über die zeitgenössische Musik, für die er sich nicht minder selbstlos einsetzte als sein Kollege Scherchen, war wohl abgewogen, ja er verbrachte Jahre damit, seine Auffassung wissenschaftlich zu fundieren. Bei diesem Thema möchte ich einen Augenblick verweilen. Die Musik des zwanzigsten Jahrhunderts hat mich begreiflicherweise ebenfalls beschäftigt, denn immer wieder traten Komponisten an mich heran mit dem Wunsch, ich möge ihre Werke singen. Manchmal sagte ich zu, andere Male lehnte ich ab, dann nämlich, wenn ich das, was ich hätte singen sollen, nicht mehr nachzuempfinden imstande war oder wenn die der Sängerin zugemu-

Stefi Geyer, einst Wunderkind, später international berühmte Violinistin. 1934 lernte sie Maria kennen, prophezeite ihr eine große Zukunft und ermöglichte ihre Fortbildung.

Oben: Mit Bruno Walter, dem väterlichen Freund. 1946, ehe er aus der Emigration nach Europa zurückkehrte, erkundigte er sich: »Ist das Staderchen noch da?«

Rechts: Mozarts »Exsultate, jubilate« unter Bruno Walter. Der Maestro nahm sich die Mühe, seine Anweisungen eigenhändig in die Orchesterstimmen einzutragen.

Zehn Jahre ungetrübter Zusammenarbeit und musikalischer Übereinstimmung mit Ferenc Fricsay. Er prägte jeden Takt mit seiner Handschrift und verlangte von seinen Sängern, daß sie das, was ihm vorschwebte, nachvollziehen konnten – wie Maria Stader. »Maria muß ich nur antippen«, sagte er, »und sie macht es so, wie ich es mir erträume.«

Carl Schuricht am Pult. Maria: »Wenn Schuricht Beethoven dirigierte, erklommen wir Sänger die letzten Höhen.«

Nach einer Probe in Wien. Schuricht: »Die Stimme der Maria Stader hat vollendeten Instrumentalklang.«

Der Schweizer Dirigent und Musiktheoretiker Ernest Ansermet. Die Freundschaft mit Ansermet begann 1939 am Concours in Genf.

Fritz Busch. Er hörte »das Staderchen« im »Geniehospiz« der Lily Reiff in Zürich und wollte sie für die Oper in Glyndebourne.

Oben: Leonard Bernstein, Komponist, Dirigent, Pianist, konkurrenzloser Star der amerikanischen Musikszene. Ein Höhepunkt der New Yorker Konzertsaison 1958: Bachs Solokantate »Jauchzet Gott in allen Landen«. Dirigent: Leonard Bernstein. Sopranistin: Maria Stader. Unten: Herbert von Karajan, Chef der Berliner Philharmoniker auf Lebenszeit. Wenn Maria Stader unter Karajan sang, standen Mozart und Bach auf dem Programm. Maria Stader: »Karajan stand mir bei, wenn ich seiner bedurfte. Er war mir oftmals ein wertvoller Berater.«

Mozartsängerin Maria Stader und Mozartpianistin Clara Haskil. Beide wehrten sich gegen das Klischee. »Wenn ich Mozart so spielte, wie du ihn singst!« klagte Clara. »Nein!« meinte Maria. »Wenn ich ihn so sänge, wie du ihn spielst.« Die Freundschaft mit Clara Haskil begann während des Krieges im idyllischen Braunwald im Kanton Glarus, wo die beiden Musikerinnen im Rahmen der Musikkurse mitwirkten. Wenn Clara schwermütig war, heiterte Maria sie auf. »Bitte geh noch nicht«, sagte Clara. »Wenn du da bist, dann fühle ich mich so viel besser.«

Rechts: »Fidelio«-Einspielung mit Hans Knappertsbusch. Von Proben hält er nichts. Seine Devise: »Ich kann's. Sie können's. Also wozu?« Nicht eben sängerfreundlich sind die langsamen Tempi. Maria bittet um Wiederholung der Marzelline-Arie. »Und das Tempo, vielleicht ein bißchen flüssiger. . .?« Ein Blick in die Partitur. »Kna« gibt brummend nach.

Rechts: Maria und Joseph Keilberth. Die Taschenpartitur in der Hand, machte er als Jüngling Notizen in Bruno Walters Proben. Jahre später, nach einer Winterthurer Aufführung der Vierten von Mahler, telegrafierten Maria und Keilberth an Walter in Los Angeles: »Soeben Lied von himmlischen Freuden nach Ihren Münchner Anweisungen 1924 gemacht.«

»Missa solemnis«-Aufnahme. Maestro Böhm mahnt: »Morgen ›Benedictus‹. Packen's mir das hohe C über Nacht in Watte ein.«

Otto Klemperer dirigiert Mahlers Zweite in Luzern. Die Solisten: Maria Stader und Sieglinde Wagn

Dean Dixon entstammte dem Negerviertel Harlem, kämpfte sich, Rassenvorurteile überwindend, empor und wurde Ehrenbürger New Yorks.

Mozart-Fest Würzb 1953. Konzert mit Eugen Jochum im wieder erstellten Saal des ausgebomb Schlosses.

Viele Konzerte mit Josef Krips. Maria schätzte seine Mozart-Deutungen, seit sie sich 1948 an der Wiener Staatsoper begegnet waren.

Brühler Schloßkon 1966. Helmut Müller-Brühl dirigiert das Kölner Kamme chester: Mozart un Haydn.

Platten-Einspielung mit Dietrich Fischer-Dieskau. Stader/Gräfin, Fischer-Dieskau/Graf; Stader/Donna Elvira, Fischer-Dieskau/Don Giovanni: Mozartsche Spitzenleistungen.

Maria lernte Pablo Casals bei ihrem Förderer Heinrich Wagner kennen. Nachdem sie Bach gesungen hatte, erhob sich Casals und rief: »Sie haben recht, Madame. C'est le cœur qui compte.«

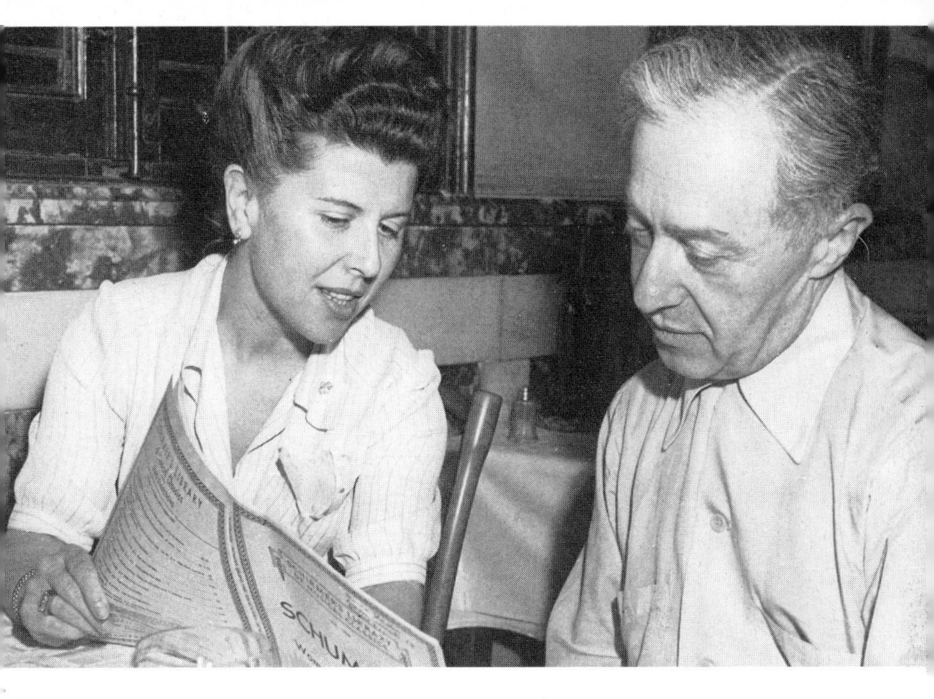

Maria Stader und Mieczyslaw Horszowski, einer der führenden Pianisten des Casals-Festivals in Prades. Vor einem Zermatter Konzert wird Schumanns »Frauenliebe und -leben« besprochen.

Alexander Schneider, von Freunden Sascha genannt, Mitglied des Budapester Streichquartetts, Mit-Initiant des Casals-Festival, ließ nicht locker, bis die New Yorker Maria Stader gehört hatten.

Mit Hindemith. Luzern 1956. Er notiert: »Bach mit Stader. Leider nichts von mir.«

Karl Richter. Dirigent, Organist. Seine Bach-Aufführungen sind exemplarisch.

Mit Menuhin. Zermatt 1961. Maria: »Bitte, Yehudi. Sachte. Kein Breitleinwandklang.«

Umarmung von Sándor Vegh, Primgeiger des Vegh-Quartetts. »Wenn Mozart, dann Maria.«

Mit Isaac Stern, Geiger mit großem Herz. Er verdient viel und verschenkt noch mehr.

1954, Debüt in New York. Maria und Dirigent Thomas Sherman. Das Wagnis gelingt.

Géza Anda begleitete am Zürcher Abschiedsabend. Der Freundschaftsbeweis eines Kollegen.

Gastronomische Genüsse mit Artur Rubinstein, dem Lebenskünstler, Weisen und Doyen der Klavierspieler.

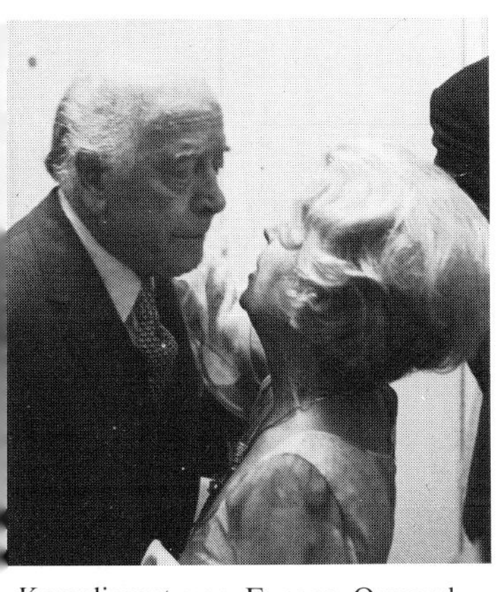

Kompliment von Eugene Ormandy nach Beethovens Neunter in Philadelphia.

Mit George Szell, der Maria oft nach Cleveland verpflichtete. Er stellte hohe Anforderungen und war gefürchtet.

Freund Paul Sacher, traditioneller Serenaden-Partner der Luzerner Festspiele.

Festliche Tafel nach einem Konzert mit Hans Erismann. Am schönsten war es, mit ihm, dem Ehemann, zu feiern.

Oben: Rolf Liebermann. 1946, als Tonmeister bei Beromünster, begeisterte er sich für Marias Gesang. Er komponierte für sie die Sopranpartie einer Kantate, vermittelte Radio-Engagements und machte Maria mit Ferenc Fricsay bekannt. Maria: »Ohne die vielen Freunde, die mir halfen, hätte ich meine Karriere nicht gemacht.«

Rechts: Maria Stader im funkelnden Kostüm der Königin der Nacht. Covent Garden, London 1949. Die Königin muß ihre Rache auf englisch schwören. Maria wird nur noch selten auf der Bühne zu sehen sein. Eine Konzertlaufbahn großen Formats kündigt sich an. Aber ob Oper oder Konzert, Mozart steht im Zentrum ihres Wirkens.

Bundeskanzler Bruno Kreisky. In Anerkennung ihres Wirkens im Dienste des Salzburger Meisters verlieh die österreichische Regierung Maria Stader den Titel eines Professors. Österreichs Dank an einen großen Konzertsopran.

»Nehmt meinen Dank, ihr hc den Gönner!« Mozarts Konzer arien begründeten Maria Stade Ruf als führende Mozartsängeri

teten Intervalle mehr dem Spieltrieb des Komponisten entsprangen als seiner Einsicht in die Grundlagen der menschlichen Stimmführung. Ansermet postulierte das Vorhandensein von Gesetzen des Hörbewußtseins. Von Haus aus Mathematiker, unternahm er es, diese Gesetze mathematisch zu formulieren, nachzuweisen, daß eine von Tonalität gänzlich losgelöste Musik den Gesetzen des Hörbewußtseins entgegenstehe und nicht mehr sinnvoll wahrgenommen werden könne. Sie täusche ein Hörerlebnis lediglich vor. Es liegt auf der Hand, daß Ansermet sich mit dieser Auffassung Gegner geschaffen hat. Ich habe sein Werk »Les Fondements de la musique dans la conscience humaine« nie gelesen, und da ich, was phänomenologisches Denken und Logarithmensysteme betrifft, völlig ahnungslos bin, wäre ich jedenfalls kaum über das erste Kapitel hinausgekommen. Aber als ich Ansermet einmal zu einer Sängerin sagen hörte: »Mademoiselle, laissez parler le cœur. Toujours le cœur!« hätte ich ihn umarmen können.

Im Rahmen der Junifestspiele 1945, einen Monat nach dem Ende des Zweiten Weltkrieges, stand ich abermals als Yniold auf der Bühne des Zürcher Stadttheaters. Diesmal dirigierte Robert F. Denzler, zuverlässig, wenn auch nicht mit derselben Farbenpalette wie Ansermet. Wiederum kamen die gleichen drei Sänger aus Paris. Als Mutter kleiner Kinder war ich bei der Zuteilung der Rationierungsmarken bevorzugt. Ich konnte es mir also erlauben, die Kollegen zu einem für damalige Verhältnisse fürstlichen Mahl einzuladen, zu kalter Platte mit Butter und frischen Brötchen, assortierten »Zwänzgerstückli« (Meringe mit Schlagsahne, Diplomats, Erdbeertörtchen, Schokoladerollen, Prussiens und natürlich Mohrenköpfe ...). Beim Anblick dieser Herrlichkeiten kamen Mademoiselle Dosia die Tränen. Ich höre noch Monsieur Etchéverry: »Ah Madame, ce café! Ce café!« Er trank ihn wie Cognac Jahrgang 1812. Eine halbe Stunde später kam das böse Ende. Sie mußten sich einer nach dem andern übergeben. An lange Entbehrungen gewohnt, konnten sie die Schweizer Kost nicht mehr vertragen.

Von Werner Kaufmann, dem Inhaber des alteingesessenen Zürcher Schallplattengeschäfts, erfuhr ich kürzlich zu meiner Überraschung, daß sich eine ausländische Dame lobend über meinen Yniold ausgesprochen hatte. Vermutlich saß sie 1945 im Zuschauerraum. »The best Yniold I've ever experienced. Besides, a singer whom it is always a pleasure to hear.« Die Dame war, wie ich erfuhr, Maggie Teyte, neben Mary Garden, der ersten Mélisande, Debussys bevorzugte Lieder- und Operninterpretin. Maggie Teyte hatte die Mélisande mit dem Komponisten einstudiert.

»Aus dem Rudel der humorvoll charakterisierten Zwerge rankte sich blühend empor Maria Staders graziler Sopran«, schrieb Fritz Gysi im Tages-Anzeiger der Stadt Zürich. Er bezog sich auf die Zürcher Erstaufführung von Peter Maags ›Schneewittchen‹. Die musikalische Einrichtung besorgte Felix Weingartner nach Musik von Franz Schubert. Weingartner verstand es, »das entsprechende Teilstück an der richtigen Stelle einzusetzen«, schrieb Gysi. – Ich finde, das entzükkende Stück verdiente es, wiederentdeckt zu werden.

Das Schneewittchen sang die Schweizerin Elisabeth Gehri, die die Rolle in Basel kreiert hatte. Mit ihrer wundervollen Altstimme, begabt für Lied und Oratorium, glaubten wir, in ihr die Nachfolgerin Ilona Durigos gefunden zu haben.

Als Zwerg hatte ich für Schneewittchen im gläsernen Sarg eine Abschiedsarie zu singen. Mir brach beinahe das Herz. Elisabeth hingegen sagte: »Wenn du die Arie singst, kann ich im Sarg sorglos schlafen.« Kaum waren die acht Schneewittchen-Vorstellungen vorbei, wurde Elisabeth schwer krank.

Wie die in Amerika gefeierte Lucrezia Bori durfte Elisabeth ein Jahr lang keinen Laut von sich geben, hatte sie sich mit Hilfe von Schiefertafel und Kreide mit ihrer Umwelt zu verständigen. Während aber die Bori nach einiger Zeit ihre Stimme wiedergewann und Karriere an der Met machte, war es mit Elisabeths Gesang vorbei. Es stimmte mich traurig.

Also ich war gefragt als Puppe, Knabe und Zwerg. Noch einen Buben fügte ich meinem Repertoire hinzu: den Knaben Gemmy, der von Rossinis Librettisten umbenannte Sohn von Wilhelm Tell, in einer konzertanten Aufführung in der französischen Schweiz. Genaue Daten besitze ich nicht mehr, lediglich eine Besprechung, in der es heißt: »Die Rolle des Gemmy, des Sohnes Tells, spielt eine ganz kleine Person, Maria Stader, nicht höher als drei Äpfel, ohne, wohlverstanden, denjenigen des Tell.«

Aber Opernengagements gab es nur am Rande. Dafür war ich in jenen Jahren, da wir vom Ausland weitgehend abgeschnitten waren, um so mehr auf Schweizer Dirigenten, Musikdirektoren, Chorleiter und Organisten angewiesen.

Volkmar Andreae, Viktor Schlatter und Hans Gutmann in Zürich, Hans Münch und Paul Schnyder in Basel, Fritz Brun, Wilhelm Arbenz, August Oetiker, Otto Kreis und Kurt Wolfgang Senn in Bern, Carlo Hemmerling und Charles Faller in Lausanne, Hermann Scherchen und Julius Billinger in Winterthur, August Dechant in St. Gallen, Karl Grenacher und Ferdinand Leu in Baden, Max Hengartner und Max Sturzenegger in Luzern, in Aarau Hans Leuenberger, in Frauenfeld Ernst Schaerer, in Wädenswil und Thalwil Heinrich Funk und Rudolf Sidler, in Chur Lucius Juon – sie waren meine Auftraggeber, bürgten für sorgfältig einstudierte Aufführungen, in denen ich als alleinige Solistin mitwirkte oder ein Vokalensemble vervollständigte.

Unentbehrlicher Spaßmacher war unser alter Freund Ernst Haefliger. Eines seiner Kunststücke ist mir unvergeßlich geblieben: Ohne die Gesichtsmuskeln zu bewegen, verstand es Ernst, posthornähnliche Laute von sich zu geben, während der neben ihm sitzende Charles Faller, auf einen gewöhnlichen Radiergummi drückend, zur Verblüffung der Tischgesellschaft Hornsoli in den Raum hineinzauberte.

An einem strahlenden Maitag des Jahres 1945 läuteten die Glocken, um Frieden in Europa zu verkünden. Arm in Arm zogen wir inmitten jubelnder Menschen über die Quaibrücke zum Bürkliplatz und durch die flaggengeschmückte Bahnhofstraße zum Paradeplatz. Die Begegnung mit unserer ehemaligen deutschnationalen Nachbarin, als Zürcher Trachtenmädchen herausgeputzt, rief beklemmende Erinnerungen wach.

Aber nicht lange. Der Alptraum war überstanden. Eine vielversprechende, aufregende Zukunft breitete sich vor mir aus.

Kapitel 23

Neuer Anfang mit Bruno Walter

Kaum hatten die Achsenmächte kapituliert, regten sich allseits Kräfte, um das kulturelle Leben wieder in Gang zu bringen. Aus Amerika fragte Bruno Walter bei Lily Reiff an, ob das Staderchen noch existiere, auch wir streckten zaghafte Fühler aus, schrieben vertraute Anschriften auf Briefumschläge und warteten gespannt, ob sie ihre Empfänger im Ausland erreichen würden. Es sollte Jahre dauern, ehe die Verhältnisse sich einigermaßen normalisierten. Wer wie ich vor dem Krieg im Begriff stand, eine internationale Karriere aufzubauen, dem waren Jahre verlorengegangen.

Und doch war die Zeit nicht stehengeblieben, war ich – fast könnte man sagen: in Klausur – gereift. Vor allem hatte ich an Erfahrung und Routine gewonnen. Ich machte es mir zur Regel, Engagementangebote auch dann anzunehmen, wenn das Honorar bescheiden war. Von Hans wußte ich, daß Chorvereinigungen und Orchestergemeinschaften, die Oster-, Pfingst- und Weihnachtskonzerte veranstalteten, mit beschränkten Mitteln arbeiteten und nicht in der Lage waren, die Gagen zu zahlen, die ich in Zürich, später in Berlin, Salzburg, Paris und New York bekam. Die Veranstalter wußten das Entgegenkommen zu schätzen, holten mich Jahr für Jahr und begleiteten mich bis ans Ende meiner Karriere.

Rolf Liebermann, damals Tonmeister bei Radio Beromünster, verdanke ich meine erste Verbindung zu Deutschland und etliche Anfragen aus andern Teilen Europas. Er war es, der Gastdirigenten und Mitarbeitern anderer Rundfunkanstalten meine Radiobänder vorspielte. So gelang mir der Sprung nach Baden-Baden, wo Heinrich Strobel als Leiter der Musikabteilung des Südwestfunks wirkte. Und als Krönung führte mich Liebermann mit Ferenc Fricsay zusammen.

Hermann Scherchen hatte den jungen Komponisten und seinen Dirigentenschüler Liebermann ins Studio geholt. Das war der Anfang einer illustren Karriere, die über den Norddeutschen Rundfunk zur Intendanz der Hamburgischen Staatsoper und ihn schließlich nach Paris an die Grande Opéra führen sollte. Kein Wunder, daß Hans Schmidt-Isserstedt den vor Initiative berstenden Mann dem Zürcher Studio abwarb. Später wäre Liebermann gerne Direktor des Zürcher Operninstitutes geworden, aber, wie er vor nicht allzulanger Zeit anläßlich einer Preisentgegennahme freimütig bekannte: »Man wollte mich eben nicht!« »Bravo Rolf!« rief ich in den Tonhallesaal hinein.

Rolf Liebermanns bitonales »Streitlied zwischen Leben und Tod«, eine dramatische Kantate für hohen Sopran, Mezzosopran, Tenor,

Baß, gemischten Chor und Orchester sang ich verschiedentlich. Man beachte: für *hohen* Sopran. Ich gehe wohl nicht fehl in der Annahme, daß der Komponist an meine Stimme dachte. Schon im einleitenden »Concerto grosso« steigt der Sopran bei den Worten »Die Welt ist mein« zum hohen C hinauf. Später im Duett »Mich preisen die Blumen und Vögelein« schwebt er zwischen zweigestrichenem G und Ais, dann werden ihm sogar mehrere dreigestrichene Cis abverlangt, also keine leichte Sache. Aber es ging.

Nachdem Liebermann Chef in Hamburg geworden war, wollten er und Ferenc Fricsay mich dazu überreden, die Butterfly zu singen. »Ich werde die Oper dir zuliebe bei Liebermann dirigieren«, sagte Ferry. Ich sah mir die Partie an, begann ernsthaft mit dem Studium, brach aber im dritten Akt regelmäßig zusammen, nicht aus stimmlichen Gründen, sondern weil ich dem traurigen Schicksal der armen Cho-Cho-San emotionell nicht gewachsen war. Die Affäre mit dem Kind am Schluß gab mir den Rest. Ich hätte auf offener Bühne weinen müssen.

»Aber Maria«, tadelte Ferry. »Nimm dich zusammen!«

»Was heißt – nimm dich zusammen! Da legt man doch sein Herz hinein. Man kann sich doch nicht gleichzeitig zusammennehmen und sein Herzblut vergießen.«

»Heul dich ein für allemal gründlich aus und laß es dann gut sein.«

Ich gab mir alle erdenkliche Mühe, aber sobald die schluchzende Musik einsetzte, war es aus. Da kann man nichts machen. »Es tut mir leid«, mußte ich Rolf und Ferry sagen. »Ich stehe einfach nicht über der Situation.«

Meine Stimme am Südwestfunk mobilisierte Kapellmeister aus allen Teilen Deutschlands. Bald trafen Anfragen ein, kam die erste Deutschland-Tournee zustande. Ich erinnere mich an die notdürftige Unterkunft im Frankfurter Hof. Überall wurde gehämmert, gebohrt, gebaggert. »Geben Sie mir um Gottes willen ein ruhiges Zimmer! Ich habe morgen Konzert!« Das war mein Standardruf.

Ich kehrte regelmäßig nach Frankfurt, Mainz, Düsseldorf, Köln zurück, konnte die Fortschritte wie ein Bundesbauinspektor verfolgen, wußte bestens Bescheid.

»Aha, es gibt eine neue Tapete. Und die Wasserhähne im Bad sind erneuert worden. Und das Klo rinnt nicht mehr. Und, alle Achtung, sogar Papierkörbe haben Sie angeschafft!«

Einer der ersten Großen, die sich ins alte Europa zurückwagten, war Bruno Walter. Wir feierten Wiedersehen bei Lily Reiff, freilich von wehmütigen Erinnerungen überschattet. Sechs Jahre waren vergangen, seit man in Luzern Abschied genommen hatte. Oder waren es sieben? Es schien alles so lange her. Viele Freunde von einst waren in alle Winde zerstreut, verschollen oder von den Nazis ermordet worden. Namen schwebten durch den Raum, an die man nicht mehr gedacht hatte. Lotte Lehmann? Sie hatte sich von der Bühne zurückgezogen und lebte in Kalifornien. Sie malte, und gar nicht einmal so schlecht. Auch Gitta Alpar und die Massary waren dort. Und Alma Werfel. Ja, und die alte Anna Bahr-Mildenburg, die mit Mahler groß geworden war, lebte auch noch. In Wien. Sie hatte Lotte Lehmann kürzlich geschrieben, um sich für Lebensmittelpakete zu bedanken. Tauber war in England. Und die Novotna, die bezaubernde Giuditta von einst? War die nicht auch nach Amerika gegangen? Aber gewiß. Vor ein paar Jahren hatte Walter den »Don Giovanni« mit ihr gemacht. Mit Hosenrollen hatte sie in Amerika großen Erfolg.

Daß Bruno Walter als einer der wenigen deutschen Künstleremigranten gleichfalls Karriere in Amerika gemacht hatte, wußten wir. In New York wurde er in einem Atemzug mit den Altmeistern Toscanini, Kussewitzki und Stokowski genannt. Mehr noch – Bruno Walter war in der Neuen Welt zu einem Symbol geworden für die deutsche Kultur, die nicht untergehen durfte. Demgegenüber hatte es Kollege Fritz Busch schwerer gehabt, sich durchzusetzen. Er hatte den Kontakt zur amerikanischen Öffentlichkeit zunächst nicht gefunden, hatte den New Yorkern Reger aufdrängen wollen, die Kritiker vor den Kopf gestoßen, sich nicht belehren lassen. Immerhin, seit einer glänzenden Eröffnungsvorstellung des »Lohengrin« an der Met, der die Präsidentengattin und Tochter Margaret beiwohnten, ging auch Buschs Stern auf. Eine Amerikanerin sang die Elsa, Miss Traubel; Torsten Ralf, der zu Böhms Dresdener Kriegs-Ensemble gehört hatte, den Lohengrin.

»So löst eine Generation die andere ab.« Bruno Walter schaute mich an. »Sind Sie hier fest am Theater?« wollte er wissen.

Ich verneinte. »Mit meiner Statur habe ich es schwer, an der Bühne unterzukommen. Ich tendiere jetzt zum Konzert.«

»Und was singt das Staderchen zur Zeit?«

Ich gab einen Überblick über mein Repertoire.

»Den Mahler dürfen Sie nicht vergessen«, warf Lily Reiff ein. »Sie haben doch neulich im Altersheim Mahler gesungen. »Ich a-atmet einen Lie-indenduft...« Lily stimmte das Lied an.

»Kennen Sie Mahlers Vierte, Frau Stader? Die mit dem Sopransolo im letzten Satz?«

Darauf war ich vorbereitet. »Gewiß. Ich habe das Werk noch nie öffentlich gesungen, aber ich habe es einstudiert.«

»So?«

Kurz darauf trafen wir uns zu einer Klavierprobe. Bruno Walter war ein fabelhafter Pianist und Liedbegleiter. In Ausnahmefällen trat er in dieser Eigenschaft öffentlich auf, wie vor ihm Arthur Nikisch für Elena Gerhardt. Meines Wissens ist nur Lotte Lehmann diese Ehre zuteil geworden.

Begreiflich, daß ich alles hergab. Diesmal war es des Guten zu viel. Ich wurde unterbrochen. »Sie legen zuviel hinein. Das ist nicht Brahms. Versuchen Sie nicht, etwas daraus zu machen. Es handelt sich um eine einfache Kinderweise. Singen Sie sie so wie ›Exsultate‹.«

Ich verstand. Das nächste Mal nahmen wir das Stück ohne Pause durch. Darin bestand seine Kunst als Lehrer: zu wissen, wo er den Hebel ansetzen mußte. Er brachte es fertig, seine Vorstellung mit wenigen Worten zu vermitteln. An jenem Nachmittag begann eine Zusammenarbeit, die bis in Walters letzte Jahre fortdauerte. Ich habe viel Mozart mit ihm gesungen.

Für Mahler-Lieder gewann er in Kathleen Ferrier die ideale Interpretin. Von der Erinnerung an die früh Verstorbene konnte er sich später nicht trennen. Dennoch haben wir zuletzt auch meine Lieblingslieder von Mahler zusammen gemacht.

Mich frappierte Bruno Walters Demut vor dem Werk. Wie ein Priester am Hofe Sarastros stellte er sein Wirken in den Dienst einer übergeordneten Kraft, der er sich widerspruchslos unterordnete. Daher seine Toleranz, seine Zurückhaltung, Bescheidenheit, Kompromißbereitschaft. Daher die Achtung, die er den Orchestermusikern entgegenbrachte, seine sprichwörtliche Höflichkeit. Kein Detail einer Partitur war zu klein, als daß es nicht seine Aufmerksamkeit verdient hätte.

»Frau Stader, Sie haben vermutlich Ihre eigenen Orchesterstimmen von ›Exsultate, jubilate‹.«

»Ja. Wir haben sie fotografiert.«

»Bringen Sie sie mir bitte. Alle. Sie bekommen sie in ein paar Tagen wieder.«

Nachdem Bruno Walter mir die Noten zurückgegeben hatte, sah ich, daß er sich die Mühe gemacht hatte, die von ihm gewünschten Ausführungsvorschriften – Bogenzeichen, Phrasierungsbögen, dynamische Anweisungen, Tempi – in die einzelnen Stimmen einzutragen. Damals verkannte ich seine Absicht. Als wir später in der Scala zusammen musizierten und ich zur Probe antrat, blickte er mich fragend an. »Wo sind Ihre Orchesterstimmen?«

Ich schluckte. In der Annahme, es sei nicht Aufgabe der Solistin, Orchestermaterial an die Musiker des Scala-Orchesters abzugeben, lagen sie sauber gestapelt in meinem Zürcher Musikschrank.

»Aber«, meinte der Maestro leise und nicht ohne Vorwurf, »ich habe sie doch eigens für unsere Konzerte angezeichnet.«

Bestürzt telefonierte ich nach Hause, mein Mann, der glücklicherweise zur Stelle war, brachte das Paket per Taxi zum Flugplatz, so daß es mit der nächsten Maschine nach Mailand befördert und von einem vom Scala-Chef de Sabata beorderten Fahrer am Flughafen entgegengenommen und gerade noch rechtzeitig vor Konzertbeginn dem Orchesterdiener in die Hand gedrückt werden konnte.

Ich machte das Mißgeschick mit meinem Gesang wieder wett. Die Maestri de Sabata und Walter umarmten mich. »Canta come un angelo!« rief de Sabata, und Bruno Walter lächelte sanft.

Es war dies mein erstes Mailänder Konzert unter Walter, am 24. Oktober 1955 zur Eröffnung der Feierlichkeiten zum 200. Geburtstag Mozarts. In »La Notte« schrieb *a. t.*: »Mit anhaltendem Atem und tiefer Bewegung denken wir an die Sängerin Maria Stader, für mich eine neue Stimme. Welch eine Fülle von Lauten, welch eine Klarheit und Vollendung stimmlicher Virtuosität! Kürzlich ist hier ein berühmter Sopran als die größte Sängerin unserer Zeit genannt worden. Ginge es nach meiner Auffassung, hätte ich gestern der Stader die Palme gegeben.«

Fortan vergaß ich die Noten nie wieder, trug sie mit mir um den Erdball herum. Ich wüßte von keinem Dirigenten, der die Direktiven Bruno Walters nicht auch für sich als verbindlich akzeptiert hätte, beredtes Zeugnis für die Autorität seines Namens.

Doch zurück ins Jahr 1946. Nachdem wir Mahler geprobt hatten, sagte Bruno Walter: »Ich werde Schulthess mitteilen, daß ich mein erstes Konzert in Zürich mit Ihnen machen will. Im Dezember. Jupiter, Siegfried-Idyll und Vierte Mahler.«

Das Bruno-Walter-Konzert vom 5.12. war der Höhepunkt der Konzertsaison 1946/47, ein triumphaler Abend, vom Publikum als ein Geschenk empfunden nach den Jahren der Dunkelheit – und der vorläufige Gipfel meiner Sängerlaufbahn.

Auf Tournee nach dem Krieg

Im ersten Nachkriegsjahr festigte sich auch mein Ruf als Bachsängerin, in erster Linie dank Walther Reinhart. Der Leiter des Winterthurer Reinhart-Chores war ein höchst eigenwilliger Bach-Interpret, der ungeachtet der Kontroversen, die er entfachte, eisern seinen eigenen Weg ging. Sein Chor sang präzis und rein, entbehrte jedoch nicht gewisser Manierismen, bedingt durch Reinharts Eigenart der Phrasierung und Akzentuierung. Mit einem Wort: Er pflegte einen Bach-Stil, der nicht jedermanns Sache war und den führende Zürcher Kritiker ganz und gar nicht guthießen. Sie gingen scharf mit ihm ins Gericht, worauf ihnen Reinhart den Zutritt zu seinen Tonhallekonzerten verweigerte. Einer der Herren – ich glaube, es war Professor Gysi vom Tages-Anzeiger – soll dennoch bis zur Türkontrolle vorgestoßen sein. Ein wachsames Auge aus Reinharts Entourage erspähte den unliebsamen Gast und eskortierte ihn ebenso höflich wie bestimmt zum Foyer hinaus. Dessenungeachtet liebte das Publikum seinen Reinhart und strömte in Scharen herbei.

Als mich Reinhart aufforderte, ihm in den Räumen der Klavierhandlung Ramspeck an der Mühlegasse eine Probe meines Könnens abzulegen, lehnte ich ab, nicht aus Vorurteil, sondern weil auch Herr Reinhart ohne weiteres die Möglichkeit hatte, mich im Konzert zu hören. Herr Reinhart meldete sich nicht mehr, da fügte es das Schicksal, daß der Sopran in einem Reinhart-Konzert erkrankte – es dürfte 1941 gewesen sein –, ich wurde gebeten, einzuspringen, sagte zu und sang zu Walther Reinharts voller Zufriedenheit. Damit begann eine intensive Zusammenarbeit. Es war Reinhart, der mir nahelegte, Mozarts Motette »Exsultate, jubilate« in mein Repertoire aufzunehmen. Das Stück sei mir wie auf den Leib geschrieben. Dem könnte ich heute nicht widersprechen. Die Kadenz, die vom ersten zum zweiten Teil überleitet und die ich mit dem Stück um die ganze Welt trug, hat Walther Reinhart für mich komponiert.

In meiner Programmsammlung stoße ich immer wieder auf die charakteristisch bedruckten Hefte der Reinhart-Konzerte, mit dem schwarzen Rahmen auf der Umschlagseite. Was haben wir nicht alles zusammen gemacht! Die Bach-Passionen, die h-Moll-Messe, konzertant Mozarts »Schauspieldirektor«, im November 1949 drei Konzerte an der Mailänder Scala mit Bachs Magnificat und Kantaten, die vielen Aufführungen beim Bach-Fest in Schaffhausen. Denn es war Reinhart, der mich 1946 zur Teilnahme am ersten Internationalen Bach-Fest von Schaffhausen verpflichtete.

Warum Schaffhausen? fragte Linus Birchler, Professor für Architektur an der Eidgenössischen Technischen Hochschule und prominenter Denkmalpfleger, in seinem Geleitwort zum Eröffnungsprogramm. Er antwortete: Die Wahl von Schaffhausen soll ein Sinnbild sein, denn eine alte Schweizerstadt, auf der »deutschen« Seite des europäischen Schicksalsflusses erbaut – das ist der richtige Ort, um dem zeitlosesten Genius des wahren Deutschland zu huldigen.

Nicht zuletzt ging es um eine Geste der Versöhnung. Das heißt, es war mehr als eine Geste: »Wir wollen einen bescheidenen, aus tiefstem menschlichem und kulturellem Bedürfnis herausgewachsenen Beitrag an die Erfüllung der Aufgaben der Nachkriegszeit leisten. Diese Aufgaben beschränken sich nicht allein auf die Gestaltung der Friedensverträge, den Wiederaufbau zerstörter Heimstätten, der Sicherung des Friedens, der Arbeit und des materiellen Wohlstandes. Wenn die Erfüllung dieser großen und dringenden Aufgaben gelingen soll, dann darf die Wiederanknüpfung geistig-kultureller Beziehungen nicht fehlen. Sie muß gleichzeitig und trotz der Not und der Schwierigkeiten der Nachkriegszeit gepflegt werden, um die durch Krieg und Brutalität verschütteten und verkümmerten seelischen Kräfte der Menschen zu befreien und zu entfalten. Der Weg zu einer neu erlebten und gestalteten Humanität, die an die edelsten Vorbilder und geistigen Strömungen der Vergangenheit anknüpft, ihr Streben und Wirken fortsetzt, muß gesucht und gefunden werden.« Mit diesem Bekenntnis begrüßte Stadtpräsident Walther Bringolf die Besucher, die von nah und fern nach Schaffhausen gepilgert waren. Am Abend erklangen zum erstenmal Bläser auf der trutzigen Zinne des Munotturmes. Ein Bach-Choral gab das Signal zur Eröffnung des Festes.

Wie es zu dessen Gründung gekommen ist, erzählte ich schon an anderer Stelle. Hier sei jedoch auf einige mitwirkende Künstler hingewiesen, die zu den hervorragendsten der Zeit gehörten. Bronislaw Hubermann, wie Bruno Walter rechtzeitig aus Deutschland und Österreich emigriert, war nach Europa zurückgekommen. Wie einst Stefi in einem Konzert der Gulbranson hatte Hubermann in einem Konzert der legendären Adelina Patti debütiert und sich bald einen Namen als auserwählter Geiger gemacht. Er spielte ein Violinkonzert. Wilhelm Backhaus gab einen Bach gewidmeten Klavierabend, Marcel Dupré saß an der Orgel der Johanneskirche. Im Münster wurde Bachs »Kunst der Fuge« geboten (von Paul Sacher), Oskar Disler, Musikdirektor von Schaffhausen, wirkte ebenfalls mit. Disler hatte mich bereits im Februar 1938 zu einem Orchesterkonzert nach Schaffhausen verpflichtet, den »Frühlingsstimmen-Walzer« verlangt und mich gegen meinen anfänglichen Widerstand dazu bewogen, die Zerbinetta-Arie zu lernen. Unter Dislers Leitung boten wir eine komische »Weltliche Kantate« von Bach, »Mer hahn en neue Oberkeet« (»Wir haben eine neue Obrigkeit«), die meinem Partner auf dem Podium eine weithin vernehmbare Ohrfeige eintrug. Fritz Mack, Baß, hatte nicht nur damit gedroht, die ihm in diesem Stück gebotene Chance, mich auf den Mund zu küssen, wahrzunehmen, er führte sein Vorhaben coram publico aus, worauf ich die mir gleichfalls aufgrund der Handlung gebotene Chance wahrnahm, ihm einen schmerzhaften Verweis zu erteilen, allerdings um einige Grade wirklichkeitsgetreuer als von Bach vorgesehen. Dieser Stilbruch veranlaßte Wilhelm Backhaus, sich nach der Vorstellung bei mir zu erkundigen, ob Bach die Ohrfeige in der Partitur tatsächlich derart knallend vorgeschrieben habe.

Mit Wilhelm Backhaus und seiner Frau waren wir bekannt, seitdem der Altmeister Beethovens Es-Dur-Klavierkonzert unter Hans' Leitung gespielt hatte. Sein Klavierrecital in Schaffhausen war, wie zu erwarten, ausverkauft. »Ich bekomme keine Karten mehr zu Ihrem Konzert«, klagte mein Mann. »Es ist ein Jammer.«

»Macht nichts«, sagte Wilhelm Backhaus. »Setzen Sie sich hinter den Vorhang zu meiner Frau. Dort können Sie mich hören, ohne daß Sie mich sehen müssen.«

Wie vereinbart fand sich Hans rechtzeitig ein und nahm neben Frau Backhaus Platz. »Bis nachher«, sagte Wilhelm und betrat die Arena. Großer Begrüßungsapplaus, dann Stille. Backhaus spielte ein Präludium und eine Fuge aus dem »Wohltemperierten Klavier.« Hans schloß die Augen, lauschte andachtsvoll. Nachdem das Präludium zelebriert worden war, setzte die Fuge ein: Dux, Comes, großartig wie Backhaus das aufbaute, jetzt Entspannung ... Zwischenspiel, jetzt Ladung, die Stimmen kreuzten sich, die Spannung wuchs, meisterhafte Architektonik ... Verkürzung, Ballung, krönender Abschluß ... Donnernder Beifall. Wilhelm erschien hinter dem Vorhang, fixierte seine Frau: »Wieviel?«

Frau Backhaus zog eine Stoppuhr hervor: »Vier Minuten, zwölf Komma zwei Sekunden.«

»Hm«, fand Wilhelm und verschwand.

Prompt nach der nächsten Nummer fragte er wieder: »Wieviel?«

Das ging so weiter. Nach jedem Stück: »Wieviel?«

»Wie ein Sprinter im Training«, sagte Hans nachher.

»Was hat das wohl zu bedeuten?« fragt ich.

»Wahrscheinlich berechnen sie die Einteilung einer Schallplatte.«

»Aber könnten sie das nicht auch zu Hause machen? Oder könnte sich Frau Backhaus die Zeiten nicht einfach notieren?«

»Das ist großes Handwerk«, erklärte Hans. »Der Künstler lebt eben durchaus nicht nur in lichten Sphären.«

Dennoch, mir wollte dieser Klaviermarathon nicht recht einleuchten, und wenn ich Backhaus seither hörte, sah ich im Geiste Frau Backhaus hinter den Kulissen, die Stoppuhr in der Hand. »Wieviel?«

Künftig nahm ich an jedem Bach-Festival teil, mit und ohne Walther Reinhart. 1950, zur Feier des zweihundertjährigen Todestages Bachs, kam Günther Ramin, der amtierende Leipziger Thomaskantor, nach Schaffhausen. Wie vielen lag mir die Bachauffassung Ramins näher als jene Walther Reinharts. Ich hatte Ramin und mit ihm sein erstaunliches Improvisationstalent bei meinen Freunden Wagners kennengelernt. Nach einem Trioabend mit Paul Grümmer und seiner Schwiegertochter Margot Grümmer improvisierte er über ein ihm aus dem Gästekreis aufgegebenes Thema, und zwar so lange, bis sich seine frisch angebrannte Zigarre zu Asche verwandelt hatte.

In die Zukunft wies auch meine Teilnahme am Bach-Fest 1947 in

Mülhausen, von dem einzelne Aufführungen in Straßburg und in Paris wiederholt wurden. Einladungen dieser Art waren ermutigend. Sie zeigten, daß mein Ruf als Konzertsängerin sich über Grenzblockaden hinweg gefestigt hatte, ich war überhaupt überrascht zu erfahren, daß ich im Ausland bekannter war, als ich mir jemals vorgestellt hatte. Besonders in den letzten Kriegsjahren stellten unzählige Franzosen, Österreicher und Deutsche ihre versteckten Radioapparate auf die Landessender Beromünster und Sottens ein. Sie waren die einzigen ihnen zugänglichen Nachrichtenquellen, die sie interessierten. Unvermeidlich, daß sie neben Professor von Salis' politischer Rundschau dann und wann auch die Stimme Maria Staders zu Gehör bekamen.

Deprimierend war die Ankunft im Bahnhof Mülhausen, die Not übertraf meine schwärzesten Erwartungen. Jemand führte uns durch Trümmerstraßen ins Hotel, vorbei an vermummten, geknickten Gestalten.

»Wahre Steinberge, nicht wahr«, bemerkte er. »Und drunter liegen weiß Gott noch wie viele Tote.«

Ich war erschüttert. Meinen Kollegen, der Altistin Lis de Montmoulin, dem Tenor Hugues Cuénod, dem Baß Fritz Mack dürfte es ähnlich ergangen sein. Und inmitten dieses schreienden Elends sollten wir unsere Stimmen zum Lobe des Herrn erheben!

Es kam anders als erwartet. Die Einwohner nahmen uns Schweizer wie Boten aus einer bessern Welt, wie Künder eines kommenden besseren Daseins auf. Sie überschütteten uns mit Liebenswürdigkeiten und musizierten unter Ernest Bour mit der Inbrunst von Menschen, die eines lang entbehrten Glücks wieder teilhaftig werden.

Ernest Bour war Schüler Fritz Münchs – auf die Musikerfamilie Münch komme ich noch zurück –, hatte bei Hermann Scherchen assistiert und, wohl nicht zuletzt dank Scherchens Vorbild, sich eine besonders präzise, klare Schlagtechnik angeeignet, was Sänger zu schätzen wissen. In Frankreichs Musikwelt genoß er hohes Ansehen. Er war Leiter des Konservatoriums von Mülhausen, dirigierte häufig in Paris und besaß nach allen Richtungen Verbindungen, von denen er jüngere Kollegen großzügig profitieren ließ. Ich verdanke Bour meine ersten Engagements in Frankreich, auch im Nachkriegs-Paris, vor allem auch am französischen Rundfunk.

Die unter düsteren Anzeichen begonnene Visite im Elsaß klang mit einer burlesken Note aus. Unseren Baßkollegen Fritz Mack verband eine in die letzte Kriegszeit zurückreichende Freundschaft mit einem damals in einem schweizerischen Lager internierten französischen Colonel, den Macks zusammen mit einigen seiner Kameraden mehrmals zu sich eingeladen und bei einem Glas Rotwein bewirtet hatten.

Als der nach Frankreich heimgekehrte Colonel von Fritz' Mitwirkung am Bachfest erfuhr, glaubte er, die passende Gelegenheit entdeckt zu haben, um sich für das ihm und seinen Regimentsangehörigen bezeugte Wohlwollen zu revanchieren. Kurz vor unserem Auftreten, das letzte Klingelzeichen war soeben verhallt, wurde Fritz erstmals auf drohendes Unheil aufmerksam. Monsieur Bour tauchte auf und meldete, ein schneidig artikulierender Herr habe eine Flasche Framboise nebst einem wagenradgroßen, in den Farben der Trikolore leuchtenden Laubkranz an der Garderobe abgegeben und die Absicht bekundet, am Schluß der Veranstaltung, nach Bachs »Magnificat«, das Podium zu besteigen und die Zierde dem »ami de la grande nation française et de sa grande armée« feierlich um den Hals zu hängen. Fritz erblaßte.

Auf Veranlassung Monsieur Bours sorgte man dafür, daß der Kranz aus der Garderobe verschwand. Der um seine Manifestation betrogene Colonel mußte sich damit abfinden, Fritz den Framboise zu verehren und ihm in der Zurückgezogenheit des Solistenzimmers »au nom du régiment« nach französischer Manier links und rechts einen Kuß zu geben.

Wir standen am Fenster des Zuges, um uns von Monsieur Bour, seiner Familie und einigen Kollegen zu verabschieden, tauschten den letzten Händedruck aus, denn Pfeifensignale ertönten, als mit einem Ruck die Flügeltüren des Stationsgebäudes auseinanderflogen, erst ein gigantischer Kranz und dahinter der Colonel sichtbar wurden. »Allô! Allô!« rief der Colonel. »Ne bougez pas!« Er hatte den Kranz, wie er lautstark verkündete, in der Requisitenkammer des Théâtre Municipal doch noch gefunden, und nun war er gekommen, seine Mission zu Ende zu führen.

In diesem Augenblick setzte sich der Zug in Bewegung. »Arrêtez le train!« schrie der Colonel. Wir fuhren immer schneller. Auf dem Bahnsteig entstand ein Tumult. Der Colonel lief unserem Wagen nach: »Prenez garde!« kreischte er. Er schleuderte das Ungetüm zum halbgeöffneten Fenster herein, wo es eingequetscht zwischen Scheibenkante und Rahmen steckenblieb. Wir waren vorsorglich zurückgewichen, jetzt zerrten und rissen wir daran, das Laubgeflecht gab stückweise nach und folgte uns, zerdehnt und seines Blätterkleides beraubt, ins Innere des Abteils.

»Wie werden wir das Ding wieder los?« fragte ich.

»Erst mal verschnaufen«, antwortete Fritz.

Etwas später, an entlegener Stätte, wo uns die Heide zwischen Mülhausen und Basel am ödesten schien, beförderten wir den blinden Passagier, achthändig, zum Waggonfenster hinaus. Fritz verblieb noch der Himbeergeist.

»Haben Sie Waren zu verzollen?« fragte der schweizerische Zollbeamte. Ehrlich, wie wir damals noch waren, streckten wir ihm das Wässerchen entgegen. Der Beamte schüttelte das schirmbemützte Haupt, schlug in einem Wälzer nach und nannte einen Betrag, der erschütternd weit über dem Schätzungswert einer Flasche Himbeergeist lag. Da kam unser Fritz in Fahrt. Mit herzbewegenden Worten schilderte er, weshalb und wie er in den Besitz des Geschenkes gekommen war. Inmitten seiner dramatischen Schilderung stimmte er die Marseillaise an. Aber dem Zöllner gebrach es an jeglichem Sinn für Große Oper. Stur verwies er auf seine Paragraphen-Fibel, hielt uns das Buch unter die Nase, preßte die Lippen zusammen. Da öffnete Fritz sein großes Herz. Er erbot sich, dem Mann den Framboise als Andenken zu überlassen.

»Nichts da!« erklärte der Beamte und rümpfte die Nase, als rieche er faule Eier.

»So schmeiß das Gesüff doch weg!« riet ich. »Sonst müssen wir am Ende noch in Basel übernachten!« Es sei mir zugute gehalten, daß ich dabei an unseren Anschlußzug nach Zürich dachte.

Fritz' Augen verfinsterten sich. Er holte aus zu einem befreienden Schwung – und päng – Flasche und Inhalt zerspritzten an der harten Außenmauer des Zollhäuschens. Der Zollbeamte konnte sich mit der Taufe nicht befreunden. »D'Ihr Soumichel!« fauchte er. »Nämmet diä Sosse jitzt aber weidli zämme, suscht rüef ich öpper vom Inschpecktoraat und dänn chönnder hundert Schtei uf de Tisch legge wäge Beschmutzig vom Bahnhofareal!« Was blieb uns anderes übrig, als vor dem Zollhäuschen in die Knie zu gehen.

Denke ich ans Elsaß der Nachkriegsjahre, sehe ich neben der breiten, hochgewölbten Stirn Ernest Bours die asketischen, verinnerlichten Züge Abbé Alphonse Hochs, des Domkapellmeisters der Kathedrale von Straßburg.

Der Anblick des steinernen Kolosses, den Erwin von Steinbach geschaffen hat, flößte mir Respekt ein. Wie ein mahnender Zeigefinger weist der einsame Turm zum Himmel. Meine Gedanken flogen zurück zu meinem Freund Heinz Zulla. Heinz war, soviel ich wußte, im Krieg in Rußland gefallen, verschollen. Und hier stand ich. Von Heinz wußte ich, daß dieser Bau auf Goethe einen unauslöschlichen Eindruck gemacht, daß er, um chronische Schwindelgefühle zu überwinden, sich auferlegt hatte, immer wieder den höchsten Punkt des Turmes zu besteigen.

Mit Goethe und Heinz vor mir stieg *ich* auf die Empore. Beidseitig des Mittelschiffes hingen gigantische, bis zum Boden hinabreichende schalldämpfende Gobelinteppiche, schwer wie Blei, dazwischen sah man, unübersichtlich schwarz, die im Hörerlebnis geeinte Menge. »Te Deum laudamus«, sang der Chor, die Orgel schwoll an, posaunengrell. Bruno Walter schrieb einst in einem Aufsatz über »Kapellen und Kapellmeister«: »Das Wichtigste scheint mir dies zu sein: Der Dirigent muß, wenn er das Podium des Konzertsaals betritt oder auf den Kapellmeisterstuhl des Opernorchesters sich setzt, von Spannungen erfüllt, mit Energien geladen und in dem Gefühl erhoben sein, ein hohes Fest der Kunst zu veranstalten.« Das gilt auch für den Solisten, ich gehe so weit zu behaupten, daß er die Schwingungen vom Dirigenten übernimmt. Abbé Hoch vermochte es, seine Schwingungen aus verinnerlichter Konzentration heraus auszustrahlen. Kam noch die weihevolle Atmosphäre des Domes hinzu, so glühte ich förmlich vor Erregung und dankte dem Schöpfer dafür, daß ich dort oben stehen durfte, daß ich das, was ich zu geben hatte, geben durfte, daß Menschen vorhanden waren, die es dankbar empfingen.

Schrecklich war Abbé Hochs Ende. Sein langes Kirchengewand verfing sich im Rad eines vorüberfahrenden Lastkraftwagens, der alte Mann wurde ein Stück weit mitgeschleift, überlebte wie durch ein Wunder und lag noch ein paar Tage im Krankenhaus. Daß ich meinen Besuch nichtiger Gründe wegen mehrmals verschob und der Abbé verschied, ohne daß ich ihn aufgesucht hatte, belastet mich noch heute.

Neben der Familie Bour war es das elsässische Pendant zur Familie Busch, die Musikerfamilie Münch, mit der mich eine herzliche Freundschaft verband. Da gibt es zunächst einmal die um die Mitte des vorigen Jahrhunderts geborene ältere Generation mit den Brüdern Ernst und Eugen, dann die »jüngere« Generation mit Ernsts Söhnen Charles und Fritz auf der einen und Eugens Söhnen Hans und Eugen Gottfried auf der andern Seite.

Ernst und Eugen waren Organisten und Chordirigenten, Eugen in Mülhausen, Ernst in Straßburg, wo er gemeinsam mit Albert Schweitzer Jahr für Jahr die Passionen und Kantaten Bachs aufführte, Ernst Münch am Pult, Albert Schweitzer an der Orgel. Noch nach dem Zweiten Weltkrieg hörte ich immer wieder Berichte von der Einmaligkeit jener Ereignisse, denen Straßburg seinen Ruf als Stätte der Bachpflege verdankte. Von den Münchs wurde Charles der bekannteste. Einst Geiger und Konzertmeister des Gewandhausorchesters, wagte er in Leipzig erstmals den Sprung aufs Podest, ging von dort nach Paris, wo er das altehrwürdige Orchestre de la Société du Conservatoire leitete, folgte 1949 dem Ruf aus Amerika und übernahm als Nachfolger Serge Kussewitzkys eines der ersten Orchester der Welt, das Boston Symphony Orchestra. Charles' Bruder Fritz machte Schweres durch. Er war wie sein Vater Chordirigent in Straßburg, ein feiner Mensch und sensibler Musiker, dessen Frau und Tochter bei einem Bombardement umkamen. Auch Fritz' Vetter Eugen Gottfried, Dirigent am Stadttheater von Straßburg, hatte sein Leben während des Krieges verloren. Hans Münch kennen die Schweizer am besten, war er doch jahrelang bewährter Dirigent der Konzerte der Basler Allgemeinen Musikgesellschaft. Hans Münch leitete ungemein lebendige Bachaufführungen. Mit ihm zu musizieren war immer ein Genuß. Eine Eigenart seiner Passionswiedergabe bestand darin, daß er die Choräle vom Chor nicht wie professionell einstudierte Chornummern singen ließ, sondern so als sängen die Mitglieder einer Kirchengemeinde, also beinahe frisch von der Leber weg. Das gab diesen Choreinlagen etwas ungewohnt Spontanes.

Albert Schweitzer, den großen Menschenfreund, Bachkenner und Organisten, habe ich leider nie persönlich kennengelernt. Dem standen ein paar Zufälligkeiten im Wege. Mit dem Organisten der Zürcher Kreuzkirche, Martin Ruhoff, hatte ich ein Konzert zugunsten Doktor

Schweitzers Urwaldspital gegeben, den Erlös nach Lambarene überwiesen, worauf ein Schreiben Schweitzers eintraf, der sich für den keineswegs weltbewegenden Betrag bedankte. Fortan pflegten Bachforscher und Bachsängerin Briefkontakt, und als ich Albert Schweitzer in Zürichs Nähe wußte, lud ich ihn zu mir ein. Aber Terminverpflichtungen, zuerst bei ihm, dann bei mir, verhinderten die Begegnung. Sein letzter Brief ist vom 20. Dezember 1959:

»Ich war sehr gerührt, als ich erfuhr, daß Sie Ihre Kunst in den Dienst meines Werkes stellten. Wenn Sie hören, daß ich wieder in Europa bin, schreiben Sie mir bitte nach Günsbach, Ober-Elsaß, daß Sie meinen Besuch erwarten. Schreiben Sie herrisch, befehlend, wie jemand, der einen Büßer zu sich befiehlt. Dann mache ich, daß es baldmöglich dazu kommt. Und dann geben Sie mir ein Privatkonzert. Das ist die rechte Lösung. Ich schreibe Ihnen auf dem Schiff, das mich nach Afrika zurückbringt.«

Nirgends setzte man sich energischer für eine Wiederbelebung der Konzertszene ein als im benachbarten Österreich. Ausländische Künstler waren an sich gerngesehene Gäste; sofern sie sich erfolgreich durch das Gestrüpp konsularischer Weisungen und Verordnungen hindurchzuwühlen vermochten, hatten sie auch Chancen, die Grenze ungeschoren zu passieren. In Innsbruck regierten Franzosen, in Salzburg waren es die Amerikaner, darüber, wer in Wien zuständig war, gingen die Meinungen auseinander. Jeder Kanzlist hantierte stolz mit einem eigenen Sortiment an schwarzen, roten, blauen und hellgrünen Stempeln, ein nicht zur Zeit eintreffendes Visum setzte einen hektischen Telegrammwechsel in Gang, saß der Reisende endlich im Zug, mußte er damit rechnen, stundenlang und aus nie eruierbaren Gründen mitten auf einer schwindelerregenden Brücke am Arlberg ausharren zu müssen, Speisewagen waren ein noch nicht wiederentdeckter Luxus, man konnte froh sein, wenn das Licht funktionierte.

In einer stürmischen Augustnacht stieg ich mit vielstündiger Verspätung kurz nach halb zwei morgens im ausgestorbenen Salzburger Bahnhof aus. Ob und wo für mich ein Zimmer reserviert war, wußte ich nicht. Dieses Detail war im Wirbel der Reisevorbereitungen untergegangen. Einsam, niedergeschlagen und völlig durchnäßt kuschelte ich mich mit meinem Köfferchen in eine Ecke der Wartehalle, unschlüssig, ob ich mir die Freiheit nehmen dürfe, den mir nur dem Namen nach bekannten Bibliothekar des Mozarteums mitten in der Nacht zu alarmieren. Eine andere Adresse besaß ich nicht. Schließlich obsiegte mein Wagemut oder riß mir die Geduld – um elf erwartete mich Bernhard Paumgartner zu einer Probe –, ich wählte die Nummer ... Zu meiner Erleichterung war man in Salzburg an Nachtruhestörungen dieser Art gewohnt, und fünfzehn Minuten später saß ich in Julius Gmachels Wagen. Wir fuhren auf den Mönchsberg, wo ich die erste Nacht in seinem Heim verbrachte.

Anderntags siedelte ich ins Hotel um, einem der wenigen der Stadt, wo die meisten für die Festspiele verpflichteten Solisten untergebracht waren, darunter Maria Cebotari, deren Arabella uns entzückte, und Lise della Casa, damals noch eine schelmisch-grazile Zdenka, ehe sie die Hosen ablegte und mit der Titelrolle die Weltbühnen eroberte. Die Mahlzeiten nahmen wir Künstler gemeinsam an einer langen Tafel ein. Während wir in einer als Gulasch angesagten Brühe trüben Sinnes herumstocherten, vergeblich nach einem kompakten Stück Fleisch Ausschau haltend, erzählte ich meinen Kolleginnen so nebenher von den vielen Marienkäferchen, die mein Bett bevölkerten und sich als außerordentlich beißlustig erwiesen hatten. Das müsse wohl viel Glück bringen. Lisa und Cebo schauten einander groß an.

»Was sagt sie?«

»Marienkäferchen.«

»Was für Marienkäferchen?«

»Beißende Marienkäferchen.«

»Aber Maria! Das wird doch wohl nicht dein Ernst sein.«

Ich wußte nichts zu entgegnen.

Dann brachen beide in schallendes Gelächter aus. Nach und nach sprach sich's herum, und der ganze Tisch krümmte sich vor Lachen. »Hast du gehört – von Marie und ihren Marienkäferchen?«

Also müssen es wohl Wanzen gewesen sein. Anscheinend wimmelte es im ganzen Hotel von ihnen. »Sag mal, bist du wirklich so naiv oder tust du nur so?« fragten hin und wieder die Kollegen. Naiv? Ja, in gewissem Sinn bin ich naiv geblieben, unbefangen, arglos und – was wohl dazugehört – manchmal allzu vertrauensselig, dankbares Objekt für Spaßvögel. Dafür bewahre ich mir die Fähigkeit, dem Leben die Sonnenseiten abzugewinnen, mich freudig überraschen zu lassen, auch von Dingen, die für andere zum Alltag gehören. Eine Kollegin erbot sich, mir Salzburg zu zeigen: die Feste Hohensalzburg, den Domplatz, wo »Jedermann« geprobt wurde, Kapitelschwemme, Franziskanerkirche, Felsenreitschule... »Du, Maria«, meinte sie schließlich, »machst du den Mund auch wieder mal zu?«

Kapitel 24

Ein Gastspiel mit Richard Strauss

Im Frühjahr und Sommer 1947 nahm die Zahl meiner In- und vor allem Auslandsverpflichtungen gewaltig zu. Jedem Engagement folgten im Kielwasser zwei weitere. Das lag keineswegs auf der Hand. Wer wie ich sozusagen ausschließlich im Konzertkleid auftrat, hatte es schwerer. Opernvorstellungen gibt es alle Tage, Kirchen- und Chorkonzerte sind nicht nur seltener, sondern erfahrungsgemäß weniger publikumsattraktiv, es sei denn, es werde wirklich Außergewöhnliches geboten. Mein Vortrag von Gesängen wie »Jauchzet Gott in allen Landen«, »Exsultate, jubilate« und »Et incarnatus est« ging den Hörern indessen derart zu Herzen, daß mein Konzertkalender bald ausgebucht war.

Allerdings befand ich mich in der beneidenswerten Lage, auf der internationalen Konzertplattform Europas ohne Konkurrentin zu sein, eine Monopolstellung zu bekleiden. Fachkolleginnen vom Kaliber Helene Fahrnis, Ria Ginsters und meines Jugendidols Jo Vincent, deren Gesang einst dazu angetan war, Minderwertigkeitsgefühle in mir hervorzurufen, zogen sich aus der Öffentlichkeit zurück, andere wie Erna Berger wandten sich mehr und mehr der Bühne zu. Immerhin war auch ich schon jenseits der Dreißig. Die Jahre vergingen. Es galt sich zu regen. In diesen ersten Reisejahren mußte die junge Familie lernen, monatelang ohne Frau und Mutter auszukommen. Zum Glück erlaubte es der Zeitplan des vorwiegend vormittags und abends beschäftigten Chordirektors, die Nachmittagsstunden zu Hause zu verbringen, so daß sich wenigstens der Vater um die zwei Buben kümmerte. Für mich war das ein beruhigender Gedanke. Ohne meinen Mann, der sich der Kinder annahm, hätte ich meine Karriere nicht aufbauen können.

Abgesehen von seiner Funktion als Familienvater lebte Hans nur für das Zürcher Stadttheater, das Operninstitut, dem er siebenunddreißig Jahre treu blieb. Er entwickelte sich nicht nur zu einem guten, sondern zu einem *zu* guten Chordirektor, pflichtbewußt, führungsbegabt, fachlich kompetent und musikalisch souverän, so daß kein Theaterdirektor auf seine Dienste verzichten wollte. Der Ruf aufs Kapellmeisterpodest ließ auf sich warten.

Die Ereignisse an der Oper sind naturgemäß auch Teil unseres Lebens. 1945, 1946, 1947: Glanzvolle Höhepunkte der Saison sind wie ehedem die Juni-Festspiele. Anni Konetzni (Isolde), der Tenor Beniamino Gigli (Cavaradossi), Mariano Stabile (Scarpia), Margherita Carosio (Rosina), Tancredi Pasero (Basilio), Ebe Stignani (Adalgisa), natürlich die alte Wagnergarde Kirsten Flagstad, Max Lorenz ... das sind einige besonders leuchtkräftige Namen aus jener Zeit. Im Juni 1948 erscheint erstmals wieder eine Strauss-Oper auf dem Festspielprogramm: »Elektra«. Leitung: Hans Knappertsbusch, mit Erna Schlüter in der Titelrolle, Elisabeth Höngen als zauberberingte Königin und das Reiffsche »Samstagskind« Judith Hellwig, aus Südamerika zurückgekehrt, als Chrysothemis.

Die Zürcher Oper pflegt die Richard-Strauss-Tradition. Wie Willi Schuh zu berichten weiß, fand bereits am 5. März 1911, nur fünf Wochen nach der sensationellen Dresdner Uraufführung, die Zürcher Premiere des »Rosenkavaliers« statt. 1916 folgte »Elektra«, und als »Salome« sich 1907 erstmals entschleierte, spielten Wilhelm Furtwängler und Max – »Tasten-Maxe« – Conrad dem biblischen Pinup-girl am Klavier zum Tanz auf.

Die Besetzung der bevorstehenden »Elektra«-Aufführung verspricht eine fulminante Wiedergabe. Zugleich ereignet sich ein kurioser Zwischenfall am Stadttheater. Mein Mann hat ihn aus nächster Nähe miterlebt. Er zeigt den Opernpraktiker Strauss von seiner pragmatischsten Seite, als Lebenspraktiker par excellence, als Mann, der es versteht, mit jeder noch so diffizilen Situation fertigzuwerden, das Menschenmögliche daraus herauszuholen.

Diesmal wirkt er als Hauptdarsteller in einer »Opera buffa quasi domestica« mit, die es verdiente, von seinem Lieblingsdichter gedichtet, von ihm selber komponiert zu werden. Richard Strauss singt in der eigenen Oper.

Die Vorgeschichte dieser Opernaufführung:
Im Verenahof in Baden, Kanton Aargau, seinem bevorzugten Gasthof unweit Zürichs, logiert Mitte Juni 1948 Richard Strauss. Im gleichen Hotel bezieht der mit der Besitzerfamilie verwandte Hans Knappertsbusch sein Quartier, einen weiten Bogen um den Komponisten ziehend. Das ergibt die Ausgangssituation zu:

Der Mann ohne Schatten

Komödie für Musik	vorzugsweise von Richard Strauss
Text	teilweise aus, teilweise auch nicht aus Hugo von Hofmannsthals »Rosenkavalier«

Die Personen:

Der Theaterdirektor
Der Kapellmeister
Der Komponist

In kleineren Rollen:

Verwaltungratspräsident,
Oberregisseur, Chordirektor,
Ballettmeister, Bühnenbildner, Kostümzeichner,
Dramaturg, Korrepetitor,
Bühneninspektor.

Sopranstimme

Till Eulenspiegel (Tanzrolle)
Chor der Garderobenfrauen, Billeteusen, Programmverkäufer, Beleuchter, Seitenmeister, Schnürmeister, Bühnenarbeiter und des Büropersonals.

Und für die während der Komödie gespielte Strauss'sche »Elektra« alle Mitwirkenden einer »Elektra«-Aufführung.

Ort des Geschehens: Zürich in den Jahren der Regierung des Zürcher Stadtpräsidenten Dr. Adolf Lüchinger.

1. Bild
21. Juni 1948. Die Bühne zeigt links das Zimmer des Komponisten im Verenahof, rechts den Theaterdirektor in seinem Büro.
Der Komponist läßt sich mit dem Theaterdirektor telefonisch verbinden. Er macht darauf aufmerksam, daß er vor beinahe einer Woche, kurz nach seiner Ankunft im Verenahof, mit der Direktionssekretärin gesprochen und um eine Karte für die »Elektra« vom 24. Juni nachgesucht habe. Er bedauert, bislang nichts erhalten zu haben, dies um so mehr, als es eine hervorragende Aufführung zu werden verspricht.
Kavatine Komponist: »Deliziös der Dirigent!
Ein feines Handgelenk.
Darauf halt ich gar viel.«
Dazu im Kontrapunkt der
Theaterdirektor (piano): »Ich habe diesen Morgen die Migräne.«
Denn: Der Kapellmeister hat längst Schritte unternommen, um zu verhindern, daß der Komponist der Aufführung beiwohnt. In einem Prolog (Büro des Theaterdirektors)
ist er beim Theaterdirektor vorstellig geworden und hat das Folgende zu Protokoll gegeben: (Melodram)
»Dieser Sohn eines Hornbläsers war der ärgste Leisetreter von allen.« (Tiefer Fagott-Ton)
(N.B. Die bajuwarische Ausdrucksweise des Kapellmeisters darf aus Rücksicht auf die Feinfühligkeit des Opernpublikums nicht übernommen werden.)
»Falls der in der ›Elektra‹ erscheint, falls der auch nur die Spitze seines Schädels zeigt, weigere ich mich kategorisch zu dirigieren, lege ich den Taktstock augenblicklich nieder. Punktum!«
Übergehend in die Koloraturarie des Kapellmeisters:
»Wenn er allsoweit die Frechheit sollte treiben, daß man seine Nasen nur erblicken tät auf hundert Schritt von diesem Stadtpalais, so hätt' er sich die bösen Folgen selber zuzuschreiben!«
Nachdem der Kapellmeister gegangen ist:
Dilemma-Arie des Theaterdirektors:
Rezitativ: »War der Komponist ein Leisetreter? War der Komponist kein Leisetreter?«
Arie: »Wie er war, wie er ist, das weiß niemand, das weiß keiner.«

Doch nunmehr zurück zum

1. Bild
und dem Telefon-Duett Komponist – Theaterdirektor
Der Theaterdirektor sucht nach Ausreden, weshalb es nicht möglich ist, dem Komponisten eine Karte für den 24. Juni zu geben. Juni-Festspiele ..., das Haus ist bis zum letzten Klappsitz ausverkauft ... absolut nichts zu machen ..., aufrichtiges Bedauern seinerseits ...
Cabaletta des Theaterdirektors: »Elektra! Elektra!«
Die ganze Stadt ist auf die Füß'!«

2. Bild
Am 23. Juni, am Vortag der »Elektra«-Vorstellung, erscheint der Komponist persönlich bei der Theaterdirektion, aber der Herr Direktor ist unabkömmlich. Der Komponist muß unverrichteter Dinge wieder nach Baden zurückreisen.
Nachher: Szene Theaterdirektor – Büropersonal:
»Seid brave Kerl'n. Wollten ihn nicht hereinlassen.
Sagten, daß ich schlaf! Sehr brave Kerl'n!«

3. Bild
In Rondoform 25. Juni im Verenahof, Baden
a/b/a: Der Komponist hat eine schwere Nacht verbracht. Ihm träumte, daß sich Klytämnestra und ihr Gefolge im Verenahof einlogierten. Und er kommt nicht darüber hinweg, daß er die »Elektra«-Aufführung verpaßt hat. Monolog des Komponisten: »Spielt das Gelichter leicht alles unter einem Leder gegen meiner?«
Dann:
c: Telefoniert er abermals nach Zürich. Zweites Telefonduett Komponist – Theaterdirektor. Der Komponist erkundigt sich nach dem Erfolg der gestrigen »Elektra«-Aufführung. Er versteht vollkommen, daß es dem Direktor nicht möglich war, einen Platz für den 24. Juni zur Verfügung zu stellen, hofft aber sehr, die Vorstellung vom 27. Juni besuchen zu können. Der Direktor verspricht dem Komponisten, sein Äußerstes zu tun, kann aber beim besten Willen keine definitive

Zusage machen. Der Komponist dankt dem Theaterdirektor für seine Bemühungen.

Dann Monolog des Komponisten:

a/b/a: »Ein Komponist braucht ein Roßgeduld!«

4. Bild

Szene im Büro des Theaterdirektors, 25. Juni, vormittags

Dezett: Theaterdirektor, Verwaltungsratspräsident, Oberregisseur, Chordirektor, Ballettmeister, Bühnenbildner, Kostümzeichner, Dramaturg, Korrepetitor, Bühneninspektor.

Der Theaterdirektor schildert die mißliche Lage. Einen Komponisten, geschweige denn einen vom Range des Komponisten der »Elektra« am Anhören seines eigenen Werkes hindern zu müssen, ist eines Theaterdirektors des Zürcher Stadttheaters unwürdig. Der Direktor hat schlaflose Nächte gehabt. So kann das nicht weitergehen. Niemand weiß eine Lösung. Schließlich beschließen sie gemeinsam, den Direktor nach Baden zu entsenden, um dem Komponisten den wahren Sachverhalt vorzulegen.

Zehnstimmiger Choral:

»Er muß uns pardonieren. Sind außer Maßen betrübt über den Vorfall. Sind aber außer Schuld.«

5. Bild

Hotel Verenahof Baden, am gleichen Nachmittag.

Duett Komponist – Theaterdirektor

Der Theaterdirektor schildert dem Komponisten taktvoll aber offen, weshalb er seine »Elektra« nicht hören kann.

Erzählung des Theaterdirektors: »Hab ihm vom Dirigenten zu vermelden.«

Der Komponist nimmt die Nachricht ruhig entgegen. Er erklärt dem Theaterdirektor, daß es aus jeder Schwierigkeit einen Ausweg gebe.

Komponist: »Sei er da außer Sorg'!«

Dann Duo capriccioso:

Komponist: »I' könnt' mi' ja } ols Morschollin moskier'n.«
Theaterdirektor: »Er könnt' sich ja }

6. Bild
27. Juni, wenige Minuten vor Vorstellungsbeginn
Szene: Seitenstraße des Stadttheaters. Links Theaterseiteneingang. Eine Limousine fährt vor. Im Dunkel des Wagenfonds erkennt man den Komponisten. Trägt Schirmmütze. Beleuchter, Seitenmeister, Schnürmeister und andere Bühnenarbeiter schauen abwechslungsweise zu den Fenstern hinaus.

Chor: »Ein ernster Tag, ein großer Tág, ein Ehrentag.
Der Komponist fährt vor in eigener Kaross.
Hat dunkelblaue Vorhäng.«

7. Bild
Zur selben Zeit wie 6. Bild, hinter der Bühne. Theaterdirektor gibt letzte Anweisungen. Elektra, Mägde, Chrysothemis huschen vorüber.
Quartett, Oberregisseur, Bühneninspektor, Korrepetitor, Dramaturg:
»Haben der Direktor noch weitre Befehle?«
Der Kapellmeister tritt auf. Er hat Lunte gerochen. Er stürzt sich auf den Theaterdirektor. Melodram.
Kapellmeister: »Ist der Schuft drin?«
Direktor: »Nein!« (Paukenschlag.) »Nein!« (Nochmals Paukenschlag.) »Er ist *nicht drin*, Herr Professor.« (Zwei Paukenschläge.)
Kapellmeister: »Schwören!« (Tremolo)
Direktor: »Ich schwöre!« (Im Orchester Motive aus »Ein Heldenleben«.) »Der Komponist ist nicht im Hause.«
Der Kapellmeister steigt in den Orchestergraben hinunter. Er hat die Eigenart, mit dem Agamemnon-Motiv wie folgt zu beginnen: Noch bevor er die Höhe seines Dirigentenpodestes erreicht hat, sticht er mit dem Taktstock resolut in die Luft, das Orchester setzt ein, tah – tih ..., und auf *eins* ... – der Kapellmeister dirigiert sitzend – läßt er seinen Allerwertesten auf den Stuhlsitz fallen. Das Drama kann beginnen.
Der Theaterdirektor hat diesen Vorgang genau beobachtet. Sobald er den Kapellmeister fest im Sattel wähnt, saust er durch hintere Gänge. Dazu Chor der Garderobenfrauen, Billettabnehmerinnen, Programmverkäufer:

»Der Herr Direktor sind auf und davon,
waren um die Ecken wie der Wind ...«

hierauf Verwandlung:

8. Bild
Szene wie 6. Bild. Der Direktor kommt zur Seitentüre heraus und eilt zum Wagenschlag des Komponisten.
Rezitativ des Komponisten: »Sitz im Reisewagen seit gut drei Stund«
Der Komponist steigt aus seinem Wagen und verschwindet mit dem Theaterdirektor durch die Seitentür.

9. Bild
Vorraum der hintersten Loge. Von der Bühne her hört man den Schluß der Szene mit den Mägden, den Auftritt Elektras, etc.
Der Theaterdirektor schiebt den Komponisten zur Logentüre hinein, ersucht ihn jedoch nachdrücklich, wenn möglich im Garderobevorraum sitzen zu bleiben und sich unter keinen Umständen so hoch zu erheben, daß der Kapellmeister, sollte er sich aus irgendeinem unerforschlichen Grund plötzlich umdrehen, seinen Schädel erspähen könnte. Duett Komponist–Theaterdirektor (prestissimo–pianissimo)

»Kreuzelement!
Der Dirigent!
Der fuchtelt mit'n Spadi!«

10. Bild
Hinter der Bühne. Fortgang der »Elektra«-Handlung. Der Theaterdirektor beobachtet jede Bewegung des Kapellmeisters mit Sperberaugen.
Arie des Direktors (zusammen mit der Klytämnestra-Musik im Hintergrund)

»Jetzt wirds frei mir ein bisserl heiß!«

Nach dem Auftritt des Orest wird der Theaterdirektor unruhig. Vor der Ermordung Klytämnestras beginnt er zu zappeln. Sieben Minuten vor Vorstellungsschluß eilt er hinaus und in

11. Bild
die Loge des Komponisten
Anrede des Theaterdirektors: »Herr Doktor, m'r geh'n!«
Replik des Komponisten: »Is alls in Ordnung jetzt. Bin mit ihm wohl zufrieden. Hab gleich erhofft, daß in 'ner Schweizerstadt all's wie am Schnürl geht.«

Der Theaterdirektor zieht den Komponisten zur Logentür hinaus, bugsiert ihn durch die Seitengänge zur Seitentür hinaus und kehrt

12. Bild
hinter die Bühne zurück, gerade als Elektra die Seele aushaucht. Orkanartiger Applaus (kann notfalls mittels Donnermaschine verstärkt werden). Der Kapellmeister steigt aus der Tiefe des Orchesterraumes hinter die Bühne, schaut sich nach dem Theaterdirektor um und wird zornrot. Fährt ihn an: (abermals Melodram)
Kapellmeister: »Und er war *doch* drin! Ich hab's g'spürt!«
Große Schluß-Trippelfuge:
Kapellmeister: »Eh bien, Monsieur, was hat er mir zu sagen?«
Direktor: »Mein Gott, was soll ich sagen: Er wird mich nicht versteh'n.«
Chor: »Geh, es is ja alls net drumi wert.«

Epilog:
13. Bild
Eine halbe Stunde nach Vorstellungsschluß. Der Theaterdirektor sitzt alleine im verdunkelten Zuschauerraum. Celesta, Zither, Glockenspiel, Harfe und Mohammed-Gebimmel.
Till Eulenspiegel tanzt über die Bühne. Dazu
Sopranstimme aus der Ferne: »Das Ganze war halt eine Farce,
Und weiter nichts.«

Kapitel 25

Konzertreisen in Europa

1948 zogen wir erneut um, in den Südosten Zürichs, etwas erhöht, ins Grüne, in die Hirslanderstraße, wo wir mehr als zwanzig Jahre bleiben sollten. Ich allerdings war meistens unterwegs, wurde ein tüchtiger Europa-Trotter, lernte, daß der vernünftige Gast in Hamburg keine Spätzle und in Stuttgart kein Eisbein bestellt, daß es sich bei Kapuzinerpalatschinken nicht um Fleisch, sondern um eine Wiener Mehlspeise handelt, daß man sich in Rom des Morgens mit einem

Espresso zufriedengibt, während der Amsterdamer ein mit sechserlei Broten und einer Menge Beilagen bestücktes Frühstück verschlingt und dasselbe auch von seinen Gästen erwartet. In Nordafrika setzt sich der vorurteilsfreie Reisende mit Vergnügen an eine marrokanische Tafel, in London zuweilen mit weniger Vergnügen an eine englische. Bei Christies in Glyndebourne indessen speiste man vorzüglich. Doch darüber später.

Meine Wanderjahre, ja. Greife ich in den Stapel der Programme jener Zeit, wahllos, ergibt sich ein buntes Bild:

1946
7. April
Tonhalle Zürich, Kleiner Saal
Leitung: Hans Erismann
Haydn-Werke aus der Sammlung A. van Hoboken, Lausanne

23., 24. August
Internationale Musikfestwochen Luzern
Kunsthaussaal
Leitung: Paul Kletzki
mit Elsa Cavelti, Ernst Haefliger, Heinz Rehfuss
Mozart, Requiem

1947
11. Mai
Kirche St. Peter, Zürich
mit Stefi Geyer, Violine, Julius Patzak, Tenor
Werke von J.S. Bach mit obligater Violine, und Mozart

6. Oktober
1. Liederabend in Innsbruck
Musikvereinssaal
Am Flügel: Fritz Weidlich
Lieder und Arien von Schubert und Mozart

1948
28. Januar
Mozarteum, Salzburg, Großer Saal
Leitung: Meinhard von Zallinger

mit Martha Schlager-Haustein, Julius Patzak, Rudolf Feichtmayr
Mozart, Große Messe in c-Moll

18. Juni
Großer Kasinosaal, Bern
Jubiläumskonzert 100 Jahre schweizerischer Bundesstaat
Eidgenössisches Sängerfest, Bern
Leitung: Otto Kreis
mit Maria Helbling, Ernst Haefliger, Felix Loeffel
Beethoven, 9. Symphonie

1949
27., 28. März
Salle Rameau, Lyon
Leitung: Jean Wirkowski
mit Hélène Bouvier, Jean Giraudeau, Gaëtan Auzeneau
Beethoven, »Missa solemnis«

28. Juli
Cour de l'Ancien Palais de l'Archevêché, Aix-en-Provence
Leitung: Hans Rosbaud
Mitwirkend: Dennis Brain, Horn
Werke von Mozart

Der reisende Künstler ist nicht sein einziger Herr und Meister. Da gibt es noch eine Persönlichkeit, die an seinem Publikumserfolg ebenso Interesse hat: der Agent. Gleich einem um den Export seiner Produkte werbenden Geschäftsmann läßt sich der Künstler im Ausland von einem mit den örtlichen Verhältnissen vertrauten Manager vertreten. Der stellt Verbindungen her, schließt Engagements ab, reserviert Hotelzimmer, rührt die Werbetrommel und erledigt all die vielen, einem Konzert anhaftenden Kleinarbeiten bis zum Engagement des Flügelstimmers und der Besorgung des obligaten Blumenstraußes. Eine bewegliche, initiative, kontaktfreudige Persönlichkeit schadet hier nicht.

Im Fall meines ersten Pariser Agenten Monsieur Charles Kiesgen lagen die Dinge etwas anders. Als ich die palastähnliche Weite seiner »Bureaux« betrat, glaubte ich mich in die Hofkanzlei eines Ministers des »deuxième empire« versetzt. Nur die museumsreife Schreibmaschine und ein nicht minder antiquiertes Relikt aus den Anfängen der Fernsprechtechnik schienen darauf hinzudeuten, daß inmitten dieser dunkelgetäfelten, mit viel Plüsch ausgestatteten Räume die Zeit nicht restlos stillgestanden war, daß man sich im äußersten Fall dazu hindurchgerungen hatte, die Inanspruchnahme neuerer Errungenschaften in Erwägung zu ziehen. Doch darauf kam es in Paris nicht an. Fortschrittlichkeit spielte nicht die geringste Rolle, sondern, worüber Monsieur Kiesgen in reichem Maße verfügte, das allseits beliebte Vitamin »B«. Monsieur Kiesgen saß still in seinem Armstuhl, wie eine Spinne mitten im Netz, zupfte hie und da an einem Faden und mußte niemandem nachspringen. Denn: man kam zu ihm.

Wenn mich nicht alles täuscht, fand mein Pariser Debüt im November 1947 statt, in der Salle Gaveau. Im gleichen Konzert spielte das Duo André de Ribeaupierre, Violine, Jacqueline Blancard, Klavier, während mich ein einheimischer Pianist bei Werken von Mozart und Schubert begleitete. Bald lernte ich auch die übrigen Säle von Paris kennen, im Palais Chaillot, im Théâtre des Champs-Elysées und im Pleyel. André de Ribeaupierre war ein vornehmer Geiger, an den sich Konzertbesucher meiner Generation noch erinnern werden. Persönlich kannte ich ihn noch nicht, aber sein Name rief die überwältigenden musikalischen Eindrücke der ersten Luzerner Musikfestwochen in Erinnerung. Damals vor dem Krieg spielte Ribeaupierre im Festwochenorchester. Adolf Busch saß am ersten Pult, neben ihm am zweiten Pult oder, das weiß ich nicht mehr genau, am ersten Pult der zweiten Violinen Stefi Geyer. Die übrigen Mitglieder des Busch-Quartetts fehlten ebenfalls nicht. Toscanini dirigierte...

Meine erste Tournee quer durch Nordafrika, etwa um dieselbe Zeit mit dem Orchestre de la Radiodiffusion française, kam über den Rundfunk zustande. Merkwürdigerweise fehlen mir eine Unzahl Programme aus jener Zeit. Ich erinnere mich, daß ich eine Reihe Aktenordner in den mangelhaft isolierten Kellerräumen unseres neubezogenen Hauses an der Hirslanderstraße einlagerte, fein säuberlich nach Daten sortiert. Ein paar Monate später, als ich etwas nachsehen wollte, war Wasser eingedrungen, die ganze Sammlung der Feuchtigkeit zum Opfer gefallen und wegwerfreif. Von da an habe ich das Papiersammeln meinem Mann überlassen.

In Nordafrika genoß ich zum erstenmal die später und an anderen

Orten sich stets wiederholende Gastfreundschaft schweizerischer Behördenvertreter, Generalkonsuln und Konsuln, denen ich bisweilen am anderen Ende der Welt wieder als Botschafter begegnen sollte.

Unwiderstehlich fand ich den Reiz der sonnenüberfluteten Wüstenlandschaft. Die Städteoasen mit ihren weißgetünchten Kuppeln und verschlossenen Mauertoren, die große Geheimnisse zu bergen schienen, nachts die silberne Mondsichel, der nach Essenzen duftende Park unter meinem Hotelfenster, das ferne Getuschel und Gemurmel vorüberziehender Karawanen, von einem Leben berichtend, das sich fremdländischen Blicken entzog ..., all das lud zu längerem Verweilen ein. Allein, auch das mußte ich früh lernen: Eine reisende Musikerin ruht nie, zieht rastlos von Ort zu Ort. Es gab Augenblicke, da mich der Zauber eines Augenblicks hinriß. Als ich an einem lauen Abend in den Innenhof des Hotels trat mit seinen hufeisenförmigen Bögen und mit Mosaik ausgelegten Nischen, da konnte ich nicht anders, als einer Konstanzen-Stimmung Luft zu machen. »Martern aller Arten, aller Arten ... mögen meiner warten, ich verlache ... ich verlache ... ich verlaaache Qual und Pein!« Auf »Pein« war bereits das halbe Hotel zusammengelaufen und rief nach einer Fortsetzung. Wer die Arie kennt, wird begreifen, daß ich dem Wunsch nicht entsprechen konnte.

Anfang Februar 1950 war ich in die Salle Pleyel in Paris zu einer Klavierprobe bestellt. Auf dem Programm stand nichts weltbewegend Neues: »Exsultate«, Konzert- und Opernarien von Mozart. Den Namen des Dirigenten hatte ich noch nie gehört, er klang fremdländisch. Im Erdgeschoß des Konzerthauses erfuhr ich, daß man in einem der oberen Stockwerke auf mich warte, ich fuhr im Lift hoch, schaute mich um und stand wenig später wieder vor der Portiersloge.

»'s ist niemand oben.«

»Doch, doch, Madame.«

»Ich hab nur einen Hausburschen gesehen. Einen Schwarzen.«

»Bitte, Madame. Das ist Mr. Dixon. Das ist der Dirigent.«

So lernte ich Dean Dixon kennen, einen außergewöhnlichen Mann, einen Musiker reinsten Wassers: kolossal intensiv, ausdrucksstark, überzeugend. Das letzte Mal sahen wir uns in Nürnberg. 1965, Beethovens Neunte. Ich werde nie seine adelige Geste, den Ausdruck in seinen Augen vergessen, als das »Alle Menschen werden Brüder« in die Meistersingerhalle hinausklang.

Die Jahre gaben mir wiederholt Gelegenheit, mit dem Schicksal eines Mannes vertraut zu werden, dessen Werdegang absolut einmalig ist. Denn Dean Dixon, dem übervölkerten, geächteten New Yorker Negerviertel Haarlem entstammend, gelang der Sprung auf die Podien der führenden Orchester Amerikas. Als erster Schwarzer dirigierte er 1941 Toscaninis NBC-Orchestra, dann später die New Yorker Philharmoniker, die Orchester in Boston und Philadelphia.

»Allerdings nur je einmal«, erzählte Mr. Dixon. »Es war, was ich ›tokenism‹ nenne, eine Art Almosen. Man tat, als spiele angesichts künstlerischer Leistung die Hautfarbe keine Rolle. Aber erstens erträgt es kein weißes Orchester, auf die Dauer von einem Schwarzen befehligt zu werden, und zweitens ist ein führender Dirigent in Amerika mehr als nur ein Orchesterleiter. Er ist ›a social figure‹, eine Galionsfigur der Gesellschaftsschicht, die die Orchester finanziert. Und dazu gehören vor allem die Damen in den Komitees. Der Dirigent ist dauernd im Gespräch, er muß im Zentrum von Tees und Partys stehen, wozu sich ein Schwarzer nicht eben eignet. Darum bin ich schließlich nach Europa gekommen.«

»Wir kennen diese Vorurteile glücklicherweise nicht.«

»Glauben Sie? Es tut mir leid, wenn ich Sie da einer Illusion berauben muß«, meinte Mr. Dixon. »Als ich ankam, galt ich als Schaubudenattraktion, als tanztrommelschlagender Zulu-Neger, wissen Sie. Mein Manager war untröstlich, als ich mich weigerte, mir einen goldenen, bis in die hinteren Ränge sichtbaren Ring ans Ohrläppchen kleben zu lassen. Das sollte ein Gag sein fürs Publikum. Und ein anderer Herr schlug vor, ich solle mein Gesicht weiß bestreichen und mir zum Dirigieren weiße Handschuhe anziehen. So wahr ich Dean Dixon heiße!«

Ich war sprachlos.

»Nun, das hat sich natürlich geändert, als ich mich bei Orchester und Publikum durchsetzte. Aber auch bei den Kollegen hatte ich Hindernisse zu überwinden. Ich will keinen Namen nennen, aber kaum hatte ich in Europa Fuß gefaßt, sagte ein prominenter deutscher Dirigent zu meinem Agenten: ›Was höre ich da? Ein Schwarzer dirigiert Brahms? Das darf doch nicht wahr sein!‹ Manch einer teilte diese Auffassung. Gershwin, ja. Allenfalls noch Ravels Bolero und de Falla. Aber Beethoven, Schubert, Brahms! Gott behüte!«

Dabei empfand Dean Dixon eine besondere Affinität gerade zu den deutschen Meistern, vor allem zu Brahms. Sein Lehrer im Dirigieren an der Julliard School of Music war Albert Stössel, ein Deutscher, gewesen.

»Das war 1936 bis 1939. Stössel hat mich entscheidend beeinflußt. Und Bruno Walter. Der Poet. Mein Vorbild. Von Spirituals und Blues und dem, was man gemeinhin mit uns Schwarzen in Verbindung bringt, hielt mich meine Mutter fern. Als ich dreieinhalb Jahre alt war, beschloß sie, ich müsse Geige lernen. Fortan wurden die Jalousien täglich sechs Stunden unten gelassen. Neben mir saß Mutter mit einem langen Stock und schaute beim Üben zu. Kam ich in Fahrt, fuhr mir der Takt ins Knie, in die Beine, erklärte sie: ›Das sind *Niggerisms!*‹ Das ist niggerisch. Und zwack! – meldete sich der Stock. Jahre später, als ich mit meinem Freund Paul Robeson in einer Show mitwirkte, war ich ihm zu wenig niggerisch. ›Weißt du, Dean‹, belehrte er mich, ›du hast den Rhythmus nicht, solange du ihn nicht im Knie hast.‹ Da mußte ich süß-sauer lächeln.«

Ich konnte Dean Dixons Weltkarriere mitverfolgen. Und ich war glücklich darüber. Er, der 1931 als Sechzehnjähriger ein Orchester, »The New York Senior Y.M.C.A. Little Symphony«, dazu eine Musikschule für Farbige, die »Dean Dixon School of Music«, gegründet hatte, der danach strebte, klassische Musik an die Negerbevölkerung Haarlems heranzutragen, für die Unbemittelten der New Yorker Außenbezirke Konzertserien wie »Music for Millions« und »Symphony at Midnight« lancierte, der von 1953 an, bis zu seinem plötzlichen Tod vor wenigen Jahren, in Göteborg, Frankfurt und Sydney in führender Stellung tätig war, kehrte 1970 im Triumph nach Amerika zurück, wurde eingeladen, vor 75000 Zuhörern im Central-Park zu dirigieren und durfte als frischbackener Ehrenbürger New Yorks den goldenen Schlüssel aus den Händen Bürgermeister Lindsays entgegennehmen. Seine hochbetagte Mutter war dabei. Als sie ihren Sohn nach einundzwanzig Jahren wieder sah, musterte sie ihn von Kopf bis Fuß und meinte: »Dean, ich finde, du solltest dir die Haare schneiden lassen.«

Zum erstenmal in London

Monsieur Kiesgen vermittelte mir meinen englischen Agenten, einen Mr. Wilfried van Wyck, der, wie sich herausstellte, im Gegensatz zu seinem französischen Kollegen erfrischend kleine und modern eingerichtete Büros bewohnte und überdies sehr energisch zu Werk ging.

Binnen kürzester Zeit erreichte mich seine Aufforderung, bei der BBC, bei der Schallplattenfirma »His Master's Voice« und in Glyndebourne vorzusingen. In Covent Garden hatte ich Pamina mit meinem Racheschwur einzuschüchtern. Geplant waren ferner ein Liederabend in der Wigmore Hall und ein Orchesterkonzert mit Edwin Fischer.

Mindestens genauso aufregend wie die mir bevorstehenden Bewährungsproben vor dem verwöhnten Weltstadtpublikum Londons empfand ich die Aussicht auf meinen ersten transeuropäischen Flug, damals noch in einer zweimotorigen Maschine mit dreistündiger Flugzeit. Unwetter über dem Kanal, hieß es vielversprechend, seien an der Tagesordnung. Das erweckte Erinnerungen an einen einst berühmten deutschen Kunstflieger, dessen waghalsige Akrobatik uns Romanshorner Schülerinnen und Schüler zu Begeisterungsstürmen hinriß; oder an jenen schulfreien Nachmittag, als unter hundertkehligem Hurra eine Fallschirmspringerin aus luftiger Höhe den fähnchenschwingenden, ihrer Wasserlandung harrenden Menschen entgegenpendelte. Unter den vielen im weiten Umkreis schaukelnden Booten befand sich auch dasjenige Pape Staders mit seiner Mannschaft: zuvorderst der Kapitän. Neben ihm saß unser Nachbar, Herr Zeller, der Hersteller des bekannten Magen-Elixiers »Zeller-Balsam«, dessen Spalierbäume ich um ein halbes Dutzend saftiger Butterbirnen zu erleichtern pflegte, um sodann meinen Magen mit Herrn Zellers Balsam wieder ins Gleichgewicht zu bringen. Im Bug, dem Himmelszelt mit weit aufgerissenen Augen zugewandt, griffbereit, kniete Miggi Stader. Denn sie wollte unter jenen sein, die die sportliche Dame aus dem Bodensee fischten, wenn sie herunterglitt. Und siehe da, sie kam direkt auf uns zu, mein Herz schlug höher ... doch ach!, es war eine Täuschung.

In späteren Sturm- und Drangjahren hatte ich mich selber zu den Kumuluswolken hinaufgeschwungen. Von der holprigen Piste in Altstätten starteten wir heimlich zu viert – die Eltern wären entsetzt gewesen – zu einem Alpenflug. Nach der ersten Viertelstunde begann ich mit Schluckübungen, bald darauf durchzuckten mich Kälteschauer. Als der Pilot zur x-ten Umkreisung eines Viertausenders ansetzte, erreichte ich jenen Grad an Übelkeit, bei dem die Landschaft sich tatsächlich zu drehen beginnt und feste Gegenstände zerfließen. Damit war mein Bedarf an Luftexpeditionen fürs erste gedeckt.

Begreiflich also, daß ich dem »Airtransport« nach London mit gemischten Gefühlen entgegensah. Bedenken waren jedoch fehl am Platz; die Ereignisse zwangen weder die Maschine zu Loopings noch mich zu einem Sprung in den Kanal. Zwar war ich bei der Fallschirminstruktion der Stewardeß noch leicht klopfenden Herzens dabei, doch als der Nebel sich teilte und wir mit einemmal sonnengebadet im Unendlichen schwebten, wich die innere Anspannung zusehends. Ich war begeistert. Noch ehe wir landeten, hatte die Fliegerei in mir eine ihrer feurigsten Propagandasprecherinnen gewonnen.

Doch nicht genug. Auch die Stadt London eroberte mein Herz im Flug. Der »English way of life« mit seinen sinnesfreudigen und gemütvollen »morning teas«, »midday teas«, »afternoon teas« und »bedtime teas«, abseits des Verkehrsstroms die stillen, im Schatten sanfter Zweige schlummernden Gartenanlagen, wo alte Leute vor sich hin träumten, Kinder über ihre Köpfe hinweg Ball spielten und dazwischen Terrier und Pinscher ungestört ihren Geschäften nachgingen – und nicht zuletzt die Majestät der staatlichen Gebäude mit den Bärenmützengarden als Sinnbild eherner Tradition. Das alles harmonierte miteinander. Und nicht zu vergessen: Dieses Volk hatte den Eroberern des Festlandes die Stirn geboten. In der schlimmsten Zeit, als Frankreich, Holland, Dänemark und Norwegen fielen, schöpften wir in Gedanken an die standhaften Engländer Mut. Ihren unbeirrbaren Durchhaltewillen hatte der deutsche Generalstab nicht miteinkalkuliert, und das war der Anfang seines Endes gewesen. Daran mahnten mich die hohläugigen, rauchschwarzen Fassaden zur Linken und zur Rechten der Oxford Street, und ich nahm die dürftige Kost, die schlechte Heizung, die defekten Wasserhähne gern in Kauf.

In England und Österreich bemühte ich mich ein letztes Mal, der Oper meine Schuldigkeit zu tun, oder eigentlich genauer: Einige Opernfachleute wollten mich, die sich im Grunde genommen längst dem Konzertgesang verschrieben hatte, doch noch zur Bühne bekehren. Auf John Christies Landsitz in Glyndebourne wurde ich aufs herzlichste empfangen. Freilich vermißte ich jenen, der mich einst als erster hatte nach Glyndebourne bringen wollen, Fritz Busch, der 1945 von Mr. Christie »infolge unbestimmter und nicht zu bestimmender Umstände«, wie er es in seinem Brief an Busch formulierte, ausgeladen worden war. Immerhin traf ich dort einen alten Bekannten aus dem Kreis um Lily Reiff, Carl Ebert, lernte den Managervirtuosen Rudolf Bing kennen und schließlich meine Gastgeber, Mrs. Audrey Christie, eine Grande-Dame angelsächsischer Prägung, und ihren beleibten, schrulligen Ehemann, dessen Zwischenbemerkungen immerzu Geschmunzel hervorriefen und wovon ich leider aufgrund meiner Sprachlücken das meiste verpaßte. Audrey Christie-Mildmay, bekanntlich eine Sängerin von Rang, führte mich treppauf, treppab durch ihr märchenhaftes Schloß. Miggi staunte gebührend ob der Pracht und Eleganz der Interieurs. Nicht zu unterschätzender Höhepunkt des Aufenthaltes war das hervorragende Essen, der bezaubernd appetitlich gedeckte Tisch. Anstelle einer Tischdecke erblickte ich zum erstenmal die heute allseits beliebten »Sets«, deren kostbare Spitzen sich schneeweiß vom Mahagoniebraun des ellenlangen Tisches abhoben. Man nahm auf tiefen Sesseln Platz, als meine Fensterfront unter die Tischplattenhöhe sank, schaffte der weißbehandschuhte Butler diskret einige Kissen herbei. Umringt von zart klingendem Kristall, obst- und blumenbeladenen Aufsätzen, in Öl porträtierten Ahnen, deren Augen, blinzelnd im Lichte kleiner, über ihren Häuptern befestigter Schirmleuchten den Gang des Mahles mitverfolgten, kostete ich – auch das zum erstenmal – ›saumon fumé‹, übrigens edelster Herkunft. Ich habe seither keinen besseren gegessen.

Auch das Vorsingen im Haustheater war ein einziges Vergnügen. Ebert wollte mich als Blondchen für seine nächste »Entführung« und als Zerbinetta, also bot ich die entsprechende Musik. »Lovely, lovely«, brummte Mr. Christie in einem fort, zum Schluß fügte er, mir die Wange tätschelnd, hinzu: »Lovely voice, lovely singing, lovely girl!« Wir vereinbarten eine sechswöchige Probenzeit, zum Abschied winkten die Herrschaften, bis der Wagen außer Sicht war, ich reiste zurück nach London, beglückt über die Aussicht, in dieser reizenden Umgebung arbeiten zu dürfen. Einige Wochen danach erhielt ich – eine Absage. Später erfuhr ich, daß, als ich in Glyndebourne vorsang, meine Partien längst anderwärtig vergeben gewesen waren. Anscheinend versuchten Christies, diese Abmachung nachträglich wieder rückgängig zu machen, aber ihr Vertragspartner gab nicht nach. Das war eine große Enttäuschung.

In Covent Garden gab man die »Zauberflöte«. Kenneth Neate und Murray Dickie sangen den Tamino, Jess Walters den Papageno, Sarastro war Norman Walker, ein in England geschätzter Baß, der wie ich vornehmlich im Konzert sang, Elisabeth Schwarzkopf die Pamina und Maria Stadar (wie es irrtümlich im Programm hieß) ihre königliche Mutter. Die Oper wurde auf englisch gegeben, und ich mußte meinen Part phonetisch umdenken.

»O tremble not, beloved son:
You're innocent, devout and wise.
A youth like you does sure know best
A mother's heart to put at rest.«

Das hatte ich zu bewältigen anstelle von:

»O zitt're nicht, mein lieber Sohn!
Du bist unschuldig, weise, fromm;
Ein Jüngling, so wie du, vermag am besten,
Das tiefbetrübte Mutterherz zu trösten.«

Bei »Thou, thou, thou shalt rescue my child from thraldom«, statt »Du, du, du wirst sie zu befreien gehen«, wurde es schon heikler. Wiederholt beschwor ich meine Taminos vor einem Sternenhimmel aus nachtblauer Gaze, mir meine Pamina aus den Klauen des bösen Sarastro zu befreien, doch umsonst. Die Prinzen schlossen sich den Tempelherren an, und ich stürzte mit meinem Gefolge in die Versenkung. Mit der englischen Sprache mauserte ich mich durch, auch wenn ich nicht immer genau wußte, was ich sang. Einfach alles auf anderen Vokalen zu singen, ist keine Selbstverständlichkeit für eine Sängerin. Die erste Arie ist ohnehin eine Herausforderung. Man hat auf der Bühne noch keinen Ton von sich gegeben, wird von Bühnendonner angekündigt, bis in den Olymp hinauf wartet das gesamte Publikum auf die Beantwortung der *einen* Frage: »Wie bewältigt sie den Sprung ins hohe F?« Da muß sich die Sängerin in der Hand haben, sich nicht schon im langsamen Teil allzusehr verausgaben, muß aufpassen, daß sie im schnellen Teil nicht davonzurennen beginnt vor lauter Intensität und Ungeduld, das hohe F zu erreichen. Allmählich lernt man mit den Kräften umgehen, in der Fachsprache: Haushalten.

Rudolf Schock war als Tenor mitengagiert, ein rührender junger Kollege, den das Management unverständlicherweise arg vernachlässigte. Vor meiner zweiten Arie stärkte er mich mit starkem Kaffee aus der Thermosflasche. Meinerseits revanchierte ich mich mit aus der Schweiz eingeschmuggelten Fleischkonserven. So halfen sich hinter der Bühne Königin und Prinz in spe gegenseitig aus.

In Covent Garden sang ich in den letzten Monaten des Jahres 1949. Im Januar 1950 debütierte ich mit einem Liederabend in der Wigmore Hall mit meinem Mann am Flügel. Der »Daily Telegraph« lobte den »stetigen Fluß von Tönen« und fand den Schubert »uncommonly good«, »ungewöhnlich schön«. Die »Times« hielt die Oratorienarien für »masterly«, »meisterhaft«, die Stimme »beautifully pure and true and rich at the top«, »wunderbar rein, wahr und voll in der obern Lage«, meckerte jedoch, weil ich mein Aide-mémoire hie und da konsultierte; die »Western Morning News« erklärte: »Jene, die sich beklagen, und nicht mit Unrecht, daß gutes Singen ein Ding der Vergangenheit sei, sollten Maria Stader hören, die gestern einen Liederabend in der Wigmore Hall gab.« Die Besprechung war eine einzige Eloge. Man hatte mich vor der strengen Londoner Kritik gewarnt ..., ich konnte zufrieden sein. Auch Hans. »Er begleitet bewunderungswürdig.« Das war der Grundtenor.

Ein Jahr später, Ende Februar 1951, erklomm ich schwindelerregende gesellschaftliche Höhen, als ich in einem der prachtvollsten Säle Londons auftrat, der »Goldsmith's Hall«, dem Saal der Gold- und Silberschmiede-Zunft, mit seinen Säulen aus Siena-Marmor und, wie zu erwarten, viel Gold. Der schweizerische Botschafter de Torrenté hatte die »crème de la crème« der Londoner High-Society und Mitglieder des diplomatischen Corps zu einem Konzert mit Edwin Fischer und Musikern des Philharmonia-Orchesters eingeladen, und mir fiel die Ehre zu, einige Vokalstücke beizusteuern. In der prunkvollen Halle ließ sich eine weißbehandschuhte, juwelen-, orden- und tressenbesetzte Hörerschaft auf zierlichen, vergoldeten Wackelstühlchen nieder und geruhte mit einer in Anbetracht der schalldämpfenden Wirkung feiner Textilien respektablen Phonstärke zu applaudieren. Zum Überfluß hatte ich mir ein goldfarbenes Konzertkleid anfertigen lassen, so daß ich mir wie die Goldmarie im Schlußbild der »Frau Holle« vorkam.

Der ohnehin von Lampenfieber geplagte Edwin Fischer war an jenem Abend gänzlich aus dem Häuschen. Ruhelos marschierte er im Solistenzimmer auf und ab, in Frackhemd und weißer Weste, die mächtigen Hände auf dem Rücken gekreuzt und finstere Blicke unter seinen buschigen Augenbrauen schießend, bald auf die Noten, die offen auf dem Tisch herumlagen, bald auf die Tür, die zum Podium führte, bald auf meine mucksmäuschenstill auf einem Stuhl klebende Winzigkeit. Bald zog er, sich über die unzulängliche Heizung auslassend, den Rock über, bald warf er ihn wieder von sich, weil er schwitzte. Da klopfte jemand an die Tür.

»Auch das noch!« sagte Edwin. »Come in!«

Herein trat eine stattliche Figur, über deren vordere Körperwölbung eine nicht minder imponierende massive Goldkette baumelte, was an die Saaldiener der Scala erinnerte.

»Los, Mariechen, in die Arena!« erklärte Edwin, langte in die Hosentasche, gab dem Mann beim Herausgehen ein Trinkgeld und zog mich fort. Draußen mußten wir nochmals fünf Minuten warten, die Orchestermusiker waren noch lange nicht auf ihren Plätzen. Edwin war wütend.

Edwin: »Weshalb kommt das Mondkalb denn so früh!«

Ich: »Sie haben ihm hoffentlich nicht zu viel gegeben.«

Edwin: »Kriegt was zu hören!«

Nach dem Konzert führte uns der Botschafter zu einem märchenhaften Buffet. Eben häufte Edwin eine Auswahl taufrischer Lachs- und Kaviarbrötchen auf meinen Teller, ich schaute gierig zu, als uns lautes Pochen unterbrach. Alle Köpfe wandten sich einem achtunggebietenden Majordomus zu, der sich mit seinem Zeremonienstab nahe beim Ausgang hingestellt hatte und von dort aus hoheitsvoll verkündete:

»Your Highness, your Excellencies, m'lords and ladies ... Ich erbitte ergebenst Ihre Aufmerksamkeit für den Oberbürgermeister der Stadt London.«

Herein trat unser »Saaldiener«.

»Großer Gott!« stammelte Edwin und erblaßte. Ich auch.

»Wir müssen unbedingt dafür sorgen, daß uns der Botschafter dem Lord Mayor vorstellt«, zischte mir Edwin ins Ohr. »Ich habe dem Mann das Wechselgeld von der Untergrundbahn als Trinkgeld in die Hand gedrückt. Ich weiß nicht einmal, wieviel das war!«

»Er sieht sehr unnahbar aus ...«

»Überlassen Sie das mir.«

Wir mußten uns nicht bemühen, denn der Lord Mayor kam zu uns, drückte uns die Hand und amüsierte sich sehr. »Ich werde die Münzen in Ehren halten, sehr verehrter Herr Fischer«, sagte er. »Mit Ihrer Erlaubnis werde ich die Geschichte meinen Kollegen im Club erzählen, und die werden nicht weniger Spaß daran haben als ich. Und um mich zu revanchieren und Ihnen zu zeigen, daß Verwechslungen in London nichts Außergewöhnliches sind, erzähle ich Ihnen eine wahre Geschichte: Wir haben unter unseren Parlamentsmitgliedern Leute, die die unglückliche Neigung haben, allzu tief ins Glas zu blicken. Wissen Sie, das kommt davon, wenn man an zu vielen Versammlungen und politischen Stammtischen teilnehmen muß.«

»Ja«, sagte ich. »In Zürich haben wir auch so einen Fall.«

»Besonders ein Gentleman«, fuhr der Oberbürgermeister fort. »Er erschien kürzlich auf einem Ball, den ein Mitglied der königlichen Familie zugunsten eines wohltätigen Zweckes gab. Um zehn war es bereits so weit, daß er an der Bar kaum mehr aufrechtstehen konnte. Als das Tanzorchester einsetzte, kam er auf die Idee, mit seiner Frau einen Tango zu wagen. Er torkelte zu ihrem Tisch hin, verneigte sich, aber sie wies ihn zurück. ›Scheußlich, Charles!‹ schalt sie. ›Du bist wieder betrunken!‹

Erbost wankte Charles davon und wählte als nächste Partnerin eine pompöse Erscheinung in dunkelvioletter Abendrobe. Er verbeugte sich abermals tief.

›Darf ich die Ehre haben, Madam?‹

Eine sonore Stimme sagte: ›Gewiß können Sie mit mir Tango tanzen, mein Herr, aber ehe Sie mich aufs Parkett führen, möchte ich Sie noch darauf aufmerksam machen, daß ich der Kardinal Erzbischof von Westminster bin.‹«

Von da an war ich auf der Hut. Als im Laufe des Abends eine Greisin mit einer Tasse Tee auf mich zukam, sich freundlich lächelnd zu mir herabbeugte und sagte: »Das ist eine Tasse Tee für Sie, Liebe«, nahm ich sie mit vielem Dank entgegen, obschon ich keine Lust auf Tee hatte. Ich trank sie sogar in Anwesenheit der Spenderin aus, rühmte das Teearoma, die Teefarbe, den Teegeschmack.

»Englischer Tee«, sagte die alte Dame mit Nachdruck.

»Feiner Tee«, bemerkte ich.

»Nettes Kind«, schloß die Dame befriedigt die Konversation und ging mit der leeren Tasse wieder davon.

Eingeweihte verrieten mir, das sei Ihre Hoheit Prinzessin Marie-Louise gewesen – sie hieß in Wahrheit Franziska Josepha Louise Augusta Marie Christiana Helena –, eine Enkelin der Königin Victoria und Großkusine der Queen.

Es waren noch andere hochwohlgeborene Herrschaften anwesend. Ich kann sie nicht nur aufzählen, ich weiß sogar, was sie anhatten, zumindest die Damen. Lady Frankenstein, die Gattin Sir Georges, trug ein Kleid aus kirschrotem Taft; ein Kollier und Ohrgehänge aus Bernstein zierte Viscountess Jowett; die Frau des schwedischen Botschafters hatte sich eine Stola aus rauchblauem Tüll umgelegt, die vorzüglich zu ihrem rosaroten, mit rauchblauen Tüllblumen bestückten Rock paßte. Auch General und Mrs. Salisbury-Jones und Baroness Wimmer befanden sich unter den Gästen, ferner Lord Talbot de Malahide, Lord Annaly, Lord Courtauld-Thomson, die Botschafter aus Österreich, Dänemark, Portugal und der Niederlande, nicht zu vergessen Madame Prebenson, ihre Tochter und Mrs. Hugh Adams, die Hofdame der Prinzessin Marie-Louise. Das alles stand am nächsten Tag in der Zeitung.

Mit Edwin Fischer musizierte ich über alle Maßen gern. Ich liebte sein Spiel, die weichen Farben, die verhaltene Kraft, seinen Schwung . . ., sogar die falschen Noten. Einmal nahmen wir Schuberts »Musensohn« durch mit seiner in der oberen Tastaturhälfte umherhopsenden Begleitung.

»Habe ich?« fragte er mit schelmischem Blick und zog eine Augenbraue hoch.

»Haben Sie was?«

»Danebengehauen?«

»Aber nicht die Spur. Sie haben doch überhaupt nicht danebengehauen.«

»Doch, doch. Ein wenig. Ein klein wenig.«

»Das spielt keine Rolle. Wenn Sie spielen, wird unter Ihrer Hand jede Note zu einem Juwel.«

»Finden Sie?«

»Und ob.«

»Na ja. Hauptsache, wir spielen Schubert nie so, als käme die Musik aus dem Warenhaus.«

Öffentlich begleitete Edwin Fischer am Flügel nur in Ausnahmefällen. In der Praxis werden die Berufsstände Solist und Begleiter voneinander getrennt. Anders privat. Mein Mann war mit Edwin seit seiner Berliner Zeit befreundet. Hans' Klavierlehrerin in Basel, Frau Schrameck, war auch die Lehrerin Fischers gewesen. So kam es, daß Edwin als alter Freund bei uns ein und aus ging. Sobald er im Hause war, erklangen Klaviertöne.

»Machen wir noch ein paar Lieder vor dem Essen.«

»Was hast du in der Hand?« fragte Hans.

Edwin betrachtete den Deckel. »Schubert. Dritter Band.«

»Spiel mal die Einleitung zu ›Im Frühling‹«, befahl Hans.

Edwin gehorchte.

»Sing!« sagte Hans zu mir.

Ich postierte mich hinter Edwin und sang.

»Toll«, sagte Hans, nachdem die letzten hauchzarten Töne verklungen waren. »Aber wenn Edwin das spielt, wird leicht ein ›Moment musicale‹ draus.«

Inzwischen wurde die Suppe nebenan kalt.

»Machen wir noch einen Mendelssohn«, schlug Edwin vor. Und nach dem Mendelssohn »noch den Brahms da«, bis ich als Hausfrau eingreifen mußte.

Am Klavier strahlte Fischer eine Aura aus, wie ich sie in ähnlicher Stärke nicht oft erlebt habe: bei Elly Ney, Clara Haskil, Alfred Cortot, Rudolf Serkin. Spielten sie, kam von irgendwoher eine vierte Dimension hinzu. Unerklärlich, wie vieles in der Musik.

Edwin Fischer war, wie das bei allen namhaften Pianisten der Fall ist, ein fabelhafter Kammermusiker. Und dennoch: Wer ihn mit seinen Triopartnern Schneiderhan und Mainardi hörte, mußte sich sagen, daß es das *Fischer*-Trio war, daß es Fischers Persönlichkeit war, die dem Ensemble das Markenzeichen aufsetzte. Brahmsisch schwer, am Klavier festgewurzelt, griff er in die Tasten hinein. Aber sein Spiel klang nie hart, nie abgeschnitten, nie flach, sondern tief wie der Hohlraum einer Kuppel. Er spielte eben mit dem Körper. Nicht nur die Saiten, auch der Pianist vibrierte mit, alles, Kopf, Nacken, Rumpf bis zum fest verankerten Fuß.

Gab ich zuviel Stimme, sagte er: »Busoni predigte: ›Piano kann man vermindern, beinahe bis ins Uferlose, die Forte-Steigerung hat jedoch ihre Grenzen. Daher: Forte ein für allemal festlegen und das Piano danach richten.‹ Fürchten Sie nie, dem Publikum Pianos zu geben, Maria. Ganz im Gegenteil. Die Leute werden die Ohren spitzen, noch aufmerksamer zuhören. Und werden ein mittleres Forte als Fortissimo erleben.«

Als Edwin Fischer eines Vormittags zu uns kam, lag die Partitur einer avantgardistischen Oper offen auf dem Notenpult. Edwin setzte sich an den Flügel, blätterte darin herum, schmatzte und kratzte sich am Hinterkopf. Ich hatte noch im Hause zu tun und ließ ihn gewähren. Nach einer Weile begann er zu spielen, Dissonanzen und merkwürdige Intervalle, stets sehr weich und, was ich bei avantgardistischer Musik kaum für möglich gehalten hätte, mit Gefühl. Fischers Abneigung gegen gewisse Strömungen der Moderne war mir bekannt. Als ich eintrat, sagte ich – wir waren seit einiger Zeit per Du –: »Du wirst noch bekehrt werden.«

»Ich werde dir was sagen«, entgegnete er. »Toscanini hat einmal so eine Partitur in die Hand bekommen, nach der Feder gegriffen und ganz am Schluß voller Wut einen gigantischen C-Dur-Akkord hineingemalt. Dann hat er darunter geschrieben: Musica di Arturo Toscanini.« Hierauf streifte Edwin die Ärmel zurück, setzte mit beiden Händen zuunterst auf der Tastatur an und raste hinauf und wieder bis ganz hinunter. Ein Riesenarpeggio in A-Dur erfüllte den Raum. Fischer ließ es lange nachklingen und atmete die Töne genußvoll ein, als sei er soeben aus einem muffigen Zimmer in die frische Luft getreten. Schließlich nahm er den Fuß vom Pedal und bemerkte trocken: »Musica di Edwin Fischer.«

Daß es keine Aufnahmen unseres Musizierens gibt, daß ich so gedankenlos war, nicht einmal eine Aufnahme mit meinem privaten Tonbandgerät davon zu machen, das ist eine Unterlassung, die ich mir nicht verzeihen kann. Aber wir waren so sehr in Musik vertieft, daß wir einfach nicht daran dachten, es könne jemals damit zu Ende sein.

Und was professionelle Aufnahmen betraf? Nachdem die Plattenproduktionsstätte mit dem Hund, der auf seines Meisters Stimme lauscht, eine Anzahl von mir besungener Schellackplatten in den Handel gebracht hatte, wurde auch eine Liederplatte mit Edwin Fischer in Aussicht genommen.

Wie erstaunt war ich, als ich in einer Fachzeitschrift von der bevorstehenden Veröffentlichung eben dieser Liedersammlung las, mit Edwin am Klavier, aber – mit einer anderen Sängerin. Ich stellte Edwin zur Rede.

»Was sollte ich tun?« meinte er. »Sie ist schließlich die Frau vom Chef.« Worauf er mit einem Augenzwinkern hinzufügte: »Er ist auch mein Chef.«

Die Schellackplatten werden, wie ich kürzlich feststellen konnte, noch antiquarisch gehandelt, im Land der Sammler: in England. Es hat mich gefreut, daß diese Zeugnisse aus jüngeren Jahren noch im Umlauf sind.

Die Wiener Staatsoper ruft

Neben England und Frankreich waren Deutschland und Österreich meine bevorzugten Reiseziele nach Kriegsende, dann Italien und immer häufiger Holland. Einige Stationen mögen meinen damaligen Terminkalender veranschaulichen. Unter Eugen Jochum sang ich für den Bayerischen Rundfunk in München, unter Hans Rosbaud für den Südwestfunk Baden-Baden. Hans Schmidt-Isserstedt lud mich nach Hamburg und Bremen ein – das Mozarteum nach Salzburg. Ich machte Bekanntschaft mit Paul Hindemith, der, obwohl kein eigentlicher Dirigententypus, ein besonderes Fluidum in den Händen hatte, in Amsterdam erwarteten mich Otto Klemperer und das Concertgebouworchester. Der Begegnung mit dem großen Otto sah ich mit Ehrfurcht entgegen. Artur Schnabels Worte klangen in mir nach. »Klemperer?« hatte er gesagt. »Groß ... sehr groß ... einer der Allergrößten ... vielleicht *der* Größte!«, wobei nicht ganz ersichtlich war, was Artur damit meinte: die Statur des Geistes oder des Körpers? Bei ihm wußte man nie so genau ...

Nachdem ich mich neben das Dirigentenpodest hingestellt hatte, maß mich der aus meiner Sicht tatsächlich gigantische Klemperer von oben bis unten, nicht ohne sichtbare Skepsis. »Man sagt, Sie seien gut«, murrte er. Er schien sich selbst und aller Welt das Gegenteil beweisen zu wollen. Wir begannen. Nach einer Weile klopfte er ab, maß mich erneut von Kopf bis Fuß und rief plötzlich ganz überrascht: »Sie *sind* es!« Die Musiker grinsten.

Im übrigen störte sich niemand mehr an meinem kleinen Körperwuchs. Im Konzertsaal zählt nur die Leistung. Nichtsdestoweniger, es bedurfte einer gewissen Zeit, bis ich darüber hinwegkam. Eines Tages legte ich mir ein Konzertschemelchen zu. Lange bevor ich den Saal betrat, stand der Schemel an meinem Platz auf dem Podium. Zuerst zerbrach ich mir deswegen den Kopf: Was denken die Leute von meinem Schemel und von einem so kleinen Persönchen, wie ich eines bin? – Der Erfolg half darüber hinweg. Auch der anfänglich von mir mit skeptischen Seitenblicken bedachte Konzertsaal war mir zur Heimat geworden. Der Adel der Aufgabe ergriff mich. Konzertgesang ist oft tief religiös. Man weiht ihn dem Erhabenen. Auf der Bühne kann ein schauspielerisch begabter Sänger über mangelndes stimmtechnisches Können hinwegtäuschen und mit seinem Spiel Erfolg erringen. Auf dem Podium geht das nicht. Man steht sozusagen nackt da, ohne Maske, ohne Kostüm, ohne Bühnenbild. Gesten sind verpönt. Nur eines entscheidet: der Gesang. Und doch: Noch einmal rief die Oper. Ich möchte mein Gastspiel in Wien erwähnen, wo das Ensemble der Staatsoper im »Jänner 1948« auf der Ausweichbühne des Theaters an der Wien spielen mußte. Das Haus am Ring, am 12. März 1945 von Spreng- und Brandbomben zerstört, lag noch in Trümmern.

Auf Empfehlung hin hatte mich Dr. Egon Hilpert für die Premiere der »Zauberflöte« als Königin der Nacht engagiert. Trotz Grippeverdacht reiste ich in die Donaustadt, nahm, obschon sich der Katarrh zusehends verschlimmerte, an sämtlichen Proben teil und opferte meine letzten Reserven. Die musikalische Leitung hatte Josef Krips, mit dem ich sehr gerne musizieren sollte. Kollegen von Ruf standen auf der Bühne: Herbert Alsen, Bruno Walters Salzburger Commendatore als Sarastro, Hugo Meyer-Welfing als Tamino, Alfred Poell als Papageno. Sprecher war Alfred Jerger, den ich von Reiffs her kannte, meine Londoner Pamina Elisabeth Schwarzkopf sang auch hier, Hilde Zadek, Martha Rohs und Elisabeth Höngen bildeten mein Gefolge, die 23jährige Wilma Lipp war Papagena. Hermann Gallos, der Doyen, seit 1915 im Hause, und Karl Dönch, später Direktor der Volksoper, spielten ebenfalls mit. Es war ein Team, auf das man sich freuen durfte.

Am Vorstellungstag erwachte ich mit leichtem Fieber. Ich war fest entschlossen zu singen, bat jedoch, dem Premierenpublikum meine Indisposition bekanntzugeben. Im Direktionsbüro lehnte man entrüstet ab. »Aber bitt' schön, gnä' Frau! Der Herr Professor Krips ist begeistert von Ihnen!«

Auf dem Weg hinaus fiel mein Blick auf ein Plakat, das offensichtlich frisch aus der Druckerpresse gekommen war. Dort stand zu lesen: »Entführung aus dem Serail.« Und weiter unten: »Blonde: Maria Stader.« Ich traute meinen Augen nicht. Die Sache wurde unheimlich.

»Das muß ein Irrtum sein.«

»Irrtum? Wie meinen Gnädigste?«

»Nun ja! Ich bin für die ›Zauberflöte‹ nach Wien engagiert worden. Von der ›Entführung‹ haben wir nie auch nur eine Silbe gesprochen. Wie in aller Welt kommt man dazu, mich als Blonde zu plakatieren, ohne daß ich auch nur die blasseste Ahnung davon habe?«

Man lächelte. »Gnädigste werden das ganz gewiß schaffen.«

»Aber ich sage Ihnen doch, ich weiß von all dem nichts!«

»Ja, aber die gnä' Frau haben eine solche Prachtsstimm'. Das Wiener Publikum wird begeistert sein.«

»Begeistert sein? Woher können Sie das wissen? Ich habe die Partie ja mein Lebtag noch nie auf einer Bühne gesungen!«

»Gnädigste werden das im Handumdrehen schaffen, werden die Wiener im Sturm erobern. Glauben's nur. Mit ihrer Prachtsstimme!«

Ratlos wandte ich mich an Herbert von Karajan, der im gleichen Hotel wie ich logierte. Früh am Morgen rannte ich ihm beinahe die Tür ein. Er nickte verständnisvoll und schmunzelte. »Wir sind hier nicht in Zürich, auch nicht in Berlin, sondern eben in Wien«, bemerkte er. »Singen Sie, solange Sie mögen, und dann reisen Sie einfach nach Hause. Sie haben das alles doch nicht nötig.«

Ich beherzigte seinen Rat. Sowie ich mein vertraglich zugesichertes Pensum als leidend-wütende Königin absolviert hatte, sagte ich Opernpartien ade. Endgültig – dachte ich. Doch es kam anders.

Kapitel 26

Bei Casals in Prades

Ich kniete mit meinem tiernärrischen Martin, dem jüngeren meiner beiden Söhne, am Boden und ließ mir höchstwahrscheinlich den Unterschied zwischen einer Kröte und einem Laubfrosch erklären, als das

Telefon klingelte. Heinrich Wagner, mein Freund und Förderer, war am Apparat. »Maître Casals kommt zu uns«, berichtete er. »Sie sollten ihn kennenlernen und ihm vorsingen.«

Ich wählte Konstanzens Arie »Traurigkeit ward mir zum Lose«. Als ich zu Ende gesungen hatte, schloß mich der Maître in seine Arme. »C'est ça!« rief er. »C'est le cœur qui compte!« Das muß 1949 gewesen sein. Kurz danach lernte ich durch Vermittlung meines Londoner Agenten Mr. van Wyck jene Persönlichkeit kennen, die mir bald die liebste Mitarbeiterin werden sollte, Mrs. Thea Dispeker, fortan nur Thea genannt, Künstler-Managerin aus Amerika und »Executive Secretary« des Prades-Festival. Damit war der Grundstein für meine Mitwirkung in Prades gelegt.

Über Prades erzählt Casals sehr anschaulich in seinem Buch »Licht und Schatten auf einem langen Weg«: »So kam ich im Frühjahr 1939 nach Prades. Damals hätte ich mir nicht vorstellen können, daß ich die nächsten siebzehn Jahre meines Lebens in diesem winzigen Pyrenäenstädtchen verbringen würde. Bei allem Kummer konnte ich mich in dieser Umgebung wieder sammeln. Mit seinen krummen, gepflasterten Straßen und weißverputzten Häusern unter roten Ziegeldächern – und damals blühten auch noch gerade die Akazien! – hätte Prades eines der katalanischen Dörfer sein können, wie ich sie seit meiner Kindheit kenne. Auch die Umgebung war mir nicht weniger vertraut: Obstgärten und Weinberge gliederten die Landschaft, und es gab wilde und schroffe Berge mit altrömischen Befestigungsanlagen und mittelalterlichen Klöstern, die sich an die Hänge schmiegten – auch das war wie ein Gegenstück von Teilen meiner Heimat.«

Als der Zweite Weltkrieg ausbrach, blieb Casals in Prades. Selbst als die deutsche Besatzungsmacht im Sommer 1940 immer näher heranrückte und schließlich Südfrankreich besetzte, wich Casals nicht aus seinem zweistöckigen Häuschen, der Villa Colette, und weigerte sich standhaft, für das Vichy-Regime, geschweige denn für die ungebetenen deutschen Gäste zu spielen. Daß seine ehemaligen Triokollegen Jacques Thibaud und Alfred Cortot dies taten, schmerzte ihn sehr. Man ließ ihn zunächst in Ruhe, er konnte sogar eine Konzertreise in die Schweiz unternehmen, um etwas Geld zu verdienen, dann aber mußte er annehmen, daß auch seine Stunde geschlagen hatte. Eines Vormittags tauchte ein Mercedes vor der Villa Colette auf. Drei Gestapooffiziere stiegen aus und kamen die Treppe herauf. »Ich gestehe«, erzählte er, »daß meine Knie zitterten. Aber es stellte sich heraus, daß sie nur gekommen waren, um mich nach Berlin einzuladen. Ich sollte vor dem Führer spielen, der, wie sie betonten, ein großer Musikliebhaber und Wagnerverehrer sei. Ich lehnte ab, sagte, daß ich krank gewesen sei, seit Monaten nicht mehr geübt habe und meinen rechten Arm nicht richtig bewegen könne. Sie fingerten noch eine Weile an meinem Cello herum und entfernten sich sodann. Es war ein Schock.«

Nach Kriegsende gab Casals wieder Konzerte, zunächst in England, dessen Durchhaltevermögen er nicht genug bewundern konnte. Die Sendungen des Britischen Rundfunks, die er wie viele andere abhörte, hatten ihm in schweren Tagen neue Hoffnung gegeben. Doch kaum hatte er seine Konzerttätigkeit wieder aufgenommen, legte er den Bogen abermals beiseite, zog sich erneut nach Prades zurück und wies sämtliche Konzertangebote zurück. Er würde nie mehr spielen, sagte er.

Was war geschehen? Casals fühlte sich in seinem leidenschaftlichen Kampf gegen Nationalsozialismus und Faschismus, in seiner Hoffnung auf ein demokratisches Spanien hintergangen. Er hatte geglaubt, daß die Alliierten nach ihrem Sieg mit faschistischen Machthabern in Westeuropa aufräumen würden, nicht nur in Deutschland und Italien, sondern auch in seinem eigenen Heimatland Spanien. Aber vor lauter Kommunistenangst wurde die ihm verhaßte Franco-Regierung sogar noch unterstützt. Sein sich selbst auferlegtes Schweigen sollte seine Haltung dokumentieren, die Aufmerksamkeit der Welt auf diese ihn empörenden Verhältnisse lenken. Er glaubte, dieses Opfer bringen zu müssen.

Eine Zeitlang sah es aus, als wäre Casals' Cellospiel verstummt. Er war ein alter Mann, gute siebzig Jahre alt. Aber Musiker dies- und jenseits des Ozeans wußten, daß sich, wenn es um Musik ging, Jünglingskräfte in ihm regen könnten. Vom Pianisten Mieczyslaw Horszowski kam die Idee, der Berg müsse, da Mohammed nicht zum Berge komme, eben zu Mohammed gehen, und er schlug vor, daß sich alljährlich namhafte Musiker nach Prades begeben sollten, um dort mit Casals zu musizieren. Alexander Schneider, Geiger im Budapester Streichquartett, kannte Casals recht gut. Sie hatten zusammen gearbeitet – Schneider studierte mit ihm Bachs Soloviolinwerke –, und er hatte das Vertrauen des Meisters gewonnen. Sascha – wie ihn die Freunde nannten – ging zu Casals und trug ihm die Idee vor. Wie zu erwarten war, verhielt sich Casals zunächst ablehnend. Aber er hatte nicht mit Saschas Begeisterung und Überzeugungsfähigkeit gerechnet. Daß Künstler vom Range eines Rudolf Serkin, Josef Szigeti, Isaac Stern und Eugene Istomin eigens ihm zuliebe und zu seinen Ehren nach Prades kommen wollten, mußte auch er, der doch die Gesetze des Konzertalltags aus langer Erfahrung kannte, als etwas Außergewöhnliches empfinden. So sagte er schließlich zu. Die Festspiele von Prades waren geboren.

Sie waren zunächst der Musik Johann Sebastian Bachs gewidmet, dessen Cellosolosuiten recht eigentlich Casals' musikalisches Eigentum geworden waren, so sehr gehörten sie zusammen. Denn so wie man im neunzehnten Jahrhundert bei der Erwähnung von Beethovens Violinkonzert an Joseph Joachim dachte, oder bei Schumanns Klavierkonzert an Frau Clara, so dachte man um die Mitte des zwanzigsten Jahrhunderts an Casals, wenn von den Cellosuiten Bachs die Rede war. Und das ist wohl auch so geblieben.

Im Juni 1950 versammelte sich die stattliche Künstlerschar in Prades und nahm gerne den mangelnden Komfort ländlicher Verhältnisse in Kauf, nur um in der Nähe des Meisters zu sein. Auch mich hatte man gefragt, und ich wäre dem Ruf gewiß schon damals gefolgt, wenn mich nicht für 1950 und 1951 bereits Kontrakte anderwärts gebunden hätten. Von jener Anfangszeit weiß ich also nur, was ich darüber las und hörte. Aber im folgenden Jahr, bevor ich zum Bachfest nach Straßburg mußte, klappte es endlich auch bei mir, und ich kam in das schon weltberühmte Dorf am Fuß der Pyrenäen, halbwegs zwischen Perpignan und der spanischen Grenze.

Thea holte mich mit dem Wagen am Bahnhof von Perpignan ab. »Endlich!« rief ich und umarmte sie so stürmisch, daß ihr der Hut vom Kopf fiel und unter den abfahrenden Zug geriet. Sie schaute zu, bis sämtliche Räder darüber hinweggerollt waren, hob ihn gelassen auf, bog und klopfte ihn zurecht und setzte ihn wieder auf den Kopf. Das war Thea.

In Prades erwartete mich eine Musikerfamilie von einer Geschlossenheit, wie ich es seither nie mehr erlebt habe. Für alle war es Ehrensache gewesen, hierher zu kommen, und sei es nur, um unter dem Maître im Orchester zu spielen. In dem von Sascha Schneider rekrutierten Ensemble spielten mit: Josef Szigeti, Isaac Stern und Alexander Schneider, die Bratschisten Milton Katims, Milton Thomas, die Cellisten Maud und Paul Tortelier sowie Madelaine Foley, der Flötist John Wummer, die Oboistin Laila Storch, die Pianisten Leopold Mannes, Dame Myra Hess, Mieczyslaw Horszowski, Eugene Istomin, die Mezzosopranistin Jennie Tourel. 1953 gab es kleine Änderungen. Es kamen dazu Rudolf Serkin, William Kapell und Clara Haskil, Arthur Grumiaux, ferner Fritz Buschs Schwiegersohn Martial Singher, um die bekanntesten zu nennen. Auch ein Waldhornspieler war da, so daß man das Beethoven-Sextett und Oktett von Schubert aufführen konnte. Der Hornist Marc Fischer war, wie die übrigen Bläser ebenfalls, Mitglied eines führenden amerikanischen Orchesters.

Spielten die einen Duo oder Kammermusik, so hörten die anderen zu. Jeder half jedem, man erlebte sein Musizieren als Teil einer Musikantengemeinschaft. Der Gegensatz zu starsüchtigem Kulissenintrigantentum hätte nicht krasser sein können. Alljährlich setzten die einen aus, um Kollegen Platz zu machen. Nur der Kern blieb bestehen. Dieser Turnus rollte ganz natürlich ab, nach ungeschriebenen Gesetzen. Ich hatte das Glück, an zwei Festivals in Prades und später an einem in Puerto Rico, wohin sich Pablo Casals zurückgezogen hatte, teilzunehmen.

Leopold Mannes drückte das so aus. »Es ist, als knüpfe uns Pradesianer ein geheimes Band aneinander. Und wenn man später eine neue Kollegenbekanntschaft macht, spürt man schon nach kurzer Zeit, ob es sich um einen Pradesianer handelt oder nicht. Wir haben hier in Prades gewisse Erfahrungen gemacht, über die man nur mit jenen sprechen kann, die auch hier waren.«

Bei der Wahl eines geeigneten Konzertlokals erging es den Organisatoren wie Mendelssohn beim Komponieren. Es heißt, daß Mendelssohn, der eine Abneigung gegen Flickereien und Kratzereien in seinen Partituren hatte, anstatt auf dem Original zu korrigieren, die wunden Stellen überklebte, um dann die neue Version auf frisches Papier zu schreiben. Bei einem Klavierstück wollte ihm eine Stelle einfach nicht gelingen. Er überklebte sie, änderte den Baß, aber nach dem Mittagessen, als er sie erneut überdachte, fand er sie noch immer nicht in Ordnung. Also wurde die Stelle ein zweites Mal überklebt. Abends stellte er fest, daß auch das das Wahre nicht sei. Es kam eine weitere Schicht hinzu, und so ging das in den nächsten Tagen weiter, bis inmitten des Manuskriptes ein Turm entstanden war. Endlich hatte er die Lösung gefunden. Er war drei Tage lang mit ihr zufrieden. Am Morgen des vierten Tages rief er seine Schwester herbei, um deren Meinung über die Änderung zu erfahren. »Aber Felix!« rief die verblüffte Fanny. »Das ist ja deine erste Fassung!«

Beinahe so machte man es in Prades. Das erste Festival wurde in der mitten in Prades gelegenen alten Eglise de St. Pierre abgehalten. Man war dort leidlich zufrieden. In der Meinung, einen Fund getan zu haben, verlegte man im kommenden Jahr die Veranstaltungen nach dem etwa vierzig Kilometer entfernten Perpignan, das leichter zu erreichen war und mehr Platz für die Festivalbesucher bot. Die Konzerte fanden in einem alten Palast statt, dessen Akustik arg enttäuschte. Somit kehrte man 1952 nach Prades zurück, wählte als Schauplatz jedoch die ein paar Kilometer außerhalb Prades gelegene Klosterkirche St. Michel de Cuxa, um sodann im Jahre 1954 in die Eglise de St. Pierre zurückzukehren, mit der man in Zukunft vorliebnahm.

Den Abstecher nach Perpignan machte ich, wie gesagt, nicht mit, und ich bereute es nicht, nachdem mir zu Ohren kam, daß man sich im Vorhof des königlichen Palastes, wo musiziert wurde, leicht erkältete. Dafür sind mir die Konzerte in St. Michel de Cuxa in lebhaftester Erinnerung. Die Abtei steht ganz für sich allein in einem weiten Tal. Man erreicht sie zu Fuß in einer knappen halben Stunde. Das ist schon etwas anderes, mit Kollegen in Zweier- oder Dreiergrüppchen durch Gottes weite Natur zum abendlichen Konzert zu pilgern, anstatt sich vom Hotelportier ein Taxi kommen und sich durch verstopfte Straßen hindurchschleusen zu lassen.

Bei den Proben ging es unkonventionell zu. Casals war durchaus imstande, dem Orchester mitzuteilen: »Das wissen Sie besser als ich«, oder »Hier muß ich meinen Primgeiger um Rat fragen.« Diese Achtung vor dem Wissen des anderen steigerte die Achtung, die die anderen vor ihm empfanden, ins Grenzenlose. Bei den meisten Orchestern strahlt nur der Dirigent. Hier aber strahlten die Orchestermusiker zurück. Vom Dirigenten Arthur Nikisch erzählte Artur Schnabel – oder war es Elly Ney, ich weiß es nicht mehr –, er habe, wenn ein Hornist zweimal dieselbe Stelle verpatzte, gefragt: »Wie geht es Ihrem kleinen Sohn, Herr Brauwitz? Ich habe gehört, er liege mit dem Fleckfieber danieder;

das tut mir wirklich sehr leid.« Und siehe da: Beim drittenmal ging es dann fabelhaft. Das war bei Casals sehr ähnlich. Für ihn war auch der Geiger, der am hintersten Pult saß, sein lieber Gast in Prades. So gab jedermann sein Allerbestes. Meine erste Probe mit Pablo Casals verlief nicht allzu vielversprechend. Vor Beginn sagte Sascha: »Wir kämpfen schon seit Tagen gegen eine seiner Schwelgphasen an.«

Ich nahm meinen Platz ein, Casals hob den Taktstock und begann mit der Einleitung zu »Ich bin vergnügt in meinem Glücke« von Bach. Nun, sehr vergnüglich war das nicht, und von Glück konnte nicht die Rede sein. Alle Achtung vor dem »cœur qui compte«; hier war des Guten zuviel. Mir schien es, als ob die Musik auf Schildkrötenfüßen einherkröche. Um da mithalten zu können, hätten die Lungen von drei Kastraten nicht ausgereicht. »Maître, je vous prie. Un peu plus vite.« – »Ein wenig schneller«, flehte ich. Vergeblich. Meine Bitte wurde nicht erhört. Er badete sich wonnevoll in den von ihm heraufbeschworenen Harmonien. Das Orchester hielt jedoch zu mir. Wir nahmen Augenkontakt auf, der Konzertmeister und ich, die übrigen Spieler folgten wie ein Mann, und bald ließen wir den Maître weit zurück. Ihn störte das nicht. »Que c'est beau! Quelle merveille! Quelle musique!« erklärte er immer wieder. Er war weit weg in einer anderen Welt. Wir verstanden das.

Eine Mission für Wilhelm Furtwängler

Weniger bekannt als der Cellist, Dirigent und katalanische Patriot ist der Komponist Casals. In dieser Eigenschaft lud er mich zu sich nach Hause ein, um mir einige seiner Lieder zu zeigen, Gesänge traditionell spanischen Charakters. Ich empfand mich nicht unbedingt als die geeignete Interpretin dafür, aber Pablo Casals war offenbar anderer Meinung. Er führte mich durch den Garten in ein als Arbeitszimmer gemütlich eingerichtetes Gartenhäuschen, rückte neben dem Klavier einen zweiten Stuhl zurecht und begann, mir vorzuspielen. Wie auf seinem Cello horchte er jedem Ton hingerissen nach, kostete ihn bis zur Neige aus, ja, es kam vor, daß ein Finger auf eine Taste drückte und, vor Intensität vibrierend, nicht mehr von der Stelle kam, als wolle er das Allerletzte an Saitenschwingung herauspressen. Dem Rhythmus der Musik kam diese Spielweise nicht zugute. Machte ich den Maître zaghaft darauf aufmerksam, lächelte er verschämt wie ein bei einer Unart ertappter Schüler, rieb sich eine Weile die Hände, befahl: »Recommençons!« und begann wieder von vorn.

Schließlich schlug er eine Pause vor, wir zogen uns auf zwei bequemere Sessel zurück, und ich gedachte eines Auftrages, mit dem ich nach Prades gekommen war. Der Maître war heiter gelaunt, der Augenblick schien günstig, die etwas heikle Angelegenheit zur Sprache zu bringen. Ich wußte, daß es bei Pablo Casals, wo es um Fragen politischer Integrität ging, keine Kompromisse gab. Gerade darum handelte es sich. Wenige Wochen zuvor war ich in Clarens bei Montreux gewesen, zu Besuch bei Wilhelm Furtwängler, um die Möglichkeit einer Neunten zu besprechen. Im Chorfinale steigt der Sopran am Ende des Soloquartetts auf »Flügel« ins hohe H hinauf, eine delikate Stelle, die Furtwängler liebte. Der Ausklang jener Kadenz war eine meiner Spezialitäten, besonders was Ansatz und Atemführung anbelangt. Es gibt hier wie anderswo verschiedene Möglichkeiten des Atmens. Die Sängerin kann die Phrase »dein sanfter Flügel« in einem Bogen singen und das Risiko in Kauf nehmen, bei »ü-gel«, das heißt dort, wo sie über Reserven verfügen sollte, gegen Atemnot ankämpfen zu müssen.

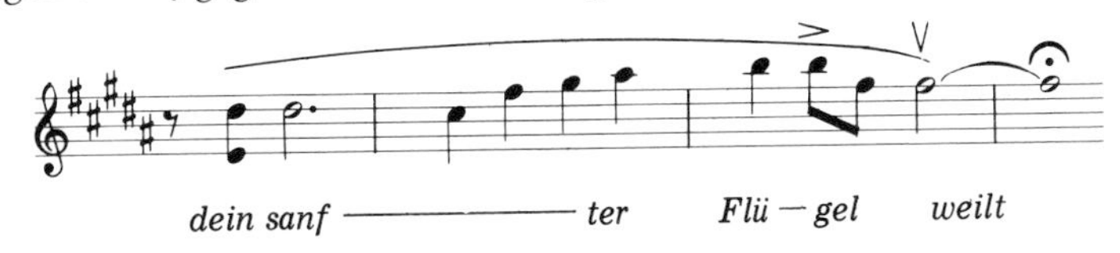

Um dem vorzubeugen, kann sie den Bogen natürlich auch durch Atemholen unterbrechen, was der erhöhten Spannung der Stimmbänder in dieser hohen Lage zufolge verständlich, aber nicht unbedingt schön ist.

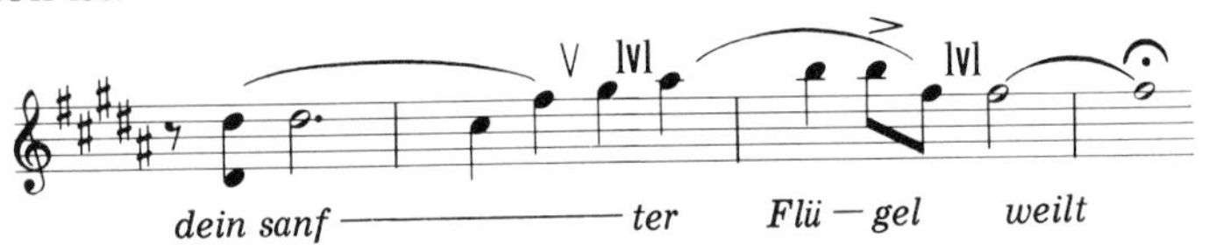

Meine Technik dagegen erlaubte es mir, mit dem Atmen bis zum hohen H zuzuwarten. Dem Ansatz auf dem hohen H – eben die Spezialität! – konnte ich gelassen entgegenblicken. Überdies versetzte mich diese Phrasierung in die glückliche Lage, dem H frischgeschöpften

Atem einzuhauchen, es damit zu liebkosen, um dann, sanft wie von Engelsflügeln getragen, aufs Fis niederzugleiten.

Furtwängler konnte sich an dieser Stelle nicht satthören. »Dieses Legato, gnädige Frau!« sagte er. »Der Zug des Bogens nach oben! Darin manifestiert sich die Essenz der Musik. Auch für den Dirigenten. Das letzte und höchste Ziel, das ein Dirigent erreichen kann, ist eine Legato-Melodie so zu dirigieren, daß sie als lebendig atmender Fluß empfunden werden kann.«

Plötzlich stand er vom Klavierstuhl auf, nahm meine Hand in die seine und sagte: »Ich höre, Sie gehen diesen Sommer nach Prades.«

Ich nickte.

»Dann darf ich Sie sicher um eine Gefälligkeit bitten. Sagen Sie bitte Meister Casals, daß ich unendlich viel darum gäbe, wieder einmal mit ihm musizieren zu können.«

Die Stimme Furtwänglers zitterte. Ich war gerührt. Es ging ihm nicht gut damals, er hatte viel, wenn nicht alles im Krieg verloren, nicht zuletzt viele ehemalige Freunde. Es gab namhafte Musiker, die ihm nach 1933 eine Fortsetzung seiner Karriere im Ausland ermöglicht hätten, wenn er aus Hitlerdeutschland weggegangen wäre, wozu er sich aber nicht hatte entschließen können. Jetzt fiel es den Freunden von früher schwer, ihm seine Prominenz im Dritten Reich zu verzeihen. Paul Hindemith, Yehudi Menuhin, Szymon Goldberg und nicht zuletzt seine einstige Sekretärin, die Jüdin war, setzten sich allerdings für ihn ein, obschon sie wußten, daß Furtwängler, nachdem Bruno Walter und Fritz Busch Deutschland hatten verlassen müssen, sich dazu bereitgefunden hatte, Vizepräsident der Reichsmusikkammer unter dem Reichsminister für Volksaufklärung und Propaganda, Dr. Josef Goebbels, zu werden und sich damit als Kulturexponent Großdeutschlands mißbrauchen zu lassen. Daß Richard Strauss Präsident derselben Kammer war, machte die Sache nicht besser.

Furtwängler soll sich mit Leib und Seele für die Mitglieder seiner Philharmoniker eingesetzt haben, für Juden wie seinen Primgeiger

Szymon Goldberg und später für Nicht-Juden, die den Nazis nicht genehm waren. Neuerdings berichtet Rolf Liebermann, Furtwängler habe bedrängte Kollegen sogar vor dem Zugriff der Gestapo in seiner Wohnung versteckt. Wie dem auch sei, er hatte es schwer, das braune Stigma loszuwerden.

Ein damit zusammenhängendes Erlebnis, dessen erschütterte Zeugen wir – zumindest aus dem Hintergrund – waren, spielte sich kurz nach dem Krieg in Zürich ab. Artur Schnabel war aus New York kommend erstmals wieder in der Schweiz eingetroffen und kehrte bei uns ein. Eines Nachmittags, ehe er sich verabschiedete, sagte er: »Mir steht ein unangenehmer Gang bevor.« Hans und ich blickten ihn fragend an. »Seit ich hier bin, versucht Furtwängler ein Treffen mit mir zu arrangieren. Er telefoniert: ›Ich muß Sie sehen. Ich muß Sie unbedingt sprechen.‹ Ich lehne ab, sage, ich sei besetzt. Aber Furtwängler läßt nicht locker. Ich habe schließlich nachgegeben. Wir sehen uns um fünf im Baur-au-Lac.«

Als Artur das nächstemal wieder bei uns war, fragte Hans: »Haben Sie Furtwängler gesehen?«

»Ja.«

Er zog eine Brieftasche hervor, entnahm ihr eine Postkarte. »Furtwängler ist extra von Clarens nach Zürich gekommen. Er hat mir einen langen Vortrag gehalten, sprach von der alten Zeit, von der Philharmonie, von Goethe, von Beethoven und von Kant. Ich habe mir seine Ansprache angehört. Als er fertig war, habe ich ihm diese Karte zu lesen gegeben.«

Er reichte Hans die Karte. Wir lasen, das heißt, den Schluß sah ich nicht mehr deutlich, nicht, weil die zittrige Schrift unentzifferbar gewesen wäre, sondern weil mir die Tränen kamen. Sie lautete:

Theresienstadt, am ... 1942

Lieber Artur,
wir werden morgen abgeholt. Aber es ist ohnehin kaum auszuhalten, denn ich muß hier mit einer Wahnsinnigen im selben Bett liegen. Sobald wir angekommen sind, bekommst du Bericht.
Sei umarmt von Deiner Mama.

Wir schwiegen lange. Dann sagte Artur: »Auch ihm sind die Tränen gekommen. Darauf habe ich mich verabschiedet.«

Natürlich zweifelte ich nicht daran, daß Pablo Casals, der mit unzähligen Musikern in Verbindung stand, bestens über alles auf dem laufenden war und überdies, wie ich später erfuhr, Furtwängler bereits 1945 empfangen hatte, sich seine Meinung über den berühmten Dirigenten längst gebildet hatte. Er zog nachdenklich an seiner Pfeife, als müsse er in einem entlegenen Fach seines Gedächtnisses abgelegte Informationen hervorholen, dann meinte er: »Für die, die sich von ihrem Deutschland nicht trennen konnten, gab es eines Tages kein Entrinnen mehr.« Damit wechselten wir das Thema. Ob sich die beiden Musiker jemals wieder trafen, entzieht sich meiner Kenntnis.

Seiner umstrittenen Vergangenheit zum Trotz strahlte die Dirigentenpersönlichkeit Furtwänglers unvergleichliches Format aus. Wenn jemals die abgedroschene Phrase von der magischen Suggestivkraft eines Podiumszauberers zutraf, dann auf Furtwängler. Man spürte sie bis in die hinterste Reihe des Luzerner Festspielsaales und der Londoner Albert Hall. Allerdings soll seine Schlagtechnik nicht über jede Kritik erhaben gewesen sein. Mein Mann war Zeuge eines Furtwängler-Zwischenfalls in einer Vormittagsprobe in den vierziger Jahren, als man in Zürich noch Ring-Dramen hören konnte, unter anderem »Götterdämmerung«. Im komplizierten Instrumentalsatz der »Götterdämmerung« lauert manch eine knifflige Stelle. Ein Blechgruppeneinsatz bereitete den Beteiligten Kopfzerbrechen. Hinter Furtwängler befand sich wie immer Tasten-Maxe Conrad, um mit Rat und Tat einzuspringen. Tasten-Maxe – wir haben es bereits gehört – saß, als der junge Furtwängler vor dem Ersten Weltkrieg in Zürich korrepetierte, mit Wilhelm am gleichen Klavier. Seither waren die beiden unzertrennlich, und Tasten-Maxe scheute sich nicht, dem berühmten Kollegen, so ihm etwas mißfiel, mitten im Walkürenritt mit dem Zeigefinger auf den Rücken zu klopfen. Furtwängler brach dann sofort ab.

»Na?«

»Zu laut.«

»Blech?«

»Trompeten.«

»Schon lange?«

»Von Anfang an.«

»Aha. Bitte sehr ..., wir wiederholen.«

Auch diesmal ging es um das Blech. Furtwängler rannen die

Schweißperlen von der Stirn. »Meine Herren, passen Sie auf. Beachten Sie meinen Schlag. Wir versuchen es noch einmal.« Die Blechgruppe gab sich alle erdenkliche Mühe, aber die einen waren zu früh, die andern zu spät – es klang schauderhaft. Furtwängler war außer sich. Tasten-Maxe trat in Aktion. »Wilhelm, reg dich nicht auf. Wir besprechen das in der Pause.«

»Aber was soll ich machen?«

»Wilhelm, fahr weiter.«

In der Pause zogen sich Furtwängler und Tasten-Maxe ins Foyer zurück. »Schau mal, Wilhelm«, erklärte Tasten-Maxe, »die sind das anders gewohnt. Alle unsere Kapellmeister machen so ...«, und er nahm Furtwängler sachte den Taktstock aus der Hand. »Du aber machst es so ..., das geht so her und hin, das versteh'n die nicht. Jetzt versuch's mal, wie ich's dir vorgemacht habe. Ja, gut so, einfach grad runter! Jetzt noch einmal ... prima! Ausgezeichnet! Wirst sehen, es geht jetzt wie geschmiert!«

Unterdessen konferierte die Blechgruppe. »Also hört mal«, erklärte das zweite Horn, »das werden wir wohl noch fertigbringen. Er gibt da im untern Drittel einen Zwack, so – Zwack! *Das* ist der Augenblick!«

»Nein«, widersprach die erste Trompete. »Nicht Zwack. – Zwick! Oben einen Zwick! Gleich nach der ersten Winkelbewegung ... Ihr müßt nur mal genau hinsehen.«

»Zickezacke-zwickezwacke ... Quatsch!« empörte sich die Tuba. »Das ist Stumpfsinn! Ihr macht einen noch gänzlich meschugge! Der Poldi soll ran. Mischa, ruf den Poldi!«

Ein ranker, schlanker Bratscher trat hinzu. »Poldi, mach uns mal einen Abstrich à la Furtwängler vor. Richtig! So, Jungens, und jetzt drauf, bis es sitzt!« Poldi wirbelte mit dem Taktstock, und siehe da, nach dem zehn-plus-x-ten Mal klappte es tatsächlich dreimal hintereinander. Das Blech kehrte hocherfreut in den Graben zurück.

Furtwängler stand bald wieder auf dem Podium. »So, meine Herren. Wir nehmen uns die böse Stelle noch einmal vor.« Furtwängler befleißigte sich stets eines ausgesucht zuvorkommenden Tones, im Gegensatz zu gewissen Kollegen, etwa Otto Klemperer, dem es mitunter Spaß zu machen schien, die Musiker zu beleidigen. »Also aufgepaßt, rrrätsch!« Die Blechgruppe war derart perplex über den geraden Schlag, daß die Stelle wieder völlig danebenging.

»Siehst du, Max!« schrie Furtwängler verzweifelt, »die können das einfach nicht. Es wird hier nie gehen!«

Das Mißverständnis wurde klargestellt, aber soviel bekannt ist, hielt Furtwängler für den Rest seines Lebens an seinem Zicke-Zacke-Schlag fest. Möglich, daß er – im übertragenen Sinne – auch in den kritischen »tausend Jahren« eine Linie einschlug, aus der niemand klug werden kann ...

Meine Erinnerungen an Wilhelm Furtwängler schließen mit einer versöhnlichen Note. Ich habe die Begebenheit nicht miterlebt, aber Therese Schnabel hat sie mir erzählt. Der Ort: das Terrassenrestaurant des Festspielhauses von Luzern mehrere Jahre nach dem Krieg. Artur Schnabel ruhte zu Füßen der Mythen im Kanton Schwyz, Therese saß mit alten Berliner Freunden beim Tee, als hoch, eckig, von weither zu erkennen, Wilhelm Furtwängler auf der Terrasse erschien. Er ließ sich mit etwas Abstand an einem Nebentisch nieder, blickte von Zeit zu Zeit freundlich signalisierend herüber und versuchte Kontakt aufzunehmen. Aber der Berliner Tisch nahm keine Notiz von ihm, und Frau von Mendelssohn, die Furtwängler direkt gegenübersaß, blickte schnurgerade über seinen Kopf hinweg. Das hielt Therese nicht mehr aus. »Bei Fischer, der weiß Gott wie lange in Deutschland geblieben ist, dort gespielt hat und das wirklich nicht nötig hatte, da sagt ihr nichts«, erklärte sie. »Aber bei Furtwängler ..., nein, das ist ungerecht.« Und Therese, obwohl nicht mehr die jüngste und dazu mit ihrem bösen Knie, erhob sich, ging zu Furtwängler hinüber und drückte ihm demonstrativ die Hand.

Übrigens aus dem gleichen Grund wie Wilhelm Furtwängler bat mich ein paar Jahre später ein anderer berühmter Musiker um meine Vermittlerdienste. Im Zug nach Chicago traf ich zufällig auf Walter Gieseking, er setzte sich zu mir, und wir plauderten von meinem bevorstehenden Konzert unter Bruno Walter. Ob ich ihn nicht mit Bruno Walter zusammenführen könne, bat er mich. Er habe ihm Wichtiges zu sagen. Ich dachte an Furtwängler, seinen Wunsch ahnend. Natürlich übernahm ich den Liebesdienst. Die Begegnung ließ sich auch ohne weiteres in die Wege leiten, sie fand vor dem Konzert im Künstlerzimmer statt.

Das Treffen, das ich selber arrangiert hatte, war mir gänzlich entfallen, als ich versehentlich ins Künstlerzimmer hereinplatzte. Der mit dem Rücken gegen die Wand hoch aufgerichtete Gieseking hielt eben Vortrag, ihm gegenüber saß Bruno Walter, in Gedanken versunken. Ich entschuldigte mich für die Störung, trat sofort den Rückzug an.

Nach dem Konzert nahm ich Bruno Walter am Arm. »Nun?« wollte ich wissen. »Was hat er gesagt?«

»Er hat mir des langen und breiten beteuert, er sei kein Nationalsozialist gewesen.«

»Und was haben Sie geantwortet?«

»Dann ist das um so besser für Sie.«

»Und werden Sie mit ihm spielen?«

Bruno Walter seufzte. Dann schüttelte er kaum merklich den Kopf.

Casals Freunde werden meine Freunde

In Prades gewann man mehr Freunde in einer Woche als auf einer Konzertreise in einem Jahr. Ich möchte nicht mißverstanden werden. Immer wieder begegnete ich liebenswerten Menschen, die mir Komplimente machten und es sicher aufrichtig meinten. Sie schrieben mir Briefe, sie hofften, daß ich mit ihnen in Verbindung bleiben, mich, wenn ich das nächste Mal in ihrer Stadt aufkreuzte, melden würde. »*Do* give us a call!« Das war allein schon aus zeitlichen Gründen ausgeschlossen. Und um die Korrespondenz aufrechtzuerhalten, hätte es eines Sekretariats bedurft. Die Briefe freuten mich, ich las jeden einzelnen zu Ende, aber dabei mußte es sein Bewenden haben. Etwas anderes war es, mit Kollegen zusammenzusein, mit denen man fachsimpeln, von denen man lernen konnte und mit denen man viele Freunde gemeinsam hatte, die dieselbe Sprache sprachen. Meine Freundschaft mit Myra Hess, Rudi Serkin, Jennie Tourel, Isaac Stern ist pradesianischen Ursprungs. Myra Hess, mit dem Adelsprädikat »Dame« ausgezeichnet, war eine der überragenden Klavierkünstlerinnen des Jahrhunderts. Sie war befreundet mit Bruno Walter, mit dem sie oft konzertierte und der ihr Mozartspiel außerordentlich schätzte. Da hatten wir ein unerschöpfliches Gesprächsthema. Unter dem Eindruck von Schuberts A-Dur-Sonate Opus 162, die sie mit Josef Szigeti gespielt hatte, sowie eines Klaviertrios und -quartetts von Brahms mit Szigeti/Casals beziehungsweise Szigeti/Katims/Tortelier unterhielten wir uns über die erhabene Wirkung der Musik.

Ich sagte: »Große Musik allein genügt nicht. Sie bedarf, wie das heute bei Ihnen der Fall war, einer adäquaten Interpretation.«

»Und eines geeigneten Rahmens«, fügte Dame Myra hinzu. »Der Rahmen ist wichtig. Damit meine ich nichts Äußerliches, sondern die innere Einstellung, die Aufnahmebereitschaft des Zuhörers.« Und sie erzählte mir von den Konzerten, die sie bald in Museen, bald in Luftschutzräumen veranstaltet hatte, während über London die Bomben niedergingen. »Die Konzentration der Hörerschaft war erstaunlich, und das wirkte sich auch auf unsere Leistung aus. Wir gaben den Ball zurück, das Publikum fing ihn auf, und so potenzierte sich das. Ich habe nie konzentrierter musiziert, nie näher der Mitte, wenn Sie verstehen, was ich meine.«

Stunden fröhlichen Beisammenseins, die sich traditionell an manch eine Aufführung anzuschließen pflegten, habe ich viele erlebt. Nirgends waren wir Künstler ausgelassener als in Prades, was einfach damit zusammenhing, daß wir uns hier so wohl fühlten. Auch der Maître genoß es, sich an Klamauk zu beteiligen, zum Beispiel als er sich von mir verkleiden ließ und als pfeifenqualmende Matrone an den Tisch setzte. Den Vogel schossen indessen eindeutig Sascha Schneider und Paul Tortelier ab, als sie, notdürftig mit ein Paar Pfannendeckeln umgürtet, im Adamskostüm aus der Küche hervorstürmten und mit allerlei Küchenutensilien aufeinander losgingen. Das Kollegenpublikum spaltete sich auf in eine Sascha- und eine Torti-Partei und schrie sich heiser, bis schließlich der eine der tapferen Gladiatoren ächzend und stöhnend zusammensank. Das waren nicht bloß ausgelassene Erlebnisse, sondern heilsame Entspannungsriten nach den Anstrengungen eines Konzerts.

Neben Bachkantaten sang ich in Prades Lieder, 1952 Schumanns Zyklus »Frauenliebe und -leben« mit Leopold Mannes, 1953 einen Strauß Schubert-Lieder mit William Kapell am Flügel. Den Schumann-Zyklus umrahmten die vorhin erwähnten Ensemble-Werke von Schubert und Brahms. Es ist nicht zuviel gesagt, wenn ich meinen Begleiter Leopold Mannes als die vielseitigste Musikerpersönlichkeit bezeichne, die mir jemals begegnet ist. Er war nicht nur ein hervorragender Pianist, sondern er hatte auch maßgeblich zur Erfindung der Farbfotografie beigetragen. Er komponierte, trat als Solist mit Orchestern auf und bereiste Amerika mit seiner Kammermusikformation, dem

Mannes/Gimpel/Silva-Trio. Mit meiner neuen Managerin und Freundin Thea war Mr. Mannes der Meinung, ich müsse mein Glück in Amerika versuchen. Und er bot sich mit der ihm eigenen Großzügigkeit an, ein Defizit in New York, falls es dazu kommen sollte, aus der eigenen Tasche zu begleichen.

Zwei weitere Prades-Kollegen, Clara Haskil und Mieczyslaw Horszowski, kannte ich bereits, Clara seit Braunwald, Mütschu seit Zermatt, wo ich 1951 an den ersten Sommerkonzerten und Meisterkursen dabei war. Auch diesem Unternehmen prägte Pablo Casals den Stempel seiner Persönlichkeit auf. Insofern waren Prades und Zermatt verwandt. Die Zermatter Musikwochen gehen auf die Bemühungen des Cellisten Paul Grümmer und des Ehepaars Dr. Franz und Viktoria (»Tory«) Seiler-Vogt zurück, letztere die Tochter des 1936 verstorbenen Luzerner Hotelarchitekten Emil Vogt, dem Erbauer einer Reihe international bekannter Hotelbauten wie beispielsweise des Monopol und Metropols in Luzern, des Grand-Bretagne in Athen, des King David in Jerusalem. In den Jahren nach der Weltkrise von 1929 waren Franz und Bruder Josef Seiler die führenden Köpfe der Seiler-Hotel AG (seit 1855 Eigentümerin der Zermatter Hotels Mont Cervin, Monte Rosa und Seilerhaus), Franz als Jurist, Finanzmann und Organisator; Josef, der erste Direktor des King David, als Hotelpraktiker. »Was würden unsere Zermatter machen, wenn das Matterhorn eines Tages nicht mehr da wäre?« war ein Leitspruch Franz Seilers in den Nachkriegsjahren, als es nur wenige ausländische Touristen gab und das Gastgewerbe wieder einmal mit Schwierigkeiten zu kämpfen hatte. Es mußte etwas getan werden, um die Maschine neu anzukurbeln. Das Image der eispickelbewehrten, knöchellang berockten viktorianischen Matterhornbezwingerin war zwar ein Ding der Vergangenheit, aber dennoch . . ., ein Schuß jungen Bluts war gefragt. Und falls sich so ganz nebenbei die Saison etwas verlängern ließe, würde das auch nichts schaden.

Aus den Gesprächen zwischen Seilers und Grümmer zeichnete sich allmählich die Idee der Zermatter Musikwochen ab. Ich lernte Paul Grümmer um 1950 herum im Hause Heinrich Wagners kennen, wo mir Pablo Casals ebenfalls zum erstenmal begegnet war. Grümmer, dessen Name in einem Atemzug zu nennen ist mit Hugo Becker, Casals und Piatigorsky, erweckte – ähnlich wie Wanda Landowska das

Cembalo – die Viola da gamba zu neuem Leben. 1919 war er Gründungsmitglied und bis 1930 Cellist des Busch-Quartetts gewesen und, so man Franz Seiler Glauben schenken wollte, seinem Nachfolger Hermann Busch überlegen. (Seiler: »Kinder, habt ihr Buschs neue Aufnahme von Beethovens Opus 132 gehört? Nichts gegen Hermann Busch, aber mit Grümmer war's halt *noch* schöner!«)

Die ersten Zermatter Veranstaltungen von 1951 organisierte Alexander (»Xandie«) Seiler, der Sohn von Franz und Tory, während der Semesterferien. Es war ein vielversprechender Anfang. Grümmer leitete einen Kammermusikkurs, der Bariton Gerhard Hüsch, gefeierter Papageno der dreißiger Jahre, mit Hans-Willi Haeusslein einen Kurs für Liedinterpretation. Etwa ein Dutzend Teilnehmer schrieben sich ein. Ein Jahr danach übernahm Casals einen Bachkurs, mit einem Mal kamen fünfzig Cellokästen angereist, und die Organisatoren hatten alle Hände voll zu tun. Denn es ging aufwärts, immer mehr Künstler fanden sich ein: Clara Haskil, Paul Baumgartner, Josef Szigeti, Karl Engel, das Végh-Quartett, Mieczyslaw Horszowski, Wilhelm Backhaus, Yehudi Menuhin, der junge Alfred Brendel, Rudolf Baumgartner mit den Festival Strings Lucerne und – Maria Stader.

Die Mitwirkung in Zermatt – und dabei vor allem die Freundschaft mit Franz und Tory Seiler – gehört zu meinen beglückendsten Erinnerungen überhaupt. Da war Tory, Psychoanalytikerin und Ärztin, eine der ersten Mitarbeiterinnen Leopold Szondis, hochgebildet und bei allem Intellekt so herzlich. Wie innig liebte sie die Musik! Ich werde es niemals vergessen, wie mir ihre Augen entgegenstrahlten, wenn sie mich kommen sah, wie breit sie ihre Arme öffnete: »Maieli, bist endlich auch wieder da!« Und Franz: hochmusikalisch, als Geiger größtenteils Autodidakt, ein Kammermusiker aus Leidenschaft. 1951, im ersten Zermatter Musikjahr, musizierte er mit im Ensemble Anton Fietz (1. Violine), Margot Grümmer, Paul Grümmers Schwiegertochter (Viola) und Paul Grümmer. Einige Zeit später erlitt Franz Seiler einen Gletscherunfall und verletzte sich die Hand derart schwer, daß er seither nicht mehr geigen konnte.

Nicht anders als in Prades wurde auch in Zermatt ausgiebig »g'fäschtet«. Eine Polizeistunde kannte man dort praktisch nicht. In der Halle des Hotels Mont-Cervin saßen Karl Engel und Hans-Willi Haeusslein am Klavier und ersetzten zwei Tanzorchester und den Conférencier dazu, wobei das Staderli die Kühnheit hatte, eines Sonntagvormittags in der Zermatter Kirche zu singen – eine für Chor und kleines Orchester von Franz Seiler für mich komponierte Marien-Arie – ohne auch nur den Zipfel des Bettlakens erblickt zu haben. Und auch die älteren Semester, nicht zuletzt Casals, machten eifrig mit, genossen es in vollen Zügen. Die Lebensfreude dieser Menschen! Solche Augenblicke müßte man festhalten können. Sang ich Mahlers Vierte:

Wir führen ein englisches Leben!
Sind dennoch ganz lustig daneben!
Wir tanzen und springen,
wir hüpfen und singen!
Sanct Peter im Himmel sieht zu!

hielt ich die Erinnerung daran in mir wach.

Wenn von Festen die Rede ist, dann möchte ich stellvertretend für viele andere das glanzvolle Bankett herausgreifen, zu dem der von Franz Seiler damals präsidierte Schweizerische Hotelierverein Anfang der fünfziger Jahre nach einem Konzert in Luzern einlud. Assistiert von einem Heer weißbemützter Helfer hatten die Chefs de cuisine der ersten Schweizer Hotels ein sagenhaftes Buffet aufgebaut. Zu Dutzenden standen sie schöpflöffelbewehrt hinter der nahezu endlosen, mit kunstvollen Aufsätzen und in Butter gegossenen Skulpturen bereicherten, mit Leckerbissen belegten Tischreihe und luden wie die Prinzen aus dem Schlaraffenland zum Schlemmen ein. »Mütschu« Horszowski und ich, die solistisch aufgetreten waren, sollten den Anfang machen. Wir wurden zum Buffet geführt, aber ich war unfähig zuzugreifen. Womit sollte ich beginnen? Etwa beim Hors d'Œuvre riche? Sollte meine Hand die mit Krustaden, Miroirs, pikanten Eclairs, Gurkenschiffchen, Artischokenfächern und Heideröschen aus Meerrettichsahne verzierte Sülzpastete als erste durchbrechen, die Augenweide zerstören? Das tat mir im Innersten weh. Aber es kam noch etwas hinzu: der peinigende Gedanke an den Hunger in meiner Jugend. Der sitzt noch immer tief in mir. Ich werde gehemmt und überlasse es anderen, mich zu bedienen.

Mütschu war mein Tischherr an jenem Abend. Welch ein Gentleman! Er ist nicht viel größer als ich. Wenn wir tanzten, bildeten wir ein reizendes Paar. Mütschu ist Ehrenmitglied der Zermatter Bergführerkorporation und stolzer Träger des Bergführerabzeichens, ein sicherer Kletterer und Alpenfreund, der, was für die wenigsten Zermatter Künstler zutrifft, die Ortschaft mehrmals schon vom Gipfel des Matterhorns aus betrachtet hat. »So, Maria«, fragte er, »hast jetzt das Bergführerabzeichen endlich bekommen?«

Als Mütschu das Abzeichen erhielt, meldete ich mich ebenfalls als Anwärterin. Franz Seiler sagte: »Wir werden's Maieli von zwei Bergführern in einem Sessel hinauftragen lassen, und wenn es oben ist, bekommt es seine Auszeichnung.«

Aber darauf verzichtete ich.

Kapitel 27

Ich singe in Amerika

Als Miss Frances E. Willis zu Beginn der fünfziger Jahre amerikanische Botschafterin wurde, machte man in Bern und in anderen Orten der Schweiz ein langes Gesicht. War das als amerikanischer Wink mit dem Zaunpfahl gedacht? Eine Frau als Botschafterin? Und ausgerechnet in einem Land, wo die Männer ihren Frauen das politische Mitspracherecht verweigerten!

Ich lernte die charmante Botschafterin auf einem Ball der Gesellschaft »Schweizer Freunde der USA« kennen, dem sie als Ehrengast beiwohnte. Herrn Wagner hatte ich es zu verdanken, daß ich den Ball mit einer musikalischen Einlage bereichern durfte. Er arrangierte das nicht ohne Absicht. Eine Geschäftsreise führte ihn nach New York, und dort wollte er das Terrain für mich sondieren. Neben dem Empfehlungsschreiben Pablo Casals, fand er, könne ein gutes Wort der amerikanischen Botschafterin nichts schaden, das müsse auch auf Konzertmanager wirken. Miss Willis war von meinem Gesang angetan, schrieb einen reizenden Brief für mich, und damit bewappnet versuchte mich Heinrich Wagner zu »verkaufen«. So nennt man das im amerikanischen Busineß. Der Direktor eines der bedeutendsten Managements zeigte sich interessiert, versprach, mich vorsingen zu lassen, da er ohnehin nach Zürich komme, meldete sich tatsächlich aus dem

Hotel Baur-au-lac, gab sich geschäftig, ließ sich – nach erheblichem Aufwand an Telefongesprächen – dazu bewegen, einen festen Termin in Aussicht zu stellen, verschob ihn, verschob ihn ein zweites Mal, kam dann aber doch, erklärte sich von allem begeistert (»Ihre Zukunft liegt in Amerika! Sie werden von uns hören!«), reiste ab nach Wien und ließ mich sitzen.

Ich erwähne es, um noch einmal zu zeigen, daß bei mir durchaus nicht immer alles wie am Schnürchen lief, daß Hoffnungen begraben, Enttäuschungen verkraftet werden mußten.

Übrigens, der Herr Direktor tauchte wieder auf, viel später, als ich längst andere Dispositionen getroffen hatte. Er rief aus London an, erreichte mich in Lausanne, wo ich gerade sang. Anscheinend hatte er in Wien auf die falsche Karte gesetzt, seine Sängerin war ein Reinfall gewesen, nunmehr bekundete er wieder Interesse an meiner Person. Aber dieses Mal war es Madame Stader, die sich in der beneidenswerten Lage befand, überaus beschäftigt zu sein.

Inzwischen war ich in Prades gewesen, hatte Thea kennengelernt, waren die Fäden nach Amerika bereits gespannt. Für den 25. Januar 1954 war mein New Yorker Debüt geplant, in einem Orchesterkonzert der »Little Orchestra Society« unter Thomas Sherman, mein Debüt als Liedersängerin sollte am 1. Februar stattfinden, in der Town Hall. Leopold Mannes würde mich, wie versprochen, begleiten.

Das sollte meine erste transkontinentale Reise werden und ich war schrecklich aufgeregt. In Europa hatte ich in allen Konzertzentren Fuß gefaßt; würde mir der Sprung über den Atlantik gelingen? Und falls er nicht gelänge, wie würde sich das auf die europäische Karriere auswirken? Amerika war ein heißes Pflaster, das wußte ich von Kollegen. Und besonders New York. Da wurde mit »visiting artists« kein langes Federlesen gemacht. Empfehlungsschreiben, europäischer Ruf, HMV-Platten hin oder her. Dort hieß es »up« oder »down«, wie im römischen Gladiatoren-Zirkus, und wer darüber entschied, ob »up« oder ob »down«, das waren in erster Linie die Kritiker.

Während ich in der Swissair-Maschine (Erster Klasse – das Geschenk eines Verehrers), wohlversehen mit Champagner und Kaviarbrötchen, dem Flughafen Idlewild entgegenbrauste, wo, wie mir Thea eingetrichtert hatte, neugierige Journalisten und Fotografen auf mich warteten, wo ich mit einem Blumenstrauß unterm Arm würde posieren und »cheese« sagen müssen, wo Interviews und Partys organisiert waren, dachte ich an den Kanton Aargau, der fahrende Musiker dem Hausierergesetz unterstellte. Eine merkwürdige Gedankenverbindung, doch gerade jetzt, auf dem Flug über den Ozean, kam mir ein Erlebnis »made in Switzerland« in den Sinn:

Im Herbst 1946, als mein Mann mit dem Winterthurer Stadtorchester in seiner Heimatstadt Aarau musizierte, trat in letzter Minute ein Mann ins Künstlerzimmer und verkündete:

»Das Konzert kann nicht stattfinden.«

»Und wer sind Sie?« fragte mein Mann.

»Sind Sie da verantwortlich?« fragte der andere zurück.

»Ja«, erklärte Hans. »Ich bin der Dirigent. Erismann.«

»Frieden. Vom Kantonalen Patentamt.«

»Freut mich, Herr Frieden. Und was, wenn ich bitten darf, gibt dem Kantonal Aargauischen Patentamt die Befugnis, mein Konzert untersagen zu wollen?«

»Sie haben keine Bewilligung.«

»Davon weiß ich nichts.«

»Jetzt wissen Sie's aber!«

»Ja, aber Donnerwetter noch mal! Wo bekommt man die Bewilligung?«

»Bei mir.«

»Dann stellen Sie sie sofort aus. Das Konzert beginnt nämlich in drei Minuten.«

»Jäso! So ohne weiteres geht das nicht.«

»Wieso nicht?«

»Da muß ich erst ein paar Auskünfte haben.«

»Was für welche?«

»Wie heißen Sie?«

»Erismann. Ich habe es Ihnen ja schon gesagt.«

»Waaas Erismann! Sie werden doch wohl einen Vornamen haben!«

»Hans Erismann.«

»Erismann mit oder ohne h?«

»Ohne!«

»Und wohnen wo? Haben Sie festen Wohnsitz?« Hier kniff Herr Frieden die Lippen zusammen.

»In Zürich.«

»Wo in Zürich?«

»Hirslanderstraße 18.«

»Und von Beruf? Was machen Sie beruflich?«

»Ich bin Musiker.«

»Soso ... Musiker. Ja, und damit verdienen Sie Ihren Lebensunterhalt?«

»Natürlich. Ich bin Chordirektor und Kapellmeister am Zürcher Stadttheater, der Oper. Und wenn Sie das bestätigt haben wollen, können Sie morgen bei Direktor Zimmermann anfragen. Aber jetzt machen wir Schluß.«

»Nanein. Das geht nicht so schnell. Erst müssen Sie die Gebühr bezahlen.«

»Wieviel?«

»Sieben Franken fünfzig. Aber für Sie fünf Franken.«

»So. Das ist ja nett von Ihnen.«

»Weil Sie festen Wohnsitz haben.«

Mein Mann fand seine Brieftasche nicht.

»Laß das!« sagte ich. »Ich hab bestimmt ein Fünffrankenstück.«

Herr Frieden erhielt den Obolus und stellte dafür folgendes Dokument aus:

Bewilligung

Nr. 835
Dem Herrn Kapellmeister Hans Erismann in Zürich wird gestützt auf Art. 4 e des Hausierergesetzes vom 12. März 1879 das Abhalten eines Orchestergastspieles mit dem Winterthurer Stadtorchester am 11. Oktober 1946 in Aarau bewilligt.
Gebühr: Fr. 5.– (reduziert)

Kant. Patentamt
Frieden

Wir haben das »Dokument« einrahmen lassen und aufgehängt. Wir fanden, es sei ebenso gut wie ein alter Stich, auch ein Stück schweizerische Kulturgeschichte.

Es war ein herrlicher Flug. Als sich die Maschine, einen weiten Kreis über New Yorker Vorortsbezirke ziehend, dem Boden näherte, sah man Reihe an Reihe, dicht nebeneinander Autodach an Autodach. Ich begann zu zählen, kam natürlich nicht weit, es müssen Hunderte, Aberhunderte gewesen sein. »Herrgott!« sagte ich zur Dame neben mir. »Haben *die* Autofriedhöfe!« – Die Dame sagte nichts. Schaute mich groß an. Nachher stellte sich heraus, daß es gewöhnliche Parkplätze waren.

Am Vortag meines Konzerts mit Leopold Mannes wies ein Inserat in der New York Times auf diesen Anlaß hin. Auf derselben großformatigen Seite wurde links davon, rechts davon, darunter und darüber mit gleich großen Inseraten noch auf die folgenden Veranstaltungen aufmerksam gemacht: auf Recitals von Alexander Brailowsky, Gina Bachauer, Guiomar Novaes, Friedrich Gulda, Artur Rubinstein, Paul Badura-Skoda, Byron Janis, Claudio Arrau, Walter Gieseking, Myra Hess, Jacques Abram, Robert Goldsand, dann Soloabende von Heifetz, Francescatti, Erica Morini und Pierre Fournier, des Cembalisten Ralph Kirkpatrik. Dreimal die Woche dirigierte Dimitri Mitropoulos das Boston Symphony Orchestra, dazwischen Pierre Monteux als Gast das Boston Symphony Orchestra, Ormandy das Philadelphia Orchestra, Antal Dorati das Minneapolis Symphony Orchestra. Angesagt waren ferner Hans Hotter mit Schuberts »Winterreise«, das berühmte singende Ehepaar Jan Kiepura/Marta Eggerth, Yma Sumac, die »Inca-Prinzessin«, die vom siebengestrichenen Fis bis hinunter ins Kontra-As kam und von der man sagte, sie heiße in Wahrheit Amy Cumas und stamme aus Idaho, Andres Segovia, der belgische Sopran Suzanne Danco, das Végh-Quartett, Andre Kostelanez, die Saidenberg Little Symphony, das New Music Quartet, das Kroll-Quartett, ein Ensembleabend mit Artur Balsam, Lilian Fuchs und Beveridge Webster, das Englewood Collegium Musicum, die Balladensänger Marais und Miranda, und noch mindestens ein Dutzend weitere Namen, die keine Assoziationen bei mir hervorriefen: Regina Pudney, Soriano, Vera Franceschi, Catherine Reiner, Paula Ushen, Erich Itor Kahn, Inez Palma, Anne DeRamus, Calliope Shenas, Lilly Windsor, Paul Kessler, Elly Kassmann, Camilla Wicks, Charles Milgrim . . ., alles Solisten, die auf einen gut besetzten Saal hofften, wie ich auch.

»Wird da überhaupt jemand zu *mir* kommen?« fragte ich meine Freundin Hella Sachs.

Hella, attraktiv, intelligent, immer auf dem laufenden, sagte: »Du kennst deine Thea noch nicht.«

Ich wohnte bei Hella, dieses Mal und noch viele Male später. Sie hatte gesagt: »Erspar dir die teuren Hotels. Du kannst bei mir im Wohnzimmer schlafen. Dort gibt es eine bequeme Couch, die man in ein Bett verwandeln kann.« Wie dankbar war ich doch, schon vom ersten Tag an ein kleines Heim zu haben. In diesem Monstrum einer Stadt!

Hella kommt aus Prag, aus großem Hause. Ihre Mutter wußte, daß Studenten oft genug knapp bei Kasse waren, mitunter sogar hungerten. Sie richtete einen Studententisch bei sich ein, wie seinerzeit in Zürich Erica von Schulthess den »Tisch der Jugend«. Wöchentlich kamen die jungen Leute: Tschechen, Österreicher, Deutsche, Ungarn, um sich für die nächsten Tage sattzuessen. Manchmal brachte einer ein paar Nelken mit. Oder im Frühjahr Osterglocken. Sie mochten Hellas Mutter gern.

Dann kam der Krieg. Die Besetzung. Hellas Mutter wollte nicht weg. Eines Tages wurde sie abgeholt. Trotz Studententisch. Man brachte sie in ein Gefängnis. Sie wurde krank, brauchte dringend einen Arzt. Sie lag stöhnend auf einer Pritsche unter vielen Menschen, in einem langen, vergitterten Gang. Eine einzelne elektrische Birne hing irgendwo herab und spendete fahles Licht. Man rief nach Hilfe für die alte Frau. Endlich polterten Stiefel auf der Treppe, rasselten Schlüssel. »Was ist hier los? Was soll dieser Radau?« Ein deutscher Offizier kam herein.

»Diese alte Frau ist krank«, sagte jemand. »Sie muß einen Arzt haben. Sie wird sonst sterben.«

»Bringt die Alte hierher!« befahl der Offizier, »wo Licht ist.« Sie wurde gebracht. »Nein, umdrehen! Zeigen! Kopf drehen!«

Der Offizier fuhr zusammen. »Frau Doktor Morawetz! Um Himmels willen! Was machen *Sie* denn da?«

Er war einst Student in Prag gewesen. Hatte oft bei ihr gegessen, Osterglocken gebracht.

»Ich weiß es nicht«, flüsterte die Kranke. »Ich weiß nicht, was ich verbrochen habe.«

Sie kam in die Klinik. Eine Weile ging es besser. Sie konnte sogar Briefe schreiben. Dann wurde sie abtransportiert, verschwand, wie Hunderte, Tausende, Hunderttausende. Wie Mama Schnabel.

Hella und ich, wir saßen am Fenster, betrachteten die gegenüberlie-

Schnabel-Freunde und Schnabel-Schüler mit Familie Schnabel in Tremezzo am Comer See 1938. Im Zentrum Professor Artur Schnabel in Weiß. Therese Schnabel hält sich bescheiden im Hintergrund und blickt ihrem Mann über die Schulter. Rechts neben Therese steht Karl-Ulrich Schnabel, Arturs älterer Sohn, gleichfalls Pianist. Zweite Dame von rechts ist Elli Herold-Schnabel, eine »Jugendsünde« Arturs. Eines Tages tauchte sie in Berlin auf, sagte »Guten Tag, Papa!« und wurde von Therese und Artur herzlich aufgenommen. Der Elli umgelegte Arm gehört dem Schnabel-Biographen Cesar Saerchinger, hinter Saerchinger befindet sich Peter Diamand, damals Arturs Faktotum, später bekannter Leiter europäischer Festivals. Stehend von links Frau und Herr Szymon Goldberg, gewesener Konzertmeister der Berliner Philharmoniker. Hinter Frau Goldberg der Kopf Marianne Islers, Marias Freundin, neben ihr der NZZ-Kritiker und Fraumünsterorganist Ernst Isler, ihr Vater. Der Mann, dessen Fuß auf den Schultern des Knaben ruht, ist der Schauspieler Stefan Schnabel, der jüngere Sohn. Der Junge in kurzen Hosen gewann 1952 den Preis der Königin Elisabeth der Belgier. Damals war Leon Fleisher zehn Jahre alt. Für den Fotografen legte Artur Wert darauf, sich bei seinem »Mariechen« einzuhängen.

Ilona Durigo, Altistin. Sie unterrichtete Maria in Zürich.

Therese Schnabel-Behr. Marias Gesangsmeisterin in Tremezzo.

Bei Giannina Arangi Lombardi empfing Maria den letzten Schliff.

Franz Rupp am Flügel. Nach einem Hauskonzert bei Generalkonsul Dr. Hans Lacher in New York sagt Maria Stader ein Encore an. Mit Franz Rupp, vormals Begleiter von Heinrich Schlusnus und von Marian Anderson, konzertierte Maria Stader Saison für Saison in Amerika. Sie liebte Rupps orchestralen Klavierklang.

London 1951. Nach einem Konzert mit Edwin Fischer und seinem Kammerorchester in der Goldsmith's Hall spendet Edwin Fischer Applaus. Auf Einladung des Schweizerischen Botschafters sang Maria Stader vor Londons High-Society. Maria empfand es als Auszeichnung, mit ihrem berühmten Landsmann aufzutreten.

HOSIANNA

Vergnügtes Beisammensein mit Walther Bringolf. Freundschaft verbindet Maria Stader mit dem ehemaligen Stadtpräsidenten von Schaffhausen, Nationalratspräsidenten

und »grand old man« der schweizerischen Sozialdemokratie. Sie lernten sich kennen, als Maria Stader beim Internationalen Bach-Fest in Schaffhausen engagiert war.

Bewunderer der Künstlerin, treuer Gast beim Internationalen Bach-Fest war Hermann Josef Abs, damals Vorstandssprecher des Aufsichtsrats der Deutschen Bank.

Nach der schweizerischen Nationalfeier in Washington. Mit Botschafter Felix Schnyder. Maria hatte vor viertausend Mitbürgern »Es Buurebüebli mag i nöd« gesungen.

Auftakt zur ersten Amerikareise. Autogramm für Botschafterin Miss Frances E. Willis. Der Präsident der »Schweizer Freunde der USA«, Walter E. Herzog, schaut zu.

Israel 1956. Besuch beim Staatspräsidenten. Von links: Heinz Rehfuss, Marianna Radev, Präsidenten-Ehepaar Ben Zwi, Ferenc Fricsay, Maria Stader, Gabor Carelli.

Minister mahnt Kunstbotschafterin: »Liebe kleine Nachtigall, passen Sie mir auf die Stimme auf!« Bundesrat Philipp Etter übermittelte wiederholt den Dank der Landesväter. Als schweizerische Bach- und Mozartsängerin, als Interpretin des deutschen Liedes und Musikerin von Gottes Gnaden wurde der Name Maria Stader in allen Erdteilen zu einem Begriff. Dem Beispiel ihrer Lehrerin Ilona Durigo folgend, setzte sich Maria Stader für das Liedschaffen Othmar Schoecks ein. Auch dafür dankte Dr. Etter als Präsident der Othmar Schoeck-Gesellschaft.

gende Seite des Central Parks, die dreißigstöckigen Gebäude, die kleineren und größeren Wolkenkratzer. Hotel Savoy. Hotel Pierre. Abenddämmerung. Allmählich flackerten Lichter auf. Hunderte, Tausende, Hunderttausende.

»Machen wir Licht«, sagte Hella.

Anderntags beim Frühstück wiederholte sie: »Du kannst dich auf unsere Thea verlassen. Du brauchst dir bestimmt keine Sorgen zu machen.«

Ich besuchte Thea Dispeker in ihrem Büro im 17. Stock. Da ging es zu wie in einem Bienenhaus. Ununterbrochen läutete das Telefon. »Carnegie Hall? Nein, ausgebucht im November.«

»Tag, Maria!« Klingel, klingel! »Tschuldigung! Ja, Dispeker speaking. Oh, hello George! Ja, ich hab mit Columbia gesprochen.«

Inzwischen blätterte ich in einigen Magazinen. Da lag auch der Spielplan der Met. Jeden Abend Oper. Am Montag, an meinem Konzerttag »Bohème«, mit Albanese, Bjoerling, Merrill, Siepi. Dienstag: »Forza del destino« mit Milanov, Baum, Warren. Mittwoch: »Così fan tutte« mit Steber, Peters, Tucker. Donnerstag »Die Walküre«; Freitag »The Rake's Progress«; Samstag »La Traviata« mittags und »Don Giovanni« abends, Debüt von Fernando Corena ... Mir war schwindelig.

»Na, Maria, wie geht's? Was sagst du zu deinem Bild in ›Musical America?‹« Bild? Ich? »Und da dein Interview. Das ist gut angekommen. Und mit Pat habe ich einen ›Press-Release‹ für morgen abgemacht. Übrigens hat sich der Generalkonsul gemeldet. Bundesrat Etter hat ihm geschrieben, er möge sich deiner annehmen. Die Swiss-Society ist mobilisiert. Und morgen gebe ich eine Party für dich. Hast was zum Anziehen? Wart, das arrangiert sich.«

Ein Druck auf einen Knopf beorderte eine junge Dame herein. »Polly, Miss Stader will sich heute einen neuen Hut kaufen. Machen Sie sich frei und gehen Sie mit ihr. Zu Lord & Taylor. Oder Bloomingdale.«

Wir verabschiedeten uns.

»Tschüs, Maria. Übrigens sind verschiedene Glückwunschtelegramme gekommen. ›Hals- und Beinbruch‹. Da eines von Rudi Serkin. Und sag Hella, sie soll bei Gelegenheit die Blumen holen. Unser Office hat sie bestellt. Und Olga bittet dich, anzurufen ...«

So ging das ununterbrochen weiter. Ich bin sechsunddreißigmal in Amerika gewesen, hatte Zeit, mich daran zu gewöhnen.

Olga. Meine liebe Freundin Olga Forrai darf ich nicht vergessen. Man erzählte mir, sie habe einst eine phantastische Carmen gesungen. Das konnte ich mir sehr wohl vorstellen. Sie und ihr Mann kamen rechtzeitig nach Amerika. Dr. Demant mußte sämtliche Prüfungen wiederholen, wurde aber auch in New York ein gefragter Zahnarzt. Wenn ich heute nach New York gehe, nimmt sie mich wie eine Schwester auf in ihrem geschmackvoll eingerichteten Mid-Town-House.

Was sagt die Presse?

Die beiden Abende: Konzert mit Thomas Sherman; Liederabend mit Leopold Mannes. Vollbesetzte Häuser. Noch mehr Telegramme. Noch mehr Blumen. Meine Freunde hatten ihre Schuldigkeit getan. Und ich? Über mich entschied die Presse. Auf ihre Berichte war Thea angewiesen, um für mich neue Engagements zu bekommen. Die Konkurrenz war, wie gesagt, enorm, das Niveau, wie man sich denken kann, außerordentlich hoch. Amerika hat alle Großen gehört. Vergleichsmöglichkeiten erziehen. Wer einen Josef Hofmann erlebt hat, wird wählerisch, wenn es um Chopin geht. Wer Elena Gerhardt, Frieda Hempel, Elisabeth Schumann, Lotte Lehmann im Ohr hat, stellt gewisse Ansprüche an eine Schubert-Gruppe...

Ich hatte noch nicht einmal meine ersten Kritiken. Ich dachte an Bruno Walter, bei dem ich mich einmal über einen Kritiker beschwert hatte. »Was, Kindchen? Sie studieren Kritiken? Sind Sie nicht erwachsen?« Ich dachte an die Onegin, die wegen schlechter Besprechungen in Tränen ausbrach. Auch George Szell konnte eine negative Presse schwer verstimmen. Gute Berichte trug er tagelang mit sich herum. Einmal führten wir Mozart miteinander auf, wozu er, der Orchesterbesetzung des ausgehenden 18. Jahrhunderts treu, sein großes Orchester auf Kammermusikformat zurechtstutzte. Jemandem sagte das nicht zu. In der Zeitung stand, der Dirigent habe sich dazu hergegeben, weil mein Stimmvolumen unzureichend sei. Man ließ kein gutes Haar an unserem Konzert. Als ich zur Wiederholung des Konzerts aufs Podium kam, erblickte ich zu meiner Verwunderung das versammelte Orchester, Streicher- und Bläsergruppe in voller Besetzung. Szell hatte sich also tatsächlich den Forderungen der Presse gebeugt. Daraufhin zögerte ich nicht, den Skeptiker von der Tragfähigkeit meiner Stimme zu überzeugen.

Als ich mich vor mehr als vierzig Jahren den Zürcher Konzerthabitués vorstellte, hatte ich das Glück, daß Kenner wie Willi Schuh, Ernst Isler und Fritz Gysi meine ersten Schritte begutachteten. Ihr Urteil bildete die fruchtbare Grundlage für eingehende Diskussionen mit Frau Durigo, bei Schulthess-Geyers oder im engen Kreis bei Reiffs. Ich habe manches dabei gelernt.

Fairneß und das Bestreben, der Kunst und nicht der eigenen Eitelkeit zu dienen, das sind zwei Charakterzüge, die ich mir von einem Kritiker in jedem Fall wünsche. Auch eine Dosis Bescheidenheit und Ehrfurcht vor der künstlerischen Leistung an sich dürften nicht schaden. In Amerika sprach man in Musikerkreisen von einer Dame, die in der Redaktionsstube einer einflußreichen Zeitung das Zepter schwang und zu verkünden pflegte: »I'll make him!« beziehungsweise »I'll break him!« Ihr Ton war derart aggressiv und provokativ, auch angesehenen Künstlern gegenüber, daß sie sich allein damit einen Namen machte – eine Raubkatze, die von ihren Opfern lebte. Vor Jahren, noch vor dem Zweiten Weltkrieg, war ich einst in Winterthur in einem Recital Schnabels, neben mir, mit aufgeschlagenen Noten auf dem Schoß, wie Beckmesser die Schiefertafel den Notentext mit einem Rotstift bearbeitend, saß ein mir nicht unbekannter junger Mann, der vom Lokalblatt den Auftrag erhalten hatte, den Schnabel-Abend zu rezensieren.

»Was markieren Sie da die ganze Zeit?« fragte ich. Das ewige Gekritzel ging mir auf die Nerven.

Der junge Mann grinste schadenfroh. »Das ist die Schnabel-Ausgabe«, verkündete er triumphierend. »Und der Schnabel macht alles anders.«

Im zweiten Teil des Konzerts ging mitten in einem Sonatensatz das Licht aus. Totale Finsternis umgab uns, während Schnabel das Stück ungestört zu Ende spielte. »So!« bemerkte ich nicht ohne Genugtuung durch den Applaus hindurch. »Hoffentlich haben Sie trotzdem gesehen, ob er alles so gespielt hat, wie es in Ihrem Notenband steht.«

Mir fällt noch eine Begebenheit ein; sie ereignete sich während der Salzburger Festspiele. Ich hatte vormittags im Anschluß an die c-Moll-Messe, ich glaube nach dem Abendmahl, das nicht im Programm vorgesehene »Alleluja« zu singen. Abends saß ich als Zuhörerin im Konzert eines Kollegen und hörte unmittelbar hinter mir zwei Männerstimmen, die die Kirchenmatinee diskutierten, darunter »das ›Alleluja‹ der Schwarzkopf«. Wir, meine Freunde und ich, schauten uns an. Als ich darauf aufmerksam gemacht wurde, daß es sich um zwei Herren von der Presse handelte, die meine Stimme von derjenigen meiner Kollegin offenbar nicht zu unterscheiden wußten, kehrte ich mich um und sagte: »Das ›Alleluja‹ hat, bittschön, die Stader gesungen.« Es wurde ruhig hinter meinem Rücken. Einem anderen Herrn wurde der Umstand, daß ich imstande bin, auch die tiefere Tessitura einer Mezzosopranarie zu bewältigen, zum Verhängnis. Er verwechselte mich mit Hertha Töpper.

Zum Schluß dieses Exkurses eine Bemerkung aus der Feder des amerikanischen Musikkritikers Herbert Kupferberg, die ich einem Programmheft des »Philadelphia Orchestra« entnehme. Er schreibt: »Der erste Musikkritiker der Geschichte scheint der biblische König Saul gewesen zu sein, der, wie man sich erinnern wird, seinem Harfisten David einen Wurfspeer an den Kopf schleuderte, weil seine Melodien ihn nicht ausreichend besänftigten. Zum Glück ging der Schuß daneben, wie das bei Kritikern des öftern der Fall ist.«

Bereits am Tag nach meinem Debüt wurde in den führenden New Yorker Zeitungen über meine Mitwirkung im Thomas-Sherman-Konzert Gericht gehalten. Ich steuerte eine Scarlatti-Kantate und das »Exsultate« bei. Olin Downes in der »New York Times« war zurückhaltend. Er sagte lediglich, mein kommender Liederabend in der Town Hall werde mir Gelegenheit geben, meine Qualitäten besser zu demonstrieren. Immerhin brachte die »Times« mein Porträt. Die »Herald Tribune« (Francis D. Perkins) lobte Fluß, Gewandtheit und musikalisches Verständnis. Sie glaubte, eine Härte in meiner Stimme vernommen zu haben und schob ebenfalls ihr endgültiges Urteil noch auf. Miles Kastendieck (»New York Journal American«) hob meine hervorragend geschulte, etwas kühle Stimme hervor, Harriett Johnson (»New York Post«) meine Musikalität, Spontaneität, die Geschicklichkeit der Koloraturen, die liebliche Qualität der Höhe. Der allgemeine Tenor: mal abwarten.

Am 2. Februar hatte ich das abermalige Vergnügen dieses Spießrutenlaufens. Olin Downes schrieb in der »New York Times« drei

Spalten über Brailowsky, der am selben Abend wie ich in der Carnegie Hall gespielt hatte, mich würdigte er einiger Zeilen, sagte aber nur Gutes: »Sie verwendet ihre leichte, flexible, ausdrucksvolle Stimme mit großem Können in Mozarts, Schoecks, Schumanns und Mendelssohns Lieder. Höhepunkt des Abends war ihre sensible musikalische Interpretation des Schumann-Zyklus ›Frauenliebe und -leben‹«. Miss Perkins in der »Herald Tribune« fand, meine Stimme eigne sich besser für Lieder als für Zierarien. Sie bezog sich dabei auf Mozarts »Alleluja« im Sherman-Konzert. Sie tadelte mein Metall, wenn ich laut sang, fand die Stimme nichtsdestotrotz angenehm und künstlerisch produziert, rühmte Finessen in der dynamischen Schattierung, Differenzierungen des Ausdrucks und der Farbe, Verwirklichung der Atmosphäre eines Liedes. Ihr gefiel meine Einfachheit und Aufrichtigkeit, meine Fähigkeit, Intimes auszusagen. Insbesondere erwärmte sie sich für meine Kunst, den emotionellen Gehalt eines Liedes Wirklichkeit werden zu lassen, und sie nannte als Beispiele das zweite Lied im Schumann-Zyklus »Er, der Herrlichste von allen« und die Verzückung im dritten »Ich kann's nicht fassen«, zwei Gefühle, die ich eindrucksvoll zum Ausdruck gebracht hätte. Mr. Kastendieck war weniger wohlwollend. Ich hätte, sagte er, mit einer gewissen Auszeichnung gesungen, der Auszeichnung einer gut ausgebildeten Sängerin, die wisse, was sie tue, mit solider Musikalität und erstklassiger Diktion. Stimmlich fand er den Vortrag schmalspurig und begrenzt in der Farbe, aber innerhalb dieses Rahmens hätte ich klar und intelligent musiziert. Mozarts »Veilchen« gefiel ihm am besten. Einen totalen Verriß unterbreitete Harriett Johnson in der »New York Post«. Mein angekündigtes Recital habe gestern stattgefunden. Nachdem sie mich jetzt zweimal gehört habe, bedaure sie, den Schluß ziehen zu müssen, daß ich eine stimmlich inadäquate Sängerin von zweifelhafter Musikalität sei, ohne Inspiration. Sie schreibe diese harten Worte nicht unüberlegt. Es stimme, ich sänge manchmal einigermaßen rhythmisch, auch sei hie und da eine der höheren Noten oder die Art und Weise, wie ich eine Phrase fortspinne, schön. Aber ich sei stimmlich und musikalisch unausgeglichen, wobei die Untugenden die Tugenden ausbooteten. Ich neigte zu Übertreibungen, während Schuberts »Im Frühling« habe sie vor lauter Niedlichkeit kaum still sitzen können. Von der Vitalität in Schuberts »Hirt auf dem Felsen« hätte ich keine Ahnung. Zusammengefaßt mangle es mir an der Begabung, Musik zu kommunizieren und die gedruckte Seite zum Leben zu erwecken. Und obendrein zeige meine kleine Stimme Unebenheiten der Produktion.

Aufgabe des Künstlers ist es, weiterhin sein Bestes zu geben und den Kritikern notfalls zu zeigen, daß sie sich geirrt haben. Mr. Kastendieck besprach auch das Konzert vom 14. Februar 1957, als ich unter Bruno Walter drei Lieder von Gustav Mahler sang. Er schrieb: »Miss Stader sang die Mahler-Lieder im ersten Teil des Programms. Sie hat vielleicht keine besonders voluminöse, aber dafür eine wunderschöne Stimme. Sie sang mit einer solchen Einfachheit und Reinheit des Tones, mit solchem Zauber und solcher Künstlerschaft, daß sie das Publikum im Sturm eroberte.« Und über meine Mitwirkung in Mozarts c-Moll-Messe unter Eugene Ormandy berichtete die gestrenge Harriett Johnson von der »New York Post«: Maria Stader, Sopran, war überragend. Sie sang mit einer unwahrscheinlichen Reinheit und Schönheit des Stimmklanges, mit stimmlicher Leichtigkeit (»vocal ease«) und prachtvollem Stilgefühl.« Und ein Jahr später attestierte sie mir sogar »superb musicianship and sensitivity«, hervorragende Musikalität und Sensibilität.

Einen Anhänger meiner Kunst sollte ich in Paul Henry Lang von der »Herald Tribune« finden. Er nannte mich »a great artist«, und ein anderes Mal schrieb er, ich behandle meine Stimme wie ein geläutertes Instrument. Meine Intonation sei derart sicher und rein, daß er den Eindruck habe, es befände sich eine Klaviatur in meiner Kehle. Und Howard Taubman von der »New York Times« möchte ich nicht vergessen. Seine sachverständigen Rezensionen begleiteten mich bis zu meinem Abschied im Jahre 1969.

Alles in allem durfte ich zufrieden sein. Thea machte sich mit Hingabe ans Werk, und ich kam bald wieder nach den USA. Während ich Amerika zu erobern trachtete, hatte Amerika mich erobert. Der »American way of life«, die ungezwungene Art, Freunde zu gewinnen, die spontane Offenheit und Kontaktfreudigkeit des Amerikaners, seine großzügige Gastfreundschaft, das alles fand ich ebenso sympathisch wie einst »the English way of life«. In kürzester Zeit lernte ich unzählige nette Menschen kennen. Es waren freilich Tages-Freundschaften, man ging ebenso rasch auseinander wie man zusammenkam. Immerhin, manchmal ergab sich eine Freundschaft fürs Leben. Weit verbreitet waren Stehparties, die Platznot zur Tugend machen. Selbst Inhaber von Ein- oder Zweizimmerwohnungen laden fünfzig Leute ein. Wohin soll man sich da setzen? Ich kann mich noch gut an jenen Hausherrn erinnern, der, des Gedränges in seiner kleinen Wohnung überdrüssig, im Pyjama in der Badezimmertür erschien und sich ungeniert inmitten der Gästeschar ins Bett begab, während wir munter weitermachten. In New York sah ich aber auch Etagenwohnungen, die an räumlicher Ausdehnung dem Bahnhof einer Stadt mittlerer Größe glichen.

Wollte ich alle aufzählen, die sich in Amerika meiner annahmen, so könnte ich wie Artur Rubinstein nochmals zweihundert Seiten schreiben und wäre immer noch in Minneapolis, San Francisco oder Vancouver. Aber die Botschafterfamilien Bruggmann, Schnyder und, von London nach Washington übergesiedelt, de Torrenté dürfen nicht unerwähnt bleiben. Minister Bruggmann führte mich 1954 in Washington ein, ich kehrte 1956 und nochmals 1959 in die Botschaft zurück, sang vor erlesenem Publikum und wurde jeweils wie die Abgesandtin der neun Musen dem diplomatischen Korps vorgestellt. Bei dieser Gelegenheit machte ich die Bekanntschaft von Allen Dulles, der mir seine Schwäche für Schuberts »Die Forelle« gestand.

Ich erlebte reizende Dinge. Am Morgen nach einem Konzert in einer Stadt des mittleren Westens saß ich am Frühstückstisch. Ein graumelierter Schwarzer bediente mich, ein stattlicher Mann in schwarzer Hose und feuerrotem Gilet mit Goldknöpfen. Er servierte mir Grapefruit und Orangensaft. Als wir bei den Cornflakes angelangt waren, faßte er mich näher ins Auge.

»Pardon, m'am«, sagte er. »But ain't I seen you in the paper this mornin'?« (»Hab ich Sie nicht in der Zeitung gesehen heute morgen?«) Ich erklärte ihm, noch keine Zeitung gelesen zu haben, daß es aber möglich sei, da ich gestern in seiner Stadt gesungen hätte.

»Some write-up! Well, m'am«, fuhr er fort, wobei er die Cornflakes abräumte, »you don't deserve no cornflakes. You deserve caaa-viar!« (»Das nenn' ich mir eine Besprechung! Nun, gnädige Frau, Ihnen gebühren nicht Cornflakes, Sie verdienen Kaviar.«) Worauf er verschwand und mit einer ansehnlichen Fülle eisprickelnden Kaviars zurückkehrte. Der Leckerbissen wurde mir nicht angerechnet.

Noch vier Persönlichkeiten muß ich erwähnen: Dr. Hans Lacher, seine Frau Daisy, die Pianisten Paul Ulanowsky und Franz Rupp. Lachers waren meine unermüdlichen Helfer in allen Lebenslagen. Es ließe sich allein ein Buch darüber schreiben, was Dr. Lacher als Generalkonsul von New York für seine Schweizer Mitbürger tat, vor allem auch für Schweizer Künstler. Und in allem fand er die weitherzige Unterstützung seiner Frau Daisy. Paul Ulanowsky war mein erster Tournee-Begleiter in Amerika, ein Wiener, soviel ich weiß, klassisch streng in der musikalischen Auffassung, kristallklar im Klang. Er galt zu Recht als einer der hervorragendsten Liedbegleiter Amerikas. Ich lernte bei ihm dies und jenes hinzu, er gab mir manchen Tip, als ich älter wurde. »Da können Sie ruhig atmen, gnädige Frau. Die Lotte hat diese Phrase in drei aufgeteilt, es ging wunderbar.«

Paul erlitt einen Herzinfarkt, daraufhin empfahl mir Thea den Begleiter Marian Andersons, Franz Rupp, der in Europa mit Kreisler, Schlusnus, Manowarda und vielen andern gearbeitet hatte. Wir verstanden uns blendend. Er spielte vitaler, farbenfroher, orchestraler als Ulanowsky. Ich brauche hin und wieder jemanden, der mich mitreißt, und das gelang Franz auf Anhieb. Nicht zuletzt auch mit seinem Humor.

Meine Tage in Amerika waren stets hektisch, immer war etwas los: eine Cocktailparty, eine Supperparty, eine Midnightsupperparty, ein Theaterbesuch, eine Sightseeing-Tour. Ich sagte nie ab und lebte in einem Zustand permanenter Faszination. Inmitten der ungeheuren Dimensionen kam ich mir vor wie das Waldvögelein in Riesenheim.

Jeder Augenblick wurde ausgenützt. Hella oder Thea und ihr Mann Lolo zeigten mir New York, ich ließ mich staunend nach Chinatown und in die farbenprächtige Unterhaltungslandschaft am und um den Broadway führen, in sagenhafte Nachtlokale, in »South Pacific« mit dem Opernstar Ezio Pinza, wo ich dem Zauber des amerikanischen Musicals erlag, in die Radio City Music Hall, dem gigantischen Kinopalast im Rockefeller Center mit seinem Varieté-Beiprogramm, darunter die einst berühmten »Rockets«, eine über die ganze Bühnenfront sich aneinanderreihende Kette gleichgroßer, gleichschlanker, gleichfrisierter, gleichkostümierter, gleich im Takt sich bewegender Girls, die eine das Ebenbild der andern.

Berstend vor Eindrücken landete ich nach meinem ersten Amerika-Trip in Zürich und überraschte meine Familie mit einer unerwarteten Nachricht. »Jetzt wird an der Hirslanderstraße umgebaut!« verkündete ich. »Umgebaut?« – »Jawohl, und vergrößert! Wie kann man nur in diesen schäbigen kleinen Zimmern wohnen! Ihr solltet sehen, wie das in New York aussieht. Und dann muß Platz geschaffen werden für Stehparties!« Mann und Buben zuckten zusammen.

Noch mehr staunten sie, als die ersten Handwerker tatsächlich anmarschierten, Wände wichen, neuer Raum entstand. Bald schon lud ich zu unserer ersten Cocktailparty ein, mit Drinks, Obst- und Tomatensaft und auf Tabletts eine Kleinigkeit zu essen, ganz wie das in Amerika üblich war. Da hatte ich also außer den Dollars noch eine hübsche Idee mit nach Hause gebracht, die uns von da an manch fröhliche Geselligkeit bescheren sollte.

Kapitel 28

Ferenc Fricsay

Etwa im Jahre 1943, als ich mit Hans-Willi Haeusslein vor Soldaten musizierte und mein Mann an der Grenze stand, spielte sich in einer ungarischen Garnison die folgende Szene ab:

Oberst:
Herr Leutnant, ich erhalte Meldung aus Nagykanisza, daß es mit der Moral unserer Truppe augenblicklich nicht zum Besten bestellt ist. Die Leute sind marode. Das ewige Herumlungern und Warten ...

Leutnant:
(sehr elegant, gepflegt, denn er hält viel auf seine Erscheinung, ist Schönheitsfanatiker auf allen Ebenen)
Wie Herr Oberst meinen ...

Oberst:
Da hab ich mir gedacht, etwas Abwechslung könnte nichts schaden.

Leutnant:
Wie Herr Oberst befehlen ...

Oberst:
Ihr Herr Vater, der war doch auch Militärkapellmeister, wie, was?

Leutnant:
Wie Herr Oberst richtig sagen: erster Militärkapellmeister von Ungarn.

Oberst:
Eben. Sagte ich ja. Steckt im Blut. Vererbt sich.

Leutnant:
Zu Befehl, Herr Oberst.

Oberst:
Und der Herr Papa, habe ich mir berichten lassen, sei einmal in München gewesen mit seinem Orchester und hätte die Münchener derart mitgerissen, daß sie ihm die Pferde ausgespannt und seinen Wagen bis ins Hotel gezogen haben. Stimmt's?

Leutnant:
Stimmt, Herr Oberst.

Oberst:
Eben. Sie, Herr Leutnant, Sie verfügen sich morgen mit Ihrer Blaskapelle nach Nagykanisza und blasen und pauken mit einer solchen Inbrunst und Leidenschaft, daß unsere Leute sogleich bis ans Adriatische Meer vorstoßen!

Leutnant:
Nagykanisza? Geruhten Herr Oberst Nagykanisza zu sagen?

Oberst:
Sie haben richtig gehört.

Leutnant:
Aber ... da ist doch Krieg!

Oberst:
Hab ich mir ebenfalls rapportieren lassen.

Leutnant:
Das ... das geht doch nicht. Das ist doch gefährlich.

Oberst:
Sie melden sich bei Hauptmann Csàkvàry, der für Transporte zuständig ist. Abreise vier Uhr dreißig. Schluß: Abtreten!
(Leutnant nimmt Habachtstellung an. Salutiert. Geht. Auf der Türschwelle wendet er sich nochmals um.)

Leutnant:
Bitte Herrn Oberst noch um Detail-Instruktion.

Oberst:
Detail-Instruktion? Was für Detail-Instruktion?

Leutnant:
Belieben Herr Oberst mir zu erklären, was ich zu machen habe, falls feindliche Blaskapelle in Sicht kommt ...

Oberst:
(außer sich)
Se blasen sie um, Herr Leutnant! Verstanden? Se blasen se kapores!

Wie habe ich doch gelacht, als uns Ferenc Fricsay diese Erinnerung aus seiner Dienstzeit als Militärkapellmeisterleutnant erzählte! Bei Kempinski in Berlin, nach einem Konzert und einigen Flaschen Champagner. Wer war wohl dabei? Wahrscheinlich Ferrys Lieblingssolisten, etwa Marianna Radev oder Ernst Haefliger oder Kim Borg. Bestimmt seine Frau Silvia. Man sah Ferry nie ohne Silvia, Silvia nie ohne Ferry.

Ich liebte es, mit Silvia und Ferry zusammenzusein, weil sie für mich das ideale Paar waren, und damit meine ich zwei Menschen, für die jeder Tag mit einem »Happy-End« schließt. Das ging so weit, daß ich selber Kraft aus dieser Verbindung schöpfte. Und ich bin nicht die einzige. Stand ich auf dem Podium in Berlin, suchte ich drei Fixpunkte im Saal: Ferry als Zentrum vorne, Silvia, meistens in einer der vorderen Reihen. Und Mrs. Fish, Furtwänglers Freundin, die bestimmt in der ersten Reihe saß. Ein Dreieck. Dem schloß ich mich an. Wir bildeten *ein* Kräftefeld.

Der Oberst sprach von Leidenschaft. Ferry zu sagen, er solle mit Leidenschaft dirigieren, hieße Wasser in den Rhein gießen! Ferry sagte einmal: »Weißt du! Die bezahlen mich fürs Dirigieren, und dabei würde ich bezahlen, damit ich dirigieren darf!« Er dirigierte, er sprach, er lebte, er atmete aus dem vollen. Als er und Silvia nach langen juristischen Komplikationen endlich zueinanderfanden – sie waren beide verheiratet gewesen, beide brachten sie Kinder in die Ehe mit –, empfing er Silvia, die von Budapest anreiste, am Flughafen von Berlin mit roten Rosen. Wie viele Rosen waren es? Ein Dutzend? Zwei Dutzend? Zehn Dutzend? Nein, tausend rote Rosen! Der Flughafen war überschwemmt von Rosen. Ich glaube, an jenem Tag war in ganz Berlin keine rote Rose zu haben. Außer für Silvia. Und inmitten dieses Rosenteppichs umarmten sie sich und ließen einander nicht mehr los. Bis . . ., na ja. Auch für mich einer der traurigsten Augenblicke meines Lebens.

Ich hörte von Ferry via Stadttheater Zürich. Unsere Bühne brachte 1947 eine Neuinszenierung des »Troubadours«. Nach der ersten Orchesterprobe kam mein Mann besonders angeregt nach Hause, voller Bewunderung für einen jungen Dirigenten, einen Ungarn, der den Orchestergraben mit seinem Können in Staunen versetzt habe. Im Laufe der Probe habe sich herausgestellt, daß er sämtliche Orchesterinstrumente spiele.

Ferenc Fricsay war damals 34 Jahre alt. Im Sommer des gleichen Jahres war er auf Empfehlung von Herbert von Karajan für den erkrankten Otto Klemperer eingesprungen und hatte in Salzburg mit der Uraufführung von Gottfried von Einems Oper »Dantons Tod« Furore gemacht. Nach einem kurzen Abstecher nach Wien folgte er dem Ruf aus Berlin.

Zu jener Zeit ahnte ich nichts davon, daß dieser Mann meinen musikalischen Werdegang entscheidender als jeder andere mitbestimmen würde. Der Anstoß hierzu kam nicht von mir. Fricsay hatte von mir gehört, von Rolf Liebermann, der ihm Bandaufnahmen von Radio Beromünster vorgespielt hatte. Sie müssen ihm gefallen haben, denn von da an trafen wiederholt Anfragen von RIAS Berlin ein, leider jedesmal zu spät, ich war ausgebucht. Doch der Tag, der uns zusammenführen sollte, war nicht mehr fern. Im Herbst 1952 meldete sich der unermüdliche Rolf Liebermann. Am Weihnachtstag plane Beromünster eine Live-Sendung von Mozarts »Exsultate, jubilate«, und Fricsay zähle auf meine Mitwirkung.

Weihnachten nahm ich prinzipiell keine Engagements an, diese Tage gehörten meiner Familie. Ich schlug Rolf Liebermann daher vor, das Stück auf Band aufzunehmen und Fricsay war einverstanden. So lernten wir uns kennen. Wir nahmen die Motette einmal durch, beim zweitenmal bereits lief das Band mit, und damit hatte es sein Bewenden. Das Stück war sendereif. Auf dem Heimweg ging ich wie auf Wolken. Welch ein fabelhafter Dirigent! Alles zauberte er hervor, so wie ich es mir erträumte: Tempo, Dynamik, Präzision, Durchsichtigkeit des Instrumentalklanges. Bei ihm fühlte ich mich wie auf Händen getragen! Der 22. Dezember 1952 wurde zu einem Schicksalstag, denn ich wußte von keinem anderen Dirigenten, der mir so sehr aus der Seele sprach, wie Ferenc Fricsay. In den verhältnismäßig wenigen Jahren bis zu seinem frühen tragischen Tod war unsere Zusammenarbeit für mich eine nie versiegende Quelle der Freude und der inneren Bereicherung.

Die Sympathie war allem Anschein nach gegenseitig. Wie mir Silvia später erzählte, sagte Ferry, als er damals nach Ermatingen heimkehrte: »Wenn es Engel im Himmel gibt, dann habe ich heute einen gehört.« Fortan war der Name Ferenc Fricsay aus meinem Konzertkalender nicht mehr wegzudenken.

Im Frühjahr ließ Fricsay durch Rolf Liebermann kurzfristig bei mir anfragen, ob ich bereit wäre, mit ihm und dem RIAS-Orchester Donizettis Dramma tragico »Lucia di Lammermoor« aufzunehmen, und zwar in der Originalsprache. Dem stand zweierlei entgegen. Fürs erste war ich einmal mehr schon anderweitig vergeben, in Schönenwerd nämlich, zum zweiten stand die Lucia nicht in meinem Repertoire, weder auf deutsch noch auf italienisch. Mehr noch. Die Oper war mir fremd, sie wurde in unseren Breitengraden, soweit ich mich erinnern kann, nie gegeben. Hin und wieder erklang das Sextett im Radio, man hörte die eine oder andere Arie am Rundfunk, vom übrigen besaß ich verschwommene Vorstellungen. »Sei so gut und bestelle Herrn Fricsay beste Grüße«, entgegnete ich Rolf Liebermann. »Sag ihm, er soll doch nicht immer erst im letzten Augenblick bei mir anklopfen.«

Dennoch, die Sache ließ mir keine Ruhe. Ich erstand am gleichen Tag die neu erschienene Aufnahme mit Maria Callas. Mit dem Klavierauszug in der Hand folgte ich dem blutigen Geschehen bis zu Lucias geistiger und seelischer Zerrüttung. Kopfschüttelnd. Wie in aller Welt hätte ich mir diese heikle, überaus anspruchsvolle und nicht zuletzt auch psychologisch schwer deutbare Monsterrolle innerhalb von vier Tagen einverleiben sollen? Beim Gedanken, daß ich abgesagt hatte, atmete ich auf. Damals wußte ich nicht, was es hieß, wenn ein Ferenc Fricsay sich etwas in den Kopf gesetzt hatte. Er telefonierte: »Kommen Sie nach Berlin«, lockend auf jene ihm eigene unwiderstehliche Art. »Ich stelle Ihnen einen Korrepetitor zur Verfügung, den besten in Berlin. Mit ihm lernen Sie die Rolle Stück für Stück. Was sitzt, das nehmen wir auf.«

Nun, ich versprach, in Schönenwerd abzuklären, ob ein Ersatz aufzutreiben sei. Meine Offerte: Gab man mich frei, versprach ich dafür als Gegenleistung, das nächste Jahr umsonst zu singen. Denn meine Nase witterte Morgenluft. Hier bot sich möglicherweise eine Gelegenheit, wieder ins Plattengeschäft einzusteigen.

Inhaltlich war mir die Rolle der Lucia ein Greuel. Eine gattenmordende, dem Wahnsinn verfallene Frauengestalt entspricht mir gar nicht. Indessen, das Kismet lenkte meine Schritte unbeirrt gen Norden: Schönenwerd gab mich frei, und schon saß ich im Flugzeug nach Berlin, stürzte mich in die Arbeit, ließ mich vom Korrepetitor ins Intrigengestrüpp schottischer Hochromantik einführen, probierte die ersten Ensembles mit meinen Kollegen Ernst Haefliger und Dietrich Fischer-Dieskau. Gaben meine Kräfte nach, zogen wir uns in die Kantine zurück. »Wissen Sie«, sagte mein Korrepetitor, »das Schnäpschen muß man sooo trinken.« Er goß das Glas in einem Zug hinunter. »Und dann«, fügte er hinzu, »muß man sich schütteln, damit es sich gut verteilt.« Nachdem er sich ordentlich geschüttelt hatte, nickte er mir aufmunternd zu. Also setzte ich tapfer an, und – schwups! – unten war die goldene Flüssigkeit, während aus meinem Innern ein Feuermeer emporquoll, das mich zu verbrennen drohte. Tränen vereitelten die klare Sicht, indes der Korrepetitor sich verdoppelte und verdreifachte. Zum Schütteln kam ich nicht mehr, und mit der Probe war es vorläufig ebenfalls aus.

Fricsay besaß eine Reihe von Vorzügen, die ihn zum idealen Sängerdirigenten machten. Er legte großen Wert darauf, sich mit seinen Mitarbeitern gut zu verstehen. Daß er ein Schönheitsfanatiker war, habe ich schon gesagt. Naheliegend, daß er schöne Stimmen liebte, daß er alles daransetzte, die Schönheit einer Stimme sich voll entfalten zu lassen. Wenn er begleitete, glaubte ich mich in Watte eingebettet. Die Orchestermusiker mahnte er: »Falls Sie den Sänger nicht mehr hören, wissen Sie, daß Sie zu laut spielen.« So kam der Sänger gar nicht in Versuchung, zu laut zu singen, seine Stimme zu forcieren. Er konnte Melodiebögen frei und natürlich spannen, seine Stimme fließen lassen im Vertrauen darauf, daß das Orchester folgen würde. Das trug Ferry das Vertrauen seiner Sänger ein, die nie um ihr kostbares Stimminstrument bangen mußten. Wir vertrauten uns zuversichtlich seinen Händen an.

Dafür erwartete er viel. Fleiß, Hingabe, Beharrungsvermögen. Wer mit Fricsay arbeitete, mußte sich auf zähe Klavierproben gefaßt machen. Letztlich war eben doch er der Chef. Überall wollte er seine Handschrift spüren. Ich glaube, daß er so gern mit mir arbeitete, weil ich die Fähigkeit besaß, seine Wünsche zu verwirklichen, oft unbewußt. »Auf der Maria kann ich spielen wie auf einem Instrument«, sagte er einmal. Genau das war ich, wenn ich neben Ferry stand: ein hochempfindliches Instrument.

Aber ich gehe noch einen Schritt weiter. Ein Künstler, der vor dem Publikum Erfolg haben will, dauernden, sich wiederholenden, großen Erfolg, muß außer allem, was er an handwerklichem und musikalischem Können mitbringt, noch über eine weitere Gabe verfügen: Seine Persönlichkeit, seine Leistung, seine Gesamtwirkung muß vor einer Zuhörerschaft *neue Dimensionen* annehmen. Vor dem Publikum kommt noch etwas hinzu, etwas Geistiges, das auf einmal da ist. Wieso und woher weiß ich nicht. Der Künstler fühlt sich von neuen Kräften beflügelt, er erreicht Höhen, die er sonst nicht erreicht. Ich gestehe, daß ich nicht immer in der Lage war, solche Kräfte zu entfalten. Ich bin da unter den Kollegen keine Ausnahme. Ich kam zu großer Leistung, wenn neben mir jemand wirkte, der Kraft spendete, Kraft übertrug. Ich war das Aufnahmegerät, ein gutes, habe ich mir sagen lassen. Daher war ich – und das gestehe ich in aller Offenheit – am überzeugendsten, wenn ein Dirigent neben mir stand wie Bruno Walter. Wie Carl Schuricht. Wie George Szell. Um drei Namen zu nennen. Und vor allem wie Ferenc Fricsay. Bei ihm spürte ich förmlich, wie ich über mich selbst hinauswuchs. »Und meine Seele spannte, weit ihre Flügel aus ...« Wer dieses höchste Gefühl auf dem Podium erlebt hat, kann nur in Dankbarkeit seines Schöpfers gedenken.

Ferry war nicht nur die eleganteste Erscheinung im Studio, mit Raffinement angezogen und ausstaffiert, er war selber sehr raffiniert. Er schien seine Gedanken zu ziselieren wie ein Kupferstecher einen Stich, meistens mit einem Schuß Humor. Was er sagte, war trotz ungarisch gefärbtem Deutsch von einer Feinheit des Ausdrucks, die geradezu poetisch wirkte. Seine Sticheleien ritzten die Haut, aber sie verletzten nie. Und was sein Wortschatz nicht vermochte, ersetzte der Tonfall. Oder ein Bild. Ferry sah und hörte in Bildern. Klangfarbe war ihm auch Malfarbe. Er malte seine »Moldau«, seine »Jahreszeiten«, sein »Tuba mirum« in Verdis Requiem. Er pinselte im übertragenen und im wörtlichen Sinn. Dazu gehörte Klang, Farbe und – Bewegung. Bewegung war ein eminenter Bestandteil seines Wesens. Alles bewegte sich dauernd. Dieser Mensch zitterte vor Bewegung, vor geistiger Bewegung. Er zeichnete sie mit dem Dirigentenstab, hauchdünne Linien, Kreise und Ellipsoide und Paraboloide, der immanenten Mathematik der Musik gehorchend.

Im Programmheft des Gedenkkonzerts zum 15. Todestag von Ferenc Fricsay, das am 20. Februar 1978 in der Berliner Philharmonie stattfand, schreibt Werner Oehlmann die treffenden Sätze: »Was den spontanen Erfolg Ferenc Fricsays begründete, war seine ursprüngliche, vitale Musikalität, die sich unwiderstehlich dem Orchester mitteilte und dem Hörer Eindrücke von unerhörter Frische und Intensität schenkte. Die Naturkraft seines von elastischer Einfühlung und feinhörigem Klangsinn geleiteten Musizierens verband sich mit einer anspruchsvollen, unermüdlich strebenden Geistigkeit, die der Motor seiner Entwicklung war.«

Ich sprach von Ferrys Sticheleien. Er *konnte* sticheln. Als ich einmal – selten genug – zu spät zu einer Probe kam und ihn dadurch in Verlegenheit brachte, ließ er mich eine Weile stehen. Dann drehte er sich um. Die Orchestermusiker spitzten die Ohren.

»Mariechen, auch schon wach und munter?«

»Ich möchte mich vielmals entschuldigen, Ferry. Ich habe im Hotel Briefe geschrieben. Habe die Zeit nicht beachtet.«

»Im Hotel? Wohnst du hier im Hotel?«

»Freilich. Wie du auch. Im gleichen Hotel.«

»Na, so was. Ich wußte gar nicht, daß die Kinderzimmer haben...«

Das Orchester hielt sich den Bauch vor Lachen. »Das«, flüsterte Silvia in mein Ohr, »war die Rache.«

Er war in vieler Beziehung ein Lausbub, wie viele liebenswerte Männer, die mir im Leben begegnet sind. Ferry war es sogar auf dem Podium. Mitten in einem Konzert, nachdem ich soeben in gewohnter Weise neben ihm Aufstellung genommen hatte, beugte er sich von der Höhe seines Podestes zu mir herab und flüsterte: »Sag mal, Mariechen. Stehst du oder sitzt du noch?« Ich mußte natürlich grinsen, das Publikum, in der Meinung, Ferry habe mir was Nettes gesagt, grinste mit, was als Voraussetzung für Haydns Freudenlied in den »Jahreszeiten« an sich sogar eine Abwechslung war.

Sagte ich nicht, er sei raffiniert? Als wir die Wahnsinnsszene aus »Lucia« einspielten, fand er, daß ich mich mit dem Text nicht genügend identifizierte.

»Frau Stader«, sagte er – damals siezten wir uns noch –, »Frau Stader, am Kurfürstendamm läuft ein Film. ›Arsen und Spitzenhäubchen‹. Haben Sie ihn gesehen?«

»Nein.«

»Ein bißchen Entspannung täte Ihnen gut. Sie sollten ihn sich ansehen. Ich komme nach.«

Gehorsam ging ich ins Kino. Die Story der beiden alten Jungfern, die einsame alte Männer ins Jenseits befördern, überhaupt die verrückte Gesellschaft, die da zusammenkommt, um einem das Gruseln beizubringen, zog mich in ihren Bann. Bald stöhnte ich vor Angst und Grauen, bald rief ich den Opfern Warnungen zu – ein Glück jedenfalls, daß das Kino nur schwach besetzt war. Meine Lucia hatte ich längst vergessen, als sich in einem besonders beängstigenden Augenblick Fricsay neben mich setzte. »Ich habe genug!« zischte ich ihm ins Ohr. »Ich will da hinaus!« – »Gut, gut«, meinte er, »es ist ohnehin Zeit, ins Studio zurückzukehren und die Arie noch einmal aufzunehmen.«

Wir hörten uns das Playback an.

»Bemerken Sie den Unterschied?«

Unter dem Eindruck des Films sang ich tatsächlich anders.

»Sie haben recht«, antwortete ich. »Jetzt spinne ich auch.«

Das war die beabsichtigte Wirkung.

Die RIAS-Aufnahme von »Lucia di Lammermoor« markierte den Beginn einer überaus regen Zusammenarbeit mit Ferenc Fricsay. Darüber hinaus brachte sie uns auch menschlich näher. Ferry brauchte die freundschaftliche Beziehung zu den Mitgliedern des Ensembles. Sie war die Ausgangsposition für seine Arbeit. Ferrys Solisten waren seine Freunde. Das traf auch auf mich zu. Fricsays besuchten uns in Zürich, wir besuchten Fricsays in ihrem Traumhaus in Ermatingen am Bodensee. Unsere Sprößlinge waren im gleichen Alter, zeitweise im gleichen Internat. Waren die Buben daheim, die Eltern jedoch abwesend, nahmen wir uns gegenseitig der Verwaisten an.

Auf die Lucia-Arbeit in Berlin folgte Beethovens Neunte. In Berlin, Hamburg, München und Wien; danach das Requiem von Verdi mit Marianna Radev, Helmut Krebs und Kim Borg, ein Werk, zu dem

Ferry ein besonders inniges Verhältnis hatte und das er durchaus untheatralisch, aus einem Gefühl tiefster Verinnerlichung und Frömmigkeit heraus interpretierte. Das Verdi-Requiem sollte meine erste Aufnahme für die Deutsche Grammophon Gesellschaft werden. Was ich mir im stillen erhofft hatte, trat nämlich ein. Eines Tages erkundigte sich Elsa Schiller, die von RIAS Berlin zur DGG übergewechselt und dort Direktorin der Abteilung für klassische Musik war, ob ich noch immer an His Master's Voice gebunden sei. Nachdem dies nicht mehr der Fall war, griff ich gern zu, als mir die DGG einen Vertrag anbot.

Meine Arbeit mit Fricsay und der DGG war sehr fruchtbar. Die Aufgaben, die mir plötzlich zufielen, waren neu, berauschend interessant, künstlerisch erfüllend. Jetzt konnte ich Oper machen, konnte ich Rollen gestalten, die mir meiner kleinen Körpergröße wegen versagt waren, vor allem Mozarts Frauengestalten. Die Technik machte wett, was mir die Natur vorenthielt. Und – mit einemmal wurde ich in vielen Ländern bekannt und berühmt. Mein Name, mein Bild erschienen auf Werbeprospekten, in Warenhäusern, in Spezialgeschäften, in Städten, in Ländern, die ich nur vom Hörensagen kannte. In Pietermaritzburg, beispielsweise. Wer weiß schon, wo Pietermaritzburg liegt. Und doch: Ich bekam einen Brief aus Pietermaritzburg. In den sechziger Jahren gab ich dort sogar einen Liederabend.

Das alles war ungemein befruchtend. Schade nur, daß die Blütezeit meiner Aufnahmen in die Mono-Epoche fiel. Als die Stereo-Technik Einzug hielt, hatte ich eine Reihe Partien abgelegt. Schade auch, daß ich durch einen Exklusiv-Vertrag an die DGG gebunden war.

Wie gern hätte ich mit Bruno Walter Aufnahmen gemacht, etwa Mahlers Vierte! Und er mit mir! Aber Walter war unter Vertrag bei Columbia und ich bei der DGG. Als wir uns zusammentun wollten, lagen sich die beiden Schallplattenkolosse aus irgendwelchen Gründen gerade in den Haaren, die DGG weigerte sich, ihre »Hausprimadonna« auszuleihen. Dagegen wurde ich beurlaubt für Einspielungen der Firma Westminster. 1962 nahm ich unter Hermann Scherchen Beethovens »Christus am Ölberg«, Opus 85, auf, zusammen mit dem stimmgewaltigen Met-Tenor Jan Peerce und Otto Wiener, dann – ebenfalls mit Peerce, ferner Sena Jurinac als Leonore, Gustav Neidlinger als Pizarro und Dezsö Ernster als Rocco – den »Fidelio«, Hans Knappertsbusch am Pult.

Eine fruchtbare Zeit, die für mich immer unter dem Zeichen des großen Dirigenten und Freundes stehen wird – Ferenc Fricsay.

Kapitel 29

Erfüllte Jahre

Soll ich eine Musik nennen, mit der mich das Konzertpublikum diesseits und jenseits der Ozeane identifiziert, so fällt mir als erste Mozarts Motette KV 165, »Exsultate, jubilate«, ein. Ich wüßte von kaum einer Stadt, die nicht mein »Exsultate« gehört hätte, ich habe das Stück durch die Jahre hindurch immer wieder gesungen, und man hat es immer wieder von mir verlangt. Das ist wohl der schönste Lohn des Sängers und der beste Beweis, daß er nicht der Routine anheimfällt.

Wie brachte ich es zustande, diesem Gesang jedes Mal neues Leben einzuhauchen? Zwei Eigenschaften sind es, über die ich in besonderem Maße verfügte und heute noch verfüge, die mir nicht nur jede Aufführung zum Erlebnis werden ließen, sondern mich befähigen, jeden Tag intensiv zu erleben: inniges Empfinden und Phantasie. Sie bilden zwei Grundpfeiler meiner Kunst. Das Larghetto »Tu virginum corona« sang ich fast immer für jemand, den ich liebte oder zumindest sehr gerne hatte. Oder für einen Kranken.

Oft setzte ich meine Gefühle in Bilder um. Beim ersten Satz »Exsultate, jubilate« stellte ich mir beispielsweise ein Engelchen vor, das jubelnd im Himmel umherflattert, zufällig zwischen zwei Wolken hindurchschaut, die Erde erblickt und sich entschließt, dort einen Spaziergang zu wagen. Auf der Erde schwebt es über blühenden Wiesen und fruchtbaren Äckern und tanzt, die Schöpfung preisend, einen fröhlichen Reigen. In der Kadenz, die zum Rezitativ und dem zweiten, langsamen Satz überleitet, kommt ihm plötzlich in den Sinn, daß es eigentlich an der Zeit wäre, des Schöpfers zu gedenken. Rasch sammelt es sich, läßt sich kniend im Schatten einer mächtigen Birke nieder und verrichtet sein Gebet. Das dauert etwas länger als vorgesehen, schon verschwindet die Sonne am Horizont ... höchste Zeit, wieder in den Himmel zurückzukehren, ehe seine Abwesenheit auffällt. Also breitet es seine Flügel aus und zieht Alleluja singend in den rotgolden strahlenden Himmel ein.

Aus Winterthur erreichte mich in jener Zeit ein Brief, der mich sehr berührte:

Sehr geehrte Frau Stader,
sicher erhalten Sie täglich Zuschriften aus allen Kreisen Ihres Konzertpublikums, die Ihnen Dank und Anerkennung aussprechen für das, was Sie mit Ihrer schönen Stimme den ernsthaften Zuhörern bieten. Ich möchte mich diesen anschließen, Ihnen aber zugleich etwas erzählen. Ich habe in diesen Tagen meine junge Frau, Mutter von drei kleinen Kindern, zu Grabe getragen. Als ich sie vor dreizehn Jahren kennenlernte, sagte sie mir: »Das Höchste ist für mich die Musik von Johann Sebastian Bach. Liebst du sie auch?« Und das Letzte, was meine seit einem Jahr schwer leidende Frau hörte, der letzte Ton überhaupt, war die von Ihnen am Bachfest in Schaffhausen gesungene und im Radio übertragene Arie »Mein Heiland, ich sterbe mit höchster Begier, hier nimm meine Seele, was schenkest Du mir?«. Wohl mögen damals Tausende zugehört haben, ich glaube nicht, daß diese Worte für einen anderen die Bedeutung hatten wie für meine Frau und mich im dunkeln Spitalzimmer. Was meine Frau dabei dachte, hat sie nie gesagt, aber nach den gesungenen Worten hat sie gehandelt und ist sanft entschlafen.

Konnte ich so viel mit meiner Stimme vermitteln? Ich war dankbar dafür. Oft dachte ich darüber nach, was mir die Kraft verlieh, eigene Empfindungen im Gesang anderen zu vermitteln. Ein Geheimnis – unerklärbar wie das, was mir in Aix in Südfrankreich widerfuhr. Es war ein heißer Sommer, auch eine anstrengende Saison, doch das war für mich nichts Neues. Ich hatte Vorsorge getroffen, um mich und meine Stimmbänder vor sandwüstenhafter Trockenheit und gleißender Hitze zu schützen, dennoch stellte ich mit Schrecken zunehmende Heiserkeit fest; schließlich passierte mir das Schlimmste, was einem Sänger passieren kann: Ich verlor meine Stimme, total und unwiderruflich. Auf dem Programm des Abendkonzerts stand wieder einmal Mozarts »Exsultate«, am Pult präsidierte Ernest Bour. Ich war verzweifelt. In meiner Not fiel mir Adele Keller ein, die sich, wenn ihr das Wasser am Hals stand, an den heiligen Antonius wandte. Ich beschloß, in die Kirche zu gehen und an seine gnadenreiche Milde zu appellieren. Der gute Antonius ließ sich Zeit. Eine Stunde, eine halbe Stunde, noch fünf Minuten vor Konzertbeginn vermochte ich meiner Kehle keinen Piepser zu entringen. Dennoch war ich fest entschlossen, mich zu bezwingen und mein Publikum nicht zu enttäuschen. Mein Herz pochte wie ein Betonstampfer, als ich vors Publikum trat. »Es muß gehen, Miggi!« sagte ich mir immer wieder. »Es muß!«

Vor mir breitete sich die zum Bersten gefüllte Cathédrale Saint-Sauveur aus. »Saint-Sauveur, sauve-moi!« dachte ich. Das Vorspiel begann. Es kam aus weiter Ferne, als hätte ich Watte in den Ohren. Ich schaute zum Himmel empor und – begann. Die Stimme war da. Ein Wunder! Wie, woher – das wußte ich nicht. Meinen Körper spürte ich nicht mehr, ja ich stand – so unwahrscheinlich das klingen mag – außerhalb meiner selbst und hörte zu, lauschte wie »es« in mir sang. Und ich sang, was viele Anwesende bestätigten, schöner denn je, wie in Trance. Aber mit dem letzten Takt war das Märchen aus. Ich war wieder stockheiser.

Was da geschehen war, werde ich bis zum St.-Nimmerleins-Tag nicht erfahren. War es der Wille, über sich selbst zu siegen? Der Wille, gesund zu werden, soll ja über die Heilung eines Kranken mitentscheiden. War es mein Vertrauen in eine höhere Macht, die mich in jenem kritischen Augenblick nicht im Stich lassen würde? Verlieh mir das Fluidum, das von einer zu konzentrierter Aufnahme bereiten Menschenmenge ausstrahlt, neue Kraft? Half die Überzeugung, für die Dauer meines Vortrags von vielen Menschen gemocht zu werden? Ich weiß es nicht. Aus dem was eine Katastrophe zu werden drohte, wurde ein Erlebnis, eine innere Bereicherung ohnegleichen.

Von einem anderen Konzert will ich noch berichten, als mir jenes im Saal zirkulierende Fluidum unter ebenfalls heiklen, aber freundlicheren Umständen zu Bewußtsein kam. Es geschah im Kloster Einsiedeln, wohin mich Franz Schnyder, der ideenreiche Organisator der Clubhauskonzerte, gerufen hatte. Auf dem Programm stand Bachs Weihnachtsoratorium unter der Leitung des Leipziger Thomaskantors Günther Ramin. Einer Eingebung Ramins folgend, mußte ich hoch hinauf auf die von Putten umkränzte Orgelempore steigen, um von dort aus wie ein Wesen aus einer anderen Welt den Hirten die trostspendenden Worte des Engels zu verkünden. Das kostete einige Überwindung. Die Höhe, von der aus ich in das tief unter mir wankende Mittelschiff spähte, war schwindelerregend. Auch mit der Beleuchtung meines Notenpults klappte es nicht, so daß Franz Schnyder nichts anderes übrigblieb, als sich in einen kauernden Armleuchter zu verwandeln und mit je einer Kerze in der Hand, so gut es ging, Licht auf die Noten zu werfen. Hinzu kamen akustische Mängel. Es erwies sich, daß der aus der Höhe kommende Gesang die Zuhörerschaft eher erreichte als der Klang des zu ebener Erde musizierenden Orchesters. Das erweckte den Eindruck, als ob ich mit meinem ohnehin sekundenschnellen Tonansatz zu früh begann. »Achten Sie auf meinen Taktstock«, rief Ramin zur Empore hinauf, »und singen Sie erst, wenn der Schlag seinen tiefsten Punkt erreicht!« Auch das trug nicht gerade zur Entspannung bei.

Die Stunde des Konzertbeginns rückte heran. Draußen fielen dichte Schneeflocken, ein aus allen Landesteilen herbeipilgerndes Publikum drängte sich in die wie ein Juwel im Lichte Tausender Kerzen erstrahlende Klosterkirche. Gemeinsam mit meinem Kerzenträger bestieg ich die schier endlosen Stufen zu meinem Hochsitz empor. Ich beugte mich über die Brüstung, warf einen Blick in die abgründige Tiefe des Kirchenschiffes. Welch ein Bild! Unter mir schimmerte und flimmerte ein im Strahle unzähliger Flämmchen entmaterialisierter Raum. Im Schleier ihres Lichts lauschten Aberhunderte andachtsvoll dem Chor: »Du Hirtenvolk, erschrecke nicht, weil dir die Engel sagen ...« Als dann der Augenblick kam, da der Evangelist ruft: »Und der Engel sprach zu ihnen ...«, der zarte hohe D-Dur-Streicher-Dreiklang die Begleitung übernimmt und aus luftiger Höhe die Stimme des Engels erklingt: »Fürchtet euch nicht, siehe, ich verkünde euch große Freude ...«, in diesem Augenblick wandten sich tausend Köpfe mir zu. Mich durchströmte es kalt und heiß. Ich entrückte in eine höhere Welt, schwebte weit über allen in seligen Gefilden und blickte, wie das Engelchen, das mein »Exsultate« in der Phantasie beschwor, zwischen Wolkenschleiern zur Menschenwelt hinab.

Auf Einladung des Managers der Clubhauskonzerte Franz Schnyder und seines Nachfolgers, des inzwischen verschiedenen Toni Stöckli, sang ich in manch einem Clubhauskonzert. Wie Ferry verstand sich Toni Stöckli glänzend darauf, mich »aufzuziehen«. Als ich einmal Toni und einige Kollegen zum Essen einlud, hatte ich den Tisch mit meinem kostbarsten Porzellan gedeckt und referierte ausführlich über Herkunft, Stil und Seltenheitswert von Tellern, Schüsseln und Mokkatassen. Nach dem Essen bot Toni sich an, unserer Marie beim Abwaschen zu helfen. Wir saßen im Wohnzimmer und plauderten, als ein ohrenbetäubender Knall durchs Haus dröhnte und mir in alle Knochen fuhr. Ich erstarrte. Eine Tonne Porzellan mußte in die Brüche gegangen sein! Ich lief in die Küche – »Hin ist hin«, pflegte Tante Keller zu sagen –, dort stand der grinsende Toni, zu seinen Füßen die Überreste einer alten Küchenschüssel, die er offenbar mit aller Wucht auf den Boden geschleudert hatte. Ich mußte mich erst einmal sammeln. Toni amüsierte sich köstlich, am Ende lachte ich herzhaft mit. Es ist indessen nicht ausgeschlossen, daß, wäre Toni etwas kleiner und ich etwas größer, der Spaß für ihn nicht so glimpflich abgelaufen wäre...

Franz' um nichts weniger kulturbewußter Bruder Felix Schnyder war eine Zeitlang Chef der schweizerischen Delegation in Berlin, ehe er von Hans Lacher abgelöst wurde. Wie Hans und Daisy Lacher gehörte Felix Schnyder zu den eifrigsten Förderern schweizerischer Künstler. An ihrem gastfreundlichen Tisch lernte ich viele interessante Menschen kennen, Originale wie die distinguierte Mrs. Fish, Amerikanerin und dennoch in ihrem Wesen Aristokratin, Vertraute Furtwänglers, Leo Blechs und Ferry Fricsays sowie vieler anderer, die ihren Salon bevölkerten. Die ›grand old lady‹ hatte in Berlin ihre Wahlheimat gefunden, kannte Gott und die Welt und war, ihres ausländischen Akzents zum Trotz, eine Vollblutberlinerin geworden. Wo immer gute Musik gemacht wurde, konnte man damit rechnen, Mrs. Fish in vorderster Reihe unter den Zuhörern zu erspähen. Regelmäßig nahm sie an Ferrys Aufnahmesitzungen teil, saß stundenlang mäuschenstill in einer Ecke, lautlos Beifall spendend. Wir genossen ihre leidenschaftliche Anteilnahme, ihre abenteuerlichen Berichte aus den Vorkriegsjahren. Sie hatte, nachdem sie ihren politischen Ansichten deutlich Ausdruck gegeben hatte, Nazideutschland adieu gesagt. Als sie starb, vermißte ich sie sehr.

In diese Zeit fiel eine Begebenheit, die mich begreiflicherweise tief bewegte. Ich erhielt den Anruf meines Vetters Willi Stader, des Bruders von Adolf, dem Geiger, durch den ich Heinz Zulla kennengelernt hatte. Adolf war, wie viele junge Leute aus Konstanz, im Rußlandfeldzug gefallen. Von Willi erfuhr ich die gute Nachricht, daß mein

Jugendfreund Heinz Zulla aus russischer Kriegsgefangenschaft heimgekehrt sei und in der Nähe von Frankfurt lebe. Er würde mir die Telefonnummer verschaffen, falls mich das interessiere. Ich hatte befürchtet, Heinz sei gefallen. Oder in Gefangenschaft gestorben. Jetzt war er auferstanden. Ich konnte es nicht fassen. Zudem wollte es der Zufall, daß mir eine Reise nach Frankfurt bevorstand. Ich mußte für die unvergessene Kathleen Ferrier einspringen. Mir schlug das Herz bis zum Hals, während ich auf die Telefonverbindung wartete. Endlich meldete sich eine Frauenstimme. »Frau Stader!« rief sie. »Heinz ist gerade unterwegs. Er wird sich unsäglich freuen, daß Sie angerufen haben.« Ich wußte, daß Heinz zu Beginn des Krieges eine Mitstudentin geheiratet hatte. »Ich bin soeben aus dem Ausland zurückgekehrt und singe heute abend in Frankfurt«, sagte ich. »Kommen Sie doch bitte mit Ihrem Mann. Ich werde für Sie zwei Karten an der Abendkasse reservieren lassen.« – »Gern kommen wir, falls es sich einrichten läßt«, antwortete Frau Zulla. »Mein Mann ist jedoch Tag und Nacht auf Arztvisite. Versprechen kann ich also nichts.«

Sie hatten hundert Kilometer zu fahren bis nach Frankfurt. Aber sie kamen. Und nach dem Konzert trafen wir uns im Solistenzimmer. Dreizehn Jahre waren es her, seit wir uns zuletzt gesehen hatten. Ohne auf die Umstehenden zu achten, warf ich mich in Heinz' Arme und weinte wie ein Kind. Nachher fuhren wir in den Frankfurter Hof, wo uns ein verständnisvoller Empfangschef bis vier Uhr morgens in der Hotelhalle plaudern ließ.

Heinz erzählte, daß er zu Beginn der vierziger Jahre in einer großen Klinik tätig gewesen war. Um dort weiterzukommen, hätte er der Partei beitreten müssen, was er abgelehnt habe. Daraufhin wurde er eingezogen, nach Rußland geschickt, gefangengenommen und bald als Lagerarzt beschäftigt, zuletzt in Riga. Heinz hatte Schweres mitgemacht. Nicht alles erzählte er, manches deutete er nur an, anderes wollte er mir wohl ersparen. »Du wirst niemals erraten, was mich vor Sibirien gerettet hat«, sagte er schließlich. Ich konnte mir das tatsächlich nicht vorstellen. – »Mein Cello. Du weißt ja, in Deutschland bilden die Ärzte entweder einen Chor oder sie kratzen im Orchester. Wir haben zu viert in Riga ein Quartett gegründet und jeden Donnerstag Kammermusik gemacht.« Ich fand das großartig. »Wir haben auch Balalaika gelernt, und einer der Kollegen hat gesungen. Russische Volksweisen. Mit Geigen- oder Cello-Obbligato. Das brachte Iwan jedesmal zu Tränen.«

Wenn ich im Laufe meiner Karriere nie absagen mußte, so verdanke ich das nicht zuletzt auch Heinz. Aus allen Teilen Europas, selbst aus Amerika, habe ich ihn angerufen, um medizinischen Rat einzuholen. Und er hat mir immer geholfen.

Dieses Buches wegen blättere ich jetzt immer wieder in alten Programmheften. Namen, Städte, Konzertsäle ziehen an mir vorbei. Die Mitte der fünfziger Jahre sah mich an vielen Orten, unter anderen:

13. September 1953
Basilika Ottobeuren
Leitung: Johannes Fuchs
mit Elsa Cavelti, Ernst Haefliger, Heinz Rehfuss
Bruckner, Messe in f-Moll

20., 21. September
Titania-Palast, Berlin – Berliner Festwochen
Leitung: Ferenc Fricsay
mit Marianna Radev, Helmut Krebs, Kim Borg
Verdi, Requiem

9./10. Mai 1954
Konzertsaal der Hochschule für Musik, Berlin
Leitung: Ferenc Fricsay
mit Elise Hartwig, Ernst Haefliger, Dietrich Fischer-Dieskau – Cornelis van Dyck
Händel, Judas Makkabäus

25. Mai
Teatro Comunale, Florenz – Maggio Musicale Fiorentino
Leitung: Bruno Walter
Mahler, 4. Symphonie

28. November
Royal Festival Hall, London
Leitung: Otto Klemperer
Mahler, 4. Symphonie

11., 13. März 1955
Palacio de la Musica, Madrid
Leitung: Ataulfo Argenta
mit Kim Borg
Brahms, »Ein deutsches Requiem«

12. Mai
Théâtre des Champs-Elysées, Paris
Leitung: Bruno Walter
Mahler, 4. Symphonie

20. Juni
St.-Stephans-Kirche, Würzburg – Mozart-Fest
Leitung: Eugen Jochum
mit Lore Fischer, Richard Holm, Josef Greindl
Mozart, Requiem

18., 19. September
Konzertsaal der Hochschule für Musik, Berlin
Leitung: Ferenc Fricsay
mit Marga Hoeffgen, Maria Reith, Ernst Haefliger, Heinz Rehfuss, Kim Borg
Händel, »Samson«

3., 4., 5. Oktober
Gürzenich, Köln – Einweihung des neuen Saales
Leitung: Günter Wand
mit Lore Fischer, Josef Traxel, Rudolf Watzke
Beethoven, 9. Symphonie

9., 10., 12. November
Concertgebouw, Amsterdam
Leitung: Otto Klemperer
Werke von Mozart und Mahler

6. Februar 1956
Im Großen Haus, Museums-Konzert, Frankfurt
Leitung: Paul Hindemith
Mozart, Messe in c-Moll

1., 3. März
Severance Hall, Cleveland
Leitung: George Szell
Werke von Mozart und Mahler

*

Oft sang ich unter Hermann Scherchen, einem bedeutenden Musiker mit kompliziertem Charakter, der sich in der Kunst gefiel, andere vor den Kopf zu stoßen. Unmittelbar nach dem Ersten Weltkrieg hatte er sich in Berlin als Komponist, Dirigent und Mentor jüngerer Musiker einen Namen gemacht. Er gründete die noch heute erscheinende Musikzeitschrift »Melos« als publizistisches Organ seiner »Neuen Musikgesellschaft« und führte im Rahmen ihrer Konzerte die Komponisten auf, deren Förderung ihm ein Anliegen war: Schönberg, Skrjabin, Berg, Erdmann und viele andere mehr. 1922 bis 1950 leitete Scherchen die Orchesterkonzerte des Musikkollegiums Winterthur, die unter seiner Führung einen gewaltigen Aufschwung nahmen. In Kürze stand das Musikleben dieser Kleinstadt demjenigen der benachbarten Schweizer Metropole Zürich in nichts nach. Scherchen bot seinen Abonnenten eine Fülle neuer Eindrücke, oft unter Mitwirkung der Komponisten, meistens mit erstklassigen Kräften. Béla Bartók spielte sein 2. Klavierkonzert, Strawinsky dirigierte und spielte Strawinsky, Hindemith spielte Hindemith, Braunfels dirigierte Braunfels, Josef Szigeti spielte das Violinkonzert von Busoni, Adolf Busch dasjenige von Reger, die junge Clara Haskil den ersten Satz aus einem Klavierkonzert von Luc Balmer; Emmy Krüger, Felicie Hüni-Mihacsek und Felix Loeffel sangen Othmar Schoeck; Sigrid Onegin und Julius Patzak Mahler. Es kamen Gieseking, Backhaus, Horowitz, Serkin, Fischer, Arrau; Eduard Erdmann bestritt die Uraufführung eines Klavierkonzerts von Ernst Křenek, der Cellist Emanuel Feuermann diejenige eines Werks meines Freundes Walter Schulthess.

Nach dem Krieg dirigierte Scherchen das Radioorchester Beromünster, beging jedoch – der Warnung ihm gutgesinnter Freunde zum Trotz – die Unbedachtsamkeit, sich als Ausländer in öffentlicher Stellung politisch zu engagieren und zu exponieren. Ich erinnere mich gut an jene kritischen Tage im Studio Beromünster. Wir spielten Rolf Liebermanns »Streitlied« ein. In Venedig fand ein Tonbandwettbewerb statt, und unsere Aufnahme sollte als deutsch-schweizerischer Beitrag eingereicht werden. Wir arbeiteten zügig. Doch als wir beinahe fertig waren, passierte etwas Unerwartetes. Scherchen stieg unvermittelt vom Podest und verließ uns. Die Nachricht machte die Runde, draußen stehe ein Auto des Studios, Scherchen fahre nach Basel, um eine Rede zum Lob des kommunistischen Systems zu halten. Scherchen war kurz zuvor in Prag gewesen, was seinen ohnehin östlich orientierten Sympathien Auftrieb gegeben hatte.

Ich lief ihm nach. Im Foyer holte ich ihn ein.

»Herr Doktor Scherchen!« rief ich.

Scherchen zog sich den Mantel im Gehen an. »Was wollen Sie?« schalt er. »Hab jetzt keine Zeit!«

»Aber die Aufnahme! Unsere Aufnahme! Wir müssen doch ...« ... nochmals wiederholen, wollte ich sagen. Aber Scherchen saß schon im Auto und sauste davon.

»Macht nichts«, tröstete mich Rolf Liebermann. »Wir haben genügend Mitschnitte.«

Aus verschiedenen Gründen nahmen Schweizer Politiker Scherchens politisches Engagement nicht allzuernst. Immerhin gibt es zu denken, daß dieser Mann, der sich sämtliche Kenntnisse auf autodidaktischem Wege angeeignet hatte, seine aussichtsreiche Karriere in Deutschland opferte und in die Emigration ging. 1922, mit 31 Jahren, war er als Nachfolger Furtwänglers mit der Leitung der Frankfurter Museums-Konzerte betraut worden. Während der Weimarer Republik war er musikalischer Berater und Dirigent am Berliner Rundfunk gewesen. 1930 wurde er in seiner Eigenschaft als Generalmusikdirektor von Königsberg von der Universität zum Ehrendoktor der Philosophie ernannt, ohne – wohlgemerkt – jemals eine Hochschule besucht zu haben.

Er war in mehr als einer Beziehung ein außergewöhnlicher Mann. Wo sich etwas Neues tat, war Scherchen anzutreffen: 1929 in Baden-Baden, wo er die Uraufführung von Brechts »Ozeanflug« mit Musik von Paul Hindemith und Kurt Weill leitete, 1951 in Berlin-Ost, wo er im Admiralspalast (Deutsche Staatsoper) »Das Verhör des Lukullus« von Brecht und Dessau als Oper aus der Taufe hob. Funktionäre, FDJler, linientreue Parteimitglieder, vorher instruierte Arbeiter aus Betrieben, außerdem Volkspolizisten hatten Freikarten mit der Weisung erhalten, das Werk auszupfeifen. Das klappte jedoch nicht. Zahlreiche Freikartenbesitzer verkauften nämlich ihre Karten. So kam es, daß am Schluß Beifall einsetzte, zögernd erst, doch allmählich zu einem Orkan anwachsend, worauf Pieck und Ulbricht aus ihrer Loge verschwanden. Es war also keineswegs etwa so, daß Hermann Scherchen im Osten lieb Kind sein wollte. Er hatte schon im Mai 1913 mit der zweimal hintereinander dirigierten Kammersymphonie Op. 9 von Schönberg sein Glaubensbekenntnis an die neue Musik abgegeben, und dabei blieb er. Das war die eine Seite. Auf der anderen bekam diese Musik für ihn erst den richtigen Sinn, wenn sie – wie bei Hanns Eisler – von einer sozialpolitischen Botschaft beflügelt wurde.

Wer viel mit Scherchen zusammen war, erinnert sich gewiß an eine Melodie, die er bei jeder passenden und weniger passenden Gelegenheit pfiff – eine einfache Dur-Weise auf der Eins-vier-fünf-Kadenz, ohne Vorzeichen, rhythmisch einprägsam, bald traurig, bald wehmütig, bald feurig und zündend, je nach Elan und Stimmung des Pfeifers. Scherchen erzählte mir, den Text dazu habe der junge Revolutionär Leonid Petrowitsch Radin geschrieben, als er 1897 in einem zaristischen Polizeikerker saß. Dieses Lied wurde zum Freiheitslied schlechthin. In Deutschland wurde es zeitweise das eigentliche Lied der Deutschen Sozialistischen Jugend und der deutschen Arbeiterbewegung.

Brüder, zur Sonne, zur Freiheit
Brüder, zum Lichte empor!
Hell aus dem dunklen Vergangnen
leuchtet die Zukunft hervor.

Der deutsche Text stammte von Hermann Scherchen. 1914 war er als zweiter Kapellmeister in einem russischen Ostseebad engagiert gewesen und dort steckengeblieben, als der Erste Weltkrieg ausbrach. Als unerwünschter Ausländer wurde er in ein Lager für Zivilgefangene eingeliefert und dort bis zum Kriegsende festgehalten. Er lernte Russisch und leitete den Musikunterricht der Kinder. Die »Marseillaise« der russischen Revolutionäre dürfte er dort kennengelernt haben. Er übertrug sie ins Deutsche und stellte sie 1920 in Berlin vor.

1950 dirigierte er in Prag und glaubte dort die Entwicklung jenes kommunistischen Paradieses zu erkennen, aus dem Väterchen Stalin seine russischen Kinder verbannt hatte. Mit dieser Heilsbotschaft kehrte er in die Schweiz zurück, um sie den Hirtenknaben zu verkünden, womit er sich die Stellung am Zürcher Radio verdarb.

Scherchen wohnte eine Zeitlang bei Werner Reinhart, dem Winterthurer Mäzen, der 1918 die Uraufführung von Strawinskys »Histoire du soldat« mitfinanziert und Rainer Maria Rilke den Wohnturm Muzot im Wallis zur Verfügung gestellt hatte. Dort leistete er sich folgenden Scherz:

»Gestatten, daß ich telefoniere«, bat Scherchen leichthin.

»Bitte sehr«, antwortete sein Gastgeber.

Zum Monatsende beglückte das Telefonamt Herrn Reinhart mit einer vierstelligen Rechnung für Auslandsgespräche. Es stellte sich heraus, daß Scherchen eine zarte Liaison – in China unterhielt. Daraufhin wurde er ausquartiert und mußte fortan mit einem Hotelzimmer vorlieb nehmen. Der Pfarrer von Gstaad erlebte die chinesische Freundin in Aktion. Als dieser, nachdem ein von Scherchen geleitetes Konzert längst zu Ende war, Licht im Kirchenschiff bemerkte und deshalb nach dem Rechten sehen wollte, erblickte er vorn neben dem Taufstein am Altarplatz den sich wohlig windenden Dirigenten, splitternackt, so wie der Herrgott den Adam geschaffen; hinter ihm, einen nassen Schwamm schwingend, die Schöne aus Schanghai. Versteht sich, daß Herr Scherchen zum letztenmal in Gstaad engagiert worden war.

Auch Maria Stader hatte mit Hermann Scherchen ein Renkontre. In Roms Accademia di Santa Cecilia führten wir Bachs »Hochzeitskantate« auf, darin »ein Herz, das andere küßt« und das »Sich Üben im Lieben, im Scherzen und Herzen« gepriesen wird. Scherchen ließ sich das nicht zweimal sagen. Während ich sang, hörte ich plötzlich neben mir eine tiefe Stimme, die mitleierte »dich möcht' ich lieben und scherzen und herzen ...«. Scherchen hatte sich zu mir herabgeneigt, während er mit der rechten Hand weiterdirigierte. Im Publikum erweckte das den Eindruck einer Zurechtweisung der Sängerin durch den Dirigenten. Die Zurechtweisung erfolgte aber erst in der Pause, und zwar in die Gegenrichtung.

Meine Freundin Clara Haskil

Immer wieder kreuzten sich meine Wege mit denjenigen Clara Haskils. Clara war einen langen und harten Weg gegangen, um jene Anerkennung zu finden, die ihr längst gebührt hätte. Wer könnte jemals ihre Deutung später Beethovensonaten, der posthumen B-Dur-Sonate von Schubert oder des Schumannschen Klavierkonzertes vergessen? Trotzdem haftete ihr, wie auch mir, der sicher ehrenvolle, aber dennoch vorurteilsbelastete Stempel der Mozartinterpretin an. Im modischen Pausenjargon hieß es: »Na ja, gewiß sehr gut, aber im Grunde genommen spielt sie alles wie Mozart.« Solche Bemerkungen, oft wiederholt, können einen Künstler auf die Dauer irritieren.

»Das ist doch eine unmögliche Einstellung«, sagte Clara. »Ich kann spielen, was ich will: Bach, Beethoven, Ravel. Immer nennt man mich die Mozartspielerin.«

»Das kenn ich. Das ist bei mir genau dasselbe.«

»Aber bei dir ist das etwas anderes. O Gott! Wenn ich doch Mozart so spielen könnte, wie du ihn singst!«

»Nicht doch, Clara«, erwiderte ich. »Umgekehrt. Wenn ich nur Mozart so singen könnte, wie du ihn spielst.«

Wir lachten, aber bei allem Spaß war doch ein Körnchen Wahrheit mit dabei.

Über Ferenc Fricsay, den wir beide so sehr verehrten, sprachen wir viel. »Ich habe mir deine neuen Fricsay-Platten kommen lassen«, sagte sie. »Wie ihr das im Studio fertigbringt! Einfach wunderbar!« Clara arbeitete nur widerwillig im Aufnahmestudio, es sei denn, daß Fricsay dirigierte. Am 4. September 1955 erhielt ich von ihr einige Zeilen aus Epalinges:

»Fühle ich mich bis Samstag bei allen Kräften, so fliege ich nach Zürich. Wenn nicht, so bleibe ich hier – einsam, trostlos, von Gott und Menschen verlassen. Deine RIAS-Aufnahmen von Mozart helfen mir zu überleben, Deine Stimme!«

Clara Haskils Aussehen hatte Mutter Natur nicht begünstigt. Sie litt darunter, aber wie mancher andere verbarg sie es. Mehr noch. Als wolle sie aller Welt zeigen, wie gleichgültig ihr das Äußere sei, verschmähte sie Puderquaste, Rouge und, wie es bisweilen den Anschein hatte, selbst einen Kamm; sie betrat das Podium in einer Aufmachung von geradezu herausfordernder Saloppheit und fiel so erst recht auf. Einmal sagte sie zu mir: »Du hast keine Ahnung, was es bedeutet, wenn man schön ist.« In solchen Augenblicken heiterte ich sie mit einem Witz auf. Clara hatte ihre helle Freude an einer guten Pointe, brach in hohes Stakkatogekicher aus, wobei alles an ihr in Bewegung geriet, auch ihre Schultern, und die Haarsträhnen ihr vornüber ins Gesicht fielen. Vielleicht kam im rechten Augenblick Ferry vorbei. Dann strahlte sie. Ein nobler Kavalier, der ihr die Hand küßte, ein kleines Kompliment machte – und wer konnte das charmanter als Ferry? –, und Clara war wie verwandelt. Sie war selig, wenn sie Ferry in der Nähe wußte.

Als Clara vor einem Luzerner Festwochenkonzert einige Ferientage auf dem Bürgenstock verbrachte, lud sie mich und Bruno Barbatti, den beliebten Luzerner Restaurateur, zum Tee ein. Wir fuhren im funkelnagelneuen Mercedes los, meinem ersten Auto, einer nachtblauen Limousine, die ich mir nach langem Zögern zugelegt hatte. Marianna Radev hatte einen Mercedes, Gottlob Frick ebenfalls, Ferry besaß sogar einen rassigen weißen Sportwagen mit rotem Lederpolster, also war es an der Zeit, daß ich mich auch motorisierte. Ich war unsagbar stolz auf meine Errungenschaft, fast ebensosehr wie seinerzeit auf mein Velo. Hinzu kam, daß ich soeben meine Fahrprüfung bestanden hatte.

Ich lenkte den Wagen den Berg hinauf, behutsam, ständig auf der Hut. Eine derart kurvenreiche Bergstraße war neu für mich. Auf einmal erklang Posthorngetute, noch eine Biegung und – hoppla! wir standen Kühler an Kühler einem gelben Ungetüm gegenüber.

»Was passiert jetzt?« fragte ich Herrn Barbatti.

»Wir müssen, glaube ich, weichen. Rückwärtsfahren. Schauen Sie, wie der Chauffeur signalisiert.«

Ich kramte in meinem Gedächtnis. »Auf Bergstraßen hat das bergwärtsfahrende Fahrzeug den Vortritt«, erklärte ich.

»Vielleicht nicht, wenn ein Postauto entgegenkommt.«

»Aber wir befinden uns auf der Talseite...« In Gedanken verwünschte ich die Einladung, den Ausflug, Clara, den Bürgenstock, die PTT. Meine Füße, die krampfhaft auf Bremse und Kupplung drückten, zitterten.

Ich blickte flehend den Chauffeur des Postautos an, der jedoch weiterhin energische Zeichen machte. Also schöpfte ich tief Atem und löste die Handbremse. Herr Barbatti streckte den Kopf zum Fenster hinaus.

»Ich sage schon, wenn wir zu nahe am Rand sind«, versprach er. »Etwas weiter unten hab ich, glaub ich, eine Ausweichstelle gesehen.«

Mich, wie ich es gelernt hatte, auf meinem Sitz umdrehend, linker Arm hinter die Sitzlehne – der Postler sollte doch sehen, daß ich mein Handwerk beherrschte –, faßte ich die steil abwärts führende Straße messerscharf ins Auge und ließ den Wagen im Schneckentempo rückwärts gleiten. Das Postauto schloß auf.

»So ist's gut ... sehr gut«, sagte Herr Barbatti. »Vielleicht etwas mehr nach links ... gut ... immer gut ... jetzt mehr nach links, mehr links. *Mehr links! Haaalt!*«

Ich bremste brüsk. »Ich glaube, Sie müssen vorwärtsfahren, sonst hängen wir mit dem hinteren Rad in der Luft«, sagte Herr Barbatti.

Ich holte einmal tief Luft, schaltete den ersten Gang ein, gab Gas, aber o Schreck! Wir sackten weiter nach hinten ab. »Haaalt!« schrie Herr Barbatti und klammerte sich am Armaturenbrett fest. Der Postchauffeur grinste durch seine breite Windschutzscheibe, schlängelte sich an mir vorbei, hielt weiter unten an, stieg aus und kam schweren Schrittes auf uns zu. »Können Sie nicht Auto fahren?« fragte er.

Ich beichtete, eine Anfängerin zu sein. »Sie drücken die Kupplung zu lange runter und geben nicht genug Gas«, erklärte er. »Nehmen Sie die Hand weg von der Handbremse. Jetzt geben Sie Gas. Mehr. Mehr. Jetzt lassen Sie die Kupplung langsam los. Spüren Sie den Druckpunkt? Ja? Jetzt Handbremse anfassen, mehr Gas geben und runter damit.« Ein Ruck, und wir schossen davon.

Bleich und benommen kamen wir oben an. Clara wartete schon an der Hoteltür. Sie sah bitterböse aus.

»Wunderschön ist's da oben«, rief ich. »Du hast dich sicher glänzend erholt.«

»Erholt?« Clara nahm mich energisch am Arm und führte mich zum Teetisch. »Ich habe mich überhaupt nicht erholt. Seit drei Wochen lungere ich hier oben herum. Hab kein Klavier angerührt. Nicht geübt. Schrecklich! Eine Katastrophe! Ich kann nicht mehr spielen. Werde das Konzert absagen müssen. Was nehmt ihr?«

Wir bestellten Tee. Herr Barbatti hatte den Appetit verloren, ich aß einen Mohrenkopf.

»Das bildest du dir nur ein«, sagte ich. »Ferry freut sich riesig auf euer Konzert. Du weißt, wie er dich liebt. Und du wirst mit ihm zusammen wunderbar spielen. Schöner denn je.«

»Ich werde überhaupt nicht spielen«, erklärte Clara Haskil. »Ich werde vielleicht nie mehr spielen. Ich spiele mit jedem Jahr schlechter. Es ist überhaupt unsagbar, wie miserabel ich spiele. Wer will schon ins Konzert gehen und sich so was anhören.«

»Ein ausgezeichneter Tee«, bemerkte Herr Barbatti. »Und die prachtvolle Lage. Gehen Sie viel spazieren?«

»Vielleicht können wir nachher noch ein paar Schritte zusammen gehen«, schlug ich vor. »Ein bißchen frische Luft. Das tut gut.«

»Die Spaziergänge, die kenne ich allesamt in- und auswendig«, sagte Clara. »Aber wenn du mir eine Freude machen willst, fahren wir doch ein bißchen mit deinem schönen neuen Auto spazieren.«

Eben wollte ich ein Stück Mohrenkopf zum Mund führen. Ich legte es wieder hin. Das würde bedeuten: hinunterfahren, ein zweites Mal hinauf und abermals hinunter. In meinem Kopf wimmelte es von eidottergelben Postautos mit giftig dreinblickenden Scheinwerferaugen und Gebissen aus Chromstahl. »Schau, Clara, die Bergstraße, die ist ein wenig eng. Und ich hab einen breiten Wagen, und ...«

»Wir könnten ums Hotel herumfahren«, schlug Herr Barbatti vor.

»Ja«, stimmte Clara ein. »Fahren wir ums Hotel herum. Es ist schließlich ein großes Hotel, ein Grandhotel.«

Worauf wir uns ins Auto setzten und eine Runde drehten, zwischen Blumenrabatten hindurch, an der Küche vorbei, um den Speisesaal herum und wieder zurück. Clara war selig. »Bitte noch einmal.« Ich kann mich nicht erinnern, wie oft wir das Hotel umkreisten. Ein Gärtner arbeitete in den Rosenbeeten, und wenn wir an ihm vorüberkutschierten, winkte er wie Pape Stader unseren Buben auf dem Karussell.

Als ich nach Luzern ins Hotel National zurückkam, war ich erledigt. Ferry war gerade eingetroffen und blickte mir aus seinem weißen Cabriolet entgegen. »Da kommt Maria!« rief er einigen Kollegen zu, die auf dem Balkon standen. »Wollen mal sehen, ob sie parken kann.« Denen will ich's zeigen, dachte ich. Am Rasenrand war zwischen zwei Autos ein Platz frei. Also elegant rückwärts in die Lücke einschwenken. Als ich auf der Rasenseite aussteigen wollte, ging die Tür nicht auf. Ich kurbelte das Fenster herunter und schaute hinaus. Mir verschlug es den Atem. Den Rasen umspannte ein Draht, ich Esel hatte ihn übersehen und war in den Draht hineingefahren. Grimmig kletterte ich auf der anderen Seite hinaus und ging ums Auto herum. Die oben auf dem Balkon lachten sich natürlich krumm. Der ekelhafte Draht hatte mein Auto gestreift und an der Seite Farbe abgekratzt. Mein schönes neues Auto! Um meine Lippen zuckte es, aber ich war zu wütend, um zu heulen. Die Kollegen hätte ich allesamt umbringen können.

Vor Claras Luzerner Konzert gab es nochmals eine Aufregung. Clara war ins Hotel National gezogen. Ich hatte soeben mein Hotelzimmer verlassen, als mich ein Page ansprach und mich dringend bat, zu Fräulein Haskil zu kommen. Ich folgte ihm ins obere Stockwerk, dort stand eine der Türen offen, Leute liefen hin und her. Mitten im Zimmer stand Clara im Morgenrock, die Hände in den Taschen vergraben, zitternd wie Espenlaub, Tränen in den Augen.

»Der Schlüssel! Ich finde den Schlüssel nicht!« stammelte sie.

»Was für ein Schlüssel?«

»Den Schlüssel zum Kleiderschrank.«

»Wo hast du ihn zuletzt gehabt?«

»Ich weiß es nicht. Oh, ich bin ganz durcheinander! Ich kann mich nicht anziehen. Das Konzert kann nicht stattfinden. Es ist alles aus.«

»Beruhige dich«, sagte ich. »Wir werden den Schlüssel finden oder den Schrank aufbrechen. Rufen Sie doch den Schlosser«, sagte ich zum Zimmermädchen, das verdattert in einer Ecke stand.

»Der ist bereits nach Hause gegangen, und wir finden ihn nicht«, antwortete sie.

Ein Hausdiener erschien mit einer Zigarrenschachtel voller Schlüssel. Während er am Schloß herumstocherte, machte ich mich an die Arbeit. Ich zog den Bettüberwurf zurück, nahm das Bett auseinander, durchstöberte den Schreibtisch, die Kommodenschubladen, tauchte meine Hände in sämtliche Winkel von Claras Reisekoffer, ging auf die Sessel los, steckte die Finger in die engen Polsterritzen, kniete mich hin, betastete den Boden unterm Bett, unterm Schreibtisch, unter der Kommode, unterm Teppich. Es war wirklich zum Verzweifeln. Im Geist sah ich Ferry die Hände zusammenschlagen, sah ich Clara im Morgenrock zur Podiumstür des Festspielsaales hereinschlurfen.

»Keiner paßt«, erklärte der Hoteldiener achselzuckend.

»Dann holen Sie eine Axt!« schrie ich. »Und du, Clara, bete zum heiligen Antonius.«

»O Gott! O Gott!« stöhnte Clara.

Plötzlich kam mir eine Erleuchtung. »Nimm mal die Hände aus den Taschen und laß mich dort nachsehen.«

»Sie sind leer«, beteuerte Clara.

»Trotzdem.«

Ich schaute nach. Nichts. Dann sah ich Claras Hände, zu Fäusten geballt. Ich sah vor mir ein kleines Mädchen, das an einem frühen Wintermorgen fröstelnd in der Brotschlange stand und die paar Batzen, die die Mutter ihm in die Hand gedrückt hatte, verloren zu haben glaubte, weil es sie vor lauter Kälte nicht mehr spürte.

»Clara«, bat ich. »Mach mal die Hand auf.« Ich ergriff ihre Hand, die eiskalt war.

»Au«, sagte Clara. »Du tust mir weh.«

»Aufmachen!« befahl ich. Und richtig, da lag der Schlüssel.

Wie manch einer ihrer berühmten Kollegen litt Clara schrecklich an Lampenfieber. Zwar verbreitete ihr Spiel auch an jenem Abend jenes besondere, ihm eigene Licht, das das Paradies zu versprechen schien und dem sich kein musikalischer Mensch entziehen konnte, aber – war es die Aufregung der vergangenen Stunde? – sie patzte empfindlich, was bei ihr selten vorkam.

Zu Beginn der sechziger Jahre ist sie von uns gegangen, die wunderbare Frau. Sie verunglückte auf einer Bahnhofstreppe in Brüssel, mußte ins Krankenhaus gebracht werden und verschied dort. Das ist mir sehr nahegegangen.

Die Schweizer Nachtigall

Neben meiner Solistentätigkeit in Kirchen- und Orchesterkonzerten gab ich seit 1951 unzählige Liederabende in ganz Europa. H.H. Stukkenschmidt nannte mich – in »Die Welt«, 10. Mai 1956 –: »Maria Stader, die Schweizer Nachtigall«. Er schrieb:

Das Lied, und namentlich das romantische, will anders gesungen sein als Oratorienpartien und Opernarien. Dunkle lyrische Stimmen sind ihm von Natur gemäßer als die Soprane des hohen F und der geläufigen Koloratur. Wenn freilich einmal beides zusammenkommt, dann ist höchste Kunst erreicht. In der Generation nach Erna Berger hat keine Sängerin solche Synthese vollkommener erleben lassen als die Zürcher Sopranistin Maria Stader. Zerbinetta und Königin der Nacht, ist sie doch im romantischen Lied zu Hause wie nur ein Mensch, dem Freude und Leid zur künstlerischen Gestalt werden. Daß sie Mozartlieder singen kann, für die Zartheit des ›Veilchens‹ den rechten Ton findet wie für die Seligkeit ›An Chloe‹ war zu erwarten. Aber auch von Goethes und Marianne Willemers Herzenskunde, von Höltys Himmelsbraut weiß sie so schubertisch-innig zu singen wie von Nachtigall und Forelle. Und wenn in der Kantate vom ›Hirt auf dem Felsen‹ sich Heinrich Geusers blühender und beispiellos vielgestaltiger Klarinettenton ihrer edlen kleinen Stimme gesellt, ist das Entzücken verdoppelt.

Für Schumann-Chamissos ›Frauenliebe und -leben‹ hatte die Stader so viel echte Empfindung bereit, Töne so nobler Leidenschaft und zarten Schmerzes, daß keines der Gedichte unerfüllt blieb. Bis in die Bürgerliche Schlichtheit, die geistig den Zyklus eingrenzt, war die Atmosphäre vollendet nachempfunden. Und welche Kunst des kaum merklichen Atmens, welche Natürlichkeit des Registerwechsels!

Eine Mendelssohngruppe bildete den Abschluß, nicht ganz vorteilhaft gestellt, da sie nach Schumann keine Steigerung mehr bringen konnte. Nicht so sehr Pianist wie Musiker und vor allem Begleiter, als solcher ein Ideal von Verschmelzung mit Ton und Atem der Solistin, sekundierte am Flügel Hans Erismann. Die Schweizer Nachtigall, zierlich von Statur, wurde sehr gefeiert. Und immer stieg sie noch einmal auf ihr kleines Podium, Zugabe auf Zugabe verschenkend.

Und nach einem Liederabend an den Schwetzinger Festspielen 1959 hieß es: »25 Minuten Beifall, fast wie bei der Callas.« Bei meiner Rückkehr in die Schweiz rief mich Walter Schulthess einmal an: »Schade, daß Sie in Amerika waren. Stöckli hat telefoniert und ausrichten lassen, Maria Callas sei in Zürich und wolle Sie kennenlernen.«

Das tat auch mir leid. Ich hätte mich sehr gerne mit Maria Callas unterhalten, die ein ganz anderer Mensch gewesen sein soll, als es die Boulevard-Presse haben wollte: bescheiden, ernst, von einer außerordentlichen Gewissenhaftigkeit und Hingabefähigkeit an die Kunst. Die Hochschätzung war gegenseitig.

Einen Prestigeerfolg für unsere Heimat errangen wir mit einem Konzert im Juni 1955, zu dem Hans Lacher, Chef der schweizerischen Delegation in Berlin, in sein Haus am Tiergarten eingeladen hatte. Silvia Kind (Cembalo), Margrit Weger (Klavier), Aurèle Nicolet (Flöte) und Ernst Haefliger waren die Solisten, Ferenc Fricsay dirigierte ein kleines Orchester aus Mitgliedern des RIAS-Symphonieorchesters. Wir führten Schweizer Komponisten auf (Armin Schibler, Rolf Liebermann, Peter Mieg, Othmar Schoeck, Arthur Honegger). Hans Erismann begleitete am Flügel. Le tout Berlin war anwesend: Willy Brandt, dem Schoeck am besten gefiel, der französische Stadtkommandant General Gèze, der Chef der französischen Mission bei der sowjetischen Hohen Kommission in Potsdam, der sowjetische Protokollchef ... Die Herren aus Rußland hielten sich abseits. Mit einem Glas Kognak in der Hand setzte ich mich zu ihnen.

»Ich kann auch Russisch«, sagte ich. Ein Dolmetscher übersetzte.

»Protokollchef Akopow würde gerne wissen, was Sie können«, sagte der Dolmetscher.

Ich antwortete: »Njet.« (Außenminister Molotows UNO-Njet war damals in aller Mund.)

Das freundliche Lächeln des Herrn Akopow gefror.

Am nächsten Tag fragte ihn ein Journalist: »Was hat Ihnen gestern abend am besten gefallen?«

Herr Akopow antwortete: »Maria Stader.«

Hatte ich für dieses eine Mal die Lacher auf meiner Seite gehabt, fehlte es nicht an Gelegenheiten, daß man sich auf meine Kosten vor Lachen den Bauch hielt. Das verdanke ich nicht zuletzt einer fatalen Neigung, alles, was Ferry Fricsay zu mir sagte, für bare Münze zu nehmen.

Ich denke an das Bankett, das während der Aufnahme der ›Zauberflöte‹ zu Ehren Ferrys gegeben wurde. Mit gesegnetem Appetit nahm ich daran teil, besonders hoch hüpfte mein Herz, als zur Abrundung des Mahles eine Kristallschale aufgetragen wurde, gefüllt bis weit über den Rand mit saftglänzenden, in Zucker marinierten Erdbeeren. Mit dem Löffel griff ich tief in den Erdbeerberg hinein, häufte eine ansehnliche Portion auf meinen Teller und war eben im Begriff, mich dem Genuß des Fruchtfleisches hinzugeben, als ich Ferrys Blick auffing. Er bekundete unmißverständliche Zeichen der Mißbilligung. Ich hielt abrupt inne, schaute ihn fragend an, schließlich zuckte ich mit den Achseln und nahm einen zweiten Anlauf. Jetzt winkte Ferry energisch ab. »Was ist los?« fragte ich verwundert. »Meine Liebe«, antwortete Ferry, »du hast in wenigen Stunden die Pamina-Arie zu singen. Wir alle hoffen, dies möge eine deiner schönsten Aufnahmen werden, nicht wahr? Also, bitte schön, stell nicht das Ganze in Frage, indem du Erdbeeren zu dir nimmst.« Das verwirrte mich. »Was in aller Welt haben Erdbeeren damit zu tun?« wollte ich wissen. Ferry legte sein Besteck mit allen Merkmalen überstrapazierter Geduld nieder. »Aber Maria!« schalt er sanft. »Weißt du denn nicht, daß jede einzelne Erdbeere von winzigen, spitzen Härchen bewachsen ist und daß, falls du dich erdreistest, davon zu genießen, eines dieser Härchen dir im Hals steckenbleiben könnte? Na, und was dann geschieht, brauch ich dir wohl nicht auszumalen.« Dieser Gedanke war mir zwar neu, er schien mir aber einleuchtend. Ich entschloß mich, wenn auch schweren Herzens, auf den Erdbeersegen zu verzichten und bat diskret um einen Apfel oder eine Birne.

Da begehrte Silvia auf. »Er ist unverbesserlich!« rief sie. »Und du Kindskopf glaubst ihm einfach alles!«

Im Heiligen Land

1956 verlieh die Internationale Stiftung Mozarteum in Salzburg Bruno Walter und mir die Silberne Mozart-Medaille. Bruno Walter war leider unabkömmlich und erhielt sie ein Jahr später in Wien. Ich durfte die Auszeichnung, meine zweite Ehrung in Mozarts Vaterstadt, vor dem Zauberflötenhäuschen in Salzburg entgegennehmen. Und ebenfalls 1956 ging ein lang gehegter Traum in Erfüllung: eine Konzerttournee in Israel.

Schon im Dezember 1953 hatte Fricsay aus dem Clift Hotel, San Francisco, geschrieben: »In aller Eile folgendes: Ich gehe vom 1. Juni bis 12./15. Juli nach Tel Aviv und mache Verdi-Requiem. Ich habe durchgesetzt (doppelt unterstrichen), daß ›mein Quartett‹ engagiert wird.«

Leider war ich besetzt, nicht zuletzt am 25. Juni 1954 für das Eidgenössische Sängerfest in St. Gallen, gemeinsam mit Elsa Cavelti, Ernst Haefliger und Fritz Mack. Zur Aufführung kam Paul Hubers Symphonisches Gleichnis »Der verlorene Sohn«. Hätte ich geahnt, was mich in St. Gallen erwartete, wäre ich gegenüber den Veranstaltern des Sängerfestes vertragsbrüchig geworden. Nicht genug, daß die Konzerte entgegen jeglicher Gepflogenheit in einem Restaurationssaal stattfanden, während wir sangen, wurde, sage und schreibe, auch noch konsumiert. Die Aufführung markierte den Tiefpunkt meiner Karriere. Die Zuhörerschaft unterhielt sich hemmungslos, das Servierpersonal nahm während des Duetts zwischen Kain und Abel Bestellungen entgegen, Teller, Bestecke und Flaschen klapperten und klirrten. Da wurde es uns Solisten zu bunt. Mir lief die Galle über, Elsi Cavelti schoß ortrudhafte Blicke in den Saal, Ernst war bleich, Fritz Mack rot. Wir protestierten beim Dirigenten, der wie ein Schullehrer verkündete: »Meine Damen und Herren, falls nicht augenblicklich vollkommene Ruhe eintritt, werden die Solisten das Podium verlassen.«

»Geschieht euch recht«, kommentierte Ferry, als er von diesem Debakel erfuhr.

Im Herbst 1954 fragte Ferry erneut an, dieses Mal für den Sommer 1956. Es klappte. Mir stand ein gesalzenes Pensum bevor. Zwölf Konzertaufführungen der »Lucia di Lammermoor« und weitere zwölf von Händels »Judas Maccabäus«. Wie sehnte ich mich doch nach dieser Reise! Als das Datum des Abflugs immer näher rückte, sprach ich von nichts anderem mehr. Wenige Tage, bevor wir in Kloten abflogen, sorgte das Schicksal für einen Dämpfer.

Pape Stader erkrankte plötzlich und schwer. Mochte er auch nicht mehr unter demselben Dach wohnen wie ich, er gehörte dennoch mit zu meiner kleinen Familie. Immer noch machte er seine regelmäßigen Besuche, ›käffelte‹ bis um 11 Uhr und verteilte Leckerbissen. Er freute sich an allem, am hübsch gedeckten Tisch, an den Stiefmütterchen im Garten, brachte eine besonders lange Rübe mit für die Nase des Schneemanns, einen alten Zylinder als Hut. Manchmal stand er plötzlich hinter mir, drückte mich an sich und flüsterte mir ins Ohr: »Maieli, hast es gut gemacht.«

Ich muß jetzt noch schmunzeln in Gedanken an Weihnachten, als die Buben die elektrische Eisenbahn bekamen, Märklin, Spur 0, eine phantastisch komplizierte Angelegenheit. Den ganzen Abend verbrachten wir damit, die Anlage zusammenzubauen. Endlich waren die Züge aneinandergekoppelt. Wir bewunderten das Licht im Speisewagen, die roten und grünen Signallampen, die Schranken, die rauf und runter gingen, lauschten gespannt, ob es im Bahnhof »bim-bam« mache. Die Kinder waren nicht mehr so recht dabei. Martin dämmerte vor sich hin, Roland half noch beim Aufstellen der Tunnels, aber auch ihm fielen die Augen zu.

»Ich bringe die Kinder ins Bett«, sagte ich, nahm sie bei der Hand und ging mit ihnen hinauf. Da hörte ich lautes Poltern im Wohnzimmer, böse Stimmen. Ich ließ die Kinder stehen, lief hinunter.

»Was ist passiert?«

»Er will mir die Güterlok nicht geben«, klagte Pape.

»Du hast sie lange genug gehabt«, entgegnete Hans unwirsch. »Gib dich jetzt mal mit der anderen zufrieden!«

»Also, das darf doch nicht wahr sein!« rief ich. »Zwei erwachsene Männer...«

Vor meiner Abreise fuhr ich nach Romanshorn, schloß Pape in die Arme. Er sah schlecht aus.

»Hör zu, Maieli«, sagte er. »Geh du jetzt ins gelobte Land. Wir werden uns nicht wiedersehen. Muß jetzt auch verreisen.«

»Nüt isch!« antwortete ich. »Du bist viel zu wenig brav, um dorthin zu gehen.«

Er schaute mich lange an. »Hast wieder einen neuen Hut.«

»Ja. Aus Amerika. Gefällt er dir?«

»Weißt noch, damals in Winterthur? Wie ich mit dir in den Laden gegangen bin, das schwarze Strohhütchen mit den Blümli...«

»Oh, Pape...«

»Ja, das ist lange her. Haben viel Schönes erlebt, gell. Jetzt geh ich zu Mame...«

»Hör auf, Pape. Red'st immer vom Sterben. Ich hab mit dem Doktor gesprochen. Er sagt, du müßtest nur Geduld haben. Wirst schon wieder gesund.«

Er legte seine Hand auf die meine. »Maieli, wenn du nach Jerusalem kommst, oder nach Nazareth..., laß eine Messe für mich lesen.«

Ich versprach's.

Die Reisegesellschaft traf sich im Flughafen Zürich-Kloten: Marianna Radev, Gabor Carelli, Cesare Curzi, Kieth Engen, Herr und Frau Rehfuss und natürlich Silvia und Ferenc Fricsay.

Wir gingen zur Rolltreppe. Plötzlich ging Mariannas Beauty-Case auf und entleerte sich: Puderquasten, Parfümflakons, Nagellack, Pinzetten, Zänglein, Haarnadeln, diverse Sprays und persönliche Dinge kamen zum Vorschein. Obgleich mit Flugtaschen und zusammengerollten Zeitschriften beladen, bückten wir uns, so gut es ging. Bald beteiligte sich die halbe Wartehalle an der Jagd. Marianna war das entsetzlich peinlich, aber am Ende mußte sie lachen. Wie wir alle.

Ich hätte weniger gelacht, hätte ich geahnt, was mir zehn Jahre später im Hauptbahnhof von Amsterdam passieren würde. Ich stand am Fahrkartenschalter, besorgte mir eine Fahrkarte nach 's-Hertogenbosch, wo ich Jurymitglied eines Gesangswettbewerbs war, verstaute Fahrkarte und Wechselgeld, wandte mich um ... Das neben mir deponierte Beauty-Case war verschwunden. Samt kostbarem Schmuck.

Am Flughafen von Tel Aviv wartete eine Abordnung der Philharmoniker, wir wurden im Eiltempo durch den Zoll geschleust, fotografiert, mit Blumen bedacht und in die Stadt gebracht. Die Proben begannen. Inzwischen traf täglich Post aus der Schweiz ein, deprimierende Nachricht. Die Briefe kamen jeweils um vier Uhr an, um sechs mußte ich auf der Probe sein, das kostete Überwindung. Trotz oder vielleicht kraft der nie erlahmenden inneren Spannung wurde die »Lucia« zu einem der größten Erfolge meines Lebens.

An einem heißen Nachmittag zog ich mich in die schattige Kühle meines Zimmers zurück, um Pape zu schreiben. Ich schilderte ihm meine Eindrücke von Israel, sprach von diesem bewunderungswürdigen Volk, das um seine nackte Existenz kämpfte und doch noch mit solcher Inbrunst allem Kulturellen zugetan war, von seiner Hingabe an die Musik, vom abendlichen Beifall, der einen schier vom Podium fegte. »Vor allem möchte ich Dir sagen, daß ich ohne Dich nie zu dem geworden wäre, was ich geworden bin. Dafür bin ich Dir dankbar bis an mein Lebensende. Wenn Du Dich nicht wohl fühlst, denke an mich, denk an Deine Enkelkinder, die Dich lieben und brauchen. Jetzt bin ich bald in Jerusalem und lasse die Messe lesen. Und bete für Dich.«

Wenige Tage später, an einem Samstag um fünf Uhr nachmittags, saß ich mit Frau Rehfuss am Strand. Plötzlich sagte ich zu ihr: »So, jetzt ist Pape gestorben.« Während der Nacht zum Sonntag grübelte ich darüber nach, am Sonntag um acht klopfte ich an die Wand. Silvia und Ferry schliefen nebenan. Silvia erschien im Morgenrock. »Du, Silvia«, sagte ich, »ich habe das bestimmte Gefühl, daß Pape nicht mehr lebt.«

Sie setzte sich zu mir, nahm meine Hände in die ihrigen: »Ja, Mariechen, er ist gestern nachmittag entschlafen. Hans hat uns telegrafiert.«

Die Messe zelebrierte ein ehemaliger Schulkamerad von Heinz Rehfuss, der in einer Kirche der heiligen Stadt als Pater wirkte. Meine Kollegen wohnten mit mir der Andacht bei. In den schweren Stunden fern von Romanshorn stützte ich mich auf ihre Anteilnahme. Als Nicht-Katholikin kannte ich katholische Messen nur vom Konzert her. Jetzt versenkte ich mich in die Stimmung, die mich umgab, und dies um so aufrichtiger, als weder Pape noch Mame je den leisesten Versuch unternommen hatten, mir ihren Glauben aufzuzwingen.

In den Thurgauer Zeitungen erschien ein schlichter Nachruf:

Am Samstag ist Julius Stader, von Beruf Fischer, gestorben. Mit ihm sinkt eine markante Gestalt von Alt-Romanshorn ins Grab, die den alten Bodenseefischertyp verkörperte. Julius Stader war mit Leib und Seele mit dem See verbunden. Früher führte er neben seinem Beruf noch das Restaurant »Thurgauerhof«. Zu einem Begriff wurde sein Name in der Musikwelt durch seine Tochter, ein ungarisches Flüchtlingskind, das er bei sich aufnahm und adoptierte. Maria Stader trägt als große Künstlerin unserer Zeit seinen Namen um die ganze Erde. Ehre seinem Andenken.

Nun begann eine traurige Zeit, die die strahlende Sonne über Israel nur teilweise aufzuhellen vermochte. Immerzu sah ich Pape vor mir, wie er mit seinen Fischernetzen hantierte, des Abends zusammen mit seinen Fischerkameraden vom Fang heimkehrte, noch eine Weile plaudernd am Seeufer zurückblieb, wie er mich, die ich ihm abends in die Arme sprang, im Fluge auffing, wie wir zusammen singend und lachend in die Wirtschaft zurückkehrten, zu einem Stück Schwarzbrot mit Emmentaler. Pape liebte das einfache Leben, und so wie er lebte, starb er. Er hatte sich eben in eine Zeitung vertieft, bat noch um ein Glas Wasser, und als die Schwester zurückkehrte, war er dahingegangen. Den Bericht unseres zwölfjährigen Martin trug ich lange mit mir herum: »Ich hab mir den Opa im Sarg angeschaut«, schrieb er. »Und da hab ich gesehen, daß das, was da drinnen lag, wie eine leere Kokonhülle aussah. Opa war draußen, in den Himmel fortgeflogen wie ein Schmetterling.«

So umfing mich im Heiligen Land ein Hauch Ewigkeit. Die Freilichtkonzerte trugen das Ihre dazu bei. Über uns wölbte sich das nächtliche Firmament mit seinen zum Greifen nahen Sternen, eines der Lichter funkelte besonders hell. Das faßte ich ins Auge, zu ihm hinauf sandte ich meinen Gesang. Und wenn ich meine Koloraturen im Zwiegespräch mit der Soloflöte in Flageoletthöhen emporklettern ließ und sie schweifziehend wie Sternschnuppen im Glissando herabperlten, schien mir, als ginge ich einem sich zu mir herabneigenden Sternenhimmel entgegen.

Daneben galt es, mit klimatischen Bedingungen fertigzuwerden. Unsere Stimmbänder und Lungen waren an gemäßigte Zonen gewohnt. Die drückende Hitze, die auch abends nicht wich, setzte uns zu. Wir Frauen genossen den Vorzug leichter, tief ausgeschnittener Konzertkleider. Die Männer mußten sich in der Pause regelmäßig umziehen.

Als wir nach der letzten »Lucia«-Aufführung die Ovationen des stehenden Publikums entgegennahmen, plazierte jemand ein gigantisches Blumenarrangement vor mich hin. Ferry, der sich neben mir verbeugte, sagte: »Wo bist du, Maria? Mir scheint, es sieht dich keiner mehr.« Ich sah jedenfalls nichts als Blätter und Blumen. Ferry erhielt einen Stoß mit dem Ellbogen. »Das war natürlich deine Idee!«

Des treuesten israelischen Musikfreundes sei noch gedacht, obschon er keine Eintrittskarte löste. Vor Beginn der Generalprobe der »Lucia« schlich ein mittelgroßer Hund undefinierbarer Stammesherkunft die Stufen der Freilichtarena herunter und ließ sich, als sei just dieser Platz für ihn reserviert worden, im mittleren Gang in der ersten Reihe neben Silvia Fricsay nieder. Regungslos lag er da während des ersten Teils, in der großen Pause entfernte er sich, vor Beginn des nächsten Aktes war er wieder zur Stelle, am Schluß verschwand er ebenso geheimnisvoll, wie er gekommen war. Niemand wußte, wem er gehörte oder woher er kam. Wir amüsierten uns und dachten nicht mehr daran. Am Premierenabend, als ich das Podium betrat, sah ich das Tier schon von weitem, zusammengerollt neben der befriedigt vor sich hinschmunzelnden Silvia. Und wahrhaftig, der Vierbeiner verpaßte keine einzige Wiederholung, alles in allem hörte er sich »Lucia« und »Judas Maccabäus« sicher je ein halbes dutzendmal an. Ehe Ferry zu Beginn einer Aufführung den Einsatz gab, warf er stets einen Kontrollblick nach hinten, um sich zu vergewissern, daß der Hund seinen Platz eingenommen hatte.

Nicht alle Hunde lieben Gesang, zumindest nicht den meinen. Als ich vor ein paar Jahren mit meiner Freundin Barbara Müller auf einer Vergnügungsreise nach Spanien vor dem »Barbier«-Häuschen in Sevilla stand, empfand ich, wie einst in Nordafrika, das Bedürfnis, meine Gefühle in Gesang umzuwandeln. Kaum hatte ich die ersten Takte von Rosinas »Una voce poco fa« angestimmt, als ein Hund zur Tür herausgesprungen kam und sich rabiat bellend vor mir aufpflanzte. Er war fest entschlossen, der librettowidrigen Serenade ein Ende zu setzen und stellte sein Gekläff nicht eher ein, bevor ich ihm mittels Zeichen versprach, von weiteren Fiorituren abzusehen. Eine Zeitlang fixierte er mich stumm, unschlüssig, ob ich Wort halten würde. Schließlich zog er mißmutig ab, wie ein Hauswart, nachdem er Kinder von einer Spielwiese verjagt hat.

In Nazareth ergriff mich der sakrale Gesang eines Rabbis. Schon einmal hatte ich zugehört, wie Juden ihre Gebete sangen. Das war in Amsterdam, als mich Otto Klemperer fragte: »Waren Sie schon einmal in einer Synagoge?«

Ich verneinte. »Kommen Sie. Ich nehme Sie mit.«

Gern schloß ich mich an. Schon öfters hatte ich mich gefragt, was die Mauern einer Synagoge verbargen.

Otto Klemperer führte mich in ein altes Amsterdamer Viertel, in einen lichten, luftigen Saal. Von der Decke hingen an meterlangen Ketten achtarmige Leuchter herab, in der Mitte über dem Kopf des Vorbeters brannte hinter rotem Glas das Ewige Licht. Klemperer schob mich in eine Bankreihe, er saß auf der anderen Seite bei den Männern.

Ich fand den Gottesdienst feierlicher als bei uns Protestanten, obwohl ich kein Wort verstand, weder holländisch noch hebräisch. Am meisten bewegte mich die schöne Stimme des Kantors. Nachher fragte ich Klemperer: »Was waren das für Rollen, die der Rabbiner auseinanderrollte, mit den Kronen und den Glöckchen?« – »Die Heilige Schrift«, erläuterte er. »Auf präparierte Tierhaut geschrieben. Wie das die Vorfahren zur Zeit der Patriarchen machten.« Er schwieg. Dann sagte er: »Nichts mehr für mich. Ich fühle mich zu katholisch.«

Meines Wissens ist Otto Klemperer später zum Glauben seiner Väter zurückgekehrt.

Jetzt stand ich auf einer Terrasse, über die Dächer von Nazareth hinwegblickend. Dahinter nichts als Sand. Die Abendsonne spiegelte sich im Ladenfenster eines Schreiners, der seine Werkstatt draußen errichtet hatte und jetzt alles zusammenräumte. Ein Bild wie vor zweitausend Jahren. Neben mir sang ein Rabbi und sandte seine Stimme in die endlose Sandhügellandschaft hinaus. Auf und ab, sich ebenso endlos dahinziehend, schwebte die Gesangslinie, bald gleißend vor Inbrunst, bald leise und verhalten sich wiegend, so wie ich mir das Lied der Beduinenmütter vorstellte, wenn sie ihre Kinder im schwarzen Zelt in den Schlaf sangen. Da, in diesem Augenblick, packte mich der Singsang des Rabbis, auch er unverändert seit Tausenden von Jahren.

*

Und wieder einen Blick auf meinen Terminkalender jener Jahre:

31. Mai, 1., 2. Juni 1957
Konzertsaal der Hochschule für Musik, Berlin
Leitung: Hermann Scherchen
Werke von Mozart und Mahler

5. Juni 1958
Théâtre des Champs-Elysées, Paris
Leitung: Paul Kletzki
mit Dietrich Fischer-Dieskau
Brahms, »Ein deutsches Requiem«

6. November
Théâtre des Champs-Elysées, Paris
Leitung: Pierre Monteux
mit Hélène Bouvier, Libero de Luca, Josef Greindl
Beethoven, 9. Symphonie

25., 26. März 1959
Großer Musikvereinssaal, Wien
Leitung: Herbert von Karajan
mit Hilde Rössel-Majdan, Murray Dickie, Walter Berry
Bach, »Matthäus-Passion«

Mitte Februar 1957 verabschiedete sich Bruno Walter in New York. Er hatte das New York Philharmonic jedes Jahr als Gast dirigiert. Jetzt wollte er aufhören. Er plante noch die Aufführung der zweiten Symphonie von Gustav Mahler und lud mich ein, den Sopranpart zu singen. In dem achtzig Minuten dauernden Werk kommt der Sopran ein wenig zu kurz. Die Symphonie gehört mit dem Lied »Urlicht« als viertem Satz der Altstimme, zumindest vom gesangssolistischen Standpunkt aus. Ich wandte mich deshalb an Bruno Walter und bat ihn, drei meiner Lieblingslieder ins Programm einzubauen. Aber er wies das ab, sagte mir offen, gerade diese Lieder seien ihm in Kathleen Ferriers Interpretation zu sehr ans Herz gewachsen, als daß er sie mit mir aufführen wolle, dazu mit einem Sopran. Das verstand ich natürlich. Die Lieder sind für Alt oder Mezzosopran geschrieben, müssen also für hohe Stimme transponiert werden. Aber ich gab nicht nach. »Never accept ›no‹ for an answer«, sagte mir einst ein erfolgreicher amerikanischer Unternehmer, und ich befolgte seinen Rat. Lotte Walter, Bruno Walters Tochter, leistete zudem Schützenhilfe, und der Maestro willigte schließlich ein. Das Programm sah endgültig so aus:

Beethoven	Prometheus-Ouvertüre
Mahler	Drei Lieder:
	Wo die schönen Trompeten blasen
	Ich atmet' einen linden Duft
	Ich bin der Welt abhanden gekommen
Mahler	Symphonie Nr. 2

Während des letzten Mahler-Liedes bemerkte ich, daß Bruno Walter weinte. Beinahe verlor ich die Fassung.

Howard Taubman, Musikkritiker der »New York Times« und Biograph Toscaninis, schätzte mich besonders als Mozartsängerin. Als ich im Rahmen der Festlichkeiten zum 200jährigen Geburtstag Mozarts im April 1956 unter Eugene Ormandy in der c-Moll-Messe sang, nannte er meinen Gesang »the finest Mozart singing heard in town during the composer's bicentennial year« (den besten Mozartgesang, den er zu Ehren von Mozarts Geburtstag in New York gehört habe). »It was something to treasure in the memory. For this was singing released, as it were, from the bondage of flesh and blood. It was integrated so that it became part of the vaulting design of the music much as the angels in Rubens and Titian merge into the theme of a grand canvas.« (Eine kostbare Erinnerung, Gesang gleichsam losgelöst von Fleisch und Blut, integriert, so daß er Teil eines sich wölbenden Gemäldes war, wo Engel sich wie bei Rubens oder Tizian ins Thema der Leinwandarbeit einfügen.) Vom Bruno-Walter-Konzert berichtete er am 15. Februar 1957: »Mahlers Musik wurde selten, wenn überhaupt jemals, mit solch entrückter Hingabe (with such transfiguring devotion) aufgeführt, wie gestern abend in der Carnegie Hall von Bruno Walter.«

Mich nannte er eine Sängerin »of exquisite taste and sensitivity« (von auserlesenem Geschmack und hochsensibel), meine Deutung der Mahler-Lieder fand er »searching« (tiefschürfend).

Bruno Walter war sehr zufrieden. Sogar bis nach Vancouver holte er mich für eines seiner allerletzten Konzerte in Amerika am 5. und 7. August 1959. Er wollte »Et incarnatus est« aus der c-Moll-Messe, die Arie »L'amerò, sarò costante« aus »Il Re Pastore« und »Voi avete un cor fedele«. Um mir jede Sorge zu nehmen – der Scala-Schock saß mir noch immer in den Gliedern, und das wußte er –, ließ er telegrafieren, daß ich mich um das Orchestermaterial nicht zu kümmern brauche.

In Vancouver lud uns der Sponsor der Festwochen auf seine feudale Jacht ein, wo ein durstiger Sängerkollege ein solches Verlangen nach Coca-Cola hatte, daß er im anschließenden Konzert vor lauter Aufstoßen in arge Verlegenheit geriet. Unser Gastgeber stellte uns überdies seinen sechstürigen Chrysler mit schwarzem Chauffeur zur Verfügung. Da fällt mir ein, was Fritz Kreisler erlebte – eine Geschichte, die mir Franz Rupp erzählte –, der in einer etwas abgelegenen amerikanischen Stadt ein Konzert gab, in Bloomington, Illinois, oder Ashtabula im Staat Ohio. Nach dem Konzert drängten sich zwei schwarze Jungen vor. Einer fragte: »Sind Sie der *berühmte* Mr. Kreisler?« Kreisler nickte freundlich. Der Junge reichte ihm den Programmzettel und bat um ein Autogramm. Während Kreisler unterzeichnete, sagte der Junge zu seinem Freund: »Menschenskind, das ist einer. Tagsüber macht er Autos und nachts fidelt er.«

»Caribbean Bach.« So überschrieben Zeitungen die Nachricht vom Pablo-Casals-Festival 1957 in San Juan, Puerto Rico. Der Meister hatte sich mit seiner jungen Frau auf die sonnige Insel zurückgezogen. Sascha Schneider war indessen entschlossen, das Festival von Prades nicht aufzugeben.

Alte Freunde kamen. Rudolf Serkin, Mütschu Horszowski. Rudi spielte das d-Moll-Klavierkonzert von Bach. Ich saß unter den Zuhörern im Saal der Universität von Puerto Rico. Pablo Casals fehlte. Er war krank. Für uns neigte sich eine Epoche ihrem Ende zu.

Serkins Bach war überwältigend. Ich dachte an jenen Nachmittag vor elf Jahren, als ich unter einem Fenster des Hotels Waldhaus Dinu Lipatti lauschte. Ein Kosmos leuchtender Töne umfing mich.

Auch ich musizierte Bach. Sascha Schneider dirigierte vom Pult des Konzertmeisters aus. Das Dirigentenpodest blieb leer. Es war ein schönes Festival. Aber es war nicht Prades.

Gouverneur Munoz Martin lud zu einem großen Empfang in seiner Residenz ein. Die reizende Gouverneursgattin steckte jedem Gast eine Orchidee ans Abendkleid. Nachher begab man sich ins Spielkasino. Isaac Stern saß am Tisch, neben ihm einige Kollegen. »Faites vos jeux ...«

Vera Stern sagte: »So geht die Abendgage weg. Komm, Maria, wir bleiben bei unsern Fünf-Dollar-Einsätzen.« Vera irrte sich. Eine Viertelstunde später hatte Isaac die halbe Bank ausgeplündert. Es war alles sehr exklusiv. Exotisch. »Exciting.« Aber eben – es war nicht mehr Prades.

Leider breitet sich selbst in der Erinnerung ein dunkler Schatten über die ausgehenden fünfziger Jahre aus. Im Oktober 1958 wurde Ferry Fricsay krank, eine Operation war unumgänglich. Er erholte sich nur mühsam von diesem Eingriff. Drei Monate später, im Januar 1959, lag er erneut auf dem Operationstisch. Er war erst 45 Jahre alt und mußte ein ganzes Jahr aussetzen. Als er im Spätherbst 1959 wieder auf dem Podium stand, war er noch immer der alte Ferry – und doch ein anderer. Mir kam das Märchen vom Gevatter Tod in den Sinn. Stand der Gevatter Tod zu Häupten des Kranken, durfte der Arzt seinen Patienten heilen, stand er jedoch zu dessen Füßen, mußte der Arzt die Behandlung abbrechen und ihn dem Gevatter überlassen. In Ferrys Krankenzimmer war der Tod am Fußende des Bettes erschienen, der schlaue Arzt hatte das Bett jedoch gedreht und dem Kranken eine Gnadenfrist erwirkt. Ferrys Blick verriet es. Er hatte Gevatter Tod ins Auge geschaut.

Wenn Fricsay jetzt dirigierte, schaute er viel nach oben. Oder er faltete die Hände – wie zum Gebet. Unaufmerksamkeit und Ruhelosigkeit im Orchester, worüber er einst in Rage kam, ließ er stoisch über sich ergehen.

Silvia pflegte ein weißliches Getränk in Thermosflaschen abzufüllen und es ihm von Zeit zu Zeit zu reichen. Ferry nannte die Flüssigkeit »Tigermilch« und versäumte keine Gelegenheit, ihre kräftespendenden Eigenschaften zu preisen. Ich kam gerade aus Amerika und sehnte mich ebenfalls nach Stärkung.

»Was ist das?«

»Tigermilch.«

»Tiger? Wie Löwe, Tiger, Leopard und so weiter...?«

»Richtig.«

»Das wär doch vielleicht auch etwas für mich. Wo bekommst du sie her?«

Ferry fixierte mich mit seinen Kinderaugen. »Woher? Selbstverständlich aus dem Zoo. Woher denn sonst?«

»Hier? In Berlin?«

»Nein. Wieso in Berlin? In Zürich. Silvia ruft aus Ermatingen an, und die senden die Milch postwendend.«

Nach Zürich zurückgekehrt, begab ich mich zur Allmend Fluntern und marschierte mit unserem Milchkesselchen in der Hand zum Zoo-Sekretariat. Da Professor Hediger nicht im Hause war, trug ich seiner Sekretärin mein Anliegen vor. Sie schaute mich verwundert an. »Tigermilch? Es tut mir leid, davon habe ich noch nie etwas gehört.«

»Doch, doch. Es ist ein Stärkungsmittel.«

»Sind Sie sicher?«

»Aber natürlich. Herr Fricsay bekommt es. Sie schicken's ihm wöchentlich. Jemand im Zoo muß Bescheid wissen.«

Die Sekretärin griff nach dem Telefonhörer. »Ich werde mal sehen, ob der Oberwärter erreichbar ist. Oder sonst jemand vom Raubtierhaus.«

Sie wählte eine Nummer. »Herr Anderegg? Frau Maria Stader ist bei mir und bittet um Tigermilch. Ist Ihnen so etwas bekannt? Aber Frau Stader behauptet, Herr Fricsay gebe wöchentliche Bestellungen auf... Fricsay...«

»Aus Ermatingen, Kanton Thurgau«, präzisierte ich.

Die Sekretärin legte den Hörer auf. »Herr Anderegg kommt«, erklärte sie.

Die Tür ging auf, ein stämmiger Mann im Overall trat herein. Die Sekretärin stellte mich vor, und ich wiederholte, weshalb ich gekommen war. Tiefe Furchen zeichneten sich auf Herrn Andereggs Stirn ab.

»Ist das Ihr Ernst, Frau Stader?«

Bei mir machte sich Unsicherheit bemerkbar. »Gibt es das am Ende gar nicht?«

»Aber wie stellen Sie sich das vor! Eine Raubkatze, das ist doch keine Milchkuh. Wie wollen Sie einer Tigerin an die Zitzen kommen? Die würde sich schön bedanken!«

Ich gab beschämt zu, daß ich wohl einem Mißverständnis zum Opfer gefallen sei, entschuldigte mich tausendmal für die Störung, versprach der Sekretärin und Herrn Anderegg eine Schallplatte und war heilfroh, daß ich mich nicht auch noch vor Professor Hediger blamiert hatte.

An der Hirslanderstraße verursachte mein Abenteuer homerisches Gelächter. Für mich ein Grund, das Kapitel über die bewegten fünfziger Jahre mit dieser heiteren Note abzuschließen.

Kapitel 30

Opernsängerin auf Schallplatten

Berge von Papier, die sich im Laufe von fünfzig Jahren aufgestaut haben, liegen in meiner Wohnung zerstreut. Fußboden, Stühle, Tische sind bedeckt, selbst auf dem Flügel liegen Häufchen, nach Alphabet, nach Datum, nach Wichtigkeit gestapelt. Ich habe beschlossen, mich vom meisten zu trennen, nur eine sorgfältig getroffene Auswahl weiterhin aufzubewahren.

Ja, und die Briefe. Berge von »Fan-Mail«. Auch anderes, zum Beispiel: »Ich bitte höflich um genaue Angaben zur Ergänzung meiner Sänger-Kartothek (Stand 1963: 187 Namen). Bitte in Blockschrift schreiben. 1. Geburtsort: wo, wann ..., 2. Wo (bei wem) haben Sie studiert? Wie lange? 3. Wo und wann war ihr erstes Auftreten? 4. ... Bitte um baldige Antwort. Hansjörg Schütz.« Die meisten Bittsteller wünschen ein Bild, aber den wenigsten kommt es in den Sinn, Rückporto beizulegen. Oder was nützt es, wenn der Fan aus Brüssel belgische Briefmarken schickt? *Ein* Bild genügt nicht jedermann: »Absender – Hans Oelkers, Betriebspostwart, Hamburg. Wir bitten um Zusendung von zwölf Bildern für die Wachleute von der ›Schaubude‹. Im voraus herzlichen Dank – Hans Oelkers.«

Dann die Ordner. Auch sie habe ich vom Dachboden geholt, aus langjähriger Kofferhaft befreit. Jetzt baue ich Türme damit, im Wohnzimmer, im Gang; Eßzimmer und Küche sind bereits belegt. Ich nehme den dritten von oben, schlage auf: ›S‹: Ich finde besinnliche Zeilen von Paul Sacher, der sich des viele Wochen daniederliegenden Bohuslav Martinu angenommen hatte. ›St‹: Zuschriften der Steuerverwaltung. Dort gibt es nette und weniger nette Leute. Zu den letzteren gehörte jener Beamte, der meinen Mann aufs Steueramt zitierte, wenn er mein Bild in einer Zeitung sah. »Ihre Frau darf Konzertkleider nicht als Berufsunkosten abziehen«, nörgelte er eines Tages. »Sie kann sie schließlich kürzen und noch als Nachmittagskleid tragen.« Seine Schikanen setzten mir derart zu, daß ich Journalisten um Zurückhaltung bei der Veröffentlichung meiner Bilder bat.

Ach, und was sehe ich da! Den stolzen Briefkopf der Bayreuther Festspiele. Ich bin unbeabsichtigt ins ›B‹ zurückgerutscht. Vor mir liegt ein Schreiben, beschwingt unterfertigt von Wieland Wagner, dessen Inhalt allerdings wenig dazu angetan war, meine Schritte nach Bayreuth zu lenken. Herr Wagner stellte mir nämlich huldreich die Minipartie des Hirten im »Tannhäuser« in Aussicht. Mit dieser kleinen Hirtenszene hat es eine eigene Bewandtnis. Sie leitet vom Venusberg in die irdische Tallandschaft der Wartburg über, besteht aus rund zwei Dutzend Takten, wird ohne Orchesterbegleitung gesungen, umrahmt von einem auf der Bühne geblasenen Englischhorn und unmittelbar gefolgt vom nahenden Chor der alten Pilger. Falls die Pilger zu hoch intonieren, heißt es, der Hirte singe zu tief. Eine undankbare Sache! Aber man mißverstehe mich nicht. Ich erachte keine Partie, geschweige denn eine Meister Wagners, als für zu gering, um nicht mein Bestes dafür herzugeben. Hier waren die Begleitumstände unzumutbar. Glaubte Herr Wagner, daß eine Sängerin ihre sommerlichen Festspielreisen unterbrechen würde, um eine Minute lang auf der Bayreuther Bühne zu stehen? Nun, er glaubte sogar noch mehr. Er forderte, daß ich, da er bislang keine Gelegenheit gehabt habe, mich zu hören, nach Bayreuth kommen müsse, um ihm für diese Partie – vorzusingen!

Herr Wagner erhielt einen Korb.

›M‹ steht für Père Martin und Igor Markevitsch. Nicht immer leicht war die Zusammenarbeit mit Monsieur Markevitsch, hin und wieder prallten unsere Temperamente aufeinander. Mir paßte zum Beispiel nicht, daß ich gegen eine Vervielfachung von Bläsern und Chor ansingen mußte, was im Widerspruch steht zu den Salzburger Raumverhältnissen, die Mozart bei der Komposition der »Krönungsmesse« vor Augen gehabt hatte und die bestenfalls achtundzwanzig Sängern Platz boten.

Ein Brief ist mit einer Karikatur geschmückt, die mich mit dem Dirigentenstab zeigt. Ja, ob man es glaubt oder nicht: Ich habe vor einem Symphonieorchester gestanden, freilich nur zum Spaß. Eines Vormittags – Fricsay hatte sich ins Aufnahmestudio zurückgezogen, um sich ein Playback anzuhören – bestieg ich das Podium, nahm den Taktstock in die Hand und bot den Herren eine getreue Imitation ihres Chefs dar. Sämtliche Fricsayschen Mätzchen kamen dran: einleitende Konzentrationszeremonie, bestehend aus andachtsvollem Schließen der Augen unter gleichzeitigem Fallenlassen der Arme und Kreuzen der Hände, sodann sachtes Heben des rechten Armes, Augenkontaktnahme mit einem Blechbläser in der vierten Reihe, Zielen mit dem Stock, Antupfen: Das Horn setzte mit dem zweiten Klavierkonzert von Brahms ein. Großer Applaus. – Hierauf gab mein Kollege Haefliger eine virtuose Kopie Wilhelm Furtwänglers, was derartige Heiterkeit auslöste, daß Ferry den Kopf zur Tür hereinsteckte, um zu erfahren, was bei uns los sei. Natürlich erzählte man ihm auch von meinem Kunststück, aber trotz Bitten und Flehen konnte ich mich nicht zu einer Zugabe entschließen. Auf Befehl geht so etwas nicht.

Todesanzeigen besitze ich leider in Hülle und Fülle. Wer viele Freunde, Kollegen, Bekannte sein eigen nennt, hat damit zu rechnen. Hier die Todesanzeigen Ilona Durigos (28. Dezember 1943), Monsignore Alphonse Hochs (12. Februar 1967), Erica von Schulthess' (20. Juni 1970), Carl Schurichts (7. Januar 1967). »Du weißt, wie lieb Dich Carlo hatte und daß es jedesmal für ihn ein Fest war, mit Dir zu musizieren«, schreibt seine Frau. Erschütternd der plötzliche Tod Fritz Wunderlichs im Oktober 1966, dieser einmaligen Erscheinung am Tenor-Himmel. Als Mozartsänger war Fritz Wunderlich unübertroffen. Er war mein Don Ottavio par excellence. Unbeschreiblich schön fand ich seine Interpretation von »Dalla sua pace«. Zwei Wochen vor seinem Tod hatten wir unter Karajan in Berlin das Mozart-Requiem miteinander gesungen ...

Am 9. Juli 1951 verschied in Mailand, wie es in der Zeitung heißt, »l'indimenticabile ed eccelsa artista, la gloria del nostro teatro« Giannina Arangi Lombardi, meine Signora. Nach dem Krieg übernahm sie in Ankara die Meisterklasse am Konservatorium. Wir blieben in Kontakt, eigentlich hatte ich vor, zur Signora in die Kontrolle zu gehen, wie wir Sänger das nennen. Aber wie so vieles, versäumte ich auch das.

In der Ecke neben dem Flügel türmen sich Dossiers, alle mit der Majuskel »D« bezeichnet. »D« für Dispeker und DGG.

Dispeker ... Was die gute Thea mit ihrer New Yorker Mannschaft in all den Jahren nicht geschrieben und getan hat!

Und die DGG bot mir die Chance, Oper zu machen, die Partien meiner Träume zu singen: Constanze, die Gräfin, Donna Elvira ...

Liederabende, Oratorien, Messen, Orchesterkonzerte ..., sie bildeten den Kern meiner Tätigkeit. Dennoch, konnte ich Oper auch nicht praktizieren, ich hatte mich mit der Oper »verheiratet«. Hans arbeitete an der Oper, nicht nur das, er machte selber Oper. Im Januar 1952 fand die Uraufführung von »Don Pedros Heimkehr« in Zürich statt, einer Oper in drei Akten von Hans Erismann nach W.A. Mozart, Handlung und Text von Oskar Wälterlin und Werner Gallusser unter Verwendung originaler Musik von Mozart und Texten von Lorenzo da Ponte und Giambattista Varesco. Ähnlich wie Felix Weingartner mit »Schneewittchen« und Schubertscher Musik, wagte Hans den Versuch eines »Pasticcio« mit Mozart. Hans' Bestreben war es, Mozartsche Kleinode, Opernfragmente wie »L'oca del Cairo«, KV 422, und »Lo sposo deluso«, KV 430, Einlagearien und Ensembles, die Mozart dem damaligen Brauch entsprechend für eigene Opern oder für andere Komponisten schrieb, in ihrem natürlichen Lebensraum zu neuem Leben zu erwecken und einer breiteren Öffentlichkeit zugänglich zu machen. Das Werk ging in der Folge über vierzehn Bühnen und hatte überall Erfolg.

Es gab bei uns also immer Grund, über Oper zu sprechen. Am Radio wirkte ich in einer Aufführung von »L'oca del Cairo« mit, und bald kam Fricsay des Wegs und, in seinem Kielwasser, wie gesagt, die DGG. Ich mußte neue Partien lernen, mit die größten Aufgaben meiner Laufbahn – trotz ausgebuchtem Terminkalender – in Angriff nehmen. Dazu gehören zwei meiner schönsten Opernaufnahmen: die Arien aus »Manon« und »Die lustigen Weiber von Windsor«. Beide unter Ferdinand Leitner. Daß dies glatt vonstatten ging, verdanke ich nicht zuletzt meiner Korrepetitorin Herta Thoma, die mir gut zwanzig Jahre zur Seite stand und für mich ein Geschenk des Himmels war. Sie wohnte nicht unweit der Hirslanderstraße, so daß ich, wenn ich in Zürich war, schon um halb neun morgens an ihrer Tür klingelte. Zwei Stunden täglich war unser übliches Pensum. Zwar lernte ich verhältnismäßig rasch, aber es gab auch kleinere und größere Hürden. Sehr heikel ist die Wiedergabe der oft unterschätzten, in Mozarts Opern so wesentlichen Rezitative. Elastisch müssen sie sein, und wie gestochen.

Mit Herta Thoma nahm ich mein gesamtes Repertoire durch, immer mit voller Stimme. Bloßes Markieren gab es bei mir nicht, auch nicht, wenn ich soeben von großen Tourneen zurückgekehrt war. Noch am gleichen Abend läutete dann bei Herta das Telefon. »Am Freitag habe ich Probe mit Fricsay. Die Gräfin. Kannst du mich morgen früh nehmen? Den dritten Akt habe ich im Flugzeug durchgesehen, den letzten hab ich überhaupt noch nicht angeschaut.«

»Ruh dich gut aus«, sagte Herta, »'s wird schon gehen.«

Und es ging. Nachts legte ich jeweils den Klavierauszug unters Kopfkissen und nahm, wie ich zu sagen pflegte, die Figuren mit in den Schlaf. Hätte Ferry gewußt, wie rasch ich mir die Partien einverleibte, er hätte mich umgebracht. Aber niemand ahnte etwas. Und wenn ich bedenke, daß die meisten meiner Kollegen von der Bühne kamen und ihre Rollen sehr oft dargestellt hatten, darf ich mir rückblickend Pape Stader vorstellen, der mir auf die Schulter klopft und sagt: »Maieli, hast es gut gemacht.«

In »Magie der Stimme« schreibt Friedrich Herzfeld: »Sie [Maria Stader] wäre die ideale Donna Anna, Agathe, Elsa und Elisabeth. Ihrer kräftigen und selbst in lichtesten Höhen herrlich leuchtenden Stimme stände ein reiches Feld offen.«

Gewiß, die Musik der Donna Anna, der Agathe und ihrer Wagnerschen Schwestern liebe ich heiß. Zwar entpuppt sich Elsa in der Brautkammerszene als Nervensäge ohnegleichen, erweist sich Ohrfeigen in allen Kreuztonarten würdig, aber sie steht ihr Schicksal durch, sie kämpft, wenn auch versponnen, für ihre Liebe und riskiert dafür alles. Auch Agathe und Elisabeth vertrauen auf ihr Gefühl und würden wie Pamina um ihrer Liebe willen durchs Feuer gehen. Das ist mir sympathisch. Und was die stimmlichen Anforderungen dieser Partien betrifft: Süße und Innigkeit meines Gesangsvortrags wurden oft hervorgehoben, desgleichen zeigte ich mich der Dramatik einer Donna Elvira, die derjenigen der Elisabeth in nichts nachsteht, durchaus gewachsen.

Ich verstehe also gut, daß es Herrn Herzfeld leid tut, mich in diesen Rollen nie gehört zu haben.

Wer weiß, ob sein Wunsch nicht in Erfüllung gegangen wäre, hätte uns Ferenc Fricsay nicht verlassen. Er war es, der mich zur Platten-Oper hinüberzog, zu Partien aus dem jugendlichen und dramatischen Koloraturfach bekehrte, an die ich vor lauter Litaneien und Requiems nicht mehr gedacht hatte. Zunächst äußerte ich Bedenken, aber Ferrys Überzeugungskraft siegte. Er hatte natürlich recht. – Kam die Rede auf die in Aussicht genommenen Gesamtaufnahmen Mozartscher Opern, sagte er: »Entweder mit dir oder mit niemandem!« Die Zusammenarbeit mit ihm war ein Geschenk. Nur über die Figur der Donna Anna einigten wir uns nicht. In der Gesamtaufnahme des Don Giovanni singe ich, wie gesagt, die Donna Elvira, obwohl mich Ferry als Donna Anna einsetzen wollte. Aber er drang bei mir nicht durch. Es war einer der seltenen Fälle, da er nachgeben mußte. »*Das* sag ich dir: Es wird *nie* mehr vorkommen, daß ich mir von dir sagen lasse, was du zu singen hast und was nicht!« rief er, ehe er die Tür hinter sich zuschlug.

Die Donna Anna ist schon ein Kapitel für sich. Ich bin ja nicht die erste, die sich darüber den Kopf zerbrochen hat. Da stellt sich etwa die Frage, ob, noch bevor der Vorhang in die Höhe geht, die Tochter des Commendatore vom Eindringling Don Giovanni mißbraucht wurde oder eben nicht. Klemperer mißt dieser Frage große Bedeutung bei. Während einer ersten Klavierprobe fragte er Claire Watson: »Was glauben Sie? Hat Don Giovanni die Donna Anna verführt oder nicht? Darüber müssen Sie sich Gedanken machen, ehe Sie mit der Partie beginnen, denn davon hängt es ab, wie Sie die Rolle gestalten.« Klemperer war im übrigen der Auffassung, daß Donna Anna verführt worden war. Anderer Ansicht ist Wolfgang Hildesheimer. »An die Vergewaltigung, oder auch nur an den entsprechenden Versuch, mögen wir nicht recht glauben«, meint er. »Don Giovanni ist nicht der Mann, etwas zu rauben, das ihm nicht als Frucht der einzigen Kunst, die er wirklich beherrscht, dargebracht würde.« Ein bestechender Gedanke, dem immerhin entgegenzuhalten ist, daß Don Giovanni in der 20. Szene zumindest Anstalten trifft, Zerline zu vergewaltigen, und daß er, abgesehen vom Liebeswerben, ein Meister in der Kunst der Degenführung ist, ein rücksichtsloser Draufgänger, rauflustig und gewalttätig. Andererseits könnte man einwenden, daß eine entehrte Donna Anna ihrer

Charakterstruktur gemäß wahrscheinlich entweder im Schlafzimmer ohnmächtig geworden wäre (wie später beim Anblick des erstochenen Vaters) oder zumindest nicht mehr über die Kraft verfügt hätte, sich wie eine Klette an Don Giovanni zu hängen, es sei denn – und damit setzt das eigentliche Rätselraten ein –, sie wollte den Schänder aus andern Gründen nicht mehr loslassen. Mit anderen Worten: Ist Anna dem Mann verfallen, der ihren Vater getötet hat?

Diese Möglichkeit zieht Heinrich Eduard Jacob überhaupt nicht in Betracht. Er erkennt in Donna Anna den Prototyp der »Vaters-Tochter« und konsequenterweise des Racheengels. Hildesheimer dagegen will die Liebe zum Vater als Agens nicht gelten lassen. Er schreibt: »Das Motiv der Tochterliebe – in Wirklichkeit niemals überzeugend, noch nicht einmal bei der Liebe Gonerils zu ihrem Vater König Lear – (Hildesheimer meint wohl Cordelia und nicht Goneril . . .) ist auch hier zu schwach, um ihre Musik zu rechtfertigen . . .« Das geht denn doch etwas weit. Der Macht der Liebe einer Tochter zum Vater verdanken wir die herrlichsten Eingebungen der Opernliteratur: die Musik Brünnhildes im Konflikt zwischen Wotan und Siegmund, Gildas zwischen Rigoletto und dem Herzog, Aidas zwischen Amonasro und Radames, um nur die berühmtesten Beispiele zu nennen.

Gerade der Musikdramatiker Verdi stellte die Kind-Eltern-Spannung in den Mittelpunkt seiner Opern der mittleren Periode: »La Traviata« (Sohn–Vater), »Il Trovatore« (Sohn–Mutter), »Rigoletto« (Tochter–Vater), »Don Carlos« (Mutter–Sohn–Vater), »Simone Boccanegra« (Tochter–Vater), »Aida« (Tochter–Vater), selbst in der »Forza« lauert das Verhältnis Tochter–Vater–Sohn–Schwester–Bruder als schicksalbestimmendes Motiv im Hintergrund. Es blieb Mozart vorbehalten, der erste unter den großen Bühnenkomponisten zu sein, der die archetypische Macht der Blutsverwandtschaft in Musik umsetzte, sei es in der »Zauberflöte« (Mutter–Tochter) oder im »Don Giovanni« (Tochter–Vater), beide Male, wie bei Mozart nicht anders zu erwarten, mit Urgewalt.

Jedenfalls bleibt Donna Anna, hin- und hergerissen zwischen Vater- und Gattenliebe, eine höchst zwiespältige, undurchsichtige Person, die mehr aus Haß und Vergeltungsdrang zu handeln scheint als aus Liebe und deren Verhalten zu allen möglichen Spekulationen reizt. Sie ist eine Kusine der Königin der Nacht, was nicht nur in den beide umkreisenden B-Tonarten zum Ausdruck kommt, sondern in der gemeinsamen Anlage zu Koloraturausbrüchen, deren Ähnlichkeit in der Stimmführung allein schon graphisch ins Auge springt.

Königin der Nacht, Nr. 4

Donna Anna, Nr. 23

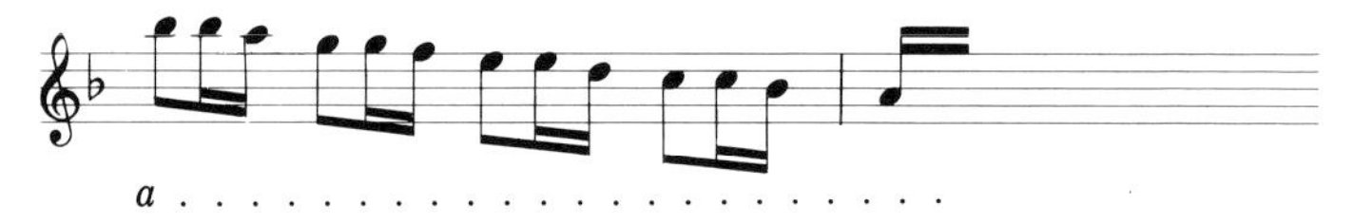

Das weibisch Zänkische und Insistierende der Königin der Nacht Nr. 14

trifft man, gedämpft, auch bei der Donna Anna,
Nr. 23

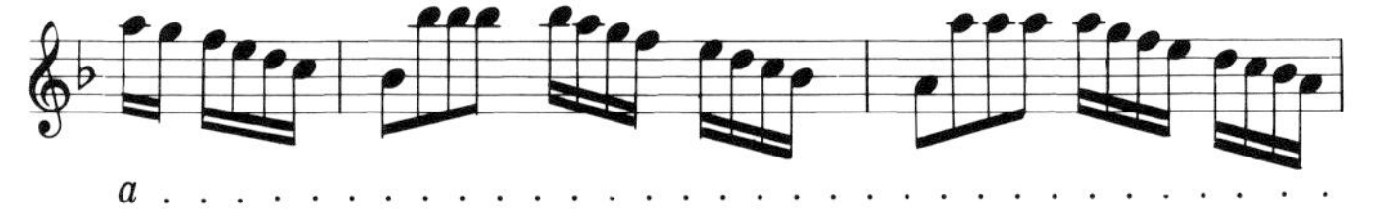

Mozart schreibt die Repetitionen zwar nicht staccato vor, sie werden dennoch (was auch leichter ist) fast immer staccato gesungen.

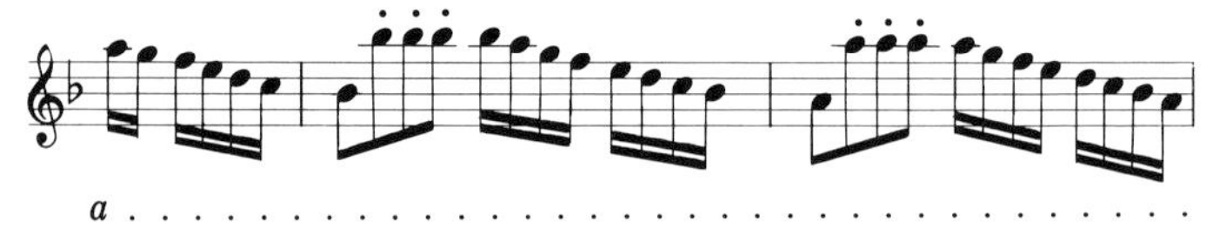

Nach reiflicher Überlegung kam ich zu dem Schluß, daß die Darstellung eines derart problematischen, von fixen Rachegedanken beherrschten Frauenzimmers nicht meine Sache sei. Daß es der Anna obendrein gefällt, ihren treuen Verlobten zu guter Letzt noch mit einem zusätzlichen Wartejahr zu quälen, konnte ich ihr, Etikette hin oder her, schon gar nicht verzeihen. Da lobe ich mir die dämliche, rechtschaffene, sich selbst erniedrigende, aber eisern zu ihrer Liebe stehende Donna Elvira, und die habe ich auch mit Genuß reproduziert.

Kapitel 31

Heimweh

Wenig habe ich von unserm Haushalt an der Hirslanderstraße erzählt. Das erweckt den Eindruck, als habe sich mein Dasein um meine Karriere gedreht wie die Erde um die Sonne. Dieser Eindruck wäre falsch. Die Sonne meines Lebens, sein wahrer Kraftspender war meine Familie. Die prachtvollen Blumenarrangements, das Beklatscht- und Gefeiertwerden, das Zusammensein mit liebenswerten Freunden und Kollegen, die Teilnahme an interessanten Gesprächen, der Glanz festlicher Tafeln, die Ehrungen ..., all das war gewiß schön, vergnüglich, aufregend. Aber selbst der größte Erfolg verblaßt neben den Empfindungen einer Mutter, die ihre Kinder in ihre Arme schließt.

Glücklicherweise befähigte mich mein Naturell, Familie und Karriere voneinander zu trennen. Vor meinem Publikum fühlte ich mich als eine der Musik mit Leib und Seele ergebene Sängerin. Stand ich auf dem Podium, lag unser Heim an der Hirslanderstraße für mich fast auf einem anderen Planeten. Sobald ich jedoch im Hotelzimmer, geschweige denn zu Hause war, streifte ich die Sängerin so schnell ab wie mein Abendkleid vorher in der Garderobe. Nirgends habe ich im Ausland so sehr gelitten wie gerade in den Hotelzimmern. »Artist are emotional people«, sagt der Amerikaner.

John Totten, hochbetagter »house manager« der Carnegie Hall, der noch Mahler und Paderewski in New York erlebt hatte, erzählte gerne von Toscanini, der sich zum Geburtstag eine Telefonverbindung mit seiner Frau in Mailand bestellte. Die Verbindung klappte just nach seinem Konzert, der Maestro sprang ans Telefon, war aber so überwältigt, daß er kein Wort zustande brachte. »Er weinte nur«, berichtete Mr. Totten. »Zuerst kam seine Frau an den Apparat, und er schluchzte, dann der Sohn, und er schluchzte weiter, zum Schluß nochmals die

Frau, und Toscanini schluchzte noch immer. Als er aufhängte, hatte er für insgesamt neunzig Dollar ins Telefon hineingeheult.«

Ich wartete immer, bis ich allein war. Dann übermannte mich oft die Einsamkeit, das Heimweh, die Sehnsucht nach meiner Familie.

Eltern stellen ihre Kinder in der Regel gern heraus. Als ich einmal bei einem Gastspiel der Berliner Oper in Zürich neben Frau Haefliger saß, während Ernst auf der Bühne seine Arie sang, wandte sich die alte Dame mir zu und flüsterte erregt: »Das ist mein Sohn!« Mit Pape Stader verhielt es sich genauso. Und natürlich mit meiner Mutter aus Ungarn.

Meine alte Mutter lebte noch. Ein Jahr nach dem glücklosen Aufstand im Jahr 1957 sollte mein im stillen gehegter Wunsch in Erfüllung gehen. Vor rund vierzig Jahren hatte ich sie auf dem Bahnsteig des Budapester Bahnhofs zum letzten Mal gesehen. Zwar hatten wir schlecht und recht miteinander korrespondiert – mit meinem Ungarisch war es nicht mehr weit her –, im Grunde genommen wußten wir wenig, ja beinahe nichts voneinander. Mutter lebte bei einem meiner Geschwister – in ihrer eigenen kleinen Welt. Von mir wußte sie, daß ich mich verheiratet hatte und daß aus mir eine Sängerin geworden war. Die regelmäßig eintreffenden Liebesgabenpakete bezeugten ihr, daß es mir gutging.

Von den Behörden erhielt ich die Nachricht, daß sich Besuche aus Ungarn auf Einladung hin arrangieren ließen. Da Mutter zudem eine alte Frau war – sie stand knapp vor ihrem achtzigsten Geburtstag –, gab es keine Komplikationen. Ich sandte ihr wie vereinbart die Flugkarte. Eines Tages erhielt ich einen Brief, der Tag und Ankunftszeit enthielt, und bald stand der große Augenblick bevor. Von Mutters Aussehen hatte ich nicht mehr die blasseste Vorstellung. Swissair-Direktor Kauert war so entgegenkommend, mich bis zur Maschine zu begleiten, so daß ich sie am Fuß der Treppe empfangen konnte. Da erschien in der Tür am Arm einer Stewardeß eine kleine, eingeschrumpfte Frau, die ergrauten Zöpfe zu einer Krone hochgebunden. Wir blickten einander an. Das also ist deine Mutter, dachte ich. Mehr empfand ich im Augenblick nicht. Anders meine Mutter. Sie breitete ihre weite ungarische Seele über mich aus, war ganz aufgeregt und überschüttete mich mit Liebkosungen. »So ein schönes Kind!« rief sie. »Schaut einmal, was ich für ein schönes Kind habe!« Zu sechst begleiteten wir sie zum Zoll. Mehr als ein winziges Köfferchen hatte sie nicht mitgebracht. Den Zollformalitäten schenkte Mutter überhaupt keine Beachtung. Sie war unentwegt damit beschäftigt, aller Welt ihre Freude kundzutun, mich zu bewundern und abzuküssen. Selbst die hartgesottenen Gesichter der Zollbeamten zeigten eine Spur von Rührung.

Bedauerlich war, daß ich mich mit meiner eigenen Mutter nicht verständigen konnte. Aber ihre Ausstrahlung machte das mehr als wett. Meine Buben verliebten sich im Handumdrehen in diese neue, originelle, überschwengliche Oma. Und nicht bloß sie. Wir alle. Auch Mama schien es bei uns zu gefallen. Nur der Speisezettel behagte ihr nicht. Es war ihr alles viel zu wenig rassig gekocht. Als wir uns erkundigten, ob sie bei uns bleiben wolle, sagte sie sofort nein. Sie sei nur gekommen, um nachzusehen, ob ihr Kind auch wirklich glücklich sei. Jahrzehntelang habe sie dieser Gedanke beschäftigt, habe sie sich Vorwürfe gemacht, daß sie ihr Kind hergegeben habe. Jetzt erst, nachdem sie ihr Kind mit eigenen Augen gesehen, inmitten einer liebenswerten Familie, mit einem herrlichen Beruf, wisse sie, daß ich glücklich sei.

Denn inzwischen hatte Mama mich zum erstenmal singen gehört, und zwar im Rahmen eines Tonhallekonzertes unter Edmond de Stoutz. Hans mußte das Mameli wiederholt zum Stillsein mahnen. Sie konnte sich einfach nicht beherrschen. »Goldig schön!« (so drückt man sich auf ungarisch aus). »Die Stimme, die hat sie von ihrem Vater! Der hat in der Kirche immer so schön gesungen!« Und die Tränen liefen ihr über die Wangen. Sie konnte es kaum erwarten, nach Hause zurückzufahren und von ihren unerhörten Erlebnissen zu erzählen. Ihr Gepäck war freilich mächtig angeschwollen. Mit Koffern voller Kleider, Wäsche und Lebensmittel begleiteten wir sie zum Flughafen Kloten. »Mir ist erfüllt worden, wovon ich geträumt habe«, sagte sie und schloß mich in ihre Arme. »Jetzt bin ich zum Sterben bereit.«

Sie sollte indessen noch steinalt werden.

Ich glaube an die Wahrheit der Ursprünge. Und Ursprünge sind märchenhaft, lassen sich nur symbolisch darstellen. Was hat uns Kindern nicht die Weihnachtsfeier bedeutet! In Ungarn war Weihnachten immer ein wunderschönes Dorffest. Man besuchte sich gegenseitig, die sonst so kargen Räume erstrahlten plötzlich in Lichterglanz, bunte Sterne und vergoldete Nüsse hingen überall. Wo der Reichtum auf einmal herkam, ist mir bis heute ein Rätsel geblieben. Kein intellektuell zurechtgelegtes Erziehungsprinzip, sondern innere Überzeugung bewegen mich dazu, auch meine Kinder an dieser Märchenwelt Anteil haben zu lassen. Roland, mein Älterer, war überreich an Phantasie. Ihn interessierten die Himmelsgeschehnisse am meisten. Als er zum erstenmal Orgelklänge vernahm, fragte er mich: »Ist das der liebe Gott, der spricht?« Kam die Weihnachtszeit, schrieben wir zusammen Briefe ans Christkindlein und legten sie zwischen Fenster und Vorfenster. Ich beantwortete sie mit gleich großen Druckbuchstaben, bestreute das Briefpapier mit funkelndem Silberstaub, legte ein Schokolädli bei und frankierte die Sendung mit Konsummarken. Morgens in aller Herrgottsfrühe kam er gesprungen. »Schau, was mir das Christkindli geschrieben hat!« Wir lasen es zusammen. Gibt es Schöneres für Mutter und Kind?

Am Heiligen Abend warteten wir gespannt auf das Erscheinen des Christkinds. Im Nebenzimmer stand der Weihnachtsbaum, unmittelbar dahinter befand sich ein Fenster mit Butzenscheiben, und draußen führte eine Treppe zum Fenster hinauf. Dort stieg das Christkind, eine verkleidete Theaterschülerin, die Stufen empor, erschien mit seinem flackernden Licht hinter den Butzenscheiben, stieg durchs Fenster und zündete den Weihnachtsbaum an. Ich hatte die ins Nebenzimmer führende Tür um einen Fingerbreit aufgemacht, lautlos, um das Christkind ja nicht zu erschrecken. Durch diesen Spalt durften die Buben hinüberschauen. Auf einmal gab es schreckliches Gepolter im Nebenzimmer. Das Christkind hatte sich beim Hinausgehen den Kopf angeschlagen, war gefallen. O weh! dachte ich. Jetzt ist es mit dem Weihnachtsmärchen aus. Weit gefehlt! Die Phantasie der Kinder dichtete den Zwischenfall um. »Das Christkindli hat seine Krone angeschlagen«, meinte der Kleine. »Es ist fortgeflogen. Ich hab gesehen, wie es die Flügel ausgebreitet hat!« der Ältere. Fortan glaubten sie noch viel intensiver ans Christkind als zuvor.

Daß mein turbulenter Haushalt während der Tage, Wochen und Monate, da ich mich auf Tournee befand, nicht aus den Fugen ging, war zwei Ursachen zu verdanken: zum einen meinem hausfraulichen Organisationstalent, das ich mir ohne falsche Bescheidenheit zugestehen darf, und zum anderen der Hingabe meiner Hausangestellten, ohne deren Unterstützung ich meine Konzertverpflichtungen niemals hätte erfüllen können. Das mag übertrieben klingen, ist es aber durchaus nicht. Ich war eine hyperbesorgte, ja – ich muß es mir hinterher eingestehen – geradezu krankhaft ängstliche Mutter, taub gegen die Ermahnungen des Hausarztes: »Bitte sehr, Frau Erismann. Übertreiben Sie nicht!« Das war gut gemeint, nützte aber wenig. Zwar sang ich für mein Leben gern, die Leser wissen es inzwischen, dennoch, meine Kinder gingen vor. Hätte ich mich auf meine Hausangestellten nicht felsenfest verlassen können, ich wäre nicht gereist.

Schwester Ida habe ich schon erwähnt. Nachdem sie gegangen war, kam einundzwanzigjährig unsere erste Marie zu uns. Im Rückblick nennen wir sie unsere »Marie eins«. Aus einer kinderreichen Familie stammend und mit fünf Brüdern beglückt, wußte sie, wie man mit Buben, seien es die der Familie, seien es Ferienkinder, umzugehen hatte. Das war die Zeit der ersten England- und Amerikareisen, als das Fliegen noch ein Abenteuer war. Roland war damals ununterbrochen kränkelnd. Also nahm ich den Arzt beiseite. »Herr Doktor«, sagte ich, »Sie müssen mir die Hand darauf geben, daß Sie jeden Tag bei uns nachsehen.« Zum Glück mußte er ohnehin täglich auf dem Weg von der Arbeit an unserm Haus vorbeifahren. War bei Erismanns alles in Ordnung, hing die gute Marie ein weißes, wenn nicht, ein rotes Tüchlein ins Fenster, wie im Märchen von den sieben Raben, und dann schaute der Doktor herein. Dennoch quälte ich mich in London und New York mit trüben Gedanken, malte mir, wenn ich allein im Hotelzimmer saß, das Schlimmste aus und sandte Briefe über Briefe nach Hause.

Wußte ich meine Kinder zufrieden, kannte meine Freude keine Grenzen. Etwa an einem Geburtstag. Da tafelten zwanzig bis fünfundzwanzig Buben und Mädchen am festlich herausgeputzten Tisch, löffelten heiße Schokolade und genossen die Torten, die »Marie eins« gebacken hatte. Wie von Feenhänden geführt, zauberte ihr Spritzsack lustige Gesichter, Blumenbouquets und -kränze, Schaukelpferde und Luftballons auf die dunkle Glasur, so daß ich es kaum übers Herz brachte, das Tortenmesser anzusetzen. Und erst Maries Obstkuchen ..., wie heißt es doch in Mahlers Vierter: »Gut' Äpfel, gut' Birn und gut' Trauben! Die Gärtner, die alles erlauben ... Sankt Martha die Köchin muß sein!« Mir kam es vor, als sei vor lauter Beifall Sankt Martha aus himmlischen Gefilden zu uns Irdischen herabgestiegen.

Die Kinder kannten keine Hemmungen. Hochragend, die spitzgeschnittene Krone auf dem gelockten Haupt, regierte der Geburtstagskönig in pausbäckiger Majestät inmitten seiner schmatzenden und schlürfenden Untertanen. Wie doch der Mama bei solchem Anblick das Herz im Leib jubelte!

Sieben Jahre hielt es »Marie eins« bei uns aus, ihr folgte Margrit, die sich auf ein Inserat hin meldete. Brief und Schrift sagten mir auf den ersten Blick zu, ich ließ sie kommen. Es erschien ein reizendes Fräulein, das mir von ihrer norddeutschen Heimat erzählte, von ihrem als Lehrer und nebenamtlich als Mesner tätigen Vater, und daß sie den Eltern nicht zur Last fallen, sondern auf eigenen Beinen stehen wolle. Das gefiel mir. Alsbald zog Margrit in der Hirslanderstraße ein und erwies sich als wirtschaftlich denkende Hausfrau und Muttterersatz in einem.

Margrit wurde eine derart ideale Hauskameradin, daß wir uns nach dreieinhalb Jahren kaum von ihr trennen konnten. Besonders Martin fiel der Abschied entsetzlich schwer, so daß wir gern von Margrits Angebot, ihn in den Ferien zu sich zu nehmen, Gebrauch machten. Denn Margrit hatte inzwischen einen Jurastudenten geheiratet, einen gediegenen, überaus sprachbegabten Tessiner, der, obgleich von Haus aus italienisch sprechend, die Matura auf deutsch, das Doktorexamen auf französisch bestanden hatte. Ihr Verlobungsfest feierten wir in der Hirslanderstraße, Hans orgelte, und ich sang bei der Hochzeit. Der Bräutigam wurde später Regierungsrat in Zug.

Nachdem Margrit fort war, hatte ich zweimal Pech. Die erste Haushilfe verschwand eines Abends und nahm gleich noch unsere Hausschlüssel mit; später stellte sich heraus, daß sie schwanger gewesen war. Die zweite, eine an sich sympathische Bündnerin, verwöhnte und verzog die Buben derart, daß ich bei meiner Rückkehr die eigenen Kinder kaum wiedererkannte. Das konnte nicht gutgehen. Da erhielt ich Schützenhilfe aus dem Kloster Stans, wo ich schon gesungen, anschließend mit den Patres zu Mittag gegessen und einen Jaß geklopft hatte.

Einer dieser Patres kam zu mir zur Gesangsstunde. Ihm klagte ich mein Leid. »Halt!« sagte er. »Wir haben einen Pater, der hat eine Schwester, die eine Stelle sucht.«

So bekamen wir »Marie zwei«, die gewiß noch heute bei uns wäre, wenn unsere Familie sich nicht verstreut hätte. Und das will schon etwas heißen! Im Erismannschen Hause tätig zu sein, verlangte einiges.

Da schneiten nach einem Clubhauskonzert fünfzig Leute zur Türe herein und sollten bewirtet werden, zogen am schulfreien Nachmittag zwei Wildfange »das Fräulein« ins Freie und erwarteten, daß sie zünftig kicke, köpfe und Tore schieße; da durfte man keine Zustände kriegen, wenn einem im Treppenflur eine weiße Maus begegnete oder eine Kröte zwischen den Beinen hindurchhüpfte. Unser Dreikäsehoch Martin hatte sich zu einem unermüdlichen Tiersammler entwickelt. Was ihm über den Weg schlich, kroch, krabbelte oder flog, wurde eingefangen und in hunderterlei Schachteln, Büchsen, Glasbehältern, Gehegen und Käfigen einquartiert; da gab es Heuschrecken, Laubfrösche, Schmetterlinge, Grillen, Mäuse, Maulwürfe, Blindschleichen und Schlangen. Später kamen noch Hasen, Meerschweinchen und Fische dazu. Vor unserer Gartentür setzte ein Tierhandel ein, wurden Tafeln angebracht mit Inschriften wie: »Meersäuli 30 Rappen je nach Größe«, »10 Mäuse für 50 Rappen«, »Häsli, Preis auf Anfrage«, denn die Tiere hörten nicht auf, sich zu vermehren. Daß hin und wieder ein Bewohner den ihm zugewiesenen Aufenthaltsort verließ und im Haus auf Entdeckungsreisen ging, war unvermeidlich. Eines Morgens war die Boa verschwunden. Nicht etwa, daß es sich dabei um ein besonders gefährliches Reptil gehandelt hätte. Martins Liebling war im Gegenteil betont menschenfreundlich veranlagt und genoß es, seinem Herrn, während er über seinen Hausaufgaben sann, am Arm hochzukriechen und die Wange zärtlich zu bezüngeln. Wir Mitbewohner legten keinen besonderen Wert auf ihre Liebkosungen. Also durchsuchten wir mit Taschenlampen sämtliche Winkel, schließlich kam »Marie zwei« auf die Idee, die Betten auseinanderzunehmen. Richtig, die Boa hatte sich meine Bettstätte als Lagerplatz ausgesucht. In die Bettspiralen eingeringelt, schlief sie dort den Schlaf der Gerechten.

Von den Buben wurde »Marie zwei« als dritter im Bunde behandelt. Sie fügte sich ins Unvermeidliche und machte alles mit. Mit ihr hätte man selbst den Tartaren Pferde stehlen können.

Einmal verbrachten wir den Sommerurlaub mit Lolo und Thea Dispeker am Meer. Es erwies sich, daß »Marie zwei« nicht schwimmen konnte. »Die Marie muß ins Wasser«, erklärte Martin. – »Und wenn sie untergeht? Was dann?« wollte Hans wissen. – »Sie wird nicht untergehen«, versicherte Roland. »Wir werden sie absichern.« Der Marie wurde eine aufblasbare Schwimmweste übergestülpt, ein Leibgürtel aus Kork umgebunden, sie erhielt einen Rettungsring um den Hals und mehrere um Arme und Beine. Als sie davongeschleppt wurde, sah sie wie das Michelin-Männchen aus. Am Wasserrand stand ein Ruderboot parat. Der Plan war, Marie ein Stückchen weit nachzuziehen. Marie hatte sich an dem vom hinteren Bootsende herabbaumelnden Tau festzuhalten, um so die Illusion des Schwimmens zu gewinnen. Martin ruderte, Roland hielt das andere Tauende in Händen und rief Marie aufmunternde Worte zu... Da geschah auf einmal das Unglaubliche. Das Tau entwischte Maries Griff – sie verschwand. Sie brachte das Kunststück zustande, trotz Weste, Gürtel und Rettungsringen zu sinken und zwar ziemlich schnell. Ich stand wie gelähmt am Ufer. Die Buben aber waren bereits ins Wasser gesprungen, getaucht und zogen sie am Haarschopf aus der Tiefe empor. »Marie«, erkundigte ich mich später, »Hand aufs Herz. Haben Sie's absichtlich gemacht?« – »Aber nein. War selber überrascht.« – Maries Widerlegung allgemein akzeptierter physikalischer Grundlagen ist mir bis heute rätselhaft geblieben, und wenn jemand allzu selbstsicher auf die Naturgesetze pocht, denke ich immer an unsere Marie.

Als es noch keine Bügelmaschinen gab, leisteten wir uns eine Bügelfrau. Einmal wöchentlich ergriff sie vom Bügelzimmer Besitz. Wer sich dorthin wagte, mußte damit rechnen, zur Rede gestellt und gegebenenfalls fortgewiesen zu werden. Fräulein Bannholzer – wir nannten sie den »General« – kam stets in Schwarz, schwarz der Filzhut, schwarz der Regenmantel, die Bluse, der Rock, die Strümpfe, die Stiefel. Als lebhaften Kontrast band sie sich eine blütenweiße Schürze um.

Für bessere Wäsche wie Kissenbezüge mit Spitzenbordüren bediente sich unser »General« eines Kohleneisens, womit sich Kanten und Ekken noch makelloser ausbügeln ließen, steif und scharf wie das Kinn, das sich darüber beugte. Wehe, wenn es mit dem Nachschub nicht klappte! »Wo sind die bunten Tücher? Wer hat die Wäsche eingespritzt? Das ist nichts! Das geht so nicht!«

Eines Tages dachte ich: Da muß etwas unternommen werden, damit auch ich im Hause noch etwas zu sagen habe. Also trat ich ins Bügelzimmer ein. Der »General« schoß mich mit einem Blick nieder. »Was wünschen Sie?« – »Hören Sie, Fräulein Bannholzer, Sie haben heute zwei Körbe voll«, sagte ich. »Ich helfe Ihnen ein wenig aus.«

Ich wählte absichtlich etwas Schwieriges, ein Frackhemd. Der »General« fiel schier aufs Kreuz. In fünfunddreißig Minuten lag das Hemd tadellos gebügelt da. Die Schlacht war gewonnen. Fortan überbot sich unser Fräulein Bannholzer an Höflichkeiten.

Allmählich gewöhnte ich mich daran, daß meine Söhne jedesmal, wenn ich aus dem Ausland heimkehrte, um eine Spur gewachsen waren. Bald war es so weit, daß ich zu ihnen hinaufschauen mußte. Aus den Kinderpartys wurden Hausbälle. Junge Tänzerpaare bevölkerten Wohn- und Eßzimmer, belebten Romanshorner und Rorschacher Erinnerungen. Die kleine Miggi war jetzt selber die Mama, die die Gäste willkommen hieß und mit ihrem Ältesten den Reigen der Tänze eröffnete, um alsbald diskret hinter die Kulissen zu verschwinden.

Auch die beruflichen Interessen meiner Söhne entwickelten sich ganz natürlich. Der eine neigte zur Chemie und wurde Chemiker, der andere entwickelte sich im technisch-kaufmännischen Bereich. Ihre musikalischen Anlagen haben wir Berufsmusikereltern wohl gefördert, aber nie forciert. Daß besonders der Ältere beachtliches instrumentales Können entfaltet, freut uns. Wir wissen, wie sehr ihn sein Orgelspiel zeit seines Lebens bereichern wird.

Kürzlich sang ich meiner fünfjährigen Enkelin Nathalie ein Kinderlied vor. »Oma!« unterbrach sie mich, »du singsch falsch!« Die Musikalität ist der Familie also erhalten geblieben. Altkluge Bemerkungen von Kindern sind, ich weiß es, nichts Außergewöhnliches. Dennoch wunderte ich mich über eine Bemerkung, die Nathalie machte. Am Radio spielte man ultramoderne Musik. Ich sagte: »Ich stell ab. Weißt, Oma mag diese Art von Musik nicht.« – »Ich auch nicht«, entgegnete Nathalie. Und nach einiger Überlegung: »Vielleicht bist du dafür zu alt, und ich bin dafür zu jung.«

Kapitel 32

Ich singe in der ganzen Welt

Sie passieren an mir vorbei, die sechziger Jahre. Wo war ich nicht überall in der ersten Hälfte des Jahrzehnts. Nur einige der wichtigsten Daten kann ich festhalten:

12., 13. Januar 1960
Großer Konzerthaussaal, Wien
Leitung: Rafael Kubelik
mit Hilde Rössel-Majdan, Anton Dermota, Walter Berry
Beethoven, 9. Symphonie

23. Oktober
Großer Sendesaal, Masurenallee, Berlin
Leitung: Ferenc Fricsay
mit Oralia Dominguez, Gabor Carelli, Ivan Sardi
Verdi, Requiem

21. Juni 1961
Dom St. Stephan, Wien – Wiener Festwochen
Leitung: Carl Schuricht
mit Marga Hoeffgen, Walter Berry, Anton Dermota
Beethoven, »Missa solemnis«

30. September, 1. Oktober
Großer Sendesaal, Masurenallee, Berlin
Leitung: Ferenc Fricsay
mit Oralia Dominguez, Gabor Carelli, Walter Kreppel
Rossini, Stabat mater

21. Februar 1962
Salle Pleyel, Paris
Leitung: Karl Richter
mit Hertha Töpper, John van Kesteren, Hermann Prey, Kieth Engen
Bach, »Johannes-Passion«

12. Juni
Stadttheater Zürich, Internationale Juni-Festwochen 1962
»Die Zauberflöte«
Leitung: Hans Erismann
Maria Stader als Pamina
mit Ernst Haefliger (Tamino), Gerd Nienstedt (Sarastro), Helga Baller (Königin der Nacht), Werner Ernst (Papageno)

19., 20. Oktober
Concertgebouw, Amsterdam

Konzert zugunsten des Roten Kreuzes
Leitung: Jean Fournet
mit Pamela Bowden, Alexander Young, Kim Borg
Händel, »Messias«

26. April 1963
Friedrich-Ebert-Halle, Harburg
Konzert des Norddeutschen Rundfunks
Leitung: Hans Schmidt-Isserstedt
Opern- und Konzertarien von Mozart

29., 30. November
John-F.-Kennedy-Gedenkkonzert in Detroit
Leitung: Eugen Jochum
mit Helen Vanni, William Lewis, John Boyden
Mozart »Exsultate«, Requiem

20., 22. Februar 1964
Severance Hall, Cleveland
Leitung: George Szell
Bach, Kantate Nr. 51 »Jauchzet Gott«

11. September
Grande Salle du Pavillon, Montreux – »Septembre musicale«
Leitung: Karel Ançerl
mit Vera Soukupova, Peter Schreier, Richard Novak
Dvořák, Requiem

26. Februar 1965
Carnegie Hall, New York
Swiss Gala Concert
Leitung: Gustav Meier
mit Margrit Weber, Klavier, Aurèle Nicolet, Flöte, Heinz Rehfuss, Baß-Bariton
Werke von Schoeck, Mozart, Tscherepnin, Liebermann, Bach

31. August
Pfarrkirche Zermatt
Gedenkkonzert für Frau Tory Seiler-Vogt
mit Pablo Casals, Cello, Mieczyslaw Horszowski, Klavier, Hans-

Heinz Schneeberger, Violine, Hans-Willi Haeusslein, Klavier
Werke von Mozart, Schubert, Chopin, Mendelssohn

Die Kunstbotschafterin Berns

»Potz tuusig! Ich bin Millionärin geworden!« rief ich eines Morgens beim Frühstück.

Mein Mann blickte hinter der Zeitung hervor. »Dann hast du aber Nummernkonti, von denen ich nichts weiß.«

»Nicht in Franken, Dummerli. In Kilometern. Die Swissair teilt mir mit, ich hätte die Millionengrenze überschritten.«

Mein Mann verschwand wieder hinter der Zeitung. »Eben. Das wär zu schön gewesen.«

Auch so war es schön, nicht zuletzt, weil mich die Swissair fabelhaft betreute, ob ich Economy-Class oder ob ich Erster Klasse flog. Auf Überseeflügen leistete ich mir Erste Klasse. Sollte ich am darauffolgenden Abend mein Bestes geben, war ich auf diesen Luxus angewiesen.

Verspätungen waren nicht zu umgehen. Es kam auch vor, daß wir infolge schlechter Wetterverhältnisse nicht landen und weit entfernte Flughäfen anfliegen mußten. Stets gab sich die Swissair alle Mühe, das Mißgeschick wiedergutzumachen und beförderte mich rechtzeitig an meinen Bestimmungsort. Daß ich mich auf »meine« Fluggesellschaft verlassen konnte, bedeutete mir viel.

Zu den denkwürdigen Erlebnissen dieser Jahre zähle ich meine Konzerte mit Carl Schuricht. Er gehörte, fand nicht nur ich, zu den überragenden Dirigentenpersönlichkeiten seiner Generation; als Interpret von Beethoven, Brahms und Bruckner übertraf ihn sicher niemand. Seiner Aufmerksamkeit und seinem nie erlahmenden Interesse am Wohlergehen anderer verdanke ich einen Hinweis, der mich von einer Dauerplage befreite. Vom Konzertschemel unter meinen Füßen sprach ich schon. Ich trat nie anders auf, nicht etwa weil ich größer erscheinen wollte, als die Natur mich hat werden lassen. Nein, mein Schemel war kein Stöckelschuhersatz, seine Verwendung hatte andere Gründe, Gründe klangtechnischer und in einem gewissen Sinn klangpsychologischer Natur. Stand ich ohne künstliche Erhöhung vor dem Orchester, strömte der Klang nämlich glatt über meinen Kopf hinweg, und ich kam mir wie ausgeklammert vor. Mein Spezialwunsch, ein

Schemel, verursachte den Veranstaltern jedesmal Umstände. Kam ich irgendwohin, mußte erst einmal ein geeigneter stabiler Untersatz oder ein passendes Holzpodest aufgetrieben werden. Carl Schuricht fiel das auf, und er wußte Rat. Er hatte einen auf zusammenklappbare Einzelanfertigungen spezialisierten Möbelfabrikanten ausfindig gemacht, der ihm einen zusammenlegbaren Dirigentenstuhl konstruiert hatte.

»Ich demonstriere«, sagte der Herr Professor. »Eins, Lehne runter, zwei ... Beine rauf, drei ... in die Hülle hinein, vier ... Reißverschluß zu ... fertig.«

»Toll!«

Eines Tages traf das Wunderding ein, und ich wurde glückliche Besitzerin eines soliden, gummibefußten, auf Druck zusammenschrumpfenden Podestes, das weder zu hoch noch zu tief war, keine unerwünschten Laute von sich gab, immer zur Stelle war, kurzum zum unersetzlichen Famulus wurde.

Am 5. Februar 1962 durfte ich noch eine Ehrung entgegennehmen. Der Stadtrat von Zürich verlieh mir die Hans-Georg-Nägeli-Medaille, eine sehr schöne, nach einem Entwurf von Otto Charles Bänninger geprägte Goldmedaille. Othmar Schoeck war der erste Zürcher gewesen, dem diese Auszeichnung von Stadtpräsident Emil Landolt überreicht worden war.

Als der Name Othmar Schoeck fiel, dachte ich: Da schließt sich wieder ein Kreis. Othmar Schoeck – Stefi Geyer – Ilona Durigo – Maria Stader ... denn ich baute Schoeck-Lieder unentwegt in meine Programme ein, und manche Musikliebhaber in vielen Ländern dürften den Namen Schoeck zum erstenmal auf meinen Programmzetteln gelesen haben. Im Dezember 1962 erhielt ich einen Brief vom Präsidenten der Othmar-Schoeck-Gesellschaft, Dr. Philipp Etter, der mir dafür dankte, daß ich das Werk des Meisters »wach und lebendig« hielt, und der mich bat, den Liedern Schoecks auch weiterhin Treue zu bewahren. Das habe ich getan, bis zu meinem letzten Zürcher Liederabend am 15. Juni 1969. Bundesrat Etter stellte mich einmal mit den Worten vor: »Und das ist Frau Maria Stader, unsere Kunstbotschafterin.« Künstler tragen viel dazu bei, das Image ihres Landes im Ausland zu prägen. Nicht umsonst reist die Wiener Staatsoper nach Japan und Amerika, die Mailänder Scala hinter den Eisernen Vorhang. Freundschaftsträchtiger ist es jedenfalls, beim Erwähnen der Stadt Moskau ans Bolschoi zu denken und nicht an den Kreml, sich die Amerikaner beethovenspielend anstatt nuklearwaffenfabrizierend vorzustellen.

Viele Schweizer Weltreisende werden dieselben Erfahrungen gemacht haben wie ich. Auf der anderen Seite der Welt besagt die Landeszugehörigkeit »Swiss« nicht viel, man denkt bestenfalls an Uhren, Käse, »Wilhelm Tell« oder neuerdings an die Gnomen von Zürich.

Da ich in der Regel als einzige Solistin auftrat, ein nicht alltägliches Repertoire bot und mir durch meine Platten einen Ruf erworben hatte, stand ich jeweils rasch im Blickfeld kultureller Ereignisse. Die Presse berichtete gern über den zugeflogenen Gast, sparte nicht mit Vorschußlorbeeren. Da heißt es, sich besonders anzustrengen, damit man die Erwartungen nicht enttäuscht.

Im April 1960 war ich nach Japan eingeladen worden. Ich räume ein, daß ich über Japan weniger wußte als viele Japaner über die Schweiz. In Tokio hoffte ich lauter Madame-Butterfly-Häuschen zu sehen, von Lampions erleuchtet und bevölkert mit niedlichen, blütenstreuenden Cho-Cho-Sans und Suzukis, die den Mitlaut ›R‹ nicht bilden konnten. In Amerika hatte ich mit einem japanischen Tenor in der »Johannes-Passion« gesungen. Das hatte so geklungen:

Evangelist: Da schlien sie wiedel allesamt und splachen:

Chor: Nicht diesen, diesen nicht, sondern Barrabam!

Evangelist: Balabam abel wal ein Möldel ...

Tokio machte auf mich den Eindruck einer Großstadt nach amerikanischem Vorbild. Nur einige wenige alte Leute trugen die Nationaltracht, dafür wimmelte es von westlich gekleideter Jugend, berstend von Energie. Nachgerade chaotisch fand ich den Verkehr. Ich wunderte mich, daß es trotzdem so wenig Unfälle gab.

Unter den kleingewachsenen zierlichen Japanern fühlte ich mich sehr wohl. Auch meine Gastgeber bekundeten Freude, nach all den langen Yankees eine kleine Europäerin bei sich zu haben. Großen Eindruck machte mir die Musikbesessenheit der Japaner. Sie erinnerte mich an die der Israelis. Besonders die Jungen schienen sich an den abendländischen Klängen nicht satthören zu können.

Für meine Tournee waren achtzehn Konzerte innerhalb von zweiundzwanzig Tagen angesetzt. Radiokonzerte wurden doppelt gegeben, von sechs bis acht eintrittsfrei und mit einer Einführung für überaus aufmerksame und enthusiastische Jugendliche. Jedes Lied wurde auf japanisch übersetzt. Abends um acht fand dann das reguläre Konzert statt. Im Mittelpunkt standen Liederrecitals mit Hans am Flügel. In Osaka vor dreitausend Zuhörern. Der Beifall war außergewöhnlich. Wir mußten einen dritten improvisierten Teil hinzufügen, der ausschließlich aus Zugaben bestand. Nach der unvermeidlichen »Forelle« schrien die Leute: »Alleluja!« So schloß das denkwürdige Konzert mit Mozarts Jubelton. Nachher gab es ein derartiges Gedränge im Künstlerzimmer und vor der Festival Hall, daß Herr Mujama, der Präsident des Festivals, Polizeischutz anfordern mußte, um uns herauszubringen.

Die Familie Mujama, Förderer des Musiklebens in Osaka und Eigentümer eines Presseimperiums, lud uns auf die Insel Mijashama ein, rund zwanzig Kilometer von Hiroshima entfernt. Dort verbrachten wir, von lautloser Dienerschaft betreut, ein Wochenende in einem japanischen Hotel, dort meditierte ich in einem zauberhaften, süßlich duftenden Garten. Über mir tuschelten Blätterkronen, während aus der Ferne der tiefe Gong eines Waldtempelchens hin und wieder zum Gebet rief. Die weite Anlage mit ihren Teichen, über die sich zartgliedrige Brücken spannten, nahm meinen Geist gefangen und wollte ihn nicht mehr in die turbulente Welt entlassen.

Botschafter Max Tröndle, unentwegt um mein Wohlbefinden bemüht, empfahl mich an den Honorarkonsul in Kobe und dessen Frau, Harold und Barbara Müller. Frau Müller war, wie sich alsbald herausstellte, Pianistin, Korrepetitorin und saxophonblasende Schönheitskönigin von Wien gewesen, eine Staatsopernfanatikerin reinsten Donauwassers, befreundet mit dem Kreis um Sarah Cahier (Madame Charles Cahier), einer Lieblingssängerin Mahlers – sie sang das Altsolo 1908 in der Uraufführung von »Das Lied von der Erde« und war später Lehrerin in Wien. Zu den Bewunderern der schönen Barbara zählten Richard Tauber, Jan Kiepura und ein Tenor namens Carlo Romatko ... das war eine Überraschung, denn Romatko sang am Zürcher Stadttheater unter anderem den Hoffmann, als ich im Februar 1940 als Olympia debütierte. So gab es unverhofft Gemeinsamkeiten mitten in Japan, ein gutes Omen. Barbara ist denn auch bis zum heutigen Tag eine liebenswerte Freundin geblieben.

Abschied von Ferry

Die Japanreise lag hinter mir. Wieder zurück in Europa, war ich vor allem froh darüber, daß Ferenc Fricsay wieder auf seinem Posten stand. Vor mir liegt ein Zeitungsausschnitt mit einem Bild Ferrys aus jener Zeit, den Jahren 1960 und 1961. Darunter steht: »Das sensible Temperament Ferenc Fricsays wurde in jedem seiner Zeichen deutlich. In den letzten Jahren erinnerte er, von Leiden gezeichnet, auf dem Podium stark an Wilhelm Furtwängler.« Ich denke an Mrs. Fish, die mir einst sagte: »Wir haben Furtwängler verloren. Jetzt haben wir Ferenc Fricsay.«

Zum Chor sagte er einmal: »Dies irae, dies illa ... Tag des Zornes, Tag der Klage ... Ich merke nichts davon. Haben Sie vergessen, wie man leidet? Haben Sie damals im Krieg noch nicht genug gelitten?« Und ein anderes Mal: »Meine Damen und Herren, beten Sie! Wissen Sie nicht, wie man betet?«

Berlin, 23.10.60, Ferenc Fricsay dirigiert das Requiem von Verdi, Solisten: Maria Stader, Oralia Dominguez, Gabor Carelli, Ivan Sardi, das RIAS-Symphonie-Orchester Berlin, der Chor der St.-Hedwigs-Kathedrale.

»Et lux perpetua ... luceat eis ...« Als ich das Solo im »Libera me« sang, sagte ich mir: »Ich gehe mit dir, Ferry. Ich gebe dir meine Hand, und wir lösen uns im B-Dur des ewigen Lichtes auf.«

Nach der Aufführung trat Dr. Stresemann auf mich zu: »Weiter hätten Sie es nicht mehr treiben dürfen. Ich hätte es nicht mehr ausgehalten.«

Im Januar 1962 flackerte Fricsays Leiden erneut auf. Innerhalb von sechs Wochen mußte er viermal operiert werden. Siebenmal raste Silvia mit ihrem todkranken Mann in der Ambulanz von Ermatingen nach Basel. Sie wich nicht von seiner Seite, durfte sogar in der Klinik für ihn kochen. Sein Kampf mit dem Tod dauerte ein Jahr.

Ich besuchte Ferry am Krankenbett. In schwachen Augenblicken haderte er mit Gott. »Warum hast du mir diesen elenden Körper gegeben? Warum? Was habe ich getan, daß ich das verdient hätte.« – Oder er faßte meine Hand. »Wenn ich wieder gesund werde, machen wir zusammen die Bach-Passionen. Aber ich mache sie so, wie sie noch nie gemacht wurden. Dramatisch! Wirklich durch und durch dramatisch! Denn es gibt kein größeres Drama als diese Bibelgeschichte. Und auf beiden Seiten der Kirche« – hier öffnete er die Arme, als umspanne er die ganze Welt – »auf beiden Seiten stell' ich einen Haufen Volk auf. Die werden ›Barrabam!‹ schreien, daß die Ziegel vom Dach fliegen, glaub mir!«

Das letztemal, als ich ihn sah, flüsterte er: »Maria, ich habe es gesehen. Licht. Lauter Licht.«

Schweren Herzens reiste ich Anfang 1963 nach Amerika. Konzerte in New York, Denver, Washington, Cincinnati ... Am 17. Februar sang ich mit Rudolf Baumgartner und den Festival Strings Lucerne Mozart, die Arie »Betracht' dies Herz und frage mich« aus der Fastenkantate »Grabmusik«, KV 42, und »Ora pro nobis« aus »Regina coeli«, KV 108. Begreiflich, daß ich an Ferry dachte. Mitten in der Arie »Ora pro nobis« kam eine Welle auf mich zu. Ich zitterte, schwankte ... Nach dem Konzert fragte Herr Baumgartner: »Maria, was ist geschehen?« Ich antwortete: »Ferry liegt im Sterben.«

Am Abend setzte ich mich hin und schrieb Ferry, wie seinerzeit Pape Stader, einen Dankesbrief.

Am Vormittag des 21. Februar war ich mit Thea auf dem New Yorker Steueramt. Wir hatten Formalitäten zu erledigen. Ohne den Segen der Steuerbehörde darf kein ausländischer Künstler die USA verlassen. Anschließend mußte ich zu einem letzten Konzert nach Cincinnati fliegen. Es wurde doppelt gegeben, am 22. und 23. Februar. In der Cincinnati Music Hall kamen Mozarts »Voi avete und cor fedele«, KV 217, »Nehmt meinen Dank, ihr holden Gönner«, KV 383, und die Vierte Symphonie von Gustav Mahler unter dem Dirigenten Max Rudolf zur Aufführung.

Ehe wir das Steueramt verließen, sagte Thea: »Ich ruf noch rasch im Büro an. Falls es was Neues gibt.« Ich wartete am Kopfende der Rolltreppe, schaute Thea zu, wie sie hinter der Glasscheibe der Telefonkabine sprach. Plötzlich änderte sich ihr Gesichtsausdruck. Da wußte ich Bescheid. Sie brach sofort ab. »Mariechen, es tut mir entsetzlich leid. Ein Telegramm ist angekommen. Ferry ...«

Die Konzerte in Cincinnati konnten nicht abgesagt werden. Ich gab mein Bestes. Es war schwer. Max Rudolf und die Herren vom Orchester waren voller Anteilnahme. Das gab mir Mut.

Gerade noch rechtzeitig zur Beerdigung traf ich in Zürich-Kloten ein. Hans erwartete mich am Flughafen mit einem schwarzen Kleid. Als wir uns Ermatingen näherten, hörte ich von weitem die Glocken läuten. Eine große Trauergemeinde hatte sich versammelt. Aus nah und fern waren sie gekommen, Fricsay die letzte Ehre zu erweisen. Musiker des RIAS-Orchesters spielten Mozarts »Maurerische Trauermusik« und den langsamen Satz aus Bartóks »Divertimento«.

Willi Reich schrieb am 22. Februar 1963 in der »Neuen Zürcher Zeitung«: »Daß die Musik das einzige legitime Ausdrucksmittel des am 20. Februar nach langem Leiden hingeschiedenen Künstlers war, wurde einem bei jeder Begegnung mit ihm zur Gewißheit.« Und: »Parallel mit seinem glanzvollen äußeren Aufstieg ging eine stete Verinnerlichung seiner Kunstauffassung, wovon die immer deutlicher wahrnehmbare Verfeinerung seiner Interpretation entschieden Zeugnis ablegte. Seine profunde Werkkenntnis, seine von urwüchsiger Musikalität durchdrungene virtuose Schlagtechnik und sein überaus liebenswürdiges menschliches Wesen regten auch seine Mitarbeiter zu außerordentlichen künstlerischen Leistungen an. Dieses Wirken, das in zahlreichen Schallplatten fortleben wird, machte ihn zu einem der bedeutendsten Orchesterleiter unserer Zeit und läßt sein frühzeitiges Hinscheiden besonders schmerzlich empfinden.«

Schnee war gefallen. In Halbschuhen stolperte ich einher, stand niedergeschmettert am Grab, außerstande, die in Kloten erstandenen Tulpen mit den vor Kälte erstarrten Fingern aus ihrer Papierumwicklung zu lösen. Der Sonnenball ging unter, tauchte die Winterlandschaft in feuriges Rot, während der Sarg hinuntergelassen wurde. Als das Holz unten aufsetzte, erlosch die Lichtscheibe. Mir war es, als habe Ferry Regie geführt.

Das geschah am Montag. Am Dienstagvormittag erwartete mich Herbert von Karajan in Berlin zur Probe. Bachs »Magnificat« mit Christa Ludwig, Luigi Alva und Walter Berry. VI. Philharmonisches Konzert. »Ich weiß, Maria. Für Sie ist das ein schwerer Morgen«, sagte Herbert von Karajan. »Ich werde Ihretwegen eine halbstündige Pause machen.« – Das war sehr rücksichtsvoll. Dann sprach er voller Herzlichkeit über Ferry. »Zuweilen habe ich nicht mehr die Kraft, weiterzumachen«, sagte ich. »Am liebsten möchte ich den ganzen Bettel hinwerfen und normal leben.« – Herbert von Karajan lächelte. »Uns ist nicht zu helfen. Ihnen nicht und mir nicht. Wir übertreiben. Natürlich machen wir viel zu viel. Aber habe ich einen Tag kein Konzert, bin ich todunglücklich.« Ich sagte: »Ich tanze nicht mehr lange mit. Noch ein paar Jahre, und ich höre auf. Ihr Dirigenten könnt noch als Zittergreise auftreten. Meinetwegen. Ich habe zu Ferry gesagt: ›Kommt der Tag, dann schlepp ich mich auf zwei Stöcken nach Berlin und setz mich in die erste Reihe, um dir altem Knacker beim *Pinseln* zuzusehen.‹«

Faszinierendes Afrika

Von meinem Manager in Johannesburg, dem Kunstfreund Hans Adler, möchte ich noch erzählen. Er meldete sich 1962 in Zürich bei mir an. Wie sich bald herausstellte, war er kein Afrikaner, sondern stammte aus Frankfurt am Main. Der braune Terror hatte ihn bis zum Zipfel des schwarzen Kontinents gejagt. Herr Adler hatte sich eine Südafrikatournee für Anfang 1963 ausgedacht. Ich zögerte. Ich war mit Engagements überhäuft, ohnehin zu viel und zu lange von daheim fortgewesen. Was sollte ich jenseits des Äquators? Zweimal jährlich die USA zu durchqueren, genügte mir. Ich sagte weder ja noch nein. Anfang 1963 war ich obendrein in den Vereinigten Staaten, im März in Deutschland und Holland, im April in Spanien ... Kurzum, 1963 ausgeschlossen. Später, vielleicht.

Ein paar Wochen darauf sagte mein Mann: »Du, Anton Fietz ist soeben von einer Südafrikatournee heimgekehrt. Er schwärmt vom Konzertpublikum. Wir sollten mal mit ihm zusammenkommen.«

Wir trafen Fietz. Er erzählte und erzählte. Und als Herr Adler nochmals anfragte, dieses Mal für Oktober/November 1963, sagten wir zu. Wir flogen nach Johannesburg.

Ein Troß von Presseleuten hieß uns dort willkommen, fotografierte und fragte, ob es stimme, daß mich ein Fischer wie den kleinen Moses in einem Körbchen gefunden und aufgezogen habe, ob es mir in Südafrika gefalle, ob ich auf Löwenjagd zu gehen gedenke, ob ich Mozart persönlich gekannt habe und ob ich jodeln könne. Außer bei der letzten Frage sagte ich immerzu ja. Herr Adler war ebenfalls zugegen. »In drei Tagen beginnen wir«, erläuterte er. »Sie und Shura Cherkassky machen dieselbe Tournee, aber Cherkassky ist immer um drei Tage voraus.«

Bis zum Start waren wir im gleichen Hotel in Johannesburg untergebracht. Ich hörte Shura Tag und Nacht üben, nachts gedämpft. Nie hätte ich geglaubt, daß ein Pianist so viel üben muß. Am zweiten Abend besuchte ich ihn auf seinem Zimmer. Es war halb neun, und Shura war eben im Begriff, den Flügelkasten mit Decken einzuhüllen, um die Resonanzen abzuschwächen. Zu seiner Rechten stand ein Tischchen mit Sandwiches, einer Thermosflasche und einer Rolle Toilettenpapier. Es roch nach Heu.

»Kommen Sie nur herein«, sagte er. »Ich habe die Decken vom Zimmermädchen bekommen. Es sind die schwersten im Haus. Pferdedecken.«

»Schlafen Sie nie?« fragte ich ihn.

»Ich habe mir soeben drei Wochen Urlaub gestattet«, erzählte er, während die eine Hand nach einem Sandwich griff und die andere in Terzenläufen die Tastatur hinauf- und hinunterraste. »Jetzt muß ich wieder in Form kommen.«

Am nächsten Morgen reiste Shura ab, drei Tage später machten mein Mann und ich uns auf den Weg. Durban, Pietermaritzburg, Kapstadt, Windhoek, Pretoria, Salisbury (Südrhodesien), Port Elizabeth ... und zwischendurch zurück nach Johannesburg. Die Entfernungen waren enorm, die Höhenunterschiede ebenfalls. Fast einen Tag lang im Flugzeug zu verbringen, war an der Tagesordnung. Die Tournee war vorzüglich organisiert. Wo wir hinkamen, erwartete uns eine Abordnung des örtlichen Kunstvereins am Flughafen, hieß uns willkommen, räumte alle Hindernisse aus dem Weg. In Durban berührte es mich sonderbar, daß mir zum Empfang »with the compliments of the committee« ein Körbchen überreicht wurde, das eine Thermosflasche mit sehr starkem Kaffee und eine Rolle Toilettenpapier enthielt. Hans sagte: »Das ist jedenfalls Sitte hier. Mit dem Toilettenpapier kann man sich die Brille putzen, wenn man schwitzt.« Auch in Pietermaritzburg und in Kapstadt bezwang ich meine Neugier.

»In Windhoek spricht man deutsch«, sagte ich. »Da werde ich fragen.«

In Windhoek heißen die Straßen Bismarck Street und Kaiser Wilhelm Street, was keine Fragen über die Herkunft der Siedler offenläßt. Als wir uns der Ortschaft näherten, brach ein rabiates Gewitter aus, begleitet von orkanartigen Winden und Regenfällen. Wir kreisten und kreisten, stachen in die Tiefe, nur um wieder zu steigen, um halb neun sollte das Konzert beginnen, um acht Uhr befanden wir uns immer noch schaukelnd in der Luft. In solchen Augenblicken bewahre ich glücklicherweise stoische Ruhe. Endlich gegen halb neun wurden Pistenlichter sichtbar, die Maschine setzte am Boden auf, wenige Minuten später kamen uns auch schon die Damen vom Empfangskomitee entgegen. Noch leicht mitgenommen, stiegen wir ins Auto ein, wurden direkt in die Konzerthalle gefahren und standen nochmals eine Viertelstunde später und in Reisekleidung vor einem ausverkauften Saal. Das an Elementarereignisse und ihre Folgen gewohnte Publikum spendete doppelten Applaus, und wir absolvierten unser Programm, als wäre nichts gewesen. Das zu tun, bedarf schon einiger Routine!

Die verspätete Landung hinderte mich nicht, meinem Herzen Luft zu machen. Überdies sprach die Dame, wie vorausgesagt, ausgezeichnet deutsch.

»Vielen Dank für das Körbchen«, sagte ich. »Wo wir hinkommen, erhalten wir am Flugplatz eine Thermosflasche Kaffee und eine Rolle WC-Papier. Das ist sehr aufmerksam. Ist das in Südafrika eine alte Sitte?«

»Aber keineswegs«, antwortete die Dame lachend. »Herr Cherkassky hat das angeordnet. Wo immer er hinkommt, müssen Kaffee und Toilettenpapier bereit sein, sonst spielt er nicht. Da dachten wir, das sei bei Ihnen in Europa üblich.«

Anderntags feierte die Bevölkerung von Windhoek ein waschechtes Oktoberfest mit Bierschwemme, Weißwurst, Schießbuden und dazugehörendem Klamauk. Den Bürgermeister und seine Frau am einen, meinen Mann am andern Arm schlenderten wir kreuz und quer über den Festplatz, vom feuchtfröhlichen Menschenstrom bald hierhin, bald dorthin getrieben. Vor einer Schießbude machten wir halt.

»Können Sie schießen?« fragte der Bürgermeister.

»Ich fordere Sie heraus.«

»Gern. Ein Gewehr für Madame Stader!«

»Nein. Nach Ihnen.«

»Bitte.« Der Bürgermeister schoß, von zwölf Büchsen traf er neun. »Jetzt sind Sie dran.« Er drückte mir ein bleischweres Schießeisen in die Hand. Hans mußte mir beim Hochheben behilflich sein. Ich zielte. Traf. Zielte. Traf. Zielte. Traf. So ging das in einem fort. Der Bürgermeister war in höchstem Maße erstaunt. »Donnerwetter noch mal! Wie die Braut von Wilhelm Tell!« Ich hatte sämtliche zwölf Büchsen vom Regal geknallt.

»Das werde ich Ihnen erklären«, sagte ich, nachdem ich den Teddybär in Empfang genommen hatte. »Ich habe eine Schwäche für Schmuck. Seit meiner Kindheit. An einer ›Chilbi‹« – Hans übersetzte: ›einer Kirchmeß‹ – hab ich keine Schießgelegenheit versäumt. Stets gab es einen Ring, eine Glasperlenkette, ein Edelweiß-Armband zu gewinnen. Sie sehen, so werden wir beizeiten zur Wehrtüchtigkeit erzogen ...«

Unser Agent Hans Adler war im Hauptberuf ein erfolgreicher Geschäftsmann, er betätigte sich als Konzertmanager im Nebenamt. Man spürte den erfahrenen Organisator auf Schritt und Tritt. In Johannesburg lud er Hans und mich in sein schönes Haus ein. Hans, auf die besondere Atmosphäre des Wohnraumes aufmerksam geworden und in jeder Ecke musikhistorische Vergangenheit witternd, heftete den Blick auf das Porträt einer Dame in großer Toilette aus den neunziger Jahren des letzten Jahrhunderts, umrahmt von Bildern Clara Schumanns und Carl Reineckes, von Brahms, Tschaikowski und Dvořák, von Nikisch, Richter und anderen, alle mit Widmungen an Hanna Na ...?

»Nathan. Johanna Nathan«, erläuterte Hans Adler. »Meine Mutter. Sie war Konzertsängerin. Wie Ihre Frau.«

»Johanna Nathan? Aber sagen Sie mal ...« Hans dachte nach. »Es gab eine Johanna Nathan, die sang zur Eröffnung der Neuen Tonhalle in Zürich, Mitte der neunziger Jahre ...«

»Sie wissen das!« rief Herr Adler.

»Ich habe eine Abhandlung über ›Johannes Brahms und Zürich‹ verfaßt.«

»Wie schön!« sagte Herr Adler. »Ich dachte, Mutter sei längst vergessen.«

Er ging zu einem Schrank, zog eine Mappe hervor, entnahm ihr die »Denkschrift zur Einweihung der Neuen Tonhalle in Zürich«.

»Da«, sagte Herr Adler, auf eine Programmseite hinweisend. »Dienstag den 22. Oktober, vormittags: Kammermusik-Aufführung durch einige Professoren. Abends: Drittes Konzert unter Direktion der Herren Musikdirektoren Angerer und Dr. Attenhofer und unter Mitwirkung von Frl. Johanna Nathan aus Frankfurt a. M. (So-

Jecklin-Konzerte

Solisten-Abende zu populären Preisen

Limmathaus - Großer Saal
Limmatstraße 118

II. KONZERT

Freitag, 16. November, abends 8 1/4 Uhr

Violinabend

Stefi Geyer

Mitwirkend: **Maria Stader,** Sopran
Am Flügel: **Walter Schulthess**

Vorverkauf:
Pianohaus Jecklin, Pfauen, Telephon 41.673
Reisebureau Kuoni, Telephon 33.610

III. Konzert 18. Januar a429

Sigrid Onégin

IV. Konzert 21. März

Robert Casadesus

KONZERTGESELLSCHAFT ZÜRICH

Preise: Fr. 1.–, 1.50, 2.— und 2.50
PIANOHAUS JECKLIN, PFAUEN

Erstes Zürcher Auftreten 1934. Maria Staders Name erscheint erstmals in den Zeitungen der Schweizer Musik-Metropole. Umrahmt vom Duo Stefi Geyer – Walter Schulthess trägt die junge Sopranistin Schubertlieder vor. Das Zürcher Publikum ist begeistert.

STAATSOPER

im Theater an der Wien

Mittwoch, den 14. Jänner 1948

Anfang 18½ Uhr

Die Zauberflöte

Oper in zwei Akten von Emanuel Schikaneder

Musik von W. A. Mozart

Musikalische Leitung: Josef Krips

Inszenierung: Oscar Fritz Schuh

Bühnenbilder und Kostüme: Robert Kautsky

Rolle	Darsteller
Sarastro	Herbert Alsen
Königin der Nacht	* * *
Pamina, ihre Tochter	Elisabeth Schwarzkopf
Erste Dame der Königin	Hilde Zadek
Zweite Dame der Königin	Marta Rohs
Dritte Dame der Königin	Elisabeth Höngen
Tamino	H. Meyer-Welfing
Papageno	Alfred Poell
Papagena	Wilma Lipp
Sprecher	Alfred Jerger
Monostatos	William Wernigk
Erster Priester	Hermann Gallos
Zweiter Priester	Karl Dönch
Zwei geharnischte Männer	Horst Taubmann, Ljub. Pantscheff
Erster, Zweiter, Dritter Knabe	Wiener Sängerknaben

* * * „Königin der Nacht" Maria Stader (Zürich) a. G.

Pause nach dem ersten Akt

Kassen-Eröffnung 17½ Uhr **Anfang 18½ Uhr** **Ende 21½ Uhr**

Während der Vorspiele bleiben die Saaltüren zum Parkett, Parterre und zu den Galerien geschlossen
Zuspätkommende können daher nur während der Pausen Einlaß finden

---

Weiterer Spielplan:

Donnerstag, 15. Jänner. La Traviata (Anfang **18** Uhr)
Freitag, 16. Jänner. Boris Godunow (Anfang **18** Uhr)
Samstag, 17. Jänner. Die Zauberflöte (Anfang **18½** Uhr)
Sonntag, 18. Jänner. Die Walküre (Anfang **17½** Uhr)

Der **Kartenvorverkauf findet an der Tageskasse, I., Bräunerstraße 14 (Tel. R 28 5 65) statt**

Plakatdruck: Elbemühl, Wien, IX., Berggasse 31

An der Staatsoper Wien. Die ›Königin der Nacht‹ war eine Glanzrolle Maria Staders. Das Ensemble sang auf Ausweichbühnen, sein Stammhaus war zerstört.

VERANSTALTUNG DER INTERNATIONALEN STIFTUNG
MOZARTEUM IN SALZBURG
während der
SALZBURGER FESTSPIELE 1950

SAMSTAG, DEN 12. AUGUST, 11 UHR VORMITTAGS
STIFTSKIRCHE DER ERZABTEI St. PETER

W. A. Mozart
Messe in c-moll
K. V. 427

DIRIGENT:

Bernhard Paumgartner

SOLISTEN:

Elisabeth Schwarzkopf, Sopran
Maria Stader, Sopran / Julius Patzak, Tenor
Hans Braun, Baß
Franz Sauer, Orgel

DAS MOZARTEUM ORCHESTER

DER MOZARTEUM-CHOR UND DIE SALZBURGER LIEDERTAFEL

KARTEN IM KARTENBÜRO DES SALZBURGER FESTSPIELHAUSES

Salzburger Druckerei

Salzburger Festspiele 1950. Die vier Empfänger der Lilli-Lehmann-Medaille singen Quartett: Elisabeth Schwarzkopf, Maria Stader, Julius Patzak, Hans Braun.

התזמורת הפילהרמונית הישראלית

THE ISRAEL PHILHARMONIC ORCHESTRA

FOUNDED BY BRONISLAW HUBERMAN — מיסודו של ברוניסלב הוברמן

XX SEASON — העונה ה-20

SUBSCRIPTION CONCERT  קונצרט למנויים

לוצ'יה די לאמרמור
LUCIA DI LAMMERMOOR

DONIZETTI (The Complete Opera in Concert-Form) (האופרה השלמה בצורת קונצרט) **דוניצטי**

SOLOISTS — הסוליסטים

MARIA STADER	– Soprano	סופרן -	מריה שטדר
MARIANNE RADEV	– Contralto	אלט -	מריאנה ראדב
GABOR CARELLI	– Tenor	טנור -	גאבור קראלי
CÉSARE CURZI	– Tenor	טנור -	צזארה קורצי
CHAIM FLASCHNER	– Tenor	טנור -	חיים פלשנר
HEINZ REHFUSS	– Baritone	בריטון -	היינץ רהפוס
KEITH ENGEN	– Bass	בס -	קייט אנגן

and TEL-AVIV CHAMBER CHOIR — מקהלה קמרית תל־אביב בהשתתפות

Director: EYTAN LUSTIG — איתן לוסטיג בהדרכת

Conductor: **FERENC FRICSAY** **פרנץ פריצ'אי** המנצח:

Series "1" Saturday	9.6.56	סדרה „1" מוצאי שבת, ל' סיון
Workers' Sunday	10.6.56	סדרת פועלים יום ראשון, א' תמוז
Series "2" Monday	11.6.56	סדרה „2" יום שני, ב' תמוז
Series "3" Sunday	17.6.56	סדרה „3" יום ראשון, ח' תמוז
Series "4" Wednes.	20.6.56	סדרה „4" יום רביעי, י"א תמוז
Series "5" Thursday	21.6.56	סדרה „5" יום חמישי, י"ב תמוז
Series "6" Saturday	23.6.56	סדרה „6" מוצ' שבת, י"ד תמוז

Z. O. A. HOUSE
Open-Air Auditorium
1, Daniel Frish St
AT 8^{30} P. M.

כרטיסים להשיג במשרד התזמורת, רח' אלנבי 56, בשעות 11–2, 4–6 (בימי ששי 11–2).
המנויים מתבקשים לסור אל הקופה במשרד התזמורת בשעות, 10–1, 4–6 (בימי ששי 10–1) כדי לקבל את סימון מקומותיהם בגן הקונצרטים.

TICKETS OBTAINABLE at the Orchestra's Office, 56, Allenby Road, 11–2, 4-6 Fridays: (11–2)
Subscribers are kindly requested to collect at the I. P. O. office, 10–1, 4-6 (Fridays 10-1), the necessary vouchers for their seats at the Z. O. A. Open-Air Auditorium.

ב. צ. אמריקה
גן הקונצרטים
רח' דניאל פריש 1
בשעה 8^{30} בערב

Israel-Tournee 1956. »Lucia di Lammermoor« wird zwölfmal im ganzen Lande gegeben, für viele israelische Opernfreunde die erste lebendige Begegnung mit Donizettis Oper. Maria Staders Lucia wird einer ihrer allergrößten Erfolge.

25e anniversaire

Concours International d'Exécution Musicale

Genève 1963

Mercredi 25 septembre à 20 h. 30

VICTORIA-HALL

CONCERT du JUBILÉ

Solistes: les lauréats de 1939

Maria STADER, soprano
Fritz OLLENDORFF, basse
André JAUNET, flûte
Paul VALENTIN, hautbois
Robert GUGOLZ, clarinette
et une lauréate de 1949
Maria TIPO, pianiste

Oeuvres de:
Vivaldi, Mozart, Weber, Ibert et Prokofieff

l'Orchestre de la Suisse Romande

sous la direction du Maître

Ernest Ansermet

Prix des places: de 5.- à 15.- frs.
Location auprès du concierge du Conservatoire, tél. 250071

Wiedersehen in Genf. Preisträger des Concours 1939 treffen sich 1963 zu einem Jubiläumskonzert. Nur Kollege Arturo Benedetti-Michelangeli fehlt und muß ersetzt werden. Die Stader singt ihr berühmtes »Exsultate, jubilate« von Mozart.

CONCERTGEBOUW - AMSTERDAM

WOENSDAG 9 NOVEMBER / DONDERDAG 10 NOVEMBER 1955 - 8.15 UUR

ABONNEMENTSCONCERT - SERIE B Nr 4

HET CONCERTGEBOUWORKEST

Dirigent **Otto Klemperer**

Soliste **Maria Stader,** sopraan

BERLINER
PHILHARMONISCHES ORCHESTER

DIRIGENT

HERMANN SCHERCHEN

SOLISTIN

MARIA STADER

THE CLEVELAND ORCHESTRA

GEORGE SZELL, *Conductor*

Assisting Artist: MARIA STADER, *Soprano*

ZERMATT

Duo-Abend

Hephzibah Menuhin, Klavier

Yehudi Menuhin, Violine

unter Mitwirkung von

Maria Stader, Sopran

Otto Klemperer, Hermann Scherchen, George Szell, drei Dirigenten, die Marias Mozart besonders schätzten. Im Rahmen der Zermatter Musikwochen 1961 führten Maria Stader und Yehudi Menuhin Arien von Bach für obligate Violine auf.

TEATRO ALLA SCALA

ENTE AUTONOMO

Concerto N. **10** — CONCERTI DI AUTUNNO 1955 — Abbonamento **B** (N. **4**)

LUNEDI 24 OTTOBRE 1955 - alle ore 21.15 precise

RIPETIZIONE DEL

CONCERTO DEDICATO A W. A. MOZART

DIRETTORE

BRUNO WALTER

PROGRAMMA

Sinfonia in re maggiore K. 504

"Et incarnatus est„ per soprano e orchestra - dalla Messa in do minore

"Exsultate, jubilate„ - Mottetto K. 165 per soprano e orchestra

Solista: MARIA STADER

Piccola serenata notturna (Eine Kleine Nachtmusik) K. 525

Sinfonia in mi bemolle maggiore K. 543

ORCHESTRA DELLA SCALA

PREZZI

Platea e palchi esauriti in abbonamento

Ingresso ai palchi L. **800**

Posto numerato I^a^ Galleria (ingresso compreso) . . L. **700** — Ingresso I^a^ Galleria L. **300**

Posto numerato II^a^ Galleria (ingresso compreso) . . L. **400** — Ingresso II^a^ Galleria L. **200**

A tutti i prezzi suesposti va applicato il diritto erariale 15 % - l'A. D. E. 3 % e l' I. G. E. 3 %

IN PLATEA NON VI SONO POSTI IN PIEDI

Durante l'esecuzione del Concerto è vietato accedere alla Platea e alle Gallerie. È pure vietato muoversi dal proprio posto prima della fine di ogni pezzo.

Gli indumenti e gli altri oggetti depositati alle guardarobe non possono essere ritirati che negli intervalli o alla fine del Concerto.

Il pubblico è pregato di uniformarsi alle disposizioni che vietano i "bis„

Per disposizione prefettizia è assolutamente vietato agli spettatori di accedere a qualsiasi posto della Sala, (Platea o Gallerie), con cappelli, soprabiti, pellicce, bastoni, ombrelli e simili

Per disposizione del regolamento sulla vigilanza dei teatri il pubblico può lasciare la sala, alla fine dello spettacolo, da tutte indistintamente le porte d'uscita

Il Teatro si apre alle ore 20,30 - Le Gallerie si aprono alle ore 20.15

Das Team Bruno Walter – Maria Stader. Von 1946 bis zu seinem Abschied 1959 war die Schweizer Sopranistin Bruno Walters bevorzugter Konzertsopran. Für Maria war die Begegnung mit Walter der erste Höhepunkt ihrer frühen Karriere.

New York 1965. Zum 28. Mal in Amerika. Dieses Mal Konzert nicht mit Bernstein, sondern mit Josef Krips. Die Zusammenarbeit Stader/Krips begann 1948 in Wien. Fortan standen ihre Namen gemeinsam auf Plakaten Jahr für Jahr.

pran), Herrn Sandreuter aus Basel, Herrn Anton van Rooy, der Sängervereine ›Harmonie‹ und ›Männerchor Zürich‹ und des verstärkten Tonhalleorchesters.«

Hans und ich schauten uns an. »Mein Mann ist jetzt der Dirigent des Sängervereins ›Harmonie‹«, sagte ich.

»Merkwürdiges Zusammentreffen. Ich werde Ihnen von Mutter erzählen. Bald nach dem Tonhallekonzert hörte sie mit Singen auf, sehr zum Bedauern von Johannes Brahms und anderer Musiker. Sie heiratete den angesehenen Frankfurter Justizrat Adler, führte in Frankfurt ein großes Haus und empfing Gott und die Welt. Mutter trug die halbe deutsche Geistesgeschichte mit sich herum, war großzügig, temperamentvoll, jedoch konzessionslos, wo es um künstlerisches Niveau ging. Von meinem Klavierspiel hielt sie nicht viel.«

»Ist Ihre Frau Mutter mit Ihnen nach Südafrika gekommen?« wollte ich wissen.

»Ja eben, davon wollte ich Ihnen erzählen. Sehen Sie, Mutter wehrte sich dagegen, ihr Haus zu verlassen. Sie sagte: ›Bei meinen Eltern hat Fürst Otto von Bismarck verkehrt und bei mir Friedrich Nietzsche. Mir wird nichts geschehen.‹ Sie ist in Bergen-Belsen oder Auschwitz umgekommen ...«

Herr Adler begleitete uns auf eine mehrtägige Rundreise in den Krüger-Park. Wir hatten dessen Direktor in der Schweizer Botschaft kennengelernt und durften im Aufsichtshaus im Park absteigen. Per Auto machten wir uns frühmorgens auf den Weg, um die Tiere bei der Morgentränke zu beobachten, im vorgeschriebenen 20-Stundenkilometer-Tempo, damit wir die Vierbeiner nicht erschreckten. In den Bäumen hingen, saßen und schwangen sich Affen, bananenschmatzend. Wir konnten Elefantenherden sehen, die am Ufer planschten und sich bespritzten, regungslose Nilpferde, deren Schläfen kaum über den Rand des Schlammes hinausragten – »Schlammere sunft!« hätte Artur Schnabel gesagt, in Anlehnung an einen Geistlichen, der sich am Schluß einer Grabrede verhedderte – und von weitem vereinzelte Löwen beobachten. Unberührbar und gelangweilt schauten sie von ihren Feldherrnhügeln auf uns gewöhnliche Sterbliche herab. Gefiedertes Volk aller Größen und Regenbogenfarben wiegte sich trällernd, schnatternd, piepsend und zwitschernd auf hohen Ästen, schoß durch den Busch und schwirrte über uns einher, ein einzigartiges Erlebnis für mich, die ich die Welt so klanglich erlebe. Sobald es dunkelte, setzten wir uns auf den Balkon unseres Gasthauses, um Mutter Natur zu belauschen. Da gluckste und gurgelte, zirpte, wisperte, quäkte und zischelte es. Zuweilen ein leises Aufschreien ... Laut der Freude? Des Schreckens? Der Lust? Des Schmerzes? Alles war so geheimnisvoll und unenträtselt wie das Leben selber.

Am letzten Tag passierte, was man lieber vom Fernsehsessel aus erlebt. Eine Panne mitten im Busch.

»Wie weit ist es bis zum nächsten Dorf?«

»Sag ich Ihnen lieber nicht, Madam. Sie bekämen den Dschungel-Koller.«

Nach langem Schrauben und Sechskantschlüsselklirren schaffte es der Fahrer bis zur nächsten Tankstelle, wo wir geduldig auf unsere Rettung warteten. Der Tankwart servierte Süßigkeiten, ich vertrieb mir inzwischen die Zeit mit seinem kleinen Töchterchen, bis ein Hilfsfahrzeug eintraf.

Von einer Sängerin, die von Ort zu Ort fliegt und zwischendurch einen Tag zur Erholung auf Sightseeing-Tour geht, wird man nicht erwarten können, daß sie sich mit den Problemen ihres Gastlandes beschäftigt und Betrachtungen darüber anstellt. Die Route ist genau vorgezeichnet, die Termine sind knapp berechnet, man rastet nie. Nicht zu überbieten war die Gastfreundschaft meiner südafrikanischen Gastgeber, Empfänge reihten sich an Empfänge, einmal, in Salisbury, bekam ich dreihundert Nelken. Die Spenderin war die Tochter des Malers E. E. Schlatter aus Uttwil, Kanton Thurgau, eines alten Freundes. Ich besitze noch heute eine zauberhafte Bleistiftzeichnung Schlatters: das Porträt meiner Katze Tschudi, die so hieß, weil ich sie einst »ganz vertschudelet« auf der Straße auflas. Tschudi verschwand auf mysteriöse Art und Weise, und ich werde bis heute den Verdacht nicht los, daß sie im Kochtopf unserer preußischen Nachbarin auf dem Zürichberg landete.

Zweier Südafrikaner, die emsig mithalfen, den Erfolg unserer Tournee zu sichern, möchte ich noch gedenken: Hans und Grete Kramer, unter Freunden »Hänsel und Gretel« genannt. Sie führten ein prächtiges Schallplattengeschäft in Kapstadt, das den sympathischen Namen »Home of Music« trug. Sie waren nicht die einzigen Schallplattenenthusiasten, denen wir in Afrika begegneten. In Rhodesien suchten wir einen britischen Flugplatzangestellten auf, der mich inständig um meinen Besuch gebeten hatte, um mir seine Plattensammlung zu zeigen. Ein wohlbeleibtes Männchen öffnete die Haustür. »Come in, but mind your step«, sagte er. »Kommen Sie herein, aber passen Sie auf, wo Sie hintreten«, wir folgten seiner Einladung und – erstarrten. Im Vestibül, im Gang, im Treppenhaus, wohin man blickte, sah man Schallplatten liegen, alte, schwere, schwarze Schellackplatten, mitunter zu Säulen aufeinandergeschichtet wie die Türme von San Gimignano. Unser Gastgeber lotste uns zwischen den Plattensäulen hindurch, wir kamen in die gute Stube. Dort waren keine Möbel zu sehen, weder Tisch noch Stühle, nur ein mit Platten bedecktes Kanapee, am Boden verstreut weitere Platten und Plattenalben und inmitten der Platten, auf fetten Beinen sitzend, ein enorm großer und komplizierter Grammophonapparat, dessen in Schlangenlinien sich windende Röhre in einen gigantischen Trichter mündete. Hans, ich und unser Gastgeber hätten bequem darin Platz nehmen können.

Die Hausfrau befreite das Kanapee von einigen Alben, blickte ratlos umher und fragte: »Wo soll ich hin damit, Jefro?« Ihr Mann, mit dem Apparat beschäftigt, gab keine Antwort. Sie entschied sich für einen Schrank im Gang, aber der quoll bereits über von Platten. Sie versuchte es in einer Kommode, doch die oberste Lade war bis zum Rand mit leeren Plattenhüllen vollgestopft, die mittlere brachte sie vor lauter Platten fast nicht mehr zu, und die unterste war derart schwer, sicher ebenfalls durch Platten, daß sie sie nicht aufbrachte. Sie kam wieder herein. »Wo soll ich hin damit, Jefro?«

Ihr Mann tröpfelte Öl in den Motor und hörte nichts. Also schlängelte sich die Frau an den am Boden umherliegenden Platten vorbei bis zum Grammophon, vor dem sie sich wie vor einem dicken Buddha verbeugte. Zwei Flügeltürchen öffneten den Bauch des Ungetüms, es setzte lautes Rumoren ein, kleine Rollen sprangen zum Bauch hinaus, rollten davon, suchten Deckung unterm Kanapee, hinter dem Grammophon, zwischen unseren Beinen.

»Meine Edisonzylinder«, erklärte Jefro liebevoll, schelmisch hinter dem Trichter hervorblinzelnd.

Wir halfen der Hausfrau, die Ausreißer wieder einzufangen, sie verstaute die Edisons wieder im Bauch, klappte die Flügeltürchen zu, nahm die Plattenalben unter ihren Arm und ging hinauf in den oberen

Stock. Jefro schaute ihr mild lächelnd nach. Er eröffnete uns, daß dieser Gang seiner Frau völlig nutzlos sei, sie könne ins Schlafzimmer gehen, das sei voll von Platten, ins Bad, das sei, mit Ausnahme der Wanne, ebenfalls besetzt, in der Küche seien die Fonotipias untergebracht und im Keller seine Pathés. Es befänden sich insgesamt 44 000 Zylinder und Platten im Hause, ja seine Frau könne mit den Plattenalben nach England zurückkehren, sie würde auch dort keinen Platz finden, denn daheim in Cheltenham habe er nochmals 30000 Stück.

Während er so sprach, hielt er einen komplizierten Apparat in Händen, dessen mit Sandpapier bezogene Oberfläche er unentwegt hin und her drehte und womit er, wie er ausführte, für ihn angefertigte Spezialnadeln aus Edelholz spitzte. Die fertig gespitzte Nadel paßte in den Arm, den ihm der Grammophonapparat entgegenstreckte. Eine Platte wurde aufgelegt und der Plattenteller in Bewegung gesetzt. Der Trichter hustete und prustete, schnaubte und zischte, aus weiten medialen Fernen erklang eine Sopranstimme zu uns herüber. Man erkannte »Ah, fors' è lui« aus der »Traviata«. Wir lauschten andachtsvoll. Als die Stimme verklungen war, verkündete unser Gastgeber bescheiden: »Gemma Bellincioni, auf G & T, 1903.« Das erinnerte mich an John Christies Glyndebourner Butler, der, ehe er Wein einschenkte, jedem Gast Weinmarke und Jahrgang ins Ohr zu wispern pflegte (»Pommard, nineteen twenty-nine«). Wir erfuhren ferner, daß die Platte, die wir soeben gehört hatten, sehr viel Geld wert sei. Überhaupt hörten wir erstmals, daß es sich beim Schallplattensammeln um eine Wissenschaft handelt, die gelernt sein will, daß man für eine hellblaue Zonophonetikette ein kleines Vermögen, für eine grüne dagegen nur sehr wenig auf den Tisch legt, daß es nicht nur auf den Sänger ankommt, sondern auf die Etikettenmarke und -farbe.

Es gibt Platten mit Fedor Schaljapin auf G & T (»The Gramophone and Typewriter Company Ltd.«) aus dem Jahre 1901, die so rar und dementsprechend teuer sind, daß sie kaum angeboten werden. Für denselben Schaljapin auf HMV(His Master's Voice)-Platten legt der Sammler keine zehn Franken aus. Es gibt zu viele. Oder ein weniger bekannter Name: Francesco d'Andrade, von Max Slevogt als Don Giovanni auf Leinwand verewigt. Der Sänger sang 1906 die Arie »Fin ch'han dal vino«, die sogenannte Champagner-Arie aus »Don Giovanni« für die längst verschollene Firma Lyrophone ein, eine fidele

Angelegenheit. Zunächst wird die Arie im Tempo Teufel heruntergeleiert. »Bravo! Vivat! Bi-is!« ruft ein anscheinend aus Studioangehörigen sich zusammensetzendes Publikum, der Sänger bedankt sich mit einer Zugabe, hierauf abermals frenetischer Beifall, alles auf einer Plattenseite, deren Preis auf einer Auktion hoch in die dreistelligen Zahlen klettern dürfte. Dieselbe Aufnahme kam später auf Parlophon heraus. Obgleich mit einer von Laubgewinde umkränzten rosaroten Etikette versehen, bringt die spätere Pressung bestenfalls ein Zehntel der ersten ein. Sie ist zu sehr verbreitet.

Dame Nellie Melba hatte ihre eigenen »Fliederlilas«, aber die sieht man verhältnismäßig oft. Wir erfuhren von der Existenz von Marken, deren Namen wir noch nie gehört hatten, Anker und Beka, ferner Platten, die nicht von außen nach innen, sondern von innen nach außen abgespielt werden.

»Nennen Sie mir irgendeine Sängerin oder einen Sänger, Sie werden ihn hören«, erklärte Jefro. Mein Mann nannte Slezak.

»Was von Slezak?«

»Otello.«

»Was aus Otello?«

»Niun mi tema.«

Unser Gastgeber verschwand in seinen Plattenbergen und tauchte alsbald mit der gewünschten Nummer wieder auf. Wir hörten Slezak.

»Das war leicht«, fand der Hausherr, nachdem die Musik zu Ende war. »Ich besitze sämtliche Slezaks. Und was ›Niun mi tema‹ betrifft, hätten sie das Solo noch von fünfzig weiteren Otellos hören können – von Tamagno, Zenatello, Paoli, Zanelli, Salazar, Pertile, Martinelli und so weiter und so fort. Nächster Wunsch!«

»Sag du was«, meinte mein Mann.

Ich zerbrach mir den Kopf. Schließlich sagte ich: »Ivogün.«

»Auf Brunswick oder akustischer Polydor?«

»Wie beliebt?«

»Auf welcher Marke?«

»Das ist egal.«

»Was wollen Sie hören?«

»Ich weiß nicht, was es gibt.«

»Nennen Sie etwas.«

»Die Zerbinetta-Arie.«

»Können Sie haben.«

So ging das zwei bis drei Stunden lang. Wir hörten Lilli Lehmann und Emmy Destinn, Hermann Jadlowker und Josef Schwarz, Franzosen, Engländer, Italiener, Spanier, Skandinavier, Russen und Amerikaner, selbst ein Kastrat befand sich darunter. Schließlich konnten wir nicht mehr. Wir dankten herzlich fürs Konzert und verabschiedeten uns. »Beryl!« rief Jefro. Beryl kam die Treppe herunter, mit verstörtem Blick und noch immer mit den Plattenalben unterm Arm. Wir fragten uns, ob sie inzwischen in Cheltenham gewesen war.

*

Vorbei Südafrika. Ein anderer Auslandsaufenthalt taucht im Kaleidoskop meiner Erinnerung auf: Griechenland. Dort, in Athen, am »Athens-Festival« konzertierte ich unter anderem mit der bildschönen griechischen Cembalistin Lina Lalandi angesichts der nachts hell beleuchteten Akropolistempel. Zu Füßen des sagenumwobenen Hügels musizierten wir Bach in einer halbkreisförmigen Freilichtarena, wo einst die Tragödien von Euripides und Aischylos gegeben worden waren. Lina Lalandi hatte 1963 in Oxford das »English Bach Festival« ins Leben gerufen, mit dem Ziel, nicht nur die Werke Johann Sebastians, sondern aller Angehörigen dieser illustren Musikerdynastie zu pflegen. Auch moderne Werke, die, beabsichtigt oder unbeabsichtigt, mit dem Bachschen Vorbild in Zusammenhang zu bringen waren, wurden berücksichtigt. »I like you«, sagte Lina Lalandi zu mir und holte mich 1965 in die alte englische Universitätsstadt.

Als Ankleidezimmer diente uns Winston Churchills Schlafzimmer in einem gespenstischen alten englischen Schloß. Sein Schlafrock hing noch auf dem Kleiderständer, dahinter gab ein Fenster den Blick frei auf die wuchtigen Baumkronen des Parks, wo der große Mann sein Alter malend verbracht hatte. Lina warf ihr Köfferchen auf Churchills Bett, untersuchte den Inhalt der Kommode, holte von irgendwoher einen Spiegel, warf sich in den Fauteuil und begann mit Schminken. Insgeheim empfand ich das als pietätlos. Ich ließ mich im Schneidersitz auf dem Fußboden nieder, packte mein Beauty-Case aus und begutachtete mein Gesicht.

»Du liebe Zeit! Was hockst du am Boden!« rief Lina. »Da, nimm dir einen Stuhl. Oder setz dich aufs Bett.«

Aber ich war unfähig dazu und blieb, wo ich war. Was mir gefühlsmäßig gegen den Strich ging, habe ich meist gar nicht erst versucht zu tun. Mein Innerstes wehrte sich dagegen.

1965 zum Beispiel musizierte ich wieder einmal mit Dean Dixon, dieses Mal in der Meistersingerhalle von Nürnberg. Beethovens Neunte stand auf dem Programm. »Haben Sie das Werk mit Furtwängler gemacht?« fragte mich Mr. Dixon. »Ja und nein, Mr. Dixon. Das klingt widersprüchlich, aber sehen Sie ..., das war eine meiner großen Enttäuschungen.«

»Erzählen Sie doch«, sagte Mr. Dixon.

»Nun, ich habe die Neunte mit Furtwängler in Clarens einstudiert. Er wollte mich für sein Londoner Konzert mit dem Philharmonia-Orchester ..., und wie gern wäre ich gekommen. Aber Furtwängler war nicht frei in seiner Solistenwahl. Die Sopranistin wurde ihm vom Boß des Philharmonia-Orchesters vorgeschrieben. Dagegen konnte er sich nicht wehren. Er war damals zu sehr auf Engagements angewiesen.«

»Sie brauchen mir nicht zu sagen, um wen es sich gehandelt hat«, sagte Mr. Dixon.

»Nein, das liegt auf der Hand. Es ist mir zweimal passiert, einmal mit Fischer, einmal mit Furtwängler. Und stellen Sie sich vor – als mich Frau Furtwängler bat, in einem Konzert zum Andenken an Furtwängler zu singen, bin ich so heiser geworden, daß ich absagen mußte. Glauben Sie, daß da ein innerer Zusammenhang besteht?«

»Sehr wohl möglich.«

»Ja, das ist auch meine Auffassung. Es gibt Dinge, die man verwindet, und es gibt Dinge, die man nicht verwindet. Und über diese Enttäuschung bin ich, glaube ich, bis heute nicht hinweggekommen.«

Kapitel 33

Wie lange noch?

Die letzten Jahre meiner Laufbahn ziehen vorüber. Wieder ging es rund um die Weltkugel. Manchmal frage ich, ob ich wirklich an all den Orten war, die mir mein Programmkalender vor Augen führt:

18., 19., 20. Mai 1966
War Memorial Opera House, San Francisco
Leitung: Josef Krips
mit Richard Lewis, Yi-Kwei Sze
Haydn, »Die Schöpfung«

18. September–4. Oktober
Israel-Tournee
Werke von Bach und Mozart

21., 22., 23. April 1967
Philharmonie, Berlin
Konrad-Adenauer-Gedenkkonzert
Leitung: Eugen Jochum
mit Marga Hoeffgen, Ernst Haefliger, Kieth Engen
Geistliche Musik von Mozart

4., 5. August
Castle Hill Festival Series, Boston
Liederabend mit Franz Rupp
Werke von Mozart, Schumann, Mahler, Schubert

17. September 1968
Catedral Metropolitana, Buenos Aires
Leitung: Karl Richter
mit Norma Lerer, Peter Schreier, Franz Crass
Mozart, Requiem

11., 12., 21., 22. Oktober
Academy of Music, Philadelphia/Philharmonic Hall, New York
Leitung: Eugene Ormandy
mit Florence Kopleff, John McCollum, McHenry Boatwright
Beethoven, 9. Symphonie

In Aspen

Aspen im Staat Colorado und die lebenslustige Jennie Tourel, von der ich noch nicht viel gesagt habe, fallen mir als erstes ein. Jennie war Pradesianerin, wir kannten uns seit 1952, hatten zwar nicht im gleichen Konzert unter Casals gesungen, aber im selben Jahr. Sie hatte russisches Blut in den Adern, das war deutlich spürbar. Wo immer sie ging und stand, umschwärmte sie eine Schar reizender Männer aller Altersklassen.

»Du bist zu brrrav, Marrria. Das Leben ist kurrrz. Und wer rrrastet, der rrrostet...« Einmal konnte ich Jennie aushelfen. Wir machten zusammen Mozarts c-Moll-Messe in New York. Jennie hatte einen schlechten Tag. Abgesehen davon ist die zweite Frauenpartie eher für einen Sopran mit guter Tiefe geschrieben als für einen Mezzo. Jedenfalls verwickelte sich Jennie in einer Passage, stellte kontinuierlich falsche Weichen und fand den Weg nicht mehr zurück. Da beugte ich mich unauffällig zu ihr hinüber und sang ihr im entscheidenden Moment die richtigen Töne vor. Sofort nahm sie den Faden auf und war wieder im Geleise. Diesen Kollegendienst vergaß sie mir nie.

»Du solltest mal nach Aspen kommen. Maestrrro haben wir zwarrr nicht, aberrr alles liebt sich. Wie in Prrrades.« 1966 war es soweit. Aspen ist von Denver aus in kurvenreicher Bergfahrt zu erreichen. Alljährlich finden dort Sommerfestwochen statt, berühmte Solisten und führende Orchestermusiker machen mit, Flötisten, Klarinettisten und Hornisten, dankbar, während der toten Saison einer Beschäftigung nachgehen zu können. Wie in Zermatt und Luzern werden Meisterkurse durchgeführt, so daß es nicht an lernbegieriger, aufgeweckter amerikanischer Jugend fehlt. Welch ein Reservoir an Begabung! Auch in Aspen besuchte jedermann jedermanns Konzerte, man traf sich bald bei Miss Lilian Fuchs, bald bei Mr. Walter Süsskind zu einem Kaffee oder Coke, sogar mein alter Freund Szymon Goldberg aus Tremezzo war anwesend. Zur »Artists-Faculty«, zur Künstler-Lehrerschaft, gehörten ferner Darius Milhaud, Rosina Lhevinne, die Lehrerin Van Cliburns, Roland Hayes, der erste große schwarze Konzertsänger Amerikas, dessen Eltern noch Sklaven gewesen waren, Alexander Kipnis, einst erster Baß der Berliner Staatsoper, unvergessener Gurnemanz und König Philipp, und viele andere, die in Europa nicht bekannt sind. Das Unternehmen hatte Niveau.

Ich genoß die kameradschaftliche Atmosphäre in vollen Zügen. In Amerika tut sich manches so viel leichter. Man besucht sich nicht, »you just pop in«, man schaut herein. Vor einer Party helfen die Gäste in der Küche, gemeinsam werden Salate vorbereitet und angemacht, Sandwiches belegt und bestrichen, Drinks und Sodas gemixt, was der Beziehung zwischen Lehrer und Schüler nicht schadet. Im Gegenteil. Da ich sowohl als Solistin als auch als Gesangsmeisterin engagiert war, blieben mir leider nur wenige Musestunden, um die herrliche, an die Schweiz erinnernde Bergwelt Colorados zu genießen und zu erforschen.

Dafür war ich sehr komfortabel untergebracht. Mein supermodern ausgestatteter Bungalow grenzte an Brombeerstauden, Heidelbeerfelder und einen Forellenbach. Hausgenosse war ein Angorakater, dick wie König Faruk, der einzige Vertreter seiner Spezies, dem ich jemals begegnet bin, der sich an Forellen überessen hatte und keinen Fisch mehr anrührte.

Die Konzerte fanden in einem von einer Gönnerin gestifteten, zeltartig überdachten Saal statt. Akustisch war er nicht schlecht, sofern Einwirkungen von außen ausblieben. Ich war im Begriff, von »Ruh und Frieden mild« zu singen, als sich über Aspen die Wolken öffneten und ihren Inhalt aufs Zeltdach ausschütteten. Ein Regenhagel ging aufs Zeltdach nieder, mein Schubert ging in Maschinengewehrsalven unter. Nach dem Konzert spürte ich die Zeltstifterin auf.

»Das war schauderhaft!« sagte ich.

»Miss Stader hat recht«, sekundierte eine meiner Schülerinnen. »Man hatte den Eindruck, Bonnie und Clyde hätten Aspen auf der Durchreise gestreift.«

»Ich werde das vermaledeite Zelt anzünden!« fuhr ich fort.

Die Stifterin lachte. »Go right ahead«, sagte sie. »Keine Hemmungen! Ich hab's bestens versichert.«

Eine Gondelbahn trug uns Ausflügler in ein hoch in den Bergen gelegenes Wirtshaus. Dort stand ich an der Theke, sah schneebedeckte Gipfel und spürte die Schweizerin in mir zum Leben erwachen. »I'd love some ›Bratwurscht und Röschti‹«, verkündete ich.

»Chönnt Sie hah!« entgegnete eine Männerstimme. Sie gehörte

Herrn Iseli, dem Wirt, einem Auslandsschweizer, der dieses Bergrestaurant gebaut hatte und sich mächtig freute, Gäste aus der Heimat zu sehen. Die in San Francisco von einem anderen Auslandsschweizer hergestellten Würste wurden täglich eingeflogen. Sie schmeckten hervorragend.

Auch in Aspen gab es »Swiss cooking«, Schweizer Küche. Als ich Meier's Swiss Inn erstmals betrat, hörte man schon von weitem »Schwyzerdütsch«. Ich stellte mich der Dame hinter dem Anrichtetisch vor. »Natürlich kenne ich Sie«, erklärte Mrs. Meier. »Sie sind mit Hans Erismann verheiratet.« Daß sie das wußte, verblüffte mich. Das Rätsel löste sich rasch. »Hans und ich, wir haben die Schulbank zusammen gedrückt. Ich kenne auch Ihren Schwager vom Restaurant Kettenbrücke in Aarau.« Und sie erzählte mir Dinge über Hans und meinen Schwager, die ich selber nicht wußte.

In Lateinamerika

Im gleichen Jahr trat ein südamerikanischer Agent an mich heran und versuchte mir eine Südamerika-Tournee schmackhaft zu machen. In den vergangenen Jahren hatte ich mich auf eingefahrene Bahnen in Europa und Nordamerika beschränkt; an den Gedanken, nochmals Neuland zu erobern, mußte ich mich erst einmal gewöhnen. Jennie Tourel erzählte mir, wie seinerzeit Anton Fietz von Südafrika, Wunderdinge über »Latin America«, ich ließ mich umgarnen und sagte schließlich zu. 1968 war der Plan perfekt.

Anstatt von New York nach Europa zurückzukehren, flog ich gleich nach Rio de Janeiro. Freunde Jennies nahmen mich in ihrer Wohnung am Luxusstrand von Copacabana auf. Von ihrem mit Szenen aus der »Zauberflöte« verzierten Balkon blickte ich auf mondäne Hausfassaden, den Zuckerhut, unter mir im Sand abgesteckte Fußballfelder und junge Leute, die von morgens bis abends am Meerufer Fußball spielten.

Bei meinen Gastgebern lernte ich einen früheren tschechischen Generalkonsul und seine Frau kennen, ein betagtes Ehepaar, das von der alten Heimat träumte.

»Wir haben vor, in den nächsten Wochen nach Prag zurückzukehren«, sagte der Alt-Konsul. »Wir wollen uns dort sobald wie möglich wieder niederlassen. Es hat sich alles geändert, wissen Sie.«

Ich war skeptisch. »Ich sehe viele Leute und höre viel. Sind Sie nicht zu optimistisch?«

»Mein Mann war bereits in Prag, um sich nach einer Wohnung umzusehen. Er hat sich genau informiert.«

»Trotzdem, ich würde mir das noch gut überlegen«, sagte ich. »Hier haben Sie Ruhe und Frieden. In Prag sitzen Sie auf einem Pulverfaß.«

Am nächsten Tag, dem 22. August 1968, marschierten die Russen in Prag ein. Der Herr Konsul und seine Frau weinten. Ich konnte das gut begreifen. Am 23. August sang ich unter Karl Richter in der Sala Cecilia Meireles. Norma Lerer, John van Kesteren, Ernst-Gerold Schramm, Peter Lagger waren die Kollegen. Wir alle standen unter dem Eindruck der welterschütternden Ereignisse. Es wurde eine traurige, tief empfundene Johannes-Passion.

Noch tagelang waren wir deprimiert. Irgendwie hatten wir das Gefühl, der Uhrzeiger sei um zwanzig Jahre zurückgestellt worden. Meine Stimmung besserte sich nicht, als ich den Liederabend einer berühmten Sängerin besuchte, deren Stimme nicht mehr intakt war und die sich längst hätte zurückziehen sollen.

Wenn es auch Überwindung kostet, man muß klug sein, sich beobachten und rechtzeitig aufhören. Natürlich gibt es Leute, die von Gesang keine Ahnung haben, einem Phantom huldigen und klatschen. Aber in Wahrheit beruht die Wirkung auf Irreführung und Bluff, also gerade auf dem, was Kunst nicht sein sollte. Als ich der Konzertgeberin in der Pause den Rücken kehrte, sagte ich mir: Miggi, das darf dir nicht passieren.

Schwimmfans sollten in Rio auf der Hut sein! Eine Amerikanerin, die ebenfalls in Rio konzertierte, ermunterte mich zu einem Bad im Meer. Frohgelaunt schritt ich ins Wasser und schwamm ein Stück weit ins Meer hinaus. Als ich genug hatte, suchte ich mit den Füßen Boden. Weicher, angenehmer Sand umfing die Zehen; es war friedlich hier draußen, das Copacabana-Panorama vor Augen. Mit einem Mal wich mir der Grund unter den Füßen, ein mächtiger Sog zog mich hinab. Wie damals »Marie zwei«. Ich strampelte und wehrte mich verzweifelt. Umsonst. Das ging so schnell vor sich, daß mein Kopf gerade noch aus dem Wasser herausragte, als ich zu kreischen begann. »Ich ertrinke!« Der Rest war Gurgeln. Zum Glück war meine Bekannte groß und stark, sie kraulte blitzschnell auf mich zu, faßte mich am Handgelenk und zog, was sie konnte. Strandwächter sprangen von ihren Hochsitzen herab. Ich weiß nicht, ob ich noch da wäre, wenn ich auf die Herren hätte warten müssen. Keuchend und erschöpft verließ ich das nasse Element. Von brasilianischen Gewässern hatte ich genug.

Die Tournee führte mich weiter nach Bahia, São Paulo, Buenos Aires. »Seien Sie auf der Hut!« warnte man mich. »Hier wird viel gestohlen.« Schmuck wurde einem abgenommen, ehe man sich's versah. Die Diebe leisteten Teamarbeit. Der erste machte das Armband im Vorübergehen auf, sein Komplize folgte dem Opfer so lange, bis das begehrte Objekt zu Boden fiel. Schnell las er es auf und suchte das Weite. Beim Betreten eines Lokals vermißte ich plötzlich meine Uhr. Wir sahen uns um. Sie lag auf dem Gehsteig. Das war unheimlich. Ich konnte mich nicht daran gewöhnen.

Ich besuchte Schweizer Schulen und Kindergärten in Brasilien. Sie litten allesamt an Geldmangel. Die Lehrer waren derart schlecht besoldet, daß sie nur so lange blieben, bis sie das Land kennengelernt hatten. Eine Schule hätte den Kindergarten gerne ausgebaut, eine andere hätte Land spottbillig kaufen und sich vergrößern können. Bern gab jedoch keine Mittel frei. Ich fand das unbegreiflich, wußte ich doch, wie sehr sich Leiter und Lehrkräfte anstrengten, den Ruf schweizerischer Erziehungsanstalten zu festigen. Auch das war doch Werbung am Vaterland. Nach meiner Rückkehr sprach ich deswegen mit dem zuständigen Bundesrat, meines Wissens leider ohne Erfolg.

Unangenehmes erlebte ich auf dem Flughafen von São Paulo. Oder Buenos Aires? So unerfreulich, daß ich nicht mehr weiß, wo. Ich wartete auf das Flugzeug nach Medellin, Venezuela, dessen Ankunft überfällig war. Es war Mitte September, in Südamerika ist es da unter Umständen winterlich kalt. Ein schneidiger, goldbetreßter Bodenoffizier gab Auskunft. »Unsere Maschinen sind nicht genau an den Fahrplan gebunden.«

»Wann erwarten Sie das Flugzeug nach Medellin?«

»In einer halben Stunde geht eines in Richtung Bogotá.«

»Macht es Zwischenlandung in Medellin?«

Der Offizier lächelte vielsagend und wandte seine Aufmerksamkeit anderen Reisenden zu.

Geduldig ließ ich mich auf eine Bank nieder. Ich wartete eine halbe Stunde, eine Stunde, zwei Stunden. Eine Maschine landete, die Wartehalle geriet in Bewegung, ein Gerücht ging um, daß sie nach Rio weiterfliege. Von Bogotá oder Medellin war keine Rede.

»Entschuldigen Sie, ich möchte nach Medellin. Und ich friere!« sagte ich zu einer Stewardeß, die vorübereilte. Aber sie beachtete mich nicht.

Inzwischen war es immer kälter geworden. Ich schlotterte auf meinem Sitz, Hände und Füße kribbelten, die Beine wurden steif. Als sich der goldbeladene Offizier in der Nähe zeigte, hauchte ich ihn an. Zähneklappernd. »Wann, Señor, bitte, kommt die Maschine nach Medellin?« Aber er verschwand durch eine Seitentür.

Jetzt fingen die Beine an zu brennen. Ich erinnerte mich an den Winter in Ungarn. Nicht einmal dort hatte ich jemals so gefroren. Ich kam auf schreckliche Gedanken. Sollte das Flugzeug jemals kommen, würde ich mich von meinem Sitz erheben können? Ich machte die Probe aufs Exempel, aber ... es ging nicht. Ich war gelähmt. Ich bekam Angst. Sollte ich als Eisklotz verenden müssen, wartend auf das Flugzeug nach Medellin? Welch ein lächerlicher Tod! Meine Augen standen voll Tränen des Selbstmitleids. Da trat der goldene Offizier auf den Plan und verkündete stolz: »Plane for Bogotá.« Würde das Flugzeug in Medellin Zwischenhalt machen? Die Frage war mir gleichgültig geworden. Indem ich mich auf seinen Arm stützte, humpelte ich zum Ausgang, an der Stewardeß vorbei ... Sollte ich sie fragen wegen Medellin? Ich zähmte meine Neugier. Am Ende würde sie die Frage verneinen und mich zwingen, in die Halle zurückzukehren. Also bestieg ich zum erstenmal in meinem Leben ein Flugzeug, ohne genau zu wissen, wohin es mich trug.

Wunder über Wunder! Wir landeten in Medellin. Dort nahm sich die Frau des Schweizer Konsuls meiner an. Wie sie das neben ihrer häuslichen Beschäftigung fertigbrachte, war nochmals ein Wunder. Sie hatte acht Kinder und verbrachte den Tag damit, ihren Nachwuchs in einem VW-Bus umherzuchauffieren. Ich setzte mich dazu.

Die Entfernungen waren beträchtlich. »Pipo muß in die Primarschule«, sagte Frau Konsul. Das waren zehn Kilometer in nördliche Richtung. »Juan geht in die Sekundarschule«, erklärte Frau Konsul, nachdem Pipo ausgestiegen war. Das waren fünfzehn Kilometer nach Süden. »Romana hat Blockflötenunterricht. Die Blockflötenlehrerin wohnt am anderen Ende der Stadt.« – »Jaime hat Rhythmik. Jetzt müssen wir wieder ins Zentrum.« – »Dolores hat Zahnweh und muß zum Zahnarzt. Estrelita, du wartest mit Dolores im Wartezimmer, bis ich wiederkomme.« – »Alberto und Fernanda gehen zusammen in den Kindergarten. Das ist nur etwa dreiviertel Stunden von hier.« – »Jetzt ist es höchste Zeit, Romana abzuholen.« – »Pipo hat heute um vier Uhr aus.« – »Dolores und Estrelita warten im Wartezimmer des Zahnarztes.« – »Juan wartet vor der Sekundarschule.« – »Mit Jaime habe ich mich vor dem Supermarkt verabredet. Dann müssen wir nicht direkt ins Zentrum.« – »Jetzt müssen wir nur noch Alberto und Estrelita einsammeln ...« So ging das den ganzen lieben Tag lang zu.

Als ich im Spätherbst wieder nach Zürich heimkehrte, war ich der Entfernungen überdrüssig. Ich war restlos ausgelaugt und dachte nur eines: Aufhören.

Die Familie trennt sich

Auf dem Rigi gewann ich neue Kräfte. Meine Zuneigung zu den Bergen erlosch nie. Seit jenem Tag, als ich die Churfirsten hoch überm Walensee erblickte, wußte ich es: Wir gehören irgendwie zusammen.

Erismanns bauten auf dem Rigi, hatten unweit Kaltbad ein traumhaft schönes Fleckchen Land erworben. Während ich den November und Dezember singend in Amerika verbrachte, um das Geld für die Inneneinrichtung zu verdienen, überwachte mein Mann die Bauarbeiten. Unser Architekt war während des Baus plötzlich gestorben. Am 20. Dezember 1961 landete ich in Kloten mit einer Liste all der Dinge, die ich bis zum 22. spätestens zu kaufen hatte. Die Liste hatte ich während der voraufgegangenen Wochen zusammengestellt, im Hotelzimmer, hinter Podien, während ich auf meinen Auftritt wartete, in Flughallen, im Flugzeug, wo immer sich Gelegenheit dazu bot. Es hatten sich an die zweihundert Punkte angesammelt. Mit dieser Liste lief ich von Warenhaus zu Warenhaus, von Spezialgeschäft zu Spezialgeschäft. Ohne die Hilfe meines Freundes Karl Weber vom Warenhaus »Epa« hätte ich es jedenfalls nicht geschafft. Auf ihn konnte man in allen Lebenslagen zählen.

Am 23. war Liefertag.

Laufend transportierte die Vitznau-Rigi-Bahn Sendungen für Erismanns den steilen Berg hinauf. Wir standen zum Empfang bereit, arbeiteten unermüdlich, machten die Nacht zum Tag, nur um bis zum Heiligen Abend fertigzuwerden. Am 24. um 16 Uhr war alles an seinem Platz. Nichts fehlte. Roland und Martin ließen es sich nicht nehmen, die gedächtnisstolze Mami aufzuziehen. »Wo hat's eigentlich braune Schuhwichse?« – »Ein kleiner Schraubenzieher für die elektrischen Stecker fehlt!« – »Und eine Anstreichbürste gibt es auch nicht.« Aber sie hänselten vergeblich. Mir war nichts entgangen.

Viele schöne Erinnerungen knüpfen sich an diese Ferienklause. Für mich, die ich Berg- und Tallandschaft der Urkantone so heiß liebe, ein Quell unerschöpflicher Freude, zu der die Liebenswürdigkeit der Dorfbevölkerung das ihre beitrug! Leider stellte sich heraus, daß mir die Lage zu schaffen machte, nicht die Höhe (im Engadin etwa, das immerhin in 1800 Meter Höhe liegt, fühle ich mich ausgesprochen wohl), sondern die spezifische Lage von Rigi-Kaltbad. Damit hat es eine merkwürdige Bewandtnis. Bekanntlich bildet der Rigi einen Teil der Seitenwand des imposanten, vielarmigen Wasserbeckens, genannt Vierwaldstättersee. Kreuz und quer verlaufende Luftkorridore schaffen möglicherweise besondere Windverhältnisse. Treffen vielleicht auf der Höhe Rigi-Kaltbad verschiedene Strömungen aufeinander? Ich weiß es nicht. Ich kämpfte mit Schlafschwierigkeiten, war nicht wirklich ausgeruht, wenn ich nach einem Rigi-Aufenthalt ins Tiefland zurückkehrte. Als dann meine skifahrenden Söhne sich über den harmlosen Rigi beklagten und zunehmend ins Hochgebirge zogen, wurde das Haus zu wenig benützt. Ende der sechziger Jahre nahmen wir schweren Herzens Abschied. »Inseriert in einer Basler Zeitung«, riet man uns. »Die Basler haben den Rigi gern.« Mein Inserat bescherte uns nicht bloß einen Abnehmer, sondern einen lieben Freund. Und ich kann mich, wenn mir danach zumute ist, auch heute noch in die vertrauten Wände zurückziehen.

Abschied nicht bloß von der Innerschweiz. Abschied, der tiefer griff. Die Kinder, groß geworden, verließen uns eines nach dem andern, um ihren eigenen Hausstand zu gründen. Abschied auch von meinem Mann. Mehrere Jahrzehnte waren wir verheiratet gewesen, glückliche, fruchtbare Jahre des Aufbaus und des Erntens. Nicht zuletzt infolge der vielen Konzertreisen wuchsen wir auseinander. Als dann die Kinder fortzogen, war für uns die Zeit reif, und wir trennten uns in Freundschaft.

Abschied somit auch von unserm Heim in der Hirslanderstraße und schließlich – Abschied vom Konzertpodium.

Meine größte Konzertreise

Einer Konzertreise möchte ich noch abschließend gedenken. Im Februar 1968, rund fünfzig Jahre, nachdem ich aus Ungarn in die Schweiz gekommen war, sang ich zum erstenmal in Budapest. Die »Johannes-Passion« mit einem beachtlichen ungarischen Evangelisten, Jozsef Réti. Auch die übrigen Solisten kennt man hierzulande kaum: Zsuzsa Barlay, Péter Jagasich, György Melis, Albert Antalffy. Für mich war das in gewissem Sinne meine »größte« Konzertreise, eine Reise in die Vergangenheit.

Ich war bewegt, als ich meine Stimme in den Saal hinaussandte. Dies war meine Heimat gewesen. Hier gehörte ich von Rechts wegen hin ... All diese Leute, mit denen ich mich mangels Ungarisch-Kenntnissen nicht verständigen konnte, waren im Grunde genommen meine Landsleute ...

Mutter befand sich unter den Zuhörern. Seit wir sie in Kloten ins Flugzeug gesetzt hatten, waren zehn Jahre vergangen. Sie war noch immer rüstig und unsagbar stolz auf ihre Tochter. Herr Werner Fuchss, Schweizerischer Botschafter in Budapest, hatte die Liebenswürdigkeit, mir eine Übersetzerin zu besorgen, so daß ich mich mit Mutter und Familie unterhalten konnte.

»Komm, Mama«, sagte ich. »Jetzt gehen wir mal miteinander auf einen Einkaufsbummel.«

Mama erwies sich als heikle Kundin. Einen Morgenrock zu erstehen dauerte volle drei Stunden. Sie wollte alles gesehen und alles anprobiert haben, drehte sich unermüdlich vor dem Spiegel, brachte das Personal zur Verzweiflung.

»Soso, Mama, von dieser Seite kannte ich dich gar nicht. Jetzt versteh ich mich selber besser ...«

Im Januar 1969 kehrte ich abermals nach Budapest zurück, besuchte Mama. Die Sachen, die wir zusammen eingekauft hatten, der Morgenrock, die Schuhe, Bluse, Rock ..., sie lagen unberührt im

Schrank. Unser gemeinsames Glück gehörte nicht in ihre Wirklichkeit, sollte nicht mit Fingern betastet werden. Ich schaute ihr in die klaren, rehbraunen Augen. »Gelt, Mama. Wir zwei. 's ist alles wie im Märchen.«

Kapitel 34

Letzter Vorhang

Dirigenten und Instrumentalisten treten noch in sehr reifen Jahren vor ihr Publikum und leisten Beachtliches. Artur Rubinstein, Stefan Askenase ..., beide schon weit über achtzig. Bei uns Sängern liegen die Dinge anders. Wir unterliegen einem andern Gesetz.

Eines Tages stellt man fest: Das Reisen strengt einen sehr an. Man ist nicht mehr immer in der Lage, seinen Ansprüchen an sich selbst gerecht zu werden. Es gibt Sängerinnen, die sich schon mit vierzig zurückzogen. Etwa Geraldine Farrar, früher einmal Liebling der Berliner Hofoper, erste Butterfly Amerikas. Oder Rosa Ponselle, einst absolute Primadonna der Met. In der Regel machen Sänger mit etwa fünfzig Jahren Schluß. Es gibt Ausnahmen. Der 1848 geborene französische Bariton Lucien Fugère sang noch 1932 an der Opéra Comique. Man kann seinen Papageno aus jenen Jahren auf Platten hören. Erstaunlich. Es gibt keine Regeln, an die man sich halten könnte. Jeder ist für seine Kunst selber verantwortlich, muß mit sich allein ins reine kommen. Ich ging ins achtundfünfzigste Lebensjahr.

Peinlich ist es, wenn sich eine Größe von einst vom Scheinwerferlicht nicht trennen kann und ungewollt eine Parodie des vormaligen Künstlertums zum besten gibt. Ich weiß nicht, was die große Altistin Sigrid Onegin veranlaßte, nicht lange vor ihrem Tod 1943 aus dem Tessin nach Küsnacht zu kommen, um ein Konzert zu geben. Sie war krank, und die Leute lachten. Man hätte vor Trauer und Scham im Boden versinken mögen. Wer seinen Zuhörern nicht mehr sein Bestes geben kann, muß abtreten. Deshalb habe ich stets auf die leisesten Anzeichen stimmlichen Versagens bei mir geachtet und mir früh Gedanken darüber gemacht.

1956, kurz bevor ich die Mozart-Medaille empfing, dachte ich erstmals ernsthaft daran, aufzuhören. Pape Staders Tod lastete auf mir, ich war monatelang ununterbrochen unterwegs gewesen, allein im Sommer hatte ich an nicht weniger als fünfzehn Festivals teilgenommen, hinzu kamen Schallplattenaufnahmen. Mit einem Mal war das Maß voll. Die Gelegenheit eines Frankfurter Konzerts wahrnehmend, sprach ich bei Frau Professor Franziska Martienssen-Lohmann vor, mit der ich mich sehr gut verstand. Frau Lohmann mochte mich auch. »Meine liebe Mozartissima ...«, so begannen ihre Briefe. Mit Lohmanns verband uns alte Freundschaft.

Während seiner Berliner Zeit war Hans oft bei Lohmanns gewesen. 1944, als es mit Deutschland abwärts ging, erinnerte er sich an seine alten Professoren. Er wandte sich ans Rote Kreuz. Es gelang ihm, Professor Schünemann ausfindig zu machen, der in einem Bunker lebte. Sein herrliches Berliner Haus, seine Bibliothek mit den vielen kostbaren Noten und Büchern, die fünf historischen Cembali, die alten Streichinstrumente..., sie waren allesamt vernichtet worden. Aber das Schlimmste: als der Volltreffer explodierte, befand sich Frau Schünemann im Keller des Hauses und wurde verschüttet.

Hans wandte sich an Professor Cherbuliez und erreichte es, daß die Zürcher Universität den Musikwissenschaftler offiziell zu einer kurzen Gastvorlesung einlud. Ich weiß noch, wie wir Professor Schünemann am Hauptbahnhof abholten. Aus dem Zug stieg ein kleines Männchen, den Kopf unter einem viel zu großen Hut verborgen, in einen Mantel gehüllt, der ihm bis über die Füße hing, über den er immer wieder stolperte. Als er den Hut lüftete, sah ich zwei Augenhöhlen, die keine Tränen mehr kannten.

Wir nahmen ihn mit nach Hause, päppelten ihn auf, aber er war vom Tod gezeichnet. Drei Wochen durfte er bei uns bleiben, dann mußte er wieder ins Elend zurück. Wir erhielten noch einen Gruß, einige Monate später erfuhren wir von seinem Tod aus der Zeitung.

Lohmanns suchte das Rote Kreuz vergeblich. Erst nach dem Krieg bekamen wir Nachricht aus Mainz. Der Professor war von seiner Frau getrennt worden, Franziska steckte in der Ostzone fest, in Erfurt. Was tun, um die beiden zusammenzubringen und wenn möglich in die Schweiz zu holen? Wir entsannen uns der bevorstehenden Musikfestwochen in Luzern mit ihren Meisterkursen. Lohmanns zählten zu den angesehensten Gesangspädagogen Deutschlands. Kurse mit Edwin Fischer, Carl Flesch und Enrico Mainardi waren geplant. Also warum nicht einen Kurs mit Frau Professor Lohmann? Edwin Fischer und Hans Erismann unterbreiteten den Vorschlag dem Präsidenten des Komitees, Dr. Walter Strebi, die Idee schlug ein, und Lohmanns erhielten die heißbegehrte Einladung in die Schweiz. Frau Professor Lohmann überquerte die Zonengrenze mit einem winzigen Köfferchen in der Hand, einen kurzen Aufenthalt im Ausland vortäuschend, die Eheleute trafen sich in Mainz und kamen nach Zürich, wo sie bis zum Beginn des Kurses bei uns in der Hirslanderstraße logierten.

Frau Lohmann wollte sich für die Gastfreundschaft revanchieren und mir täglich Gesangsstunden geben. Gerne nahm ich an. Eine Sängerin hat nie ausgelernt. Frau Lohmann wußte enorm viel. Wir arbeiteten täglich ein paar Stunden. Einmal kam Martin herein, in jeder Hand ein Tierchen, das er uns zeigen wollte. Ich sagte: »Du bist ein Schatz, aber Mama muß jetzt arbeiten. Wenn wir fertig sind, kommen wir dann zu dir ins Zimmer und schauen, womit die Tierchen gefüttert werden müssen. Aber jetzt läßt du uns allein.« Und ich streichelte das Kind, während ich es sanft zum Gehen ermunterte.

Ein Jahrzehnt später fuhr ich nach Düsseldorf zu Frau Lohmann, auf Hilfe hoffend. Sie munterte mich auf. Wir arbeiteten zusammen.

»Wissen Sie noch, wie der kleine Martin ins Zimmer kam, wie Sie damals das Kind liebevoll zum Gehen aufforderten? So müssen Sie jeden Ton, ehe er anklingt, liebevoll streicheln, und erst dann lassen Sie ihn hinaus.«

Im übrigen wollte sie meiner Schwarzseherei nicht folgen, sprach lange auf mich ein. Ich mußte ihr recht geben. Ich war damals einfach ausgelaugt und bedurfte einer Erholungspause.

Vierzehn Jahre noch sollte meine internationale Karriere dauern. Dann, 1968, begann ich wieder zu rechnen: ungefähr dreißig Jahre waren vergangen, seit ich in Genf den 1. Preis gewonnen hatte, fünfunddreißig Jahre, seit ich zum erstenmal in Zürich öffentlich aufgetreten war, im Stefi-Geyer/Walter-Schulthess-Konzert im Limmathaus. Das wär's, sagte ich mir. Jetzt mach Platz.

Es soll Sängerinnen gegeben haben, die jahrelang »Abschiedskonzerte« gaben. Zunächst: »Abschiedskonzert.« Dann: »Letztes Abschiedskonzert.« Dann: »Absolut letztes Abschiedskonzert . . .« In jeder größeren Stadt das gleiche Theater. Dagegen wehrte ich mich. Ich wollte keine offizielle Verabschiedung. Falls jemand in Berlin, Bonn, Bregenz, Augsburg, Kaufbeuren, Utrecht, Paris es zufällig erfahren sollte: »Heute das letztemal Maria Stader ...« à la bonheur. Mit ein paar Ausnahmen: Zürich, Bern, Luzern und, wo es nicht zu verheimlichen war, wo Verheimlichung nicht verstanden worden wäre: New York.

Maria Stader sagte Paris am 26. Mai 1969 in aller Heimlichkeit adieu. Jean Guillou, der Orgellehrer meines Sohnes Roland, begleitete mich an der Orgel der Eglise Saint-Eustache. Am 15. Juni 1969 trat ich in Zürich zum letzten Mal auf. Im Rahmen der Juni-Festspiele wurden Musiker-Handschriften im Helmhaus gezeigt. Die Manuskripte sämtlicher Lieder, die ich sang, befanden sich darunter: Werke von Schubert, Schumann, Brahms, Mendelssohn, Wolf, Schoeck. Hans Erismann spielte für mich, ebenfalls zum letztenmal; Schumanns »Frauenliebe und -leben« begleitete Géza Anda. Gemeinderatspräsident Hans Ulrich Fröhlich dankte im Namen der Stadt Zürich. Die spontane Anteilnahme, die vielen Briefe, die Blumenfülle ..., ich fand alles überwältigend. »Das könnte ich nicht noch einmal durchmachen«, sagte ich zu Silvia Fricsay.

George Szell war unter den Zuhörern. Nachträglich erfuhr ich, daß er mich ebenfalls gern begleitet hätte.

Willi Schuh, der meinen Werdegang verfolgt hatte, schrieb in der »Neuen Zürcher Zeitung«: »Maria Stader ist es schon in den dreißiger Jahren gelungen, einen der vordersten Plätze in ihrem (übrigens keineswegs eng begrenzten) Fachgebiet einzunehmen; sie hat ihn – was weit mehr bedeutet – über Jahrzehnte zu halten verstanden. Ihr Name genießt heute wie einst Weltruf. Es kann ihr nicht leichtgefallen sein, den Abschied so anzusetzen, daß sie imstande war, ihren Hörern im vollen Besitz ihres Könnens und ihrer Mittel gegenüberzutreten. Sie will, daß man von ihr sagen kann, sie habe sich nicht zu spät, sondern zu früh vom Konzertpodium zurückgezogen.«

Jetzt wußte man natürlich in Bern, was am 19. August die Stunde geschlagen hatte. »Letztes Berner Konzert von Maria Stader« war die Überschrift der 11. Abendmusik im Berner Münster. Ich sang Arien von Bach und Mozart, Hermann Müller leitete Musiker des Berner Symphonieorchesters. Nach dem Konzert wollten die Berner nicht nach Hause gehen, standen vor dem Münster Spalier und klatschten. Ich kam mir vor wie die Queen.

Dann kam Luzern. Unter Paul Sacher sang ich am 24. und 25. August Mozart-Arien. Mein letztes Serenaden-Konzert. Schlechter Witterung wegen konnten die Konzerte nicht vor dem Schlachtendenkmal im Freien stattfinden. Gerne hätte ich mich auch vom steinernen Löwen verabschiedet. Er hatte so manches Lied selig durchschlafen. Mozarts »Nehmt meinen Dank« mußte ich wiederholen. Auch hier wollte man mich nicht ziehen lassen.

Zusammen mit Joanna Simon, Jan Peerce und Thomas Palmer sang ich mein letztes Mozart-Requiem in New York. Am Sonntag, dem 7. Dezember 1969. Abraham Kaplan dirigierte. Es war das letzte Mal, daß ich auf einem Konzertpodium stand. Die »New York Times«, die einen einst das Fürchten gelehrt hatte, widmete dem Abschied eigens einen Artikel. Das war eine große Freude. Im »Agnus Dei« hat der Sopran ein letztes Solo. Er verkündet: »Lux aeterna luceat eis, Domine, cum sanctis tuis in aeternum, quia pius es.« (»Ewiges Licht leuchte ihnen, Herr, mit allen deinen Heiligen in Ewigkeit, denn du bist ewig gut.«) Während ich diese Worte sang, durchfuhr es mich: »Dies ist das allerletzte Mal!« Zugleich ging Seltsames in mir vor, löste sich etwas von mir, etwas sehr Nahes, ein zweites Ich. Ich spürte, wie dieses Ich sich anschickte, meinen Körper zu verlassen, schmerzlos, ohne auch nur die geringste Wunde zu hinterlassen, wie ein Gewand, ein selbstgewirktes, das abgestreift und einer höheren Macht zu Füßen gelegt wird. Ich zitterte, wurde leichenblaß. Thea Dispeker und ihr Gatte Lolo, die vorne saßen, glaubten mich einer Ohnmacht nahe. Aber das Gegenteil war der Fall. Mein Bewußtsein schien sich erweitert zu haben, ich empfand den Anschluß an die reinste der Welten. Ich wußte nichts mehr von dem, was mich umgab, vom Dirigenten, vom Orchester, vom Publikum. Mein innerer Blick war emporgerichtet, voller Dankbarkeit für alles Schöne, das ich von der göttlichen Frau Musica all die Jahre empfangen.

Als ich mich in der Philharmonic Hall zum x-ten Mal verbeugte, rief eine helle Frauenstimme: »Thank you for your Mozart!«

DANK AN MITARBEITER

Für das Zustandekommen dieses Buches möchten wir herzlich danken:

Walther Bringolf, Constant Cachin, Ritha Dixon, Hans Erismann, Henry W. Gillespie, Silvia Göhner-Fricsay, Emil Haering, Rosmarin Jaggi-Schulthess, Nina und Helmut Kindler, Herta Kroehling, Barbara Müller, Hans Müller, Alexander Seiler, Hans Willner, Johann Jakob Zemp

sowie Mitarbeitern der Musikabteilung der Zürcher Zentralbibliothek und des Radio-Archivs von Zürich.

Besonderer Dank gebührt Hans E. Greiner, der Repertoire und Schallplattenverzeichnis für dieses Buch zusammengestellt hat.

Zürich, im März 1979

Maria Stader
Robert D. Abraham

LITERATURVERZEICHNIS

Farga, Franz: *Die goldene Kehle.* A. Franz Göth, Wien 1948
Frankenstein, Alfred: »Maria Ivogün«, in: *The Record Collector,* Ipswich, Vol. XX/5
Hempel, Frieda: *Mein Leben dem Gesang.* Argon, Berlin 1955
Herzfeld, Friedrich: *Magie der Stimme.* Ullstein, Berlin 1961
Hildesheimer, Wolfgang: *Mozart.* Suhrkamp, Frankfurt/M. 1977
Jacob, Heinrich Eduard: *Mozart. Geist, Musik und Schicksal eines Europäers.* Societäts-Verlag, Frankfurt/M. 1971
Klein, Herman: *Great Women Singers of My Time.* George Routledge, London 1931
Lehmann, Lotte: *Anfang und Aufstieg.* Reichner, Wien 1937
Paumgartner, Bernhard: *Mozart.* Atlantis, Zürich 1945
Paumgartner, Bernhard: *Erinnerungen.* Residenz, Salzburg 1969
Paumgartner, Bernhard: *Ein Vortrag.* Manuskript
Schenk, Oswald: *Berlin und die Musik.* Bote & Bock, Berlin 1940
Schuh, Willi: »Richard Strauss und das Zürcher Stadttheater«, in: *Jahrbuch des Zürcher Stadttheaters.* 1950/51
Schwaiger, Egloff: *Warum der Applaus.* Ehrenwirth, München 1968
Stader, Maria: »Ferenc Fricsay«, in: *Diener der Musik. Unvergessene Solisten und Dirigenten unserer Zeit im Spiegel der Freunde.* Hrsg. v. Martin Müller und Wolfgang Mertz. Rainer Wunderlich, Tübingen 1965
Stader, Maria: »Zusammenarbeit mit Fricsay«, in: Friedrich Herzfeld (Hrsg.): *Ferenc Fricsay. Ein Gedenkbuch.* Rembrandt, Berlin 1964
Stader, Maria: Über Wilhelm Furtwängler in: *Furtwängler Recalled.* Atlantis, Zürich 1965
Wagner-Bibliographie, Internat.: *Die Besetzung der Bayreuther Festspiele 1876–1960.* Edition Musica Bayreuth
Walter, Bruno: »Kapelle und Kapellmeister«, in: *Jahrbuch des Zürcher Stadttheaters* 1925/26

BILDNACHWEISE

Schutzumschlagfoto und Foto Seite 2: Roland Erismann, Hongkong; Foto S. 1: Deste, London.
Die Büste Maria Staders (S. 5) ist von Ellen Weyl, Zürich. Das Porträt Maria Staders (S. 6) von Hans Erni, Meggen. (Foto: Walter Dräyer, Zürich).

Bildteil I: Wie im Märchen (S. 63–66)
PAA Photo, Frankfurt a. M. (S. 66). Alle übrigen Fotos: Privatarchiv Maria Stader, Zürich.

Bildteil II: Aus dem Familienalbum der Maria Stader (S. 131–138)
Werner Schläpfer, Männedorf & Stäfa (S. 132); Photopress, Zürich (S. 136); Barbara Kruck, Zürich (S. 138). Alle übrigen Fotos: Privatarchiv Maria Stader, Zürich.

Bildteil III: Aus dem Künstleralbum der Maria Stader (S. 217–236)
Barry Glass, Vancouver (S. 218, 219); Max Jacoby, Berlin (S. 220 oben, 221, 230 oben); Photo House Prior, Tel Aviv (S. 220 Mitte); Curt Ullmann, Berlin (S. 220 unten, 228 oben); Keystone, Hamburg (S. 222 oben); Jean Mohr, Genf (S. 223 oben); Ullstein, Berlin (S. 223 unten, 224 unten); dpa, Frankfurt (S. 224 oben); Werner Neumeister, München (S. 226 oben, 227 oben); Atelier Ellinger, Salzburg (S. 226 unten); Presse- und Informationsamt der Bundesregierung, Bundesbildstelle, Bonn (S. 227 unten); Partner, Paris (S. 228 Mitte); Jean Schneider, Luzern (S. 229 oben); Atelier Gundermann, Würzburg (S. 229 Mitte); Peter Fürst, Köln (S. 229 unten); Felicitas Timpe, München (S. 230 unten); Erika, European Picture Service, New York (S. 231 oben); Paul Weber AG vorm. Jean Schneider, Luzern (S. 232 oben links); Kurverein Zermatt (S. 232 Mitte rechts); Hans Blättler, Luzern (S. 232 unten links, 233 oben rechts); Evaristo Fusar c/o Corriere della Serra, Milano (S. 233 oben rechts); Klaus Hennch, Kilchberg/ZH (S. 233 Mitte links); Josef Laubacher, jun., Luzern (S. 233 Mitte rechts); P. Sacher, Luzern (S. 233 unten links); Photo Gerstner, Zürich (S. 233 unten rechts); Bilderdienst Süddeutscher Verlag, München (S. 234, 236 links); Helga Sharland, Edgware, Middx. (S. 235). Alle übrigen Fotos: Privatarchiv Maria Stader, Zürich.

Bildteil IV: Schweizer Kunstbotschafterin (S. 307–314)
Kurt Vogelsang, Berlin (S. 308 Mitte); Ermini, Milano (S. 308 unten); Bruno & Eric Bührer, Schaffhausen (S. 312 oben); Creative Photography, Washington D. C. (S. 312 unten); A. Jensen, Zürich (S. 313 oben); D. Rubinger, Jerusalem (S. 313 unten); Jean Schneider, Luzern (S. 314). Alle übrigen Fotos: Privatarchiv Maria Stader, Zürich.

Bildteil V: Höhepunkte einer Laufbahn (S. 395–402)
Fotos und Dokumente: Privatarchiv Maria Stader, Zürich.

Die Veröffentlichung der Notenblätter aus dem Mozart-Album der Maria Stader auf den Vorsatzblättern und auf S. 10 erfolgt mit Genehmigung der Universal Edition, Wien.

REPERTOIRE

zusammengestellt von Hans E. Greiner

Aeschbacher, Walther (2.10.1901–6.12.1969)

Kantate: .... »Lob des Lebens«

d'Astorga, Emanuele (20.3.1680–1757)

Kammerduett: .... »Vo cercando«

Bach, Carl Philipp Emanuel (8.3.1714–14.12.1788)

Aus Kantaten und Liedern: .... Arie
Lyda
Die Schlummernde
Der Bauer
Tischlied
Lied
Die Milchmädchen
Selma
Fischerlied

Bach, Johann Sebastian (21.3.1685–28.7.1750)

Oratorien: .... BWV 248 Weihnachtsoratorium
249 Osteroratorium (unbekannt)

Passionen: .... 244 Matthäus-Passion (Christian Friedrich Henrici)
245 Johannes-Passion (J.S. Bach nach Berthold Heinrich Brockes)
247 Markus-Passion (Christian Friedrich Henrici)

Messen: .... 232 Hohe Messe in h-Moll
243 Magnificat

Kantaten: .... 9 »Es ist das Heil uns kommen her« (Paul Speratus)
11 »Lobet Gott in seinen Reichen« (Bibel)
21 »Ich hatte viel Bekümmernis« (unbekannt)
43 »Gott fähret auf mit Jauchzen« (unbekannt)
51 »Jauchzet Gott in allen Landen« (unbekannt)
57 »Selig ist der Mann« (Christian Friedrich Henrici?)
61 »Nun komm' der Heiden Heiland« (Erdmann Neumeister)
62 »Nun komm' der Heiden Heiland« (Christian Friedrich Henrici?)
63 »Christen, ätzet diesen Tag« (unbekannt)
68 »Also hat Gott die Welt geliebt« (Mariane von Ziegler)
75 »Die Elenden sollen essen« (unbekannt)
77 »Du sollst Gott, deinen Herren, lieben« (unbekannt)
79 »Gott der Herr ist Sonn und Schild« (unbekannt)

80 »Ein' feste Burg ist unser Gott« (Martin Luther/Salomo Franck)
84 »Ich bin vergnügt mit meinem Glücke« (Christian Friedrich Henrici)
98 »Was Gott tut, das ist wohlgetan« (unbekannt)
101 »Nimm von uns, Herr« (Martin Moller)
111 »Was mein Gott will, das g'scheh allzeit« (unbekannt)
137 »Lobe den Herren« (Joachim Neander)
138 »Warum betrübst du dich« (Hans Sachs)
140 »Wachet auf, ruft uns die Stimme« (Philipp Nicolai)
147 »Herz und Mund und Tat und Leben« (Salomo Franck)
151 »Süßer Trost, mein Jesus kommt« (unbekannt)
152 »Tritt auf die Glaubensbahn« (Salomo Franck)
155 »Mein Gott, wie lang, ach lange« (Salomo Franck)
162 »Ach! ich sehe, itzt, daß ich zur Hochzeit gehe« (Salomo Franck)
173a »Durchlaucht'ster Leopold« (unbekannt, Bach?)
184 »Erwünschtes Freudenlicht« (unbekannt, Bach?)
186 »Ärgre dich, o Seele nicht« (Salomo Franck)
187 »Es wartet alles auf Dich« (unbekannt)
199 »Mein Herze schwimmt im Blut« (Georg Christian Lehms)
201 »Geschwinde, geschwinde, ihr wirbelnden Winde« (Christian Friedrich Henrici)
202 »Weichet nur betrübte Schatten« (»Hochzeitskantate«) (unbekannt)
205 »Zerreißet, zersprenget, zertrümmert die Gruft« (Christian Friedrich Henrici)
206 »Schleicht, spielende Wellen« (Christian Friedrich Henrici?)
208 »Was mir behagt, ist nur die muntre Jagd« (Salomo Franck)
209 »Non sa che sia dolore« (Johann Matthias Gesner?)
211 »Schweigt stille, plaudert nicht« (»Kaffeekantate«) (unbekannt)
212 »Mer hahn en neue Oberkeet« (Christian Friedrich Henrici)
214 »Tönet, ihr Pauken! Erschallet, Trompeten« (unbekannt, Bach?)
249a »Entfliehet, verschwindet, entweichet, ihr Sorgen« (Christian Friedrich Henrici)

Lieder: .... Sechs geistliche Lieder aus Schemellis Gesangsbuch (Georg Christian Schemellis):
»Dir, Dir Jehova«
»Steh' ich bei meinem Gott«
»Gib dich zufrieden«
»Die goldne Sonne«
»Dich bet' ich an«
»Ich halte treulich still«

Aus dem zweiten Notenbuch der Anna Magdalena Bach:
»Bist du bei mir« (unbekannt)

Beethoven, Ludwig van (17.12.1770–26.3.1827)

Oratorium: .... »Christus am Ölberg«, Opus 85 (Franz Xaver Huber)

Messen: .... Messe in C, Opus 86
»Missa solemnis«, Opus 123
Symphonie Nr. 9 in d-Moll, Opus 125 (Friedrich Schiller)

»Fidelio«, Opus 72 (Joseph Sonnleithner und Friedrich Treischke): Partie der Marzelline*)

Szene und Arie für Sopran und Orchester: »Primo amore, piacer del ciel« (unbekannt)

Lieder: .... »Der Wachtelschlag« (Ferdinand Sauter)
Lieder aus »Egmont« (Johann Wolfgang von Goethe)
»Mailied« (Johann Wolfgang von Goethe)
»Mignon« (Johann Wolfgang von Goethe)
»Wonne der Wehmut« (Johann Wolfgang von Goethe)

Fünf Lieder nach Texten von Christian Fürchtegott Gellert:
»Bitten«
»Vom Tode«
»Die Himmel rühmen«
»Gottes Macht und Vorsehung«
»An dir allein«

Fünf schottische Volkslieder mit Triobegleitung (unbekannt):
»Lore am Tore«
»Der Abend«
»Trüb, trüb ist mein Auge«
»Der schönste Bub' war Henry«
»Ach, dürft' ich meinen Patrick frei'n«

Bella, Rudolf (1890–1973)

Lieder: .... »Damals im Herbst«
»Lied des Harfenmädchens«
»Schlummerlied«
»Verbotener Gang«

Berlioz, Hector (11. 12. 1803–8. 3. 1869)

»Fausts Verdammnis« (Hector Berlioz, Gerald de Nerval, Raoul Gunsberg): Partie des Gretchens

Bizet, Georges (25. 10. 1838–3. 6. 1875)

Szenen aus »Carmen« (Henry Meilhac und Ludovic Halévy):
Duett Micaela – Don José (1. Akt)
»Ich seh die Mutter dort« *)

Arie der Micaela (3. Akt)
»Ich sprach, daß ich furchtlos« dt./frz.*)

Brahms, Johannes (7. 5. 1833–3. 4. 1897)

»Ein deutsches Requiem«, Opus 45

Duette: .... Vier Duette für Sopran, Alt, Klavier:
Klänge 1 (Claus Groth)
Klänge 2 (Claus Groth)
»Die Meere« (Johann Gottfried von Herder)
»Die Schwestern« (Eduard Mörike)

Lieder: .... »An die Nachtigall« (Ludwig C. H. Hölty)
»Auf dem Kirchhofe« (Detlev Freiherr v. Liliencron)
»Das Mädchen spricht« (Otto Friedrich Gruppe)
»Der Schmied« (Ludwig Uhland)
»Feldeinsamkeit« (Hermann Allmers)

»Mädchenlied« (Paul von Heyse)
»Mainacht« (Ludwig C. H. Hölty)
»Meine Liebe ist grün« (Felix Schumann)
»Nachtigall« (Christian Reinhold Köstlin)
»O liebliche Wangen« (Paul Fleming)
»Sommerabend« (Hans Schmidt)
»Sonntag« (Aus Uhlands Volksliedern)
»Ständchen« (Franz Kugler)
»Therese« (Gottfried Keller)
»Vergebliches Ständchen« (Volkslied)
»Wiegenlied« (unbekannt)

Bruckner, Anton (4. 9. 1824–11. 10. 1896)

Messe in f-Moll
Te Deum (Ambrosius)
Psalm 150*)

Burkhard, Willy (17. 4. 1900–18. 6. 1955)

Oratorium: .... »Das Jahr« (Hermann Hiltbrunner)
Messe für Soli, Chor und Orchester

Buxtehude, Dietrich (1637–9. 5. 1707)

Motette: .... Bux WV 12 »Cantate Domino« (Elsbeth Pilgrim)

Kantaten: .... 46 »Ich habe Lust abzuscheiden« (Bibel)
60 »Jesu meine Freude« (Johann Franck)
98 »Singet dem Herrn ein neues Lied« (Bibel)

Caldara, Antonio (1670–28. 12. 1736)

Oratorium: .... Aus »Sancta Ferma«
Arie »Quell' usignolo«

Caplet, André (23. 11. 1879–22. 4. 1925)

»La flûte invisible«

Carissimi, Giacomo (18. 4. 1605–12. 1. 1674)

Oratorium: .... »Jephte« (Text nach Jud. 11, 28-38 Vulgata)

Cesarini, Carlo Francesco (1672–1711)

Aus Solokantate »La gelosia«,
Rezitativ und Arie: »Filli, nol niego«

Charpentier, Marc-Antoine (1636[?]–24. 2. 1704)

Te Deum

Couperin, François (10. 11. 1668–12. 9. 1733)

Duett für Sopran und Alt:
»Venite, exsultemus Domino«

David, Karl Heinrich (30. 12. 1884–17. 5. 1951)

Lieder: .... Quatre chants d'après des poésies de Verlaine (Paul Verlaine):
»Air d'opéra«
»La lune blanche«
»Gavotte«
»Scène d'opéra bouffe«

Debussy, Claude (22. 8. 1862–25. 3. 1918)

»Pelléas et Mélisande« (Maurice Maeterlinck):
Partie des kleinen Yniold

»Le martyre de Saint-Sébastien« (Gabriele d'Annunzio):
für Soli, Chor und Orchester

Für Stimme und Orchester: .... »Le jet d'eau« (Charles Baudelaire)

Lieder: .... »Les cloches« (Paul Bourget)
»Mandoline« (Paul Verlaine)

Donizetti, Gaetano (29. 11. 1797–8. 4. 1848)

»Lucia di Lammermoor« (Salvatore Cammarano nach Sir Walter Scott):
Partie der Lucia

Dvořák, Antonin (8. 9. 1841–1. 5. 1904)

Requiem
»Stabat mater«

Fauré, Gabriel (12. 5. 1845–4. 11. 1924)

Requiem

Franz, Robert (28. 6. 1815–24. 10. 1892)

Lieder: .... »Ein Stündlein wohl vor Tag« (Eduard Mörike)
»Es hat die Rose sich beklagt« (Mirza Schaffy)
»Gute Nacht« (Emanuel Geibel)
»Ständchen« (Friedrich Rückert)
»Weißt du noch?« (Hafis)

Gluck, Christoph Willibald (2. 7. 1714–15. 11. 1787)

»Orpheus und Euridike« (Raniero di Calzabigi):
Partie der Euridike

Gounod, Charles (17.6.1818–18.10.1893)

»Margarethe« (»Faust«) (Jules Barbier und Michel Carré nach Goethe):
Partie der Margarethe dt./frz.***)

»Romeo und Julia« (Jules Barbier und Michel Carré nach William Shakespeare):
Walzer der Julia dt./frz.*)

Graun, Carl Heinrich (1703–8.8.1759)

Passionsoratorium: .... »Der Tod Jesu« (C. W. Ramler)

Haas, Joseph (19.3.1879–30.3.1960)

Oratorium: .... »Das Lebensbuch Gottes« (Angelus Silesius)

Haller, Hermann (geb. 9.6.1914)

Kantate: .... »Verkündigung«

Hasse, Johann Adolf (15.3.1699–16.12.1783)

Psalm 51 (Bibel)

Händel, Georg Friedrich (23.2.1685–14.4.1759)

Oratorien: .... »Belsazar« (Charles Jennens):
Partie der Nitocris

»Judas Makkabäus« (Thomas Morell):
Partie der Israelitin

Sopranpartien in:
»Samson« (John Milton/Newburgh Hamilton)
»Saul« (Charles Jennens)
»Der Messias« (Charles Jennens)

Aus »Josua« (Thomas Morell),
Arie: »O hätt' ich Jubals Harf«

Passion: .... »Passion« (nach Berthold Heinrich Brockes)

Psalmen: .... 109, 110, 112 »Dixit dominus« (Bibel)

Anthem VII: .... »Mein Lied sing ich auf ewig« (Psalm 89) (Bibel)

Motette: .... »Sileti venti«

Kantaten: .... »Nel dolce dell'oblio«
»Pastorella, vaga bella«

Oden: .... »Cäcilien-Ode« (John Dryden)
Aus »L'Allegro, il Penseroso, ed il Moderato«: Nachtigallenarie (John Milton)

Haydn, Joseph (31.3.1732–31.5.1809)

Oratorien: .... »Die Jahreszeiten« (J. Thomson/Gottfried van Swieten)
»Die Schöpfung« (John Milton/Gottfried van Swieten)

Messen: .... Messe in B-Dur »Theresienmesse«
Messe in d-Moll »Nelson-Messe«
»Schöpfungs-Messe«
Missa in tempore belli »Paukenmesse«
Missa brevis in F-Dur
»Stabat mater«
Advents-Arie

Aus »La vera costanza« (Francesco Puttini und Pietro Travaglia),
Rezitativ und Arie:
»Care spiagge, selva addio«

Aus »L'incontro improvviso« (Dancourt/Karl Friberth),
Arie der Rezia: »Or vicina a te«

Haydn, Michael (14.[13.?] 9.1737–10.8.1806)

Messen: .... »Missa Sti Aloysii«
»Missa Hispanica«

Hess, Ernst (13.5.1912–2.11.1968)

Oratorium: .... »Jeremia«

Honegger, Arthur (10.3.1892–28.11.1955)

Oratorium: .... »König David« (Hans Reinhart)

Huber, Hans (28.6.1852–25.12.1921)

Aus »Kleinbasler Festspiel« (Rudolf Wackernagel):
»Leise rauscht der Strom dahin«

Aus »Riehener Festspiel«:
Ausschnitte

Huber, Paul (geb. 17.2.1918)

Oratorium: .... »Der verlorene Sohn« (Georg Thürer):
Partie der Mirjam

Jenny, Albert (geb. 24.9.1912)

Oratorium: .... »Dem unbekannten Gott«

Lieder: .... »Du schläfst«
»Schließe mir die Augen zu«

Kreis, Otto (9.6.1890–17.7.1966)

Lieder: .... »Die Prinzessin« (Bjornstjerne Bjornson)
»Du legst mir allerwege«
»Liebeslied«
»Troubadoure«
»Vier Blätter fand ich«
»Zitronenfalter«

Kreutzer, Konradin (22. 11. 1780–14. 12. 1849)

Aus »Das Nachtlager von Granada« (Carl von Braun),
Arie der Gabriele:
»Leise wehet, leise wallet«

Krieger, Johann (1652–1735)

Lied: .... »Wer lieben kann«

Kunz, Ernst (geb. 2. 6. 1891)

Oratorium: .... »Vom irdischen Leben« (Uraufführung)

De Lalande, Michel Richard (1657–1726)

Psalm: .... »De profundis«
für Soli, Chor, Orchester und Orgel

Lehár, Franz (30. 4. 1870–24. 10. 1948)

Aus »Die lustige Witwe« (Victor Léon
und Leo Stein):
»Vilja-Lied« *****)

Aus »Giuditta« (Knepler und Löhner):
»Meine Lippen, sie küssen so heiß« *****)

Liebermann, Rolf (geb. 14. 9. 1910)

»Streitlied zwischen Leben und Tod« (Robert Kothe):
Dramatische Kantate für Soli, Chor und Orchester (Konzert-Uraufführung)

Aus »Leonore 40/45« (Heinrich Strobel):
Arie der Huguette

Aus »Schule der Frauen« (Heinrich Strobel):
Arie der Agnes

Capriccio für Sopran, Violine und Orchester
»Chinesische Liebeslieder« (Klabund)

Lortzing, Albert (23. 10. 1801–21. 1. 1851)

Aus »Der Wildschütz« (Albert Lortzing):
Arie der Gräfin *)

Aus »Der Waffenschmied« (Albert Lortzing),
zwei Arien der Marie:
»Er ist so gut, so brav, so bieder«
»Wir armen, armen Mädchen«

Mahler, Gustav (7. 7. 1860–18. 5. 1911)

Symphonie Nr. 2 (Friedrich Gottlieb Klopstock)
Symphonie Nr. 4 (»Des Knaben Wunderhorn«)

Lieder mit Orchester .... »Blicke mir nicht in die Lider« (Friedrich Rückert)
»Ich atmet einen Lindenduft« (Friedrich Rückert)
»Ich bin der Welt abhanden gekommen« (Friedrich Rükkert)
»Liebst du um Schönheit« (Friedrich Rückert)
»Revelge« (»Des Knaben Wunderhorn«)
»Um Mitternacht« (Friedrich Rückert)
»Wo die schönen Trompeten blasen« (»Des Knaben Wunderhorn«)

MARCELLO, BENEDETTO (24.7.1686–25.7.1739)

Kammerduett: .... »Ecco il petto« (Vincenzo Cassani)

MARTIN, FRANK (15.9.1890–21.11.1974)

Oratorium: .... »Le vin herbé« (Joseph Bédier):
Partie der Iseult

MASSENET, JULES (12.5.1842–13.8.1912)

Aus »Manon« (Henri Meilhac und Philippe Gille),
Arien der Manon:
»Adieu, notre petite table« dt./frz.*)
»Je marche sur tous les chemins« dt./frz.*)
»Obéissons quand leur voix appelle« dt./frz.*)

MENDELSSOHN-BARTHOLDY, FELIX (3.2.1809–4.11.1847)

Oratorium: .... »Elias« (Bibel)

Lieder: .... »Abendlied« (J. H. Voss)
»Auf Flügeln des Gesanges« (Heinrich Heine)
»Es weiß und rät es doch keiner« (Joseph von Eichendorff)
»Neue Liebe« (Heinrich Heine)
»Schilflied« (Nikolaus Lenau)
»Wanderlied« (Joseph von Eichendorff)

Duette: .... für Sopran und Alt mit Klavierbegleitung
Aus »Athalia« (Jean Racine)
Aus der Motette Opus 39
»Abendlied« (Heinrich Heine)
»Das Ährenfeld« (A. H. Hoffmann von Fallersleben)
»Gruß« (Joseph von Eichendorff)
»Herbstlied« (C. Klingemann)
»Ich wollt, meine Liebe ergösse sich« (Heinrich Heine)

MEYERBEER, GIACOMO (5.9.1791–2.5.1864)

Aus »Die Hugenotten« (Eugène Scribe und Antoine Deschamps),
Arie des Pagen:
»Ihr edlen Herrn allhier«

MONTEVERDI, CLAUDIO (15.5.1567–29.11.1643)

Vespro della Beata Vergine
(»Marienvesper«)

MOZART, WOLFGANG AMADEUS (27.1.1756–5.12.1791)

Messen: .... KV 194 Messe in D
317 Messe in C »Krönungsmesse«
337 Messe in C
417 Messe in c-Moll (Fragment)
626 Requiem in d-Moll

Litaneien und Vespern: .... 109 Litaniae lauretanae
195 Litaniae lauretanae
243 Litaniae de venerabili
321 Vesperae de dominica
339 Vesperae de confessore

Kirchenmusik: .... 73a Ergo inerest
108 Regina coeli
117 Offertorium
127 Regina coeli
165 Motette »Exsultate, jubilate«
198 Offertorium
276 Regina coeli
277 Offertorium
326 Justum deduxit

Kantaten: .... 42 Grabmusik
118 »La betulia liberata« (Pietro Metastasio):
Partie der Amital
429 Dir Seele des Weltalls (Lorenz Leopold Haschka)
469 Davide penitente (Lorenzo da Ponte)

Opern: .... 50 »Bastien und Bastienne« (Friedrich Wilhelm Weiskern und Johann Andreas Schachtner):
Partie der Bastienne

111 »Ascanio in Alba« (Giuseppe Parini):
Partie der Venere

196 Aus »La finta giardiniera« (Raniero di Calzabigi),
Arie der Sandrina:
»Fern von ihrem Neste«

208 »Il re pastore« (Pietro Metastasio):
Partie der Elisa
Arien der Aminta

344 Aus »Zaide« (Johann Andreas Schachtner),
Arie der Zaide:
»Ruhe sanft mein holdes Wesen«

366 »Idomeneo« (Abate Giambattista Varesco):
Partie der Ilia

384 »Die Entführung aus dem Serail« (Christoph Friedrich Bretzner):
Partie der Konstanze **)
1. Arie des Blondchens

422 »L'oca del Cairo« *****) (Abate Giambattista Varesco):
Partie der Celidora

486 »Der Schauspieldirektor« (Gottlieb Stephanie d. J.):
Partie der Madame Herz
Rondo der Madame Silberklang

492 »Die Hochzeit des Figaro« (Lorenzo da Ponte):
Partie der Gräfin **)
Arien des Cherubino
Arie der Barbarina
Arie der Susanne (»Rosenarie«)
»Deh vieni, non tardar«
Duett Susanna – Graf

527 »Don Giovanni« (Lorenzo da Ponte):
Partie der Donna Elvira *)
Arien der Zerlina
Duett Zerlina – Don Giovanni

620 »Die Zauberflöte« (Emanuel Schikaneder):
Partie der Königin der Nacht
Partie der Pamina
Partie der Papagena

Konzertarien: .... 78 Per pietà bell'idol mio (Pietro Metastasio)
217 Voi avete un cor fedele (Carlo Goldoni)
294 Alcandro, lo confesso (Pietro Metastasio)
369 Misera, dove son! (Pietro Metastasio)
374 A questo seno deh vieni (unbekannt)
383 Nehmt meinen Dank (unbekannt)
418 Vorrei spiegarvi (Pasquale Anfossi)
490 Non più, tutto ascoltai (unbekannt)
578 Alma grande e nobil core (Giuseppe Palomba)
582 Chi sà, chi sà, qual sia (Lorenzo da Ponte)

Lieder: .... »Abendempfindung« (Joachim Heinrich Campe)
»Als Luise die Briefe ihres ungetreuen Liebhabers verbrannte« (Gabriele von Baumberg)
»An Chloë« (Johann Georg Jacobi)
»Das Veilchen« (Johann Wolfgang von Goethe)
»Der Zauberer« (C. F. Weisse)
»Die Alte« (Friedrich von Hagedorn)
»Oiseaux, si tous les ans« (Antoine Ferrard)
»Ridente la calma« (unbekannt)
»Trennungslied« (Klamer Schmidt)
»Un moto di gioia« (Lorenzo da Ponte?)
»Warnung« (unbekannt)
»Wiegenlied« * (Friedrich Wilhelm Gotter)
* wird fälschlicherweise Mozart zugeschrieben. Es ist von Bernhard Flies komponiert.

Müller, Paul (geb. 19.6.1898)

Oratorium: .... »Der Sonnengesang des heiligen Franz von Assisi« (Max Lehrs)

Negro Spirituals

»My Lord what a morning«
»Were you there«
»Deep river«
»Rise up shepard«
»Sometimes I feel like a motherless child«
»Every time the spirit«
»I'm mighty tired«
»Swing low sweet chariot«
»Oh, didn't it rain«
»I got a robe«

Nicolai, Otto (9.6.1810–11.5.1849)

Aus »Die lustigen Weiber von Windsor« (Hermann S. Mosenthal):
Partie der Frau Fluth ***)

Offenbach, Jacques (20.6.1819–5.10.1880)

»Hoffmanns Erzählungen« (Jules Barbier):
Partie der Olympia

Pergolesi, Giovanni Battista (4.1.1710–16.3.1736)

Messe: .... Missa D-Dur
»Stabat mater« (Jacopo de Benedetti)

Kantaten: .... »Adoro te devote«
»Segreto tormento«
»Amor fedele«

Aus »Salve regina«,
Arie: »Et Jesum benedictum«

Pierné, Henri Gabriel (16.8.1863–17.7.1937)

»Der Kinderkreuzzug« (Musikalische Legende) (Marcel Schwob)

Porpora, Nicolo (17.8.1686–3.3.1768)

Arie: »So ben, che la speranza«

Puccini, Giacomo (22.12.1858–29.11.1924)

Aus »La Bohème« (Giuseppe Giacosa und Luigi Illica),
Arie der Mimì: »Mi chiamano Mimì« it./dt.*)

Aus »Madama Butterfly« (Giuseppe Giacosa und Luigi Illica):
Partie der Butterfly it./dt.****)

Aus »Turandot« (Giuseppe Adami und Renato Simoni),
Arien der Liu: »Tu che in ciel« *), »Signore ascolta« *)

Reger, Max (19.3.1873–11.5.1916)

Lied: .... »Wiegenlied« (unbekannt)

Reiff, Lily (21.6.1866–8.5.1958)

Lieder: .... »Biene Maja«
»Ich grüße dich über den See«
»In mir ist Frühling«
»Nur des Jahres einmal«

Rossini, Gioacchino (29.2.1792–13.11.1868)

»Stabat mater«

»Wilhelm Tell« (J. Victor Etienne und L. Fl. Hippolyte Bis): Partie des Gemmy

»Barbier von Sevilla« (Cesare Sterbini): Duett Rosina – Figaro

Scarlatti, Alessandro (2.5.1660–24.10.1725)

Kantaten: .... »Solitudine avvenne«
»Su le sponde del Tebro«

Schibler, Armin (geb. 20.11.1920)

»Der häusliche Psalter«: *****)
1. »Du bist das Meer«
2. »Herr, ich höre dich«
3. »Du brachst, Herr«
7. »Du kommst zu mir«

Schoeck, Othmar (1.9.1886–8.3.1957)

Aus dem Singspiel »Erwin und Elmire« (Johann Wolfgang von Goethe),
Arien der Elmire:
»Erwin, o schau, du wirst gerochen«
»Mit vollen Atemzügen«

Aus »Massimilia Doni« (Armin Rüeger): Brief-Arie

Lieder: .... »Abendlandschaft« (Joseph von Eichendorff)
»Abendlied« (Matthias Claudius)
»Blauer Schmetterling« (Hermann Hesse)
»Das bescheidene Wünschlein« (Carl Spitteler)
»Frühlingsblick« (Nikolaus Lenau)
»Im Herbste« (Ludwig Uhland)
»Mit einem gemalten Bande« (Johann Wolfgang von Goethe)
»Nachruf« (Joseph von Eichendorff)
»Nachtlied« (Joseph von Eichendorff)
»Reiselied« (Joseph von Eichendorff)

Schubart, Christian Friedrich (13.4.1739–10.10.1791)

Lied: .... »Die Henne« (Christian Friedrich Schubart)

Schubert, Franz (31.1.1797–19.11.1828)

Messen: .... Messe in C-Dur
Messe in Es-Dur
Messe in F-Dur
Messe in G-Dur
Messe in As-Dur

»Salve Regina« in A-Dur

Lieder: .... »Abendbilder« (Johann Petrus Silbert)
»Abendlied« (Matthias Claudius)
»Allmacht« (Johann Ladislaus Pyrker von Felsö)
»An die Laute« (Friedrich Rochlitz)
»An die Nachtigall« (Matthias Claudius)
»An die untergehende Sonne« (Ludwig Th. Kosegarten)
»An Silvia« (William Shakespeare)
»Auf dem Wasser zu singen« (Leopold Graf zu Stollberg)
»Ave Maria« (Walter Scott)
»Das Heimweh« (Theodor Hell)
»Das Mädchen« (Friedrich Schlegel)
»Delphine« (Wilhelm von Schütz)
»Der Jüngling an der Quelle« (Johann Gaudenz von Salis-Seewis)
»Der König in Thule« (Johann Wolfgang von Goethe)
»Der Schmetterling« (Friedrich Schlegel)
»Der Wachtelschlag« (Ferdinand Sauter)
»Die Forelle« (Christian Friedrich Schubart)
»Die Gebüsche« (August Wilhelm von Schlegel)
»Du bist die Ruh« (Friedrich Rückert)
»Fischerweise« (Franz von Schlechta)
»Frühlingsglaube« (Ludwig Uhland)
»Frühlingslied« (Ludwig Hölty)
»Frühlingssehnsucht« (Ludwig Rellstab)
»Geheimes« (Johann Wolfgang von Goethe)
»Gott im Frühling« (Johann Peter Uz)
»Gretchen am Spinnrad« (Johann Wolfgang von Goethe)
»Heidenröslein« (Johann Wolfgang von Goethe)
»Im Abendroth« (Karl von Lappe)
»Im Frühling« (Ernst Schülze)
»Klärchens Lied« (Johann Wolfgang von Goethe)
»Lachen und Weinen« (Friedrich Rückert)
»La Pastorella« (Carlo Goldoni)
»Lebensmut« (Ludwig Rellstab)
»Liebesbotschaft« (Ludwig Rellstab)
»Liebe schwärmt auf allen Wegen« (Johann Wolfgang von Goethe)
»Lied der Mignon« (Johann Wolfgang von Goethe)
»Lied im Grünen« (Johann A. F. Reil)
»Nacht und Träume« (Matthäus von Collin)
»Nachthelle« (Johann Gabriel Seidl)
»Nachtviolen« (Johann Mayrhofer)
»Nähe des Geliebten« (Johann Wolfgang von Goethe)
»Pflicht und Liebe« (Friedrich Wilhelm Gotter)
»Schweizerlied« (Johann Wolfgang von Goethe)
»Seligkeit« (Ludwig Hölty)
»Ständchen« (William Shakespeare)
»Suleika« (Johann Wolfgang von Goethe)
»Trauer der Liebe« (Johann Georg Jacobi)
»Vor meiner Wiege« (Karl Gottfried Leitner)
»Wehmut« (Matthäus von Collin)
»Wiegenlied« (Matthias Claudius)
»Die schöne Müllerin« (Zyklus) (Wilhelm Müller)
»Der Hirt auf dem Felsen« (Wilhelm Müller/Helmine v. Chézy)

Schulthess, Walter (24.7.1894–23.6.1971)

Lieder: .... »Der laue Nachtwind«
»Wiegenlied«

SCHUMANN, ROBERT (8.6.1810–29.7.1856)

Duette: .... Duette für Sopran und Alt:
»An den Abendstern« (Elisabeth Kulmann)
»Bedeckt mich mit Blumen«
»In der Nacht«
»Schön Blümlein« (Robert Reinick)
»Wenn ich ein Vöglein wär« (unbekannt)

Lieder: .... »Aufträge« (Christian L'Egru)
»Der Nußbaum« (Julius Mosen)
»Der Sandmann« (H. Kletke)
»Die Lotosblume« (Heinrich Heine)
»Jasminenstrauch« (Friedrich Rückert)
»Kinderwacht« (»Fliegendes Blatt«)
»Marienwürmchen« (»Des Knaben Wunderhorn«)
»Mondnacht« (Joseph von Eichendorff)
»O ihr Herren« (Friedrich Rückert)
»Schneeglöckchen« (Friedrich Rückert)
»Stille Liebe« (Justinus Kerner)
»Wenn ich früh in den Garten geh« (Friedrich Rückert)
»Widmung« (Friedrich Rückert)
»Frauenliebe und -leben«, Opus 42 (Adalbert von Chamisso) (Zyklus)

SCHÜTZ, HEINRICH (14.10.1585–6.11.1672)

Oratorium: .... Weihnachtsoratorium

STRAUSS, JOHANN (Sohn) (25.10.1825–3.6.1899)

Aus »Die Fledermaus« (R. Genée und C. Haffner),
Arien der Adele:
»Spiel ich die Unschuld vom Lande«
»Mein Herr Marquis«

»Frühlingsstimmen-Walzer« (Richard Genée)
»Kaiser-Walzer«
»An der schönen blauen Donau« (J. Weyl)

STRAUSS, RICHARD (11.6.1864–8.9.1949)

Aus »Ariadne auf Naxos« (Hugo von Hofmannsthal),
Arie der Zerbinetta:
»Großmächtige Prinzessin«

Lieder: .... »Die Nacht« (Hermann von Gilm)
»Für fünfzehn Pfennige« (»Des Knaben Wunderhorn«)
»Morgen« (John Henry Mackay)
»Ständchen« (Adolf Friedrich von Schack)
»Zueignung« (Hermann von Gilm)

SUTER, HERMANN (28.4.1870–22.6.1926)

»Le Laudi di San Francesco d'Assisi«

Festspiel St. Jakob an der Birs
Riehener Festspiel

SUTERMEISTER, HEINRICH (geb. 12.8.1910)

Missa da Requiem

Aus »Romeo und Julia« (nach William Shakespeare), Arie der Julia: »Ich reise weit«

TELEMANN, GEORG PHILIPP (14.3.1681–25.6.1767)

»Inno«, Kantate für Sopran und Orchester *****)

Lied: .... »Die rechte Stimmung«

VERDI, GIUSEPPE (10.10.1813–27.1.1901)

Requiem

Aus »Rigoletto« (Francesco Maria Piave), Arie der Gilda: »Caro nome«

»La Traviata« (Francesco Maria Piave): Partie der Violetta ****)

VIVALDI, ANTONIO (4.3.1678–28.7.1741)

»Gloria«

WEBER, CARL MARIA VON (18.11.1786–5.6.1826)

Aus »Der Freischütz« (Friedrich Kind),
Arien des Ännchens:
»Einst träumte meiner sel'gen Base«
»Kommt ein schlanker Bursch gegangen«

Weihnachtslieder

WEINGARTNER, FELIX (2.6.1863–5.5.1942)

»Schneewittchen« (Otto Maag), nach Kompositionen von Franz Schubert: Partie des ersten Zwerges

WOLF, HUGO (13.3.1860–22.2.1903)

Lieder: .... »Agnes« (Eduard Mörike)
»Auch kleine Dinge können uns entzücken« (aus dem Italienischen; dt. von Paul Heyse)
»Das verlassene Mägdlein« (Eduard Mörike)
»Der Gärtner« (Eduard Mörike)
»Der Knabe und das Immlein« (Eduard Mörike)
»Elfenlied« (Eduard Mörike)
»Er ist's« (Eduard Mörike)
»Herr schicke was du willt« (Eduard Mörike)
»In dem Schatten meiner Locken« (aus dem Spanischen; dt. von Geibel und Heyse)
»In der Frühe« (Eduard Mörike)
»Mausfallensprüchlein« (Eduard Mörike)
»Wie glänzt der helle Mond« (Gottfried Keller)
»Zitronenfalter im April« (Eduard Mörike)

Zentner, Johannes (geb. 27.1.1903)

Lieder: .... »Herbst«
»Mich jagt die Ungeduld«

Zimmermann, Alvin (?)

»Das verlorene Herzchen«
Eine unmusikalische Legende:
Partie des Christkindleins

Anmerkungen:

Die in Klammern gesetzten Namen nach den Werken beziehen sich auf die Textautoren. Die Fragezeichen nach den Namen der Textdichter sind authentisch. Die Autorenschaft wird angezweifelt.

*) ausschließlich auf Platten eingesungen
**) einzelne Arien öffentlich, Gesamtpartie ausschließlich auf Platten eingesungen
***) Querschnitt ausschließlich auf Platten eingesungen
****) einzelne Arien öffentlich, weitere Arien und Ensembles ausschließlich auf Platten eingesungen
*****) ausschließlich Radioaufnahme

SCHALLPLATTENVERZEICHNIS

zusammengestellt von Hans E. Greiner

78 UpM. »His Master's Voice«, red Seal

Mozart, Wolfgang Amadeus

»Nozze di Figaro«: Zwei Arien des Cherubin »Non so più cosa son« »Voi che sapete«	DA 6026
Il rè pastore: »L' amerò, sarò costante« »Alleluja«, aus »Exsultate, jubilate«	DB 10111
»Vorrei spiegarvi, oh Dio« (KV 418)	DB 10145
Regina coeli: »Ora pro nobis« (KV 108) »Voi avete un cor fedele« (KV 217)	DB 10146
»Nehmt meinen Dank« (KV 383) »Per pièta, bell' idol mio« (KV 78)	DB 10147

Langspielplatten

Concert Hall

Bach, Johann Sebastian

Magnificat in D-Dur	mit Nedda Casei, Waldemar Kmentt Federico Davia Chor und Orchester der Wiener Staatsoper unter Jean Marie Auberson	M-2399
Kantate BWV 57 »Selig ist der Mann«	mit Heinz Rehfuss Orchester der Wiener Staatsoper unter Jean Marie Auberson	M-2399

Beethoven, Ludwig van

Symphonie Nr. 9 in d-Moll	mit Sophie van Sante, Eric Tappy Franz Crass Toonkunstkoor Amsterdam Residenz-Orchester Den Haag unter Willem van Otterloo	M-2400

Mozart, Wolfgang Amadeus

Vesperae de Dominica KV 321	mit Lore Fischer, Ernst Haefliger, Hermann Schey, Arthur Baum, Orgel Reinhart-Chor Zürich Stadtorchester Winterthur unter Walther Reinhart	CHS-1083

Große Messe in c-Moll KV 427	mit Nedda Casei, Waldemar Kmentt, Heinz Rehfuss Chor der Staatsoper Wien Festspielorchester Wien unter Jean Marie Auberson	M-2376

The Musical Masterpiece Society

Bach, Johann Sebastian

Magnificat in D-Dur	mit Elsa Cavelti, Ernst Haefliger, Hermann Schey Reinhart-Chor Zürich Gemischter Chor Winterthur Stadtorchester Winterthur unter Walther Reinhart	MMS 31

Telefunken

Mozart, Wolfgang Amadeus

Requiem, KV 626	mit Hertha Töpper, John van Kesteren, Karl Kohn. Münchener Bach-Chor Münchener Bach-Orchester unter Karl Richter	SLT 43059

Columbia

Bruckner, Anton

Te Deum	mit Helen Vanni, Stanley Kolk, Donald Gramm Temple University Choirs The Philadelphia Orchestra unter Eugene Ormandy	M2L368 Mono M2S768 Stereo

Schibler, Armin

»Der häusliche Psalter« Opus 13	mit Hans Erismann, Klavier	Col. LZX 15

Westminster

Beethoven, Ludwig van

»Christus am Ölberg« Oratorium Opus 85	mit Jan Peerce, Otto Wiener Wiener Akademiechor Orchester der Wiener Staatsoper unter Hermann Scherchen	WST-17033
»Fidelio« (Gesamtaufnahme)	Partie der Marzelline mit Sena Jurinac, Jan Peerce, Gustav Neidlinger, Dezsö Ernster, Murray Dickie, Frederick Guthrie Chor der Bayerischen Staatsoper Bayerisches Staatsorchester München unter Hans Knappertsbusch	WST-479066-68A

»Maria Stader Liederrecital« (mit Jörg Demus, Klavier) WST-17029

Schumann: »Frauenliebe und -leben« Opus 42
– Seit ich ihn gesehen
– Er, der Herrlichste von allen
– Ich kann's nicht fassen
– Du Ring an meinem Finger
– Helft mir, ihr Schwestern
– Süßer Freund, du blickest
– An meinem Herzen
– Nun hast du mir den ersten Schmerz getan

Mozart: An Chloe
Oiseaux, si tous les ans
Ridente la calma
Un moto di gioia
Das Veilchen

Schubert: Gretchen am Spinnrade
Nachtviolen
Der Schmetterling
Frühlingslied
Schweizerlied

Pelca

Bach, Johann Sebastian

Kantate BWV 199
»Mein Herze schwimmt in Blut«
Kantate BWV 209
»Non sa che sia dolore«

Kölner Kammerorchester
unter Helmut Müller-Brühl — PSR 40004 st

Philips

Huber, Hans

Aus dem Festspiel der Kleinbasler Gedenkfeier
Aus dem Riehener Festspiel — N 00738 R

Suter, Hermann

Festspiel St. Jakob an der Birs
Riehener Festspiel

mit Ferry Gruber, Derrik Olsen, Basler Liedertafel, Basler Gesangsverein, Knabenchor, Orchester der Basler Orchestergesellschaft unter Hans Münch

Deutsche Grammophon Gesellschaft/Archiv Produktion

Bach, Johann Sebastian

Kantate BWV 51
»Jauchzet Gott in allen Landen«
Kantate BWV 202
»Weichet nur, betrübte Schatten«

Münchener Bach-Orchester
unter Karl Richter — 14144 APM, 198027 SAPM

Magnificat in D-Dur

mit Hertha Töpper,
Ernst Haefliger, Dietrich Fischer-Dieskau
Münchener Bach-Chor
Münchener Bach-Orchester unter Karl Richter — 195078

Hohe Messe in h-Moll

mit Hertha Töpper, Ernst
Haefliger, Kieth Engen,
Dietrich Fischer-Dieskau
Münchener Bach-Chor
Münchener Bach-Orchester unter Karl Richter — 14190/2, 198190/2

HÄNDEL, GEORG FRIEDRICH

Passion nach Barthold Heinrich Brockes' Dichtung »Der für die Sünde der Welt gemarterte und sterbende Jesus«	mit Edda Moser, Paul Esswood, Ernst Haefliger, Jerry J. Jennings, Theo Adam, Jakob Stämpfli Regensburger Domchor Schola Cantorum Basiliensis unter August Wenzinger	SAPM 198 418-420

DEUTSCHE GRAMMOPHON GESELLSCHAFT

BEETHOVEN, LUDWIG VAN

»Missa solemnis« Opus 123	mit Marianna Radev, Anton Dermota, Josef Greindl, Chor der St.-Hedwigs-Kathedrale Berliner Philharmoniker unter Karl Böhm	18232/33 18224/25

BIZET, GEORGES

»Carmen«, Querschnitt dt.	Partie der Micaela mit Oralia Dominguez, Josef Simandi, Josef Metternich u. a. Chor der Bayerischen Staatsoper Bayerisches Staatsorchester unter Ferenc Fricsay	136032 SLPEM
»Carmen«	Arie der Micaela Radio-Sinfonie-Orchester Berlin unter Gustav König	dt. 30290 frz. 30291

BRAHMS, JOHANNES

»Ein deutsches Requiem«	mit Otto Wiener Chor der St.-Hedwigs-Kathedrale Berliner Motettenchor Berliner Philharmoniker unter Fritz Lehmann	18238/39 18258/59

BRUCKNER, ANTON

Messe Nr. 3 in f-Moll	mit Claudia Hellmann, Ernst Haefliger, Kim Borg Anton Nowakowski, Orgel Chor und Symphonie-Orchester des Bayerischen Rundfunks unter Eugen Jochum	138829 SLPM
Te Deum	mit Sieglinde Wagner, Ernst Haefliger, Peter Lagger Chor der Deutschen Oper Berlin Berliner Philharmoniker unter Eugen Jochum	139117
150. Psalm	Chor der Deutschen Oper Berlin Berliner Philharmoniker unter Eugen Jochum	2707005

DVOŘÁK, ANTONIN

Requiem	mit Sieglinde Wagner, Ernst Haefliger, Kim Borg Tschechischer Sängerchor Prag Tschechische Philharmonie Prag unter Karel Ançerl	2707005

GLUCK, CHRISTOPH WILLIBALD

»Orpheus und Euridike« (Gesamtaufnahme)	Partie der Euridike mit Rita Streich, Dietrich-Fischer Dieskau	18343/44 18345/46

RIAS-Kammerchor
Radio-Sinfonie-Orchester Berlin unter
Ferenc Fricsay

GOUNOD, CHARLES

»Margarethe« — dt./frz. — Arien der Margarethe — 32067/32068
Symphonie-Orchester des Bayerischen Rundfunks
unter Leopold Ludwig

dt./frz. — Opernquerschnitt — 32328/30374
Partie der Margarethe
mit Dagmar Naaff, Eberhard Wächter, Kim Borg,
Heinz Hoppe
Chor des Bayerischen Rundfunks
Münchener Philharmoniker unter Ferdinand Leitner

»Romeo und Julia« — dt./frz. — Walzer der Julia — 32146/32147
Symphonie-Orchester des Bayerischen Rundfunks
unter Leopold Ludwig

HAYDN, JOSEPH

Cäcilien-Messe — mit Marga Hoeffgen, — 18545/46
Richard Holm, Josef Greindl
Chor und Symphonie-Orchester des Bayerischen
Rundfunks unter Eugen Jochum

Nelson-Messe — mit Claudia Hellmann, — 39195/139195
Ernst Haefliger, Victor von Halem
Budapester Chor
Staatliches Ungarisches Symphonie-Orchester
unter Janos Ferençsik

»Die Jahreszeiten«
(Konzertmitschnitt) — mit Ernst Haefliger, Josef Greindl — 2721170
Chor der St.-Hedwigs-Kathedrale
Radio-Sinfonie-Orchester Berlin unter
Ferenc Ficsay

LORTZING, ALBERT

»Der Wildschütz« — Arie der Baronin — 17088
Münchener Philharmoniker unter Leopold Ludwig

MASSENET, JULES

»Manon« — frz./dt. — »Mein Tischchen, ich muß
von dir nun scheiden« — 17088/32060
»Ja, überall bin ich bekannt«
Münchener Philharmoniker unter Ferdinand Leitner

MOZART, WOLFGANG AMADEUS

»Die Entführung aus dem Serail«
(Gesamtaufnahme) — Partie der Konstanze mit — 18184/85
Rita Streich, Ernst Haefliger, — 18197/98
Josef Greindl u. a.
RIAS-Kammerchor
Radio-Sinfonie-Orchester Berlin unter
Ferenc Fricsay

»Le Nozze di Figaro«
(Gesamtaufnahme) — Partie der Gräfin — 18697/99
mit Irmgard Seefried, — 138697/99
Hertha Töpper, Renato Capecchi, Dietrich
Fischer-Dieskau u. a.
RIAS-Kammerchor
Radio-Sinfonie-Orchester Berlin unter Ferenc
Fricsay

Werk	Sprache	Aufnahme	Nr.
	dt.	Opernquerschnitt mit Hanny Steffek, Rita Streich, Dietrich Fischer-Dieskau, Walter Berry Berliner Philharmoniker unter Ferdinand Leitner	19406
	dt./it.	Arien des Cherubin Symphonie-Orchester des Bayerischen Rundfunks unter Leopold Ludwig	19066/32125
	dt.	»Endlich naht sich die Stunde« Arie der Susanne Symphonie-Orchester des Bayerischen Rundfunks unter Leopold Ludwig	19066
»Don Giovanni« (Gesamtaufnahme)		Partie der Donna Elvira mit Sena Jurinac, Irmgard Seefried, Ernst Haefliger, Dietrich Fischer-Dieskau, Karl Kohn u. a. RIAS-Kammerchor Radio-Sinfonie-Orchester Berlin unter Ferenc Fricsay	18580/82 138050/52
		Zwei Arien der Zerline »Schmäle, tobe« »Wenn du fein fromm bist« Symphonie-Orchester des Bayerischen Rundfunks unter Fritz Lehmann	30266
»Die Zauberflöte« (Gesamtaufnahme)		Partie der Pamina mit Rita Streich, Ernst Haefliger, Dietrich Fischer-Dieskau, Josef Greindl u. a. RIAS-Kammerchor Radio-Sinfonie-Orchester Berlin unter Ferenc Fricsay	18264/66 18267/69
Große Messe in c-Moll KV 427		mit Hertha Töpper, Ernst Haefliger, Ivan Sardi Chor der St.-Hedwigs-Kathedrale Radio-Sinfonie-Orchester Berlin unter Ferenc Fricsay	18624/138124
Messe Nr. 14 in C-Dur KV 317 »Krönungsmesse«		mit Sieglinde Wagner, Helmut Krebs, Josef Greindl Chor der St.-Hedwigs-Kathedrale Berliner Philharmoniker unter Igor Markevitsch	16096/138131
		mit Oralia Dominguez, Ernst Haefliger, Michel Roux Chorales Elisabeth Brasseur Orchestre Lamoureux Paris unter Igor Markevitsch	2535148
»Exsultate, jubilate«		Radio-Sinfonie-Orchester Berlin unter Ferenc Fricsay	17027

Mozart-Sammelplatten

»Maria Stader singt Mozart (Kirchen-Arien)«

Werk	Aufnahme	Nr.
»Laudate dominum« aus »Solemnes de Confessore«, KV 339 »Et incarnatus est« aus der »c-Moll-Messe«, KV 427 »Laudate dominum« aus »De Dominica«, KV 321 »Agnus dei« aus »Litaniae laurataniae«, KV 195	RIAS-Kammerchor Radio-Sinfonie-Orchester Berlin unter Gustav König	17110

»Maria Stader singt Mozart-Arien«

Drei Arien aus »Il re pastore«: Arie der Aminta: »Aer tranquillo« Arien der Elisa: »Barbaro! Oh Dio!« »Alla selva, al prato« »Chi sà, chi sà, qual sia«, KV 582 »Nehmt meinen Dank«, KV 383 »Voi avete un cor fedele«, KV 217 »Vorrei spiegarvi«, KV 418 Zwei Arien aus »Idomeneo«: »Zeffiretti lusinghieri«: »Se il padre perdei«		Camerata Academica des Mozarteums Salzburg unter Bernhard Paumgartner	136369 19369

Mozart-Arien

»Alma grande e nobil core« KV 578 »Un moto di gioia« KV 579 »Misera, dove son« KV 369		Symphonie-Orchester des Bayerischen Rundfunks unter Fritz Lehmann	30458

Nicolai, Otto

»Die lustigen Weiber von Windsor«		Opernquerschnitt Partie der Frau Fluth mit Margarete Klose, Anny Schlemm, Eberhard Wächter, Walther Ludwig, Kim Borg Chor und Symphonie-Orchester des Bayerischen Rundfunks Münchener Philharmoniker Württembergisches Staatsorchester Stuttgart unter Ferdinand Leitner	89648

Puccini, Giacomo

»Madame Butterfly«	dt./it.	Opernquerschnitt Partie der Butterfly mit Hertha Töpper, Cornelis van Dyck Münchener Philharmoniker unter Heinrich Hollreiser	17016 17017
»La Bohème«	dt./it.	Arie der Mimì Radio-Sinfonie-Orchester Berlin unter Gustav König	30290 30291
»Turandot«	dt./it.	Zwei Arien der Liù »Höre mich an, Herr« »Du, von Eis umgürtet« Radio-Sinfonie-Orchester Berlin unter Gustav König	30469 30470

Rossini, Gioacchino

»Stabat mater«		mit Marianna Radev, Ernst Haefliger, Kim Borg RIAS-Kammerchor Chor der St.-Hedwigs-Kathedrale Radio-Sinfonie-Orchester Berlin unter Ferenc Fricsay	18203/04

Scarlatti, Alessandro

»Su le sponde del Tebro« (Solokantate)		Münchener Bach-Orchester unter Karl Richter	19261

Schubert, Franz

Messe in As-Dur		mit Marga Hoeffgen, Ernst Haefliger, Hermann Uhde	139108

Regensburger Domchor
Symphonie-Orchester des Bayerischen Rundfunks
unter Georg Ratzinger

Verdi, Giuseppe

Requiem — mit Marianna Radev, Helmut Krebs, Kim Borg, RIAS-Kammerchor, Chor der St.-Hedwigs-Kathedrale, RIAS-Symphonie-Orchester Berlin unter Ferenc Fricsay — 18155

(Konzertmitschnitt) — mit Oralia Dominguez, Gabor Carelli, Ivan Sardi, Chor der St.-Hedwigs-Kathedrale, Radio-Sinfonie-Orchester Berlin unter Ferenc Fricsay — 2721171

»La Traviata« dt. — Kurzoper, Partie der Violetta, mit Ernst Haefliger, Lawrence Winters u. a., Chor und Symphonie-Orchester des NDR unter Hans Schmidt-Isserstedt — 19139/136005

Vivaldi, Antonio

»Gloria« — mit Alberta Pellegrini, Anna Maria Rota, Orchestra e Coro del Maggio Musicale Fiorentino unter Bruno Bartoletti — 18788

Diverse Sammelplatten

»Maria Stader singt aus Oratorien« 135063

Bach

»Zerfließe, mein Herze« aus »Johannes-Passion«
»Ich will dir mein Herze schenken«
»Aus Liebe will mein Heiland sterben« aus »Matthäus-Passion«

Münchener Bach-Orchester
unter Karl Richter

Händel

»Er weidet seine Herde«
»Ich weiß, daß mein Erlöser lebet«
aus »Der Messias«
»O hätt' ich Jubals Harf'« aus »Josua«

Haydn

»Nun beut die Flur«
»Auf starkem Fittiche« aus »Die Schöpfung«
»Willkommen jetzt« aus »Die Jahreszeiten«

Mendelssohn

»Höre, Israel« aus »Elias«

»Liederabend mit Maria Stader« 19136

Schubert

La Pastorella
Seligkeit
Du bist die Ruh

Karl Engel, Klavier
Rudolf Gall, Klarinette

Die Forelle
Der Hirt auf dem Felsen

MENDELSSOHN

Es weiß und rät es doch keiner
Schilflied
Neue Liebe
Nachtlied
Wanderlied

SCHOECK

Das bescheidene Wünschlein
Mit einem gemalten Band
Nachruf
Reiselied

»IN DULCI JUBILO« 136266

Maria Stader
singt europäische Weihnachtslieder

Münchner Chorbuben
Instrumentalvereinigung
Hedwig Bilgram, Orgel

MARIA STADER, NEHMT MEINEN DANK Ex Libris XL 175529

PORTRÄT EINER GROSSEN SÄNGERIN

Langspielplatte mit 15 Musikstücken von Bach (2), Gluck (1), Gounod (1), Händel (1), Haydn (1), Mendelssohn-Bartholdy (1), Mozart (6, darunter: »Nehmt meinen Dank, ihr holden Gönner«, »Alleluja« aus »Exsultate, jubilate«) und Schubert (2).

NAMENREGISTER

Die kursiv gesetzten Ziffern beziehen sich auf den Bildteil

INHALT

Heute

Erinnerungen an die Kindheit

Der lange Weg zum Erfolg

Musik ist mein Leben

BILDTEILE

ANHANG

7-2-5-7-9